新・明解 Javaで学ぶアルゴリズムとデータ構造

第2版

柴田望洋
BohYoh Shibata

SB Creative

はじめに

こんにちは。

本書『**新・明解 Javaで学ぶアルゴリズムとデータ構造 第2版**』は、Javaで実装した豊富なプログラム例を通じて、アルゴリズムとデータ構造の基礎を学習するためのテキストです。

おそらく本書を手に取ったみなさんは、Javaについて、それなりの知識をおもちでしょう。

それでは、Javaそのものの学習に加えて、アルゴリズムとデータ構造の学習が必要なのは、どうしてなのでしょう。その理由の一つが、次に示すような問題に直面した際に、問題を素早く解決する能力を身につけるためです。

- データの集合の中に、ある特定の値が入っているかどうかを調べたい。
- 配列の要素を小さいほうから順に並べたい。
- データの集合に対して、データを素早く探索／挿入／削除したい。

本書では、**基本的なアルゴリズムとデータ構造**にはじまって、目的とするデータを見つける**探索**、データの並びを一定の順序で並びかえる**ソート**、データを一時的に蓄えるためのデータ構造である**スタック**と**キュー**、各種の**再帰的アルゴリズム**、**線形リスト**、**2分探索木**などを学習します。

学習にあたっては、論理的な思考能力が要求されます。そのため、難しい理論や概念を視覚的なイメージで理解できるように、217点もの図表を示しています。また、すべての解説を見開きの2ページ単位とすることによって、図表やプログラムと対比しながら解説を読み進めていただけるように工夫しています。

本書は、アルゴリズムやデータ構造を、ただ“紹介する”だけの本ではありません。厳選されたアルゴリズムとデータ構造の基礎を学習した上で、**それを使った実用的なプログラムを作る技術を身につけるための本です。**本書に示している102編ものプログラムは、アルゴリズムやデータ構造を紹介するための、単なる“サンプル”ではなく、実際に動作するものばかりです。

すべてのプログラムを読破して、全84問の演習問題をすべて解けば、相当なコーディング能力が身につくでしょう。

本書を活用していただければ幸いです。

2020年10月

柴田 望洋

本書を読み進めるために

本書は、次に示す、九つの章で構成されます。

第１章　基本的なアルゴリズム
第２章　基本的なデータ構造
第３章　探索
第４章　スタックとキュー
第５章　再帰的アルゴリズム
第６章　ソート
第７章　文字列探索
第８章　線形リスト
第９章　木構造と２分探索木

学習にあたっては、各章を順に理解していくのが基本です。

たとえば、第１章と第２章は、タイトルが**『基本的な〜』**となっています。それ以降のすべての章の基礎ですので、特にしっかりと学習する必要があります。

また、第３章の最初に学習する**「線形探索」**は、それ以降の多くの章で応用されます。第４章の最初に学習する**「スタック」**は、第５章と第６章のアルゴリズムやデータ構造で利用します。

なお、学習の順序が逆となる箇所があります。第３章の**「ハッシュ法」**では、第８章の知識が必要となりますし、第６章の**「ヒープソート」**では、第９章の知識が必要となります。

▶　本書の初版は、全10章構成でした。今回の第２版への改訂にあたって、『集合』の章を削除しています。削除した『集合』の章は、右ページでお知らせするサイトで、初版のPDFがダウンロードできます。必要であれば、ご利用いただくとよいでしょう。

さて、本書を読み進めるにあたっては、次の点に注意が必要です。

■ Javaについて

本書は、Javaに関しての基礎的な知識をおもちであることを前提としています。

学習を進める上で、本書で学習するアルゴリズムやデータ構造そのものではなく、基本的なプログラミングの用語や、Javaのコード（プログラム）などを十分に理解できないのであれば、基本に戻ってJavaそのものの学習をしていただく必要があります。

■ 逆斜線記号＼と円記号￥の表記について

Javaのプログラムで頻繁に使われる逆斜線記号＼は、**環境によっては**円記号￥に置きかえられます。みなさんの環境にあわせて、読みかえるようにしましょう。

■ 数字文字ゼロの表記について

数字のゼロは、中に斜線が入った文字 "Ø" で表記して、アルファベット大文字の "O" と区別しやすくしています。ただし、章・節・図表・ページなどの番号や、年月の表記などのゼロには、斜線のない 0 を使っています。

また、数字の1（いち）、小文字のl（エル）、大文字のI（アイ）、記号文字の|（たてせん）も、識別しやすい文字を使って表記しています。

■ ソースプログラムについて

本書では、102編のプログラムを参照しながら学習を進めていきます。すべてのソースプログラムは、次のサイトでダウンロードできますので、ご活用ください。

柴田望洋後援会オフィシャルホームページ　　http://www.bohyoh.com/

なお、掲載しているプログラムの別解や、少し変更を加えただけのプログラムなどは、一部あるいはすべてを割愛しています。本書に（リスト番号を与えて）示しているソースプログラムは **94編**で、**8編**は一部あるいはすべてを割愛しています。

なお、掲載を割愛しているプログラムリストに関しては、（`"chap99/****.java"`）という形式で、フォルダ名を含むファイル名を明記しています（もちろん、ダウンロードプログラムには、割愛したプログラムもすべて含まれています）。

■ 演習問題について

学習するアルゴリズムとデータ構造の知識を応用して、みなさんのプログラミング力（りょく）を高められるよう、本書では、84 問の演習問題を出題しています。本書の全演習問題を軽々と解けるようになれば、かなりの実力が身につくはずです。

なお、演習問題の解答プログラムも、上記のホームページで公開しています。

■ 索引について

私の他の本と同様に、とても充実した索引を用意しています。

たとえば、**クラス型変数**という用語は、『**クラス**』の見出し、『**型**』の見出し、『**変数**』の見出しのいずれからでも引けるようになっています。

▶ 上記のサイトでは、本書の『**目次**』と『**索引**』の PDF もダウンロードできます。
　おもちのプリンタで印刷しておけば、本書内の調べものがスムーズに行えるようになります（目次や索引と、本文とを行き来するためにページをめくらなくてすみます）。

目次

第１章

基本的なアルゴリズム

- アルゴリズムとは
- 順次と分岐
- ３値の最大値
- フローチャート（流れ図）
- 繰返し（前判定と後判定）
- １からｎまでの総和
- 正の値の読込み
- 九九の表示
- 三角形の表示

1-1 アルゴリズムとは

本節では、短く単純なプログラムを題材として、《アルゴリズム》とは何かを理解するとともに、その定義を学習します。

3値の最大値

まず最初に、**"そもそもアルゴリズム**（algorithm）**とは何か?"** を、単純で短いプログラムを例に考えていきましょう。題材として取り上げる **List 1-1** は、**三つの値の《最大値》を求めるプログラム**です。

最初に、キーボードから読み込んだ値が、変数 a, b, c に入れられます。その後、それら3値の最大値が変数 max に求められて表示されます。

まずは、プログラムを実行して、動作を確認しましょう。

List 1-1 chap01/Max3.java

```
// 三つの整数値を読み込んで最大値を求めて表示

import java.util.Scanner;

class Max3 {

  public static void main(String[] args) {
    Scanner stdIn = new Scanner(System.in);

    System.out.println("三つの整数の最大値を求めます。");
    System.out.print("aの値："); int a = stdIn.nextInt();
    System.out.print("bの値："); int b = stdIn.nextInt();
    System.out.print("cの値："); int c = stdIn.nextInt();

    int max = a;                 ←1
    if (b > max) max = b;        ←2
    if (c > max) max = c;        ←3

    System.out.println("最大値は" + max + "です。");
  }
}
```

実行例

```
三つの整数の最大値を求めます。
aの値：1↵
bの値：3↵
cの値：2↵
最大値は3です。
```

さて、変数 a, b, c の最大値を max として求めるのが、プログラムの1～3です。最大値を求める手順は、次のようになっています。

1 max に a の値を入れる。
2 b の値が max よりも大きければ、max に b の値を入れる。
3 c の値が max よりも大きければ、max に c の値を入れる。

三つの文が並んでいて、それらが順番に実行されます。複数の処理が順番に実行される構造は、**順次**（じゅんじ）（concatenation）構造と呼ばれます。

さて、1は単純な代入ですが、2と3は if 文です。( ) の中に置かれた**式の評価結果**に応じてプログラム実行の流れを変更する if 文は、**選択**（せんたく）（selection）構造と呼ばれます。

Column 1-1　キーボードからの数値・文字列の読込み（その1）

キーボードからの数値・文字列の読込みには、いくつかの手続きが必要です。そのテクニックは高度ですから、《決まり文句》として覚えておくとよいでしょう。

ここでは、**Fig.1C-1** を見ながら、要点を理解していきます。

```
import java.util.Scanner;
class A {
  public static void main(String[] args) {
    Scanner stdIn = new Scanner(System.in);
    stdIn.nextInt()
  }
}
```

❶プログラムの先頭（クラス宣言より前）に置く

❷main メソッドの先頭（読込みを行う❸よりも前）に置く

❸キーボードから読み込んだ整数値が得られる

Fig.1C-1　キーボードからの読込みを行うコード

各部分の概要は、次のとおりです。

❶ `java.util` パッケージに所属する `Scanner` クラスを単純名で利用するための型インポート宣言です。プログラムの先頭（クラス宣言より前）に置きます。

※『型インポート宣言』と『単純名』については、**Column 3-1**（p.73）で学習します。

❷ `main` メソッドの先頭（読込みを行う❸より前）に置きます。`System.in` は、キーボードと結び付くストリームである**標準入力ストリーム**（standard input stream）です。

❸ キーボードから `int` 型の整数値を読み込む部分であり、このメソッド呼出し式 `stdIn.nextInt()` の**評価**（**Column 1-3**：p.7）によって、キーボードから読み込んだ《値》が得られます。

キーボードから読み込んだ整数値を変数に格納する様子を示したのが、**Fig.1C-2** です。

入力する値は、`int` 型で表現できる範囲 `-2,147,483,648` ～ `2,147,483,647` に収まっている必要があります。また、アルファベットや記号文字などを打ち込んではなりません。

キーボードと結び付いた標準入力ストリーム `System.in` から文字や数値を取り出す**《抽出装置》**を表す変数が `stdIn` です。`stdIn` という変数名は、他の名前に変更しても構いません（その場合は、プログラム中のすべての `stdIn` を変更します）。

List 1-1 では、変数 `a`, `b`, `c` の宣言の初期化子で❸を利用しています。そのため、三つの変数は、いずれもキーボードから読み込まれた整数値で初期化されます。

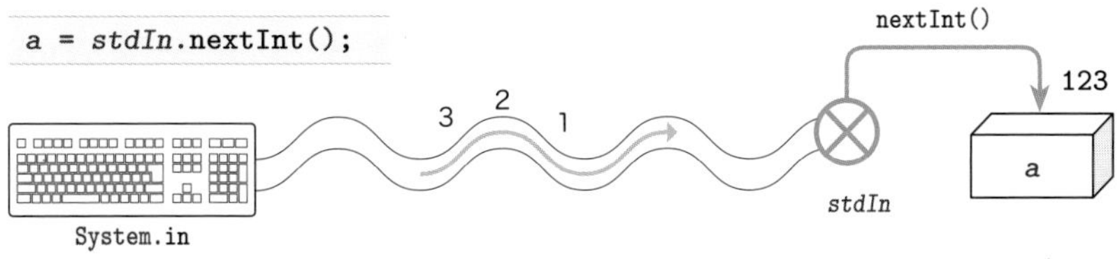

Fig.1C-2　キーボードからの読込み

3値の最大値を求める手続きを図で表したのが、**Fig.1-1** です。

プログラムの流れや構造を表す図には、いろいろな種類があります。ここで使っているのは、**流れ図＝フローチャート**（flowchart）と呼ばれる図です。

▶ フローチャートの主要な記号は p.12 でまとめて学習します。

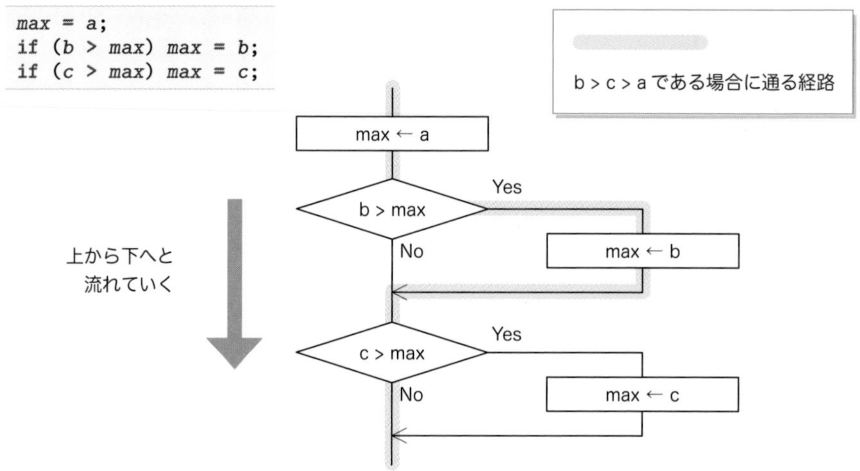

Fig.1-1　3値の最大値を求めるアルゴリズムの流れ図

プログラムの流れは、黒線 ── に沿って上から下へと向かい、その過程で □ 内の処理が実行されます。

ただし、◇ を通過する際は、その中に記された《**条件**》の評価結果に応じて、Yes と No の**いずれか一方**をたどります。そのため、条件 `b > max` や条件 `c > max` が成立すれば（すなわち、式 `b > max` や式 `c > max` を**評価**した値が `true` であれば）、Yes と書かれた**右側**に進み、そうでなければ（`false` であれば）No と書かれた**下側**に進みます。

▶ 本書では、`if` 文や `while` 文などの条件判定のために置かれる `()` 中の式を、**制御式**（せいぎょしき）と呼びます。

プログラムの流れは、二つの分岐のいずれか一方を通るため、`if` 文によるプログラムの流れの分岐は、**双岐選択**（そうき）と呼ばれます。

なお、□ 内の矢印記号 ← は、値の代入を表します。たとえば "`max ← a`" は、

変数 `a` の値を変数 `max` に代入せよ。

という指示です。

▶ **List 1-1** 内の宣言 "`int max = a;`" で行われるのは、変数を作る際に値を入れる《**初期化**》です。また、**Fig.1-1** の "`max = a;`" で行われるのは、既に作られている変数に値を入れる《**代入**》です。
初期化と代入は、まったく異なるものですが、本書の解説では、厳密に区別する必要がない文脈に限り、両者をまとめて "代入" と呼んでいます。

p.2 に示した実行例のように、変数 a, b, c に対して 1, 3, 2 を入力すると、プログラムの流れはフローチャート上の水色の線 の経路をたどります。

それでは、他の値を想定して、フローチャートをなぞってみましょう。

Fig.1-2 に示すように、変数 a, b, c の値が、1, 2, 3 や 3, 2, 1 であっても、最大値を求められます。さらに、三つの値が 5, 5, 5 とすべて等しかったり、1, 3, 1 と二つが等しくても、正しく最大値を求められます。

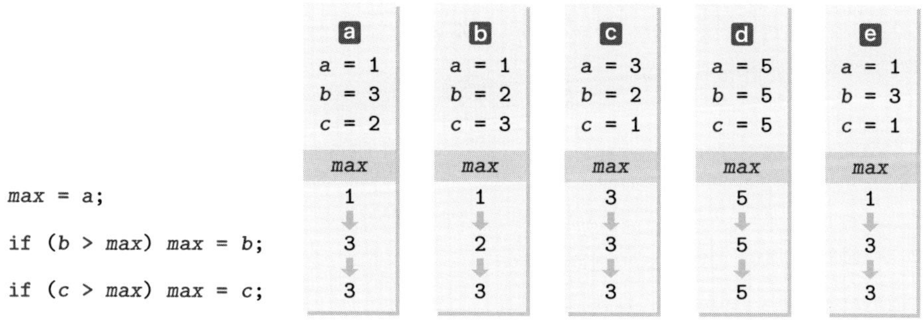

Fig.1-2　3値の最大値を求める過程における変数 max の値の変化

三つの変数 a, b, c の値が、6, 10, 7 や -10, 100, 10 であっても、フローチャート内の水色の線をたどります。すなわち、b > c > a であれば、必ず同じ経路をたどります。

Column 1-2　キーボードからの数値・文字列の読込み（その2）

Column 1-1（p.3）では、キーボードから int 型の整数値を読み込む方法を学習しました。読み込む値の型に応じて、呼び出すメソッドを使い分ける必要があります。

Table 1C-1 に示すのが、読み込む値の型と、呼び出すメソッドの対応です。

Table 1C-1　Scanner クラスの next... メソッド

メソッド	型	読み込む値
nextBoolean()	boolean	true または false
nextByte()	byte	-128 ～ +127
nextShort()	short	-32768 ～ +32767
nextInt()	int	-2147483648 ～ +2147483647
nextLong()	long	-9223372036854775808 ～ +9223372036854775807
nextFloat()	float	±3.40282347E+38 ～ ±1.40239846E-45
nextDouble()	double	±1.79769313486231507E+378 ～ ±4.94065645841246544E-324
next()	String	文字列（スペース・改行などで区切られる）
nextLine()	String	1行分の文字列

3値の**具体的な値**ではなく、**すべての大小関係**に対して、最大値を正しく求められるかどうかを確認しましょう。確認を手作業で行うのは大変ですから、プログラムで行います。

List 1-2 に示すのが、そのプログラムです。

List 1-2 chap01/Max3Method.java

```
// 三つの整数値の最大値を求めて表示（すべての大小関係に対して確認）

class Max3Method {

  //--- a, b, cの最大値を求めて返却 ---//
  static int max3(int a, int b, int c) {
    int max = a;            // 最大値
    if (b > max) max = b;
    if (c > max) max = c;

    return max;        求めた最大値を呼出し元に返却
  }

  public static void main(String[] args) {
    System.out.println("max3(3,2,1) = " + max3(3, 2, 1));   // [A] a>b>c
    System.out.println("max3(3,2,2) = " + max3(3, 2, 2));   // [B] a>b=c
    System.out.println("max3(3,1,2) = " + max3(3, 1, 2));   // [C] a>c>b
    System.out.println("max3(3,2,3) = " + max3(3, 2, 3));   // [D] a=c>b
    System.out.println("max3(2,1,3) = " + max3(2, 1, 3));   // [E] c>a>b
    System.out.println("max3(3,3,2) = " + max3(3, 3, 2));   // [F] a=b>c
    System.out.println("max3(3,3,3) = " + max3(3, 3, 3));   // [G] a=b=c
    System.out.println("max3(2,2,3) = " + max3(2, 2, 3));   // [H] c>a=b
    System.out.println("max3(2,3,1) = " + max3(2, 3, 1));   // [I} b>a>c
    System.out.println("max3(2,3,2) = " + max3(2, 3, 2));   // [J] b>a=c
    System.out.println("max3(1,3,2) = " + max3(1, 3, 2));   // [K] b>c>a
    System.out.println("max3(2,3,3) = " + max3(2, 3, 3));   // [L] b=c>a
    System.out.println("max3(1,2,3) = " + max3(1, 2, 3));   // [M] c>b>a
  }
}
```

実行結果

```
max3(3,2,1) = 3
max3(3,2,2) = 3
max3(3,1,2) = 3
max3(3,2,3) = 3
… 中略 …
max3(2,3,2) = 3
max3(1,3,2) = 3
max3(2,3,3) = 3
max3(1,2,3) = 3
```

▶ コメントの [A] ～ [M] は、**Fig.1C-4**（p.8）の A～M に対応しています。

最大値を求める部分は、何度も繰り返して利用されるため、独立した**メソッド**（method）として実現しています。

網かけ部の ***max3*** が、受け取った三つの **int** 型仮引数 **a, b, c** の最大値を求めて、その値を **int** 型の値として返却するメソッドです。

main メソッドでは、メソッド ***max3*** に対して三つの値を実引数として与えて呼び出して、その返却値（**Column 1-3**：右ページ）を表示する処理を 13 回行っています。

計算結果が正しいかどうかを確認しやすくするために、本プログラムでは、すべての呼出しにおいて、最大値が **3** となるように組み合わせた値を与えています。

＊

プログラムを実行しましょう。13 種類すべての組合せに対して **3** と表示され、最大値を正しく求めていることが確認できます。

▶ 大小関係が全部で 13 種類であることについては、**Column 1-4**（p.8）で学習します。

JIS X0001 では、**《アルゴリズム》**は次のように定義されています。

問題を解くためのものであって、明確に定義され、順序付けられた有限個の規則からなる集合。

もちろん、いくら曖昧さのないように記述されていても、変数の値によって、解けたり解けなかったりするのでは、正しいアルゴリズムとはいえません。

ここでは、3値の最大値を求めるアルゴリズムが正しいことを、論理的に確認するとともに、プログラムの実行結果からも確認しました。

▶ **JIS**（Japanese Industrial Standards）すなわち**日本工業規格**は、工業標準化法によって制定される鉱工業品に関する国の規格です。

演習 1-1

4値の最大値を求めるメソッドを作成せよ（もちろん、それをテストするプログラム＝クラスを作成しなければならない）。

```
static int max4(int a, int b, int c, int d)
```

演習 1-2

3値の最小値を求めるメソッドを作成せよ。

```
static int min3(int a, int b, int c)
```

演習 1-3

4値の最小値を求めるメソッドを作成せよ。

```
static int min4(int a, int b, int c, int d)
```

※演習問題の解答は、ホームページ上で公開しています（p.v）。

Column 1-3　メソッドの返却値とメソッド呼出し式の評価

メソッドは、**引数**と**返却値**の二つを使って、情報の受渡しを行います。

処理を行った結果を、呼出し元のメソッドに **return** 文で返す値が、返却値です。メソッド *max3* の場合、返却値型は **int** 型であり、メソッドの末尾で変数 *max* の値を返却しています。

返却された値は、**メソッド呼出し式**の**評価**で得られます。

たとえば、*max*(3, 2, 1) と呼び出した場合、**Fig.1C-3** に示すように、メソッド呼出し式 *max*(3, 2, 1) を評価した値が、**int** 型の 3 となります。

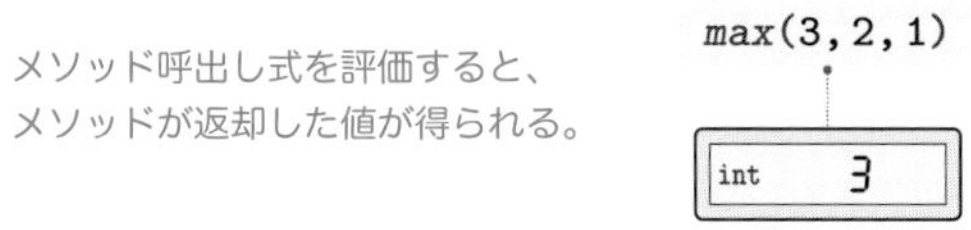
メソッド呼出し式を評価すると、
メソッドが返却した値が得られる。
max(3, 2, 1)
int
3

Fig.1C-3　メソッド呼出し式の評価

Column 1-4 3値の大小関係と中央値

ここでは、3値の大小関係と、3値の中央値の求め方を学習します。

■ 3値の大小関係

3値の大小関係の組合せ13種類を列挙するのが、**Fig.1C-4** です。ちなみに、この図は、木の形をしていることから**決定木**（けっていぎ）（decision tree）と呼ばれます。

左端の枠（a ≧ b）からスタートして右側へと進みましょう。◯ 内の条件が成立すれば**上側の線**をたどり、成立しなければ下側の線をたどっていきます。

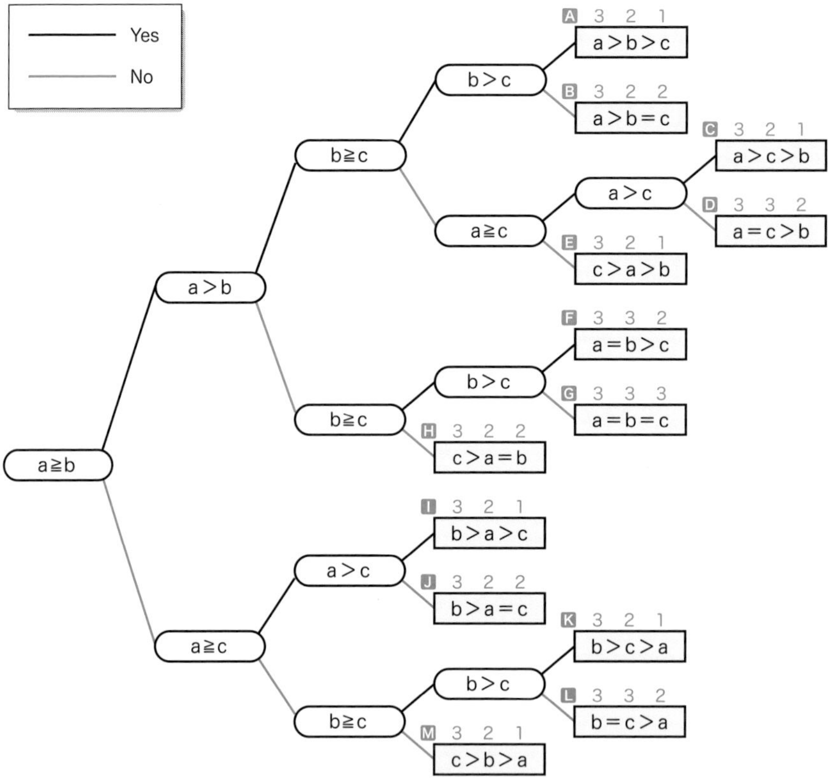

Fig.1C-4 3値の大小関係を列挙する決定木

右端の □ 内に示しているのが、三つの変数 *a*, *b*, *c* の大小関係です。その上に示している水色の数値は、**List 1-2**（p.6）のプログラムで利用した、三つの値です（プログラムでは、A～M の13種類に対して、最大値を求めています）。

■ 3値の中央値

最大値・最小値とは異なり、**中央値**を求める手続きは、複雑です（そのため、数多くのアルゴリズムが考えられます）。**List 1C-1** に示すのが、プログラムの一例です。各 **return** 文の横のA～Mは、左ページの **Fig.1C-4** と対応しています。

List 1C-1 chap01/Median.java

```
// 三つの整数値を読み込んで中央値を求めて表示

import java.util.Scanner;

class Median {

  static int med3(int a, int b, int c) {
    if (a >= b)
      if (b >= c)
        return b;      ← A B F G
      else if (a <= c)
        return a;      ← D E H
      else
        return c;      ← C
    else if (a > c)
      return a;        ← I
    else if (b > c)
      return c;        ← J K
    else
      return b;        ← L M
  }

  public static void main(String[] args) {
    Scanner stdIn = new Scanner(System.in);

    System.out.println("三つの整数の中央値を求めます。");
    System.out.print("aの値：");  int a = stdIn.nextInt();
    System.out.print("bの値：");  int b = stdIn.nextInt();
    System.out.print("cの値：");  int c = stdIn.nextInt();

    System.out.println("中央値は" + med3(a, b, c) + "です。");
  }
}
```

実行例

```
三つの整数の中央値を求めます。
aの値：1
bの値：3
cの値：2
中央値は2です。
```

なお、3値の中央値を求める手続きは、『クイックソート』の改良アルゴリズム（第6章）などで応用されます。

演習 1-4

3値の大小関係 13 種類すべての組合せに対して中央値を求めて表示するプログラムを作成せよ。
※ヒント：**List 1-2** と **List 1C-1** を参考にして（うまく組み合わせて）作ること。

演習 1-5

中央値を求める手続きは、次のようにも実現できる。ただし、**List 1C-1** に示す *med3* と比較すると実行効率が悪い。その理由を考察せよ。

```
static int med3(int a, int b, int c) {
  if ((b >= a && c <= a) || (b <= a && c >= a))
    return a;
  else if ((a > b && c < b) || (a < b && c > b))
    return b;
  return c;
}
```

条件判定と分岐

List 1-3 は、読み込んだ整数値の符号（正／負／0）を判定・表示するプログラムです。このプログラムを通じて、プログラムの流れの分岐に対する理解を深めましょう。

List 1-3 chap01/JudgeSign.java

```
// 読み込んだ整数値の符号（正／負／0）を判定

import java.util.Scanner;

class JudgeSign {

  public static void main(String[] args) {
    Scanner stdIn = new Scanner(System.in);

    System.out.print("整数：");
    int n = stdIn.nextInt();

    if (n > 0)
      System.out.println("正です。");    ←1
    else if (n < 0)
      System.out.println("負です。");    ←2
    else
      System.out.println("0です。");    ←3
  }
}
```

実行例

```
[1] 整数：15⏎
    正です。
[2] 整数：-5⏎
    負です。
[3] 整数：0⏎
    0です。
```

Fig.1-3 に示すのが、網かけ部のフローチャートであり、プログラムの流れは**三つに分岐しています**。変数 **n** の値が正であれば**1**が実行され、負であれば**2**が実行され、**0** であれば**3**が実行されます。実行されるのは、いずれか一つだけです。どれか二つが実行されたり、一つも実行されなかったり、ということはありません。

それでは、引き続き、右ページの **List 1-4** と **List 1-5** のプログラムの動作を検証しましょう。

▶ クラス宣言や、main メソッドの宣言、変数 n への値の読込みなどのコードは省略しています（ダウンロードプログラムには、完全なプログラムが含まれます）。

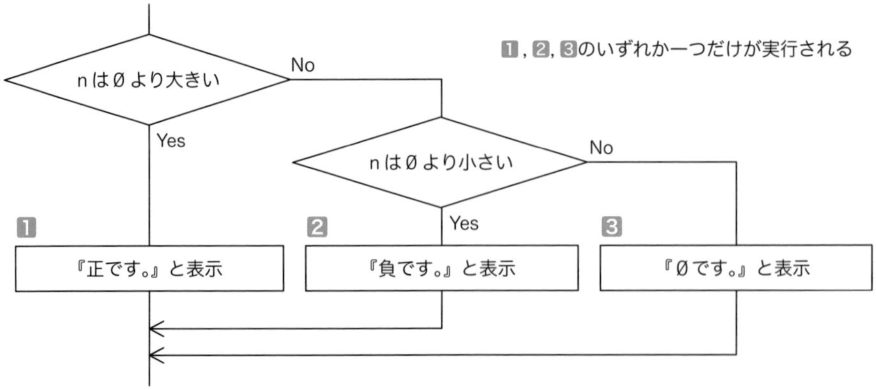

Fig.1-3 変数 n の符号の判定

List 1-4 chap01/JudgeABC1.java

```
if (n == 1)
  System.out.println("A");
else if (n == 2)
  System.out.println("B");
else
  System.out.println("C");
```

実行例

```
1 整数：3↵
  C
2 整数：4↵
  C
```

List 1-5 chap01/JudgeABC2.java

```
if (n == 1)
  System.out.println("A");
else if (n == 2)
  System.out.println("B");
else if (n == 3)
  System.out.println("C");
```

実行例

```
1 整数：3↵
  C
2 整数：4↵
```


プログラムの行数が同じであって、プログラムの流れを三つに分岐させるように見えます。

いずれのプログラムも、*n* の値が 1 であれば『A』と表示し、2 であれば『B』と表示し、3 であれば『C』と表示します。ところが、それ以外の数値の場合の挙動が異なります。

■ List 1-4 の動作（3分岐）

n が 1 あるいは 2 でなければ、どんな値であっても『C』と表示します（実行例1および2）。すなわち、左ページの **List 1-3** と同様に、プログラムの流れを三つに分岐します。

■ List 1-5 の動作（4分岐）

プログラムの流れを三つに分岐しているように見えますが、そうではありません。

n の値が 1、2、3 以外の数値であれば、何も表示しません（実行例2）。

このプログラムの正体は **List 1-6** です。

“何も行わない” **else** が隠れており、プログラムの流れを四つに分岐します。

List 1-6 chap01/JudgeABC2x.java

```
if (n == 1)
  System.out.println("A");
else if (n == 2)
  System.out.println("B");
else if (n == 3)
  System.out.println("C");
else
  ;
```

実行例

```
1 整数：3↵
  C
2 整数：4↵
```

▶ セミコロン ; だけの**空文**は、何も行わない文です。

Column 1-5 演算子とオペランド

+ や - などの**演算**を行う記号は**演算子**（operator）と呼ばれ、演算の対象は**オペランド**（operand）と呼ばれます。たとえば、大小関係の比較を行う式 a > b において、演算子は > であって、オペランドは a と b の二つです。

演算子は、オペランドの個数によって、次の3種類に分類されます。

- **単項演算子**（unary operator） … オペランドが1個。例：a++
- **2項演算子**（binary operator） … オペランドが2個。例：a < b
- **3項演算子**（ternary operator） … オペランドが3個。例：a ? b : c

＊

Java で唯一の3項演算子が、**条件演算子**（conditional operator）? : です。式 a ? b : c を評価すると、式 a を評価した値が **true** であれば b の値が得られ、**false** であれば c の値が得られます。

```
1 a = (x > y) ? x : y;
2 System.out.println((c == 0) ? "cはゼロ" : "cは非ゼロ");
```

1では、x と y の大きいほうの値が a に代入されます。また、2では、変数 c の値が 0 であれば『c はゼロ』と表示され、そうでなければ『c は非ゼロ』と表示されます。

フローチャート（流れ図）の記号

問題の定義・分析・解法の図的表現である**流れ図＝フローチャート**（flowchart）と、その記号は、次の規格で定義されています。

JIS X0121 **『情報処理用流れ図・プログラム網図・システム資源図記号』**

ここでは、代表的な用語と記号の概要を学習します。

プログラム流れ図（program flowchart）

プログラム流れ図には、次に示す記号があります。

- 実際に行う演算を示す記号。
- 制御の流れを示す線記号。
- プログラム流れ図を理解し、かつ作成するのに便宜を与える特殊記号。

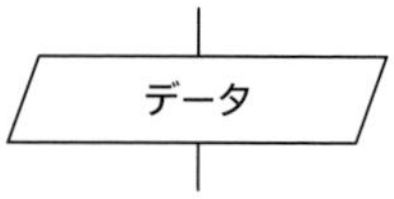

Fig.1-4　データ

データ（data）

媒体を指定しないデータを表します（**Fig.1-4**）。

Fig.1-5　処理

処理（process）

任意の種類の処理機能を表します（**Fig.1-5**）。

たとえば、情報の値・形・位置を変えるように定義された演算もしくは演算群の実行、または、それに続くいくつかの流れの方向の一つを決定する演算もしくは演算群の実行を表します。

Fig.1-6　定義ずみ処理

定義ずみ処理（predefined process）

サブルーチンやモジュールなど、別の場所で定義されている、一つ以上の演算または命令群からなる処理を表します（**Fig.1-6**）。

Fig.1-7　判断

判断（decision）

一つの入り口といくつかの択一的な出口をもち、記号中に定義された条件の評価にしたがって、唯一の出口を選ぶ判断機能またはスイッチ形の機能を表します（**Fig.1-7**）。

想定される評価結果は、経路を表す線の近くに書きます。

ループ端（loop limit）

二つの部分から構成され、ループの始まりと終わりを表します（**Fig.1-8**）。記号の二つの部分には、**同じ名前**を与えます。

Fig.1-9 に示すように、ループの**始端記号**（前判定繰返しの場合）または**終端記号**（後判定繰返しの場合）の中に、初期値（初期化）と増分と終了値（終了条件）とを表記します。

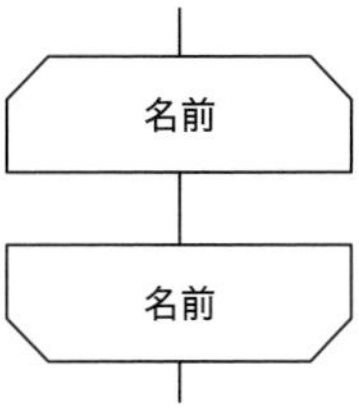

Fig.1-8　ループ端

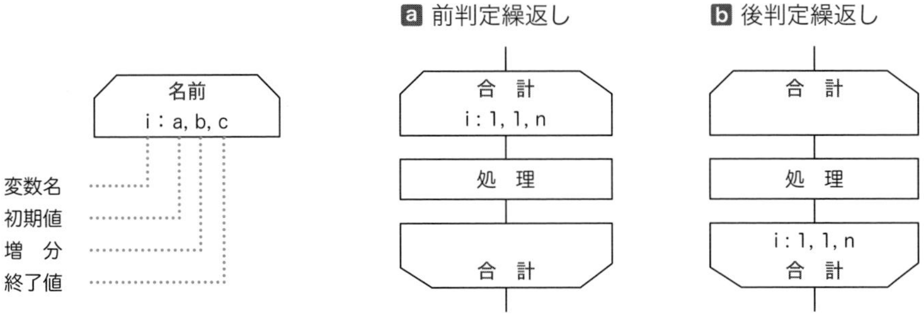

Fig.1-9　ループ端と初期値・増分・終了値

▶ 図aと図bに示すのは、変数 i の値を1から n まで1ずつ増やしながら、『処理』を n 回繰り返すフローチャートです。なお、1, 1, n の代わりに、1, 2, …, n という表記を用いることもあります。

線（line）

制御の流れを表します（**Fig.1-10**）。

流れの向きを明示する必要があるときは、矢先を付けなければなりません。

なお、明示の必要がない場合も、見やすくするために矢先を付けても構いません。

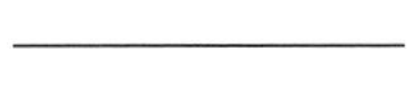

Fig.1-10　線

端子（terminator）

外部環境への出口、または外部環境からの入り口を表します（**Fig.1-11**）。たとえば、プログラムの流れの**開始**もしくは**終了**を表します。

Fig.1-11　端子

この他に、並列処理、破線などの記号があります。

1-2 繰返し

本節では、プログラムの流れを繰り返すことによって実現される、単純なアルゴリズムを学習します。

1からnまでの整数の総和を求める

次に考えるのは、《1からnまでの整数の総和を求めるアルゴリズム》です。求める総和は、nが2であれば1 + 2で、nが3であれば1 + 2 + 3です。

プログラムを**List 1-7**に、網かけ部のフローチャートを右ページの**Fig.1-12**に示します。

List 1-7 chap01/SumWhile.java

```
// 1, 2, …, nの総和を求める (while文)

import java.util.Scanner;

class SumWhile {

  public static void main(String[] args) {
    Scanner stdIn = new Scanner(System.in);

    System.out.println("1からnまでの総和を求めます。");
    System.out.print("nの値：");
    int n = stdIn.nextInt();

    int sum = 0;         // 総和                        ―1
    int i = 1;

    while (i <= n) {     // iがn以下であれば繰り返す
      sum += i;          // sumにiを加える              ―2
      i++;               // iの値をインクリメント
    }
    System.out.println("1から" + n + "までの総和は" + sum + "です。");
  }
}
```

実行例

```
1からnまでの総和を求めます。
nの値：5↵
1から5までの総和は15です。
```

while文による繰返し

ある条件が成立しているあいだ、**処理**（文または命令の集まり）が繰り返し実行されるのは、**繰返し**（くりかえし）（repetition）構造であり、一般に**ループ**（loop）とも呼ばれます。

`while`文は、繰返しを続けるかどうかの判定を、**処理**実行の前に行うループです。このような繰返し構造は、**前判定繰返し**（まえはんてい）と呼ばれます。

*

次に示すのが、`while`文の形式です。**制御式**の評価によって得られる値が`true`である限り、**文**が繰り返し実行されます。

```
while (制御式) 文
```

なお、繰返しの対象となる**文**のことを、文法上、**ループ本体**と呼びます。

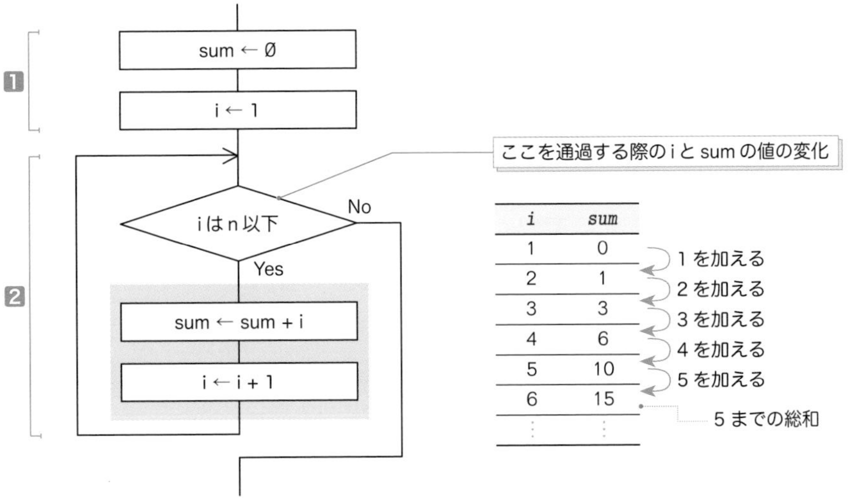

Fig.1-12　1 から n までの総和を求めるフローチャートと変数の変化

それでは、プログラムとフローチャートの❶と❷を理解しましょう。

❶　総和を求めるための前準備です。総和を格納する変数 **`sum`** の値を `0` にして、繰返しを制御する変数 **`i`** の値を `1` にします。

❷　変数 **`i`** の値が **`n`** 以下であるあいだ、**`i`** の値を一つずつ増やしていきながら、ループ本体を繰り返し実行します。繰り返すのは **`n`** 回です。

▶　2項の複合代入演算子 `+=` は、**右辺の値を左辺に加えます**。また、単項の増分演算子 `++` は、**オペランドをインクリメントします（値を1だけ増やします）**。

`i` が **`n`** 以下かどうかを判定する制御式 **`i <= n`**（フローチャートの ◇ ）を通過する際の変数 **`i`** と **`sum`** の値の変化をまとめた表と、プログラムとを見比べましょう。

制御式を初めて通過する際、変数 **`i`** と **`sum`** の値は、❶で設定した `0` と `1` です。その後、繰返しが行われるたびに変数 **`i`** の値はインクリメントされて一つずつ増えていきます。

変数 **`sum`** の値は **『それまでの総和』** であり、変数 **`i`** の値は **『次に加える値』** です。

たとえば、**`i`** が `5` のときの変数 **`sum`** の値は **『1 から 4 までの総和』** である `10` です（すなわち変数 **`i`** の値である `5` が加算される前の値です）。

なお、**`i`** の値が **`n`** を超えたときに `while` 文の繰返しが終了するため、最終的な **`i`** の値は、**`n` ではなく `n + 1` となります。**

変数 **`i`** のように、繰返しの制御に用いられる変数は、一般に **カウンタ用変数** と呼ばれます。

演習 1-6

List 1-7 の `while` 文終了時点における変数 **`i`** の値が **`n + 1`** となることを確認せよ（変数 **`i`** の値を表示するように書きかえたプログラムを作成すること）。

for 文による繰返し

単一の変数の値でプログラムの流れを制御する前判定繰返しは、**while** 文ではなく **for** 文を用いたほうがスマートに実現できます。

1 から *n* までの整数の総和を求めるのを、**for** 文で書きかえたプログラムが **List 1-8** です。

List 1-8 chap01/SumFor.java

```
// 1, 2, …, nの総和を求める（for文）

import java.util.Scanner;

class SumFor {

  public static void main(String[] args) {
    Scanner stdIn = new Scanner(System.in);

    System.out.println("1からnまでの総和を求めます。");
    System.out.print("nの値：");
    int n = stdIn.nextInt();

    int sum = 0;          // 総和

    for (int i = 1; i <= n; i++)
      sum += i;           // sumにiを加える

    System.out.println("1から" + n + "までの総和は" + sum + "です。");
  }
}
```

実行例

```
1からnまでの総和を求めます。
nの値：5
1から5までの総和は15です。
```

次に示すのが、**for** 文の形式です。

for（**for 初期化部**；**制御式**；**for 更新部**）**文**

for初期化部は、最初に（繰返しが行われる前に）一度だけ評価・実行されます。その後、**制御式**を評価した値が **true** である限り、ループ本体である**文**が繰り返し実行されます。

その際、**文**を実行した直後に、**for 更新部**の評価・実行が行われます。

＊

本プログラムの **for** 文は、カウンタ用変数 *i* の値を、1, 2, 3, … と、1 から *n* まで 1 ずつ増やしながら、ループ本体である文 *sum* += *i*; を実行します。

＊

総和を求める網かけ部のフローチャートを **Fig.1-13** に示しています。

六角形の**ループ端**（loop limit）は、繰返しの**開始点**と**終了点**を指示する記号です。

同じ名前をもったループ始端とループ終端とで囲まれた部分が繰り返されます。

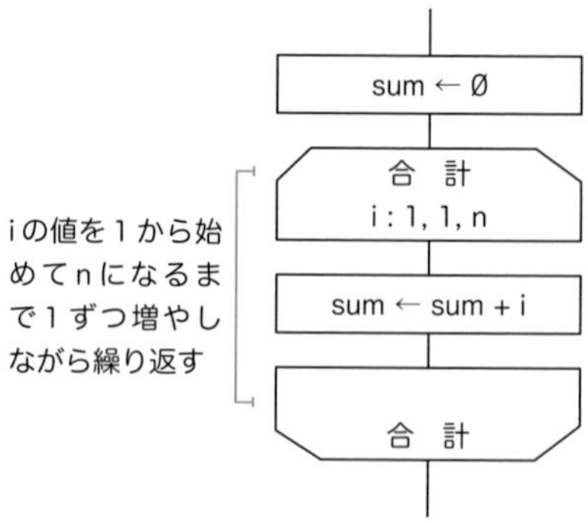

Fig.1-13 1からnまでの総和を求める

演習 1-7

たとえば、1から10までの総和は`(1 + 10) * 5`によって求められる。**ガウスの方法**と呼ばれる、この方法を用いて総和を求めるプログラムを作成せよ。

演習 1-8

整数`a`, `b`を含め、そのあいだの全整数の総和を求めて返すメソッドを作成せよ。

```
static int sumof(int a, int b)
```

`a`と`b`の大小関係に関係なく総和を求めるものとする。たとえば`a`が3で`b`が5であれば12を、`a`が6で`b`が4であれば15を求めること。

Column 1-6 for文について

Javaでは、**基本for文**と、**拡張for文**という、2種類の`for`文が提供されます。本章で学習している`for`文は、基本`for`文です。

基本`for`文に関する文法規則は、極めて複雑です。ここでは、いくつかの事項に絞って補足します。

▪ for初期化部

ここには、変数の宣言を置けます（本プログラムもそうなっています）。宣言は1個に限られず、複数個の宣言を置けます（通常の宣言と同様に、コンマ`,`で区切って宣言します）。

なお、ここで宣言した変数は、その`for`文の中だけで使えます。すなわち、for初期化部で宣言された変数は、`for`文の終了とともに“無効”になってしまいます。そのため、次の点に気をつけなければなりません。

- `for`文の実行が終了した後に**も**変数の値を使う場合、次のように、`for`文に先立って変数を宣言する必要があります。

```
int i;
for (i = 1; i <= n; i++)
  sum += i;
// for文終了後に変数iの値を使う
```

- 異なる`for`文で同一名の変数を使うのであれば、次のように、各`for`文ごとに宣言が必要です。

```
for (int i = 1; i <= 5; i++)
  sum += i;
for (int i = 1; i <= 7; i++)
  System.out.println(i);
```

▪ 制御式

繰返しの継続条件を表す式であり、この部分も省略可能です。

省略した場合、繰返し継続の判定は`true`とみなされます。そのため、（`break`文や`return`文などをループ本体中で実行しない限り）永遠に繰返しを行い続ける**無限ループ**となります。

▪ for更新部

ここに置くのは、ループ本体実行後に評価・実行すべき式です。複数の式を置く場合は、各式をコンマで区切ります。

なお、何も行うことがなければ、for更新部も省略可能です。

正の値の読込み

List 1-8 のプログラム（p.16）を実行して、**n** に対して負の値 **-5** を入力してみましょう。次のように表示されます。

```
1 から -5 までの総和は 0 です。
```

これは、数学的に不正である以前に、感覚的にもおかしなものです。

そもそも、このプログラムでは、**n** に読み込む値を**正の値**に限定すべきです。そのように改良したプログラムを **List 1-9** に示します。

List 1-9 chap01/SumFor2.java

```
// 1, 2, …, nの総和を求める（do文によって正の整数値のみをnに読み込む）

import java.util.Scanner;

class SumFor2 {

  public static void main(String[] args) {
    Scanner stdIn = new Scanner(System.in);
    int n;

    System.out.println("1からnまでの総和を求めます。");

    do {
      System.out.print("nの値：");
      n = stdIn.nextInt();
    } while (n <= 0);

    int sum = 0;     // 総和

    for (int i = 1; i <= n; i++)
      sum += i;      // sumにiを加える

    System.out.println("1から" + n + "までの総和は" + sum + "です。");
  }
}
```

nが0より大きくなるまで繰り返す

実行例

```
1からnまでの総和を求めます。
nの値：-6
nの値：0
nの値：10
1から10までの総和は55です。
```

プログラムを実行しましょう。**n** の値として **0** 以下の値を入力すると、再び「**n**の値：」と表示されて再入力が促されます。

その実現のための利用しているのが、次の構文をもつ **do** 文です。

```
do 文 while ( 制御式 );
```

▶ **while** 文や **for** 文とは異なり、**do** 文の末尾にはセミコロン **;** が付きます。

do 文は、処理を行った後に、繰返しを続けるかどうかの判定を行う**後判定繰返し**（あとはんてい）を実現する繰返し文です。**()** の中の制御式を評価した値が **true** である限り、ループ本体の**文**が、繰り返し実行されます。

Fig.1-14 に示すのが、プログラム網かけ部のフローチャートです。

図**a**と図**b**のフローチャートは、本質的には同じです。もっとも、繰返しの終了条件を下側のループ端に書く図**b**は、**前判定繰返しとの見分けがつきにくい**ため、図**a**の書き方が好まれるようです。

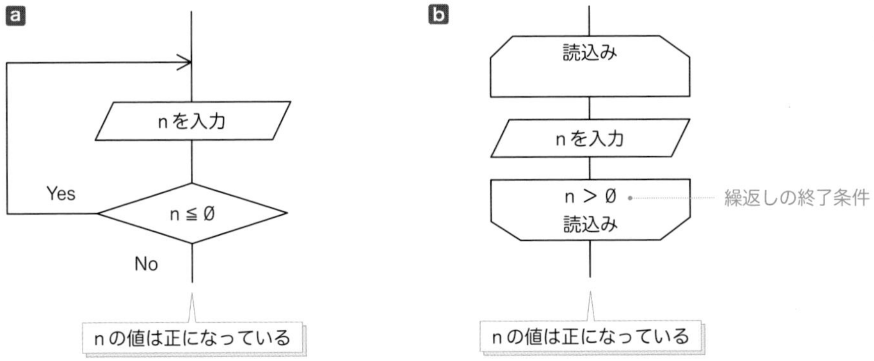

Fig.1-14　正の値の読込み

さて、本プログラムの `do` 文は、変数 `n` に読み込まれた値が `0` 以下である限り、ループ本体の実行を繰り返しますので、`do` 文終了時の `n` の値は必ず正になります。

前判定繰返しと後判定繰返しの相違点

前判定繰返しを行う `while` 文と `for` 文では、最初に制御式を評価した結果が `false` であれば、ループ本体は1回も実行されません。一方、後判定繰返しを行う `do` 文では、ループ本体が必ず一度は実行されます。これが、前判定繰返しと後判定繰返しの大きな違いです。

- **前判定繰返し**（`while` 文／ `for` 文）：ループ本体が1回も実行されない可能性がある。
- **後判定繰返し**（`do` 文）　　　　　　：ループ本体は少なくとも1回は実行される。

演習 1-9

右に示すように、二つの変数 `a`, `b` に整数値を読み込んで `b - a` の値を表示するプログラムを作成せよ。

なお、変数 `b` に読み込んだ値が `a` 以下であれば、変数 `b` の値を再入力させること。

```
aの値：6
bの値：6
aより大きな値を入力せよ！
bの値：8
b - aは2です。
```

演習 1-10

正の整数値を読み込んで、その値の桁数を表示するプログラムを作成せよ。たとえば、135 を読み込んだら『その数は 3 桁です。』と表示し、1314 を読み込んだら『その数は 4 桁です。』と表示すること。

繰返しの過程における条件判定（その1）

次は、1からnまでの総和を求めながら、その過程の式を表示するように仕様を変更します。**List 1-10** に示すのが、そのプログラムです。

List 1-10 chap01/SumVerbose1.java

```
// 1, 2, …, nの総和を求める（求める過程の式を表示：その1）

import java.util.Scanner;

class SumVerbose1 {

  public static void main(String[] args) {
    Scanner stdIn = new Scanner(System.in);
    int n;

    System.out.println("1からnまでの総和を求めます。");

    do {
      System.out.print("nの値：");
      n = stdIn.nextInt();
    } while (n <= 0);

    int sum = 0;     // 総和

    for (int i = 1; i <= n; i++) {
      if (i < n)                          // 途中
        System.out.print(i + " + ");  ---❶
      else                                // 最後
        System.out.print(i + " = ");  ---❷
      sum += i;       // sumにiを加える
    }

    System.out.println(sum);
  }
}
```

実行例

```
1からnまでの総和を求めます。
nの値：5⏎
1 + 2 + 3 + 4 + 5 = 15
```

- 繰返しはn回。
- if文の判定はn回。

まずは実行しましょう。加算する数値が n 個のとき、表示する + 記号は n - 1 個です。

▶ たとえば、実行例では、加算する数値は5個で、表示する+記号は4個です。

本プログラムの **for** 文が、i の値を 1 から n までインクリメントすることは、前のプログラムと同じです。

その **for** 文のループ本体では、**if** 文によって表示内容を変えています。

❶ 途中の表示：変数 i の値の後ろに + を出力。　例 "1 + "、"2 + "、"3 + "、"4 + "

❷ 最後の表示：変数 i の値の後ろに = を出力。　例 "5 = "

このような実装は、好ましくありません。たとえば n が 10000 であるとします。そうすると、**for** 文の繰返しは 10,000 回行われます。最初の 9,999 回は、判定式 i < n が成立して❶が実行されます。判定が成立せずに❷が実行されるのは、1回だけです。最後に1回だけ実行すべき❷のために、10,000 回もの判定を行うわけです。

ある特定の回だけに成立することが既知であるにもかかわらず、繰返しのたびに条件判定を行うのは、明らかに無駄です。

i が *n* と等しいときを"特別扱い"したほうがよいことが分かりました。そのように書き直したのが、**List 1-11** のプログラムです。

List 1-11 chap01/SumVerbose2.java

```
// 1, 2, …, nの総和を求める（求める過程の式を表示：その２）

    for (int i = 1; i < n; i++) {
      System.out.print(i + " + ");
      sum += i;    // sumにiを加える
    }                                            ← 1
    System.out.print(n + " = ");
    sum += n;      // sumにnを加える             ← 2
    System.out.println(sum);
```

- 繰返しは n − 1 回。
- if 文の判定は 0 回。

▶ （クラス名を除いた）変更部のみを示しています。今後も、このような提示を行うことがあります。

本プログラムでは、表示を２ステップで行います。

1. 途中の表示：**for** 文によって、**1** から *n* **- 1** まで値の後ろに **" + "** を出力。
2. 最後の表示：*n* の値の後ろに **" = "** と総和を出力。

繰返しの回数が *n* 回から *n* **- 1** 回に減少するとともに、**if** 文による判定回数が *n* 回から **0** 回になりました。

▶ ただし、繰返しの回数の１回の減少分は、追加された2の実行によって、相殺（そうさい）されます。

なお、複合代入演算子が、代入後の左オペランドの値を生成することを利用すると、2の箇所は、次のように、たった一行で実現できます（**"chap01/SumVersbose2a.java"**）。

```
System.out.println(n + " = " + (sum += n));
```

▶ 単純代入演算子 **=** あるいは、複合代入演算子（演算子 **+=** や **/=** など）を用いた**代入式を評価すると、代入後の左オペランドの型と値が得られます。**

たとえば、変数 **a** と **b** が **int** 型であるとき、代入式 **a = 1** を評価した値は、**int** 型の **1** です。そのため、**Fig.1-15** に示すように、式 **b = a = 1** を評価すると、変数 **b** に **1** が代入される結果、**int** 型の **1** が得られます（二つの変数の両方に **1** が代入されます）。

また、*n* が **5** で、*sum* が **10** であれば、代入式 *sum* **+=** *n* の評価で得られるのは、**int** 型の **15** となります。

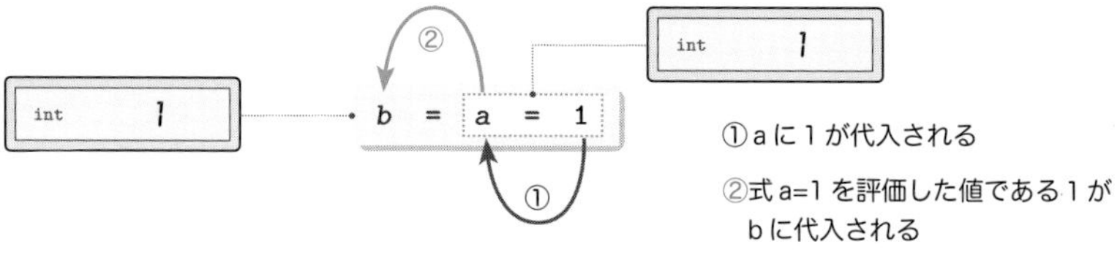

Fig.1-15 複数変数への同一値の代入（代入式の評価）

繰返しの過程における条件判定（その2）

次に作るのは、指定された個数の記号文字を（途中で改行せずに）連続表示するプログラムです。なお、表示は+と-を交互に行うものとします。

List 1-12 に示すのが、そのプログラムです。

▶ 変数nに値を読み込むためのコードを省略しています。今後もこのような提示を行うことがあります。

List 1-12 chapØ1/Alternative1.java

```
// 記号文字+と-を交互に表示（その１）

import java.util.Scanner;

class Alternative1 {

  public static void main(String[] args) {
    Scanner stdIn = new Scanner(System.in);
    int n;

    System.out.println("記号文字+と-を交互にn個表示します。");

    /*=== 省略：nの値の読込み ===*/

    for (int i = Ø; i < n; i++)
      if (i % 2 == Ø)          // 偶数
        System.out.print("+");
      else                     // 奇数
        System.out.print("-");
  }
}
```

実行例
```
記号文字+と-を交互にn個表示します。
nの値：12
+-+-+-+-+-+-
```

- 繰返しはn回。
- 除算はn回。
- if文の判定はn回。

for 文では、変数 i を Ø から n - 1 までインクリメントする過程で、次の表示を行います。

- i が偶数であれば（2 で割った余りが Ø であれば）："+" を出力する。
- i が奇数であれば："-" を出力する。

このプログラムには、大きく二つの欠点があります。

① 繰返しのたびに if 文の判定を行う

for 文による繰返しのたびに、if 文が実行されます。そのため、i が奇数であるかどうかの判定は、全部で n 回行われます（n が 5ØØØØ であれば5万回行われます）。

② 変更に対して柔軟に対応しにくい

本プログラムでは、カウンタ用変数 i の値を Ø から n - 1 までインクリメントしています。

もし、変数 i のインクリメントを、（Ø からではなく）1 から n までとするのであれば、プログラム中の for 文の変更が必要です（"chapØ1/Alternative1a.java"）。

```
for (int i = 1; i <= n; i++)
  if (i % 2 == Ø)          // 奇数
    System.out.print("-");
  else                     // 偶数
    System.out.print("+");
```

▶ 網かけ部が変更箇所です。

for 文の頭部だけでなく、ループ本体である **if** 文の変更も余儀なくされます（二つの **print** 関数の呼出しの順序を入れかえなければなりません）。

問題を解決しましょう。**List 1-13** に示すのが、そのプログラムです。

List 1-13 chap01/Alternative2.java

```
// 記号文字+と-を交互に表示（その２）

    for (int i = 0; i < n / 2; i++)        ―1
      System.out.print("+-");

    if (n % 2 != 0)                        ―2
      System.out.print("+");
```

- 繰返しは n / 2 回。
- 除算は 2 回。
- if 文の判定は 1 回。

主要部は二つのステップで構成されます。**Fig.1-16** を見ながら理解しましょう。

1 n / 2 個の "+-" を出力

for 文は "+-" の出力を *n* / 2 回行います。出力回数は、たとえば *n* が 12 であれば6回、*n* が 15 であれば7回です。そのため、図ⓐのように *n* が偶数であれば、このステップのみで表示が完了します。

2 n が奇数のときのみ "+" を出力

n が奇数であれば、最後の "+" を出力します（図ⓑ）。これで、*n* が奇数のときの表示が完了します。

本プログラムは、**if** 文による判定を繰返しのたびに行う必要がありません。そのため、**if** 文の判定が、2での１回だけとなっています。

さらに、除算の回数も減っています。1での *n* / 2 と、2での *n* % 2 の合計2回のみです。

▶ カウンタ用変数の開始値を 0 から 1 に変更するのも柔軟に対応できます。1の **for** 文を次のように変更するだけです（"chap01/Alternative2a.java"：変更は、**for** 文の頭部のみであり、ループ本体の変更は不要です）。

```
for (int i = 1; i <= n / 2; i++)
  System.out.print("+-");
```

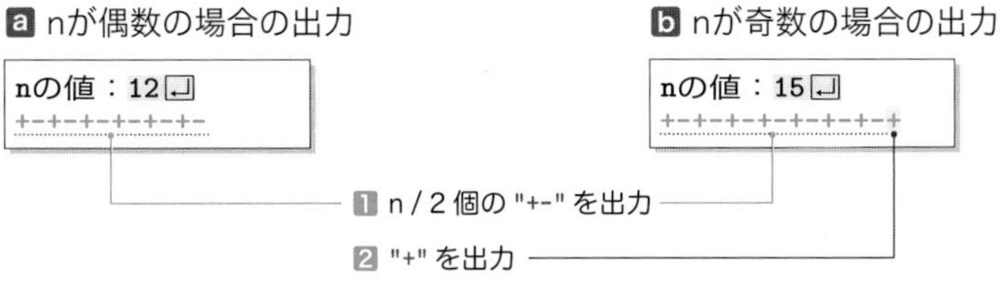

Fig.1-16 記号文字 + と – を交互に n 個表示

繰返しの過程における条件判定（その3）

次に作るのは、記号文字 * を n 個表示するプログラムです。ただし、w 個表示するごとに改行するものとします。**List 1-14** に示すのが、そのプログラムです。

List 1-14 chap01/PrintStars1.java

```
// n個の記号文字*をw個ごとに改行しながら表示（その１）

import java.util.Scanner;

class PrintStars1 {

  public static void main(String[] args) {
    Scanner stdIn = new Scanner(System.in);
    int n, w;

    System.out.println("記号文字*をw個ごとに改行しながらn個表示します。");

    /*=== 省略：nとwの値の読込み ===*/

    for (int i = 0; i < n; i++) {
      System.out.print("*");
      if (i % w == w - 1)
        System.out.println(); // 改行          ―1
    }
    if (n % w != 0)
      System.out.println();   // 改行          ―2
  }
}
```

実行例

```
記号文字*をw個ごとに改行
しながらn個表示します。
nの値：14
wの値：5
*****
*****
****
```

- 繰返しは n 回。
- if 文の判定は n + 1 回。

変数 i の値を 0, 1, 2, … とインクリメントしながら記号文字 '*' を出力します。改行を行うのは、次の2箇所です。

1 for 文による繰返しの過程で、記号文字を出力した際に、変数 i の値を w で割った余りが w - 1 のときに改行します。**Fig.1-17** に示すように、改行文字が出力されるのは、w が 5 であれば、i の値が 4, 9, 14, … のときです。

2 図aのように、n が w の倍数であれば、最後に出力した * の後の “最後の改行” は完了しています。一方、図bのように、n が w の倍数でなければ、“最後の改行” はまだ行われていません。そこで、n が w の倍数でないときにのみ改行を行います。

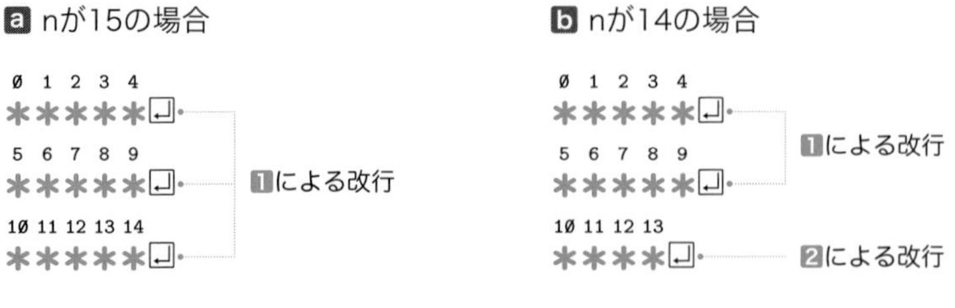

Fig.1-17 n 個の記号文字 * を w 個ごとに改行しながら表示（その1）

本プログラムは、for 文による繰返しのたびに if 文による判定が行われるため、それほど効率がよくない、という欠点があります。

問題を解決しましょう。**List 1-15** に示すのが、そのプログラムです。

List 1-15 chap01/PrintStars2.java

```
// n個の記号文字*をw個ごとに改行しながら表示（その２）

    for (int i = 0; i < n / w; i++)
        System.out.println("*".repeat(w));          ―1

    int rest = n % w;
    if (rest != 0)
        System.out.println("*".repeat(rest));       ―2
```

- 繰返しはn / w回。
- if文の判定は１回。

大きく二つのステップで構成されています。**Fig.1-18** を見ながら理解しましょう。

1 w個の"*"の出力をn / w回行う

for 文によって、w 個の "*" の出力（最後に改行を伴います）を、n / w 回繰り返します。

出力回数は、たとえば、n が 15 で w が 5 であれば "*****" の表示が３回で、n が 14 で w が 5 であれば "*****" の表示が２回です。

n が w の倍数のときは、本ステップで出力が完了します。

▶ メソッド呼出し式 "*".repeat(w) は、文字列 "*" を w 回繰り返した文字列を生成して返却します（メソッド repeat は、String クラスに所属するインスタンスメソッドです）。
　たとえば、"ABC".repeat(3) は "ABCABCABC" を返却します。また、String クラス型の変数 s に文字列 "G12" が入っていれば、s.repeat(2) は "G12G12" を返却します。

2 n % w個の"*"と改行文字を出力

n が w の倍数でないときに、残った最後の行を出力します。

n を w で割った余りを変数 rest に求め、rest 個（たとえば n が 14 で w が 5 であれば４個）の "*" を表示した上で改行文字を出力します。

▶ n が w の倍数であれば、変数 rest の値は 0 ですから、記号文字も改行文字も出力しません。

Fig.1-18　n 個の記号文字 * を w 個ごとに改行しながら表示（その2）

構造化プログラミング

単一の入り口点と単一の出口点とをもつ構成要素だけを用いて、階層的に配置してプログラムを構成する手法を、**構造化プログラミング**（structured programming）といいます。構造化プログラミングでは、順次、選択、繰返しの３種類の制御の流れを利用します。

▶ 構造化プログラミングは、**整構造プログラミング**とも呼ばれます。

Column 1-7　論理演算とド・モルガンの法則

p.18で学習した**List 1-9**は、キーボードから読み込む値を《正値》に限定するプログラムでした。読み込む値を《2桁の正の整数値》に限定したのが、**List 1C-2** のプログラムです。

List 1C-2　chap01/TwoDigits.java

```
// ２桁の正の整数値（10～99）を読み込む

import java.util.Scanner;

class TwoDigits {

  public static void main(String[] args) {
    Scanner stdIn = new Scanner(System.in);
    int no;

    System.out.println("２桁の整数値を入力してください。");

    do {
      System.out.print("noの値：");
      no = stdIn.nextInt();
    } while (no < 10 || no > 99);

    System.out.println("変数noの値は" + no + "になりました。");
  }
}
```

実行例

```
２桁の整数値を入力してください。
noの値：5↵
noの値：105↵
noの値：57↵
変数noの値は57になりました。
```

読み込む値に制限を設けるために do 文を利用している点は、**List 1-9** と同じです。ただし、本プログラムでは、網かけ部の制御式によって、変数 *no* に読み込んだ値が 10 より小さいか、もしくは 99 より大きければ、ループ本体を繰り返すようになっています。

ここで利用している || は、論理和を求める**論理和演算子**です。そして、論理演算を行う、もう一つの演算子が、論理積を求める**論理積演算子** && です。

これらの演算子の働きをまとめたのが、**Fig.1C-5** です。

a 論理積　　両方とも真であれば真

x	y	x && y
true	true	true
true	false	false
false	true	false
false	false	false

b 論理和　　一方でも真であれば真

x	y	x || y
true	true	true
true	false	true
false	true	true
false	false	false

Fig.1C-5　論理積演算子と論理和演算子

■ 論理演算子の短絡評価

no に読み込んだ値が 5 であったとします。その場合、式 *no* < 10 を評価した値は true ですから、右オペランドの *no* > 99 を評価するまでもなく、制御式 *no* < 10 || *no* > 99 の評価値が true になると判定できます（左オペランド x と右オペランド y の一方でも true であれば、論理式 x || y の評価値が true となるからです）。

そのため、|| 演算子の左オペランドを評価した値が true であれば、**右オペランドの評価は省略されます**。

同様に、&& 演算子の場合は、左オペランドを評価した値が false であれば、**右オペランドの評価は省略されます**（もし一方でも false であれば、式全体が false になると判定できるからです）。

＊

このように、**論理演算の式全体の評価結果が、左オペランドの評価の結果のみで明確になる場合に、右オペランドの評価が省略されることを短絡評価**（short circuit evaluation）と呼びます。

■ ド・モルガンの法則

プログラムに戻りましょう。網かけ部の制御式を、**論理補数演算子 !** を用いて書きかえると、次のようになります（論理補数演算子は、真偽を反転する、すなわち、オペランドが true であれば false を生成し、オペランドが false であれば true を生成する、単項演算子です）。

```
!(no >= 10 && no <= 99)
```

『“各条件の否定をとって、論理積・論理和を入れかえた式” の否定』が、もとの条件と同じになるという性質は、**ド・モルガンの法則**（De Morgan's laws）として知られています。

この法則を、Java のコードとして一般化して示すと、次のようになります。

1. x && y と !(!x || !y) は等しい。
2. x || y と !(!x && !y) は等しい。

プログラムの制御式 *no* < 10 || *no* > 99 が、繰返しを続けるための《**継続条件**》であるのに対し、上記の式 !(*no* >= 10 && *no* <= 99) は、繰返しを終了するための《**終了条件**》の否定です。

すなわち、**Fig.1C-6** に示すイメージです。

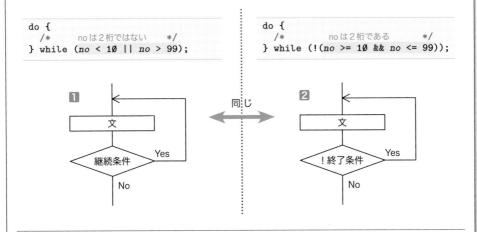

```
do {
    /*      no は 2 桁ではない      */
} while (no < 10 || no > 99);
```

```
do {
    /*      no は 2 桁である      */
} while (!(no >= 10 && no <= 99));
```

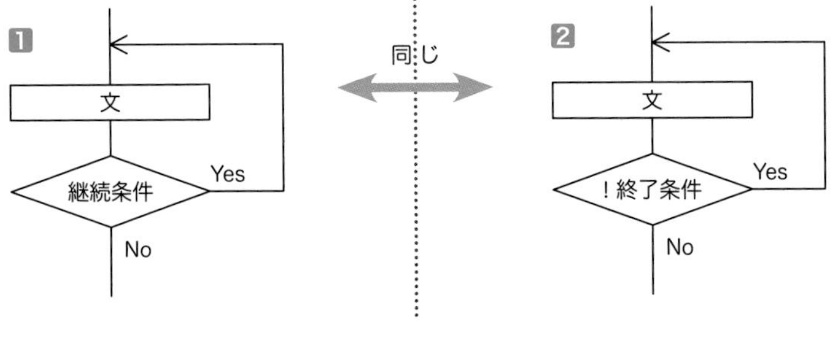

Fig.1C-6　繰返しの継続条件と終了条件

多重ループ

ここまでのプログラムは、単純な繰返しを行うものでした。

繰返しの中で繰返しを行うこともでき、そのような繰返しは、ループの《入れ子》の深さに応じて、**2重ループ**、**3重ループ**、… と呼ばれます。

もちろん、その総称は、**多重ループ**です。

九九の表

2重ループを用いたアルゴリズムの例として、《九九の表》を表示するプログラムを学習しましょう。**List 1-16** に示すのが、そのプログラムです。

List 1-16 chap01/Multi99Table.java

```
// 九九の表を表示

public class Multi99Table {

  public static void main(String[] args) {
    System.out.println("----- 九九の表 -----");

    for (int i = 1; i <= 9; i++) {                行ループ
      for (int j = 1; j <= 9; j++)    列ループ
        System.out.printf("%3d", i * j);
      System.out.println();
    }
  }
}
```

実行結果

```
----- 九九の表 -----
  1  2  3  4  5  6  7  8  9
  2  4  6  8 10 12 14 16 18
  3  6  9 12 15 18 21 24 27
  4  8 12 16 20 24 28 32 36
  5 10 15 20 25 30 35 40 45
  6 12 18 24 30 36 42 48 54
  7 14 21 28 35 42 49 56 63
  8 16 24 32 40 48 56 64 72
  9 18 27 36 45 54 63 72 81
```

九九の表の表示を行う網かけ部のフローチャートを、右ページの **Fig.1-19** に示しています。なお、右側の図は、変数 *i* と *j* の値の変化を表したものです。

外側の for 文（行ループ）は、変数 *i* の値を **1** から **9** までインクリメントします。各繰返しは、表の1行目、2行目、…、9行目に対応します。すなわち、**縦方向の繰返し**です。

その各行で実行される内側の for 文（列ループ）は、変数 *j* の値を **1** から **9** までインクリメントします。これは、各行における横方向の繰返しです。

変数 *i* の値を **1** から **9** まで増やす**《行ループ》**は9回繰り返されます。その各繰返しで、変数 *j* の値を **1** から **9** まで増やす《列ループ》が9回繰り返されます。《列ループ》終了後の改行の出力は、次の行へと進むための準備です。

そのため、この2重ループでは、次のように処理が行われます。

- *i* が **1** のとき：*j* を 1 ⇨ 9 とインクリメントしながら **1 * *j*** を表示。そして改行。
- *i* が **2** のとき：*j* を 1 ⇨ 9 とインクリメントしながら **2 * *j*** を表示。そして改行。
- *i* が **3** のとき：*j* を 1 ⇨ 9 とインクリメントしながら **3 * *j*** を表示。そして改行。

  … 中略 …
- *i* が **9** のとき：*j* を 1 ⇨ 9 とインクリメントしながら **9 * *j*** を表示。そして改行。

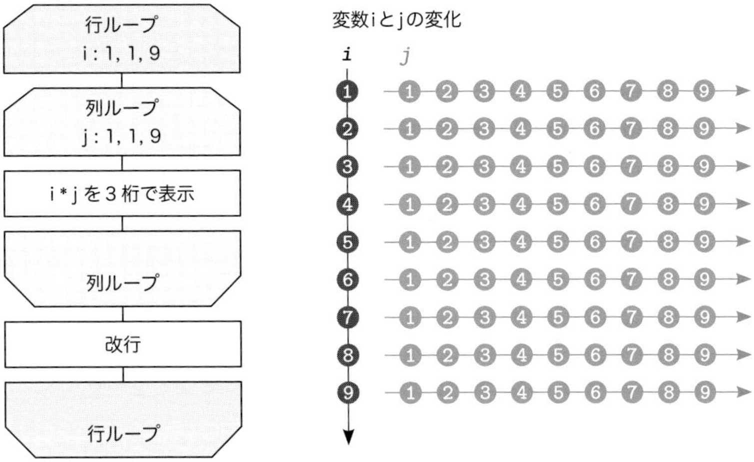

Fig.1-19　九九の表を表示するフローチャート

演習 1-11

右のように、上と左に掛(か)ける数を付した、九九の表を表示するプログラムを作成せよ。

表示には、縦線記号文字 '|'、マイナス記号文字 '-'、プラス記号文字 '+' を用いること。

```
   |  1  2  3  4  5  6  7  8  9
---+---------------------------
 1 |  1  2  3  4  5  6  7  8  9
 2 |  2  4  6  8 10 12 14 16 18
 3 |  3  6  9 12 15 18 21 24 27
 4 |  4  8 12 16 20 24 28 32 36
 5 |  5 10 15 20 25 30 35 40 45
 6 |  6 12 18 24 30 36 42 48 54
 7 |  7 14 21 28 35 42 49 56 63
 8 |  8 16 24 32 40 48 56 64 72
 9 |  9 18 27 36 45 54 63 72 81
```

演習 1-12

九九の**足し算**を行う表を表示するプログラムを作成せよ。前問と同様に、表の上と左に足す数を表示すること。

演習 1-13

右のように、読み込んだ段数を一辺としてもつ正方形を * 記号で表示するプログラムを作成せよ。

```
正方形を表示します。
辺の長さ：5↵
*****
*****
*****
*****
*****
```

Column 1-8　なぜカウンタ用変数の名前は i や j なのか

多くのプログラマが、for 文などの繰返し文を制御するための変数として i や j を使います。

その歴史は、技術計算用のプログラミング言語 FORTRAN の初期の時代にまで遡(さかのぼ)ります。この言語では変数は原則として実数です。しかし、名前の先頭文字が *I*, *J*, …, *N* の変数だけは自動的に整数とみなされていました。そのため、繰返しを制御するための変数としては *I*, *J*,…を使うのが最も手軽な方法だったのです。

直角二等辺三角形の表示

２重ループを応用すると、記号文字を並べて三角形や四角形などの図形の表示が行えます。**List 1-17** に示すのは、左下側が直角の二等辺三角形を表示するプログラムです。

▶ 網かけ部の do 文の働きで、変数 n に読み込む値を正の値に制限しています。

List 1-17 chap01/TriangleLB.java

```
// 左下側が直角の二等辺三角形を表示

import java.util.Scanner;

public class TriangleLB {

  public static void main(String[] args) {
    Scanner stdIn = new Scanner(System.in);
    int n;

    System.out.println("左下直角の二等辺三角形を表示します。");

    do {
      System.out.print("短辺の長さ：");
      n = stdIn.nextInt();          // 長さとして正値を読み込む
    } while (n <= 0);

    for (int i = 1; i <= n; i++) {      // 行ループ
      for (int j = 1; j <= i; j++)      // 列ループ
        System.out.print('*');
      System.out.println();
    }
  }
}
```

実行例

```
左下直角の二等辺三角形を表示します。
短辺の長さ：5⏎
*
**
***
****
*****
```

直角三角形の表示を行う網かけ部のフローチャートを、右ページの **Fig.1-20** に示しています。右側の図は、変数 *i* と *j* の変化を表したものです。

実行例のように、**n** の値が **5** である場合を例にとって、どのように処理が行われるかを考えましょう。

外側の for 文（行ループ）では、変数 *i* の値を 1 から **n** すなわち **5** までインクリメントします。これは、三角形の各行に対応する**縦方向の繰返し**です。

内側の for 文（列ループ）は、変数 *j* の値を 1 から *i* までインクリメントしながら表示を行います。これは、各行における横方向の繰返しです。

＊

そのため、この２重ループでは、次のように処理が行われます。

- *i* が 1 のとき：*j* を 1 ⇨ 1 とインクリメントしながら＊を表示。そして改行。 *
- *i* が 2 のとき：*j* を 1 ⇨ 2 とインクリメントしながら＊を表示。そして改行。 **
- *i* が 3 のとき：*j* を 1 ⇨ 3 とインクリメントしながら＊を表示。そして改行。 ***
- *i* が 4 のとき：*j* を 1 ⇨ 4 とインクリメントしながら＊を表示。そして改行。 ****
- *i* が 5 のとき：*j* を 1 ⇨ 5 とインクリメントしながら＊を表示。そして改行。 *****

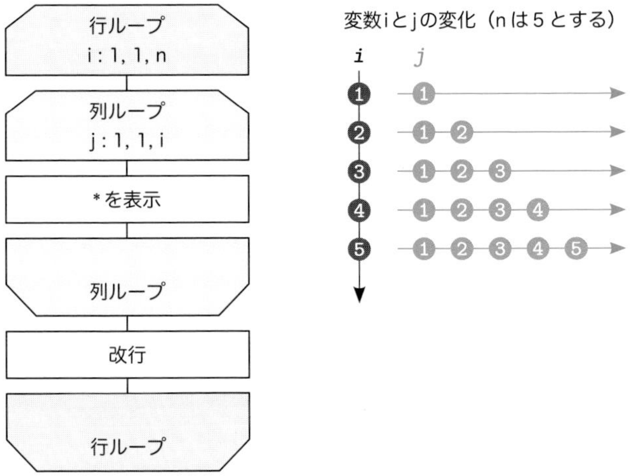

Fig.1-20　左下側が直角の二等辺三角形を表示するフローチャート

すなわち、三角形を上から第 1 行～第 **n** 行と数えると、第 **i** 行目に **i** 個の記号文字 `'*'` を表示して、最終行である第 **n** 行目には **n** 個の記号文字 `'*'` を表示します。

演習 1-14

直角二等辺三角形を表示する部分を独立させて、次の形式のメソッドとして実現せよ。

```
static void triangleLB(int n)     // 左下側が直角の二等辺三角形を表示
```

さらに、直角が左上側、右上側、右下側の二等辺三角形を表示するメソッドを作成せよ。

```
static void triangleLU(int n)     // 左上側が直角の二等辺三角形を表示
static void triangleRU(int n)     // 右上側が直角の二等辺三角形を表示
static void triangleRB(int n)     // 右下側が直角の二等辺三角形を表示
```

演習 1-15

n 段のピラミッドを表示するメソッドを作成せよ（右は 4 段の例）。

```
static void spira(int n)
```

第 **i** 行目には `(i - 1) * 2 + 1` 個の記号文字 `'*'` を表示して、最終行である第 **n** 行目には `(n - 1) * 2 + 1` 個の記号文字 `'*'` を表示すること。

```
   *
  ***
 *****
*******
```

演習 1-16

右のように、**n** 段の数字ピラミッドを表示するメソッドを作成せよ。

```
static void npira(int n)
```

第 **i** 行目に表示する数字は `i % 10` によって求めること。

```
   1
  222
 33333
4444444
```

第2章

基本的なデータ構造

- データ構造とは
- 配列
- 配列の要素の最大値
- 配列の要素の並びの反転
- 基数変換
- 素数の列挙
- クラス
- クラスの配列

2-1 配列

本節では、最も基本的なデータ構造である配列を学習します。

データ構造

本章で学習するのは、基本的な**データ構造**（data structure）です。

データ構造とは、構成要素のあいだに何らかの相互関係をもっているデータの構成のことであり、JIS X0015 03.01 では、次のように定義されています。

データ単位とデータ自身とのあいだの物理的または論理的な関係。

配列

テストの点数の集計処理を考えましょう。各学生の点数に1個の変数を割り当てるのであれば、**Fig.2-1** のようになります。

これだと、変数の名前の管理はもちろん、間違えないようにタイプするのも大変です。

各学生の点数を、学籍番号のように、『何番目』と指定できると好都合です。

```
int sato;   // 佐藤君の点数
int sanaka; // 佐中君の点数
int tateno; // 立野君の点数
// …
int masaki; // 真崎君の点数
```

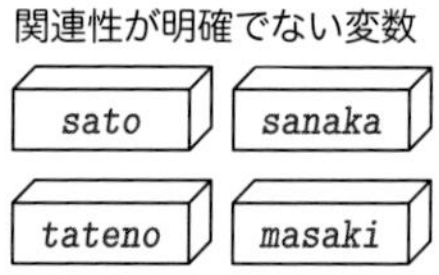

Fig.2-1　バラバラに定義された変数のよせ集め

配列（array）と呼ばれるデータ構造が、それを実現します。

その配列は、同一型の変数である**構成要素**（component）の集まりです。構成要素の型は、何でも構いません。テストの点数は整数値ですので、構成要素の型が `int` 型である配列を例にとって学習していきましょう。

まずは宣言です。次のように行います。

```
int[] a;              // 構成要素型がint型の配列（を参照する配列変数）
```

ただし、この宣言で作られる `a` は、**配列変数**（array variable）と呼ばれる特殊な変数であって、配列そのものではありません。**配列本体**は、**`new` 演算子**を使った **`new` 式**で生成します。

もし学生が5人であれば、5個の構成要素をもつ配列が必要です。その場合、

```
a = new int[5];   // new式で配列本体を生成した上で配列変数と関連付ける
```

で配列本体を**生成**し、その配列本体を配列変数 `a` が**参照**するように**関連付け**を行います。

▶ `new` 式を評価すると、生成した配列本体への**参照**が得られます。その参照先を、左オペランドの配列 `a` に代入することによって、配列変数 `a` と配列本体との関連付けを行う、という仕組みです。

Fig.2-2 が代入後の状態です。配列変数から配列本体に向かう矢印が、**参照**（関連付け）です。なお、配列本体内では、同一型の構成要素すべてが、**連続して直線状に並びます。**

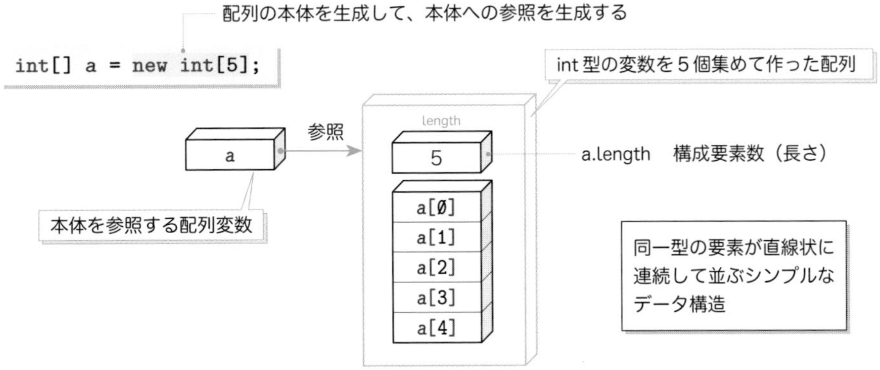

Fig.2-2　配列変数と配列本体

なお、この図内のコードは、配列本体の生成と配列変数との関連付けを、単一の宣言で行っています（配列本体を生成する **new** 式を、配列変数の初期化子としています）。

インデックス式と構成要素

配列本体内の個々の構成要素のアクセスは、整数型の**インデックス**（index）を**インデックス演算子 [ ]** 中に与えた**インデックス式**で行います。

配列変数名 [インデックス]	配列中の任意の構成要素をアクセスする

先頭要素のインデックスは **0** ですので、各構成要素をアクセスするインデックス式は、先頭から順に **a[0]**, **a[1]**, **a[2]**, **a[3]**, **a[4]** となります。

すなわち、**a[*i*]** は、配列 **a** の先頭から *i* 個後ろの構成要素をアクセスする式です。

▶ 構成要素が *n* 個の配列の構成要素は **a[0]**, **a[1]**, …, **a[*n*-1]** です。**a[*n*]** は存在しません。

配列 **a** 内の全構成要素は **int** 型です。各構成要素は、通常の（配列でない単一の）変数と同じ性質であり、値を代入したり取り出したりできます。

構成要素数（長さ）

図にも示しているように、配列本体と一緒に、構成要素の個数である**構成要素数**を表す **length** という変数も作られます。

なお、配列の構成要素数は、配列の**長さ**（length）とも呼ばれます。

配列変数名 **.length**	配列の構成要素数（長さ）

という式で、配列の構成要素数（長さ）が得られます。

既定値

次は、**List 2-1** のプログラムで、配列に関する学習を進めます。

List 2-1 chap02/IntArray.java

```
// 構成要素型がint型の配列（構成要素数は5 ：new式によって本体を生成）

class IntArray {

  public static void main(String[] args) {
    int[] a = new int[5];    // 配列の宣言

    a[1] = 37;            // a[1]に37を代入
    a[2] = 51;            // a[2]に51を代入
    a[4] = a[1] * 2;      // a[4]にa[1] * 2すなわち74を代入

    for (int i = 0; i < a.length; i++)  // 各要素の値を表示
      System.out.println("a[" + i + "] = " + a[i]);
  }
}
```

実行結果

```
a[0] = 0
a[1] = 37
a[2] = 51
a[3] = 0
a[4] = 74
```

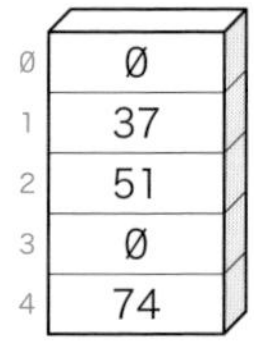

Fig.2-3 List 2-1 の配列

配列 a は、構成要素型が **int** 型で、構成要素数は **5** です。

このプログラムでは、3個の構成要素に値を代入しており、**Fig.2-3** が、代入後の配列本体の状態です。

▶ 水色の数値が**インデックスの値**で、箱の中の値が**構成要素の値**です。

さて、本プログラムの実行結果から、値を代入していない **a[0]** と **a[3]** の値が **0** であることが分かります。**配列の構成要素は、暗黙裏（あんもくり）に（自動的に）初期化される**のです。

この性質は、通常の変数とは、まったく異なります（**Column 2-1**：p.39）。

配列の生成時に、各構成要素に入れられる初期値は、**既定値**（きていち）（default value）と呼ばれます。

Table 2-1 が、各型の既定値の一覧です。

▶ IT 業界で頻繁に利用される**デフォルト**（default）は、『既定』という意味で使われています。
ただし、本来の意味は、名詞としては『不履行』『怠慢』『債務不履行』『欠席』『欠場』で、動詞としては『義務を怠る』『債務を履行しない』『欠席する』です。
『既定』のニュアンスで使われるのは、"怠慢をしても（わざわざ値を設定しなくても）設定される" ことに由来します。

Table 2-1　各型の既定値

型	既定値
byte	ゼロ すなわち (byte)0
short	ゼロ すなわち (short)0
int	ゼロ すなわち 0
long	ゼロ すなわち 0L
float	ゼロ すなわち 0.0f
double	ゼロ すなわち 0.0d
char	空文字 すなわち '\u0000'
boolean	偽 すなわち false
参照型	空参照 すなわち null

既定値は、すべての型で、ゼロ、あるいは、それに相当する値です。

▶ 配列の構成要素だけでなく、クラスのフィールド（インスタンス変数とクラス変数）も、この表に示す既定値で初期化されます。

初期化を伴う配列の宣言

配列本体の生成は、**new** 式だけでなく、**配列初期化子**（array initializer）でも行えます。

配列初期化子を利用すると、配列本体の生成と同時に、各構成要素を任意の値で**初期化**できるようになります。

List 2-2 に示すのが、配列初期化子を利用したプログラム例です。

List 2-2 chap02/IntArrayInit.java

```
// 要素型がint型の配列（構成要素数は５：配列初期化子によって生成）

class IntArrayInit {

  public static void main(String[] args) {
    int[] a = {1, 2, 3, 4, 5};      // 配列初期化子によって生成

    for (int i = 0; i < a.length; i++)
      System.out.println("a[" + i + "] = " + a[i]);
  }
}
```

実行結果

```
a[0] = 1
a[1] = 2
a[2] = 3
a[3] = 4
a[4] = 5
```

配列変数の宣言に与えられた網かけ部が、配列初期化子であり、個々の構成要素に対する初期化子をコンマ記号 **,** で区切って先頭から順に並べたものを **{ }** で囲んだ形式です。

この宣言によって、配列 **a** の構成要素 **a[0], a[1], a[2], a[3], a[4]** は、それぞれ **1, 2, 3, 4, 5** で初期化されます。

Fig.2-4 に示すのが、配列 **a** の本体の様子です。ここには、２種類の図を示しています。

いずれも、四角の中に書かれた数値や文字が**構成要素の値**であり、左または上側の水色の数値が**インデックス**です。

▶ 図**a**のように要素を縦に並べる場合はインデックスの小さい要素を上側に、図**b**のように要素を横に並べる場合はインデックスの小さい要素を左側に表記します。また、配列変数や **length** は、特に必要な場合を除いて省略します。

一般に、構成要素型が Type である配列のことを『**Type 型配列**』または『**Type 型の配列**』と呼びます。本プログラムの配列 **a** は、『**int 型(の)配列**』です。

なお、これ以降、構成要素を**要素**と呼び、構成要素数を**要素数**と呼んでいきます。

▶ 文法の定義上、構成要素と要素、構成要素数と要素数は異なります。ただし、本節で学習している配列（１次元配列）に限っては、実質的に同義とみなせます。

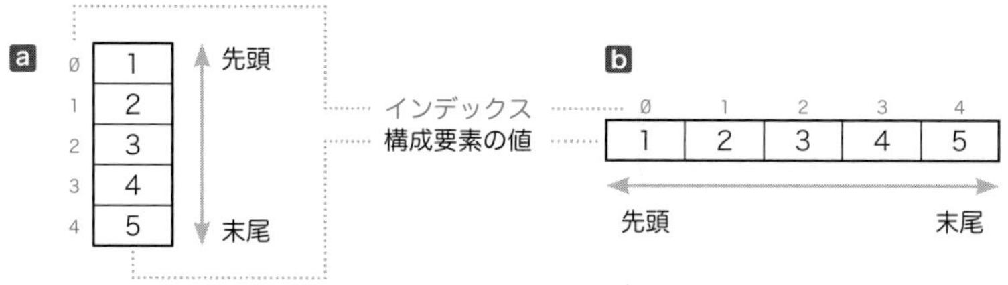

Fig.2-4 配列の表記

配列の要素の最大値を求める

配列の要素の最大値を求める手続きを考えていきましょう。配列 **a** の要素が 3 個であれば、三つの要素 **a[0]**, **a[1]**, **a[2]** の最大値は、次のコードで求められます。

```
max = a[0];
if (a[1] > max) max = a[1];
if (a[2] > max) max = a[2];
```

要素数が 3 であれば if 文を 2 回実行

変数名が異なる点を除くと、前章で学習した《3値の最大値》を求める手続きと同じです。なお、要素が4個であれば、次のようになります。

```
max = a[0];
if (a[1] > max) max = a[1];
if (a[2] > max) max = a[2];
if (a[3] > max) max = a[3];
```

要素数が 4 であれば if 文を 3 回実行

まず、配列の要素数とは無関係に、先頭要素 **a[0]** の値を **max** に代入する作業を行います。その後、**if** 文を実行する過程で、必要に応じて **max** の値を更新します。

要素数が **n** であれば、**if** 文の実行は、**n - 1** 回必要です。その際、**max** との比較や、**max** への代入の対象となる要素のインデックスは、**1**, **2**, … と増えていきます。

そのため、**a[0]**, **a[1]**, …, **a[n - 1]** の最大値を求めるコードは、次のようになります。

```
max = a[0];
for (int i = 1; i < n; i++)
  if (a[i] > max) max = a[i];
```

要素数が n であれば if 文を n−1 回実行

このコードをフローチャートにしたのが **Fig.2-5** であり、配列 **a** の要素の最大値を求めていく過程が、右ページの **Fig.2-6** です。

▶ **Fig.2-6** には、配列の要素数が 5 の例を示しています。

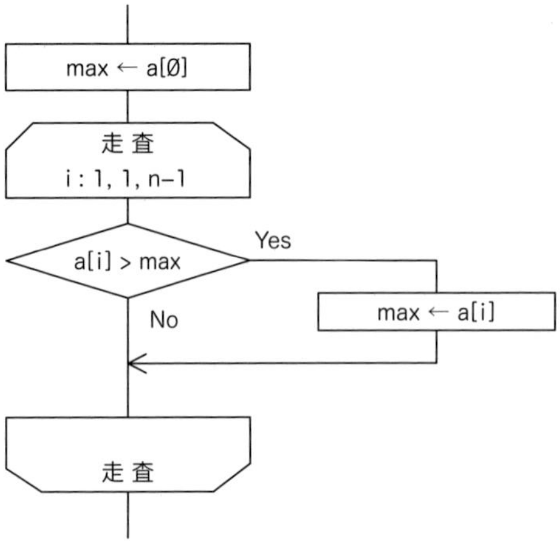

Fig.2-5 配列の要素の最大値を求めるアルゴリズム

```
max = a[0];
for (int i = 1; i < n; i++)
  if (a[i] > max) max = a[i];
```

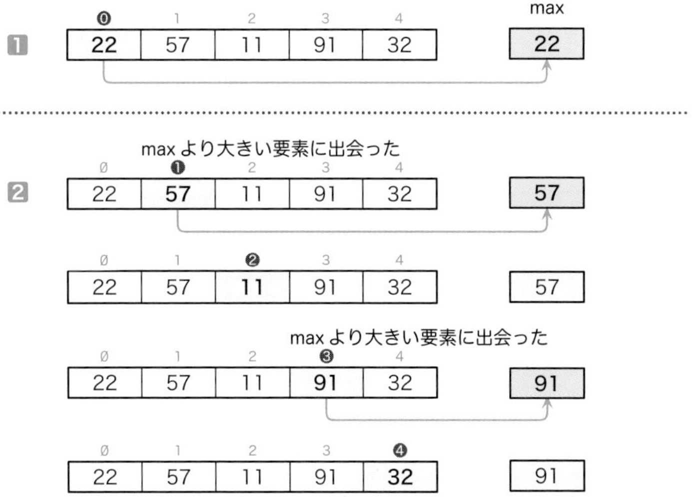

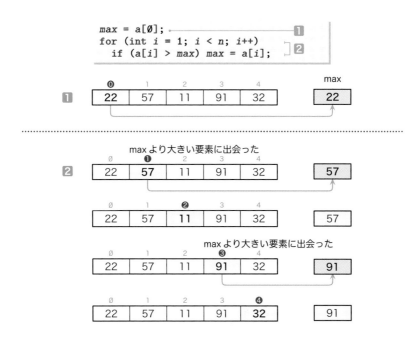

Fig.2-6 配列の要素の最大値を求める手順の一例

図中、●内の値は、**着目している要素のインデックス**です。着目する要素は、先頭から始まり、一つずつ後方へ移動します。

1では a[0] に着目して、a[0] の値を max に代入します。そして、2の for 文では a[1] から a[n - 1] まで順に着目します。

このように、配列の要素を一つずつ順になぞっていく手続きのことを**走査**（そうさ）（traverse）と呼びます。この用語は、必ず覚えるべき基本用語です。

さて、2の走査過程では、if 文の制御式 a[i] > max の判定が true となった（着目した要素 a[i] の値が、それまでの最大値より大きい）ときに a[i] の値を max に代入します。

全要素の走査が完了した時点で、配列 a の最大要素の値が max に入っています。

Column 2-1　値が代入されていない局所変数

本文で学習したとおり、配列の構成要素や、クラスのフィールドは、既定値で初期化されます。その一方で、メソッドの中で宣言される**局所変数**は、既定値では初期化されません。変数を作っても初期化は行われないのです。

Java では、初期化と代入のいずれかによって値が入れられていない変数から値を取り出すことはできません。そのため、次のプログラムはコンパイル時エラーとなります。

```
int a;
// 値が入れられていない変数から値を取り出そうとする
System.out.println("aの値は" + a + "です。");    // コンパイル時エラー
```

プログラムの実行時に配列の要素数を決定する

配列の要素の最大値を求めるアルゴリズムが分かりました。プログラムとして実現したのが **List 2-3** です。

List 2-3 chap02/MaxOfArray.java

```
// 配列の要素の最大値を表示する（値を読み込む）

import java.util.Scanner;

class MaxOfArray {

  //--- 配列aの最大値を求めて返却 ---//
  static int maxOf(int[] a) {
    int max = a[0];
    for (int i = 1; i < a.length; i++)
      if (a[i] > max)
        max = a[i];
    return max;
  }

  public static void main(String[] args) {
    Scanner stdIn = new Scanner(System.in);

    System.out.println("身長の最大値を求めます。");
    System.out.print("人数は：");
    int num = stdIn.nextInt();          // 配列の要素数を読み込む

    int[] height = new int[num];        // 要素数numの配列を生成

    for (int i = 0; i < num; i++) {
      System.out.print("height[" + i + "]：");
      height[i] = stdIn.nextInt();
    }

    System.out.println("最大値は" + maxOf(height) + "です。");
  }
}
```

実行例

```
身長の最大値を求めます。
人数は：5
height[0]：172
height[1]：153
height[2]：192
height[3]：140
height[4]：165
最大値は192です。
```

配列の要素を求める手続きは、独立したメソッド **maxOf** として実現しています。このメソッドは、引数として受け取った配列 **a** の最大値を求めて、その値を返却します。

▶ メソッド本体のコードは、前ページで考えたとおりです。ただし、繰返しの終了条件を判定するための制御式を、*i* < *n* でなはく、*i* < a.length に変更しています。

さて、本プログラムで配列 ***height*** の要素が表すのは、人間の“身長”です。**main** メソッドでは、まず最初に人数（配列の要素数）を変数 ***num*** に読み込み、それから要素数が ***num*** 個の配列 ***height*** を生成しています。

これまでのプログラムとは異なり、配列の要素数の決定が、プログラムの**コンパイル時**ではなく、**実行時**に行われます。

各要素に値を読み込んだ後は、配列 ***height*** をメソッド ***maxOf*** に渡し、メソッドから返却された最大値を表示します。

Column 2-2　メソッドの引数としての配列

List 2-3 の `main` メソッド内の網かけ部の式 *`maxOf(height)`* は、配列 *`height`* の要素の最大値を求めるための**メソッド呼出し式**です。

ここで行われる配列の受渡しの様子を、Fig.2C-1 を見ながら理解していきましょう。

※ この図では、メソッドの宣言に必要な `public` や `static` を省略しています。これ以降の図においても、`public` や `protected` などの修飾子を省略することがあります。

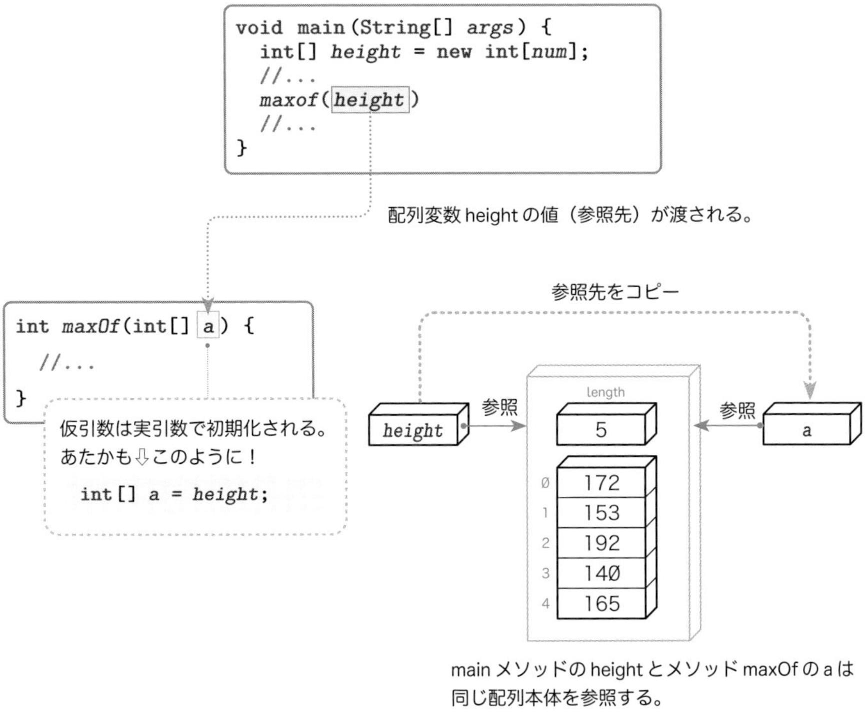
void main(String[] args) {
int[] height = new int[num];
//...
maxof(height)
//...
}
配列変数 height の値（参照先）が渡される。
参照先をコピー
int maxOf(int[] a) {
//...
}
仮引数は実引数で初期化される。
あたかも⇩このように！
int[] a = height;
height
参照
length
5
参照
a
0 172
1 153
2 192
3 140
4 165
main メソッドの height とメソッド maxOf の a は
同じ配列本体を参照する。

Fig.2C-1　メソッド間の配列の受渡し

呼び出し側が与える**実引数**の *`height`* は、いうまでもなく、配列本体を参照する**配列変数**です。そのため、メソッド *`maxOf`* に渡される値は、『配列本体への参照』となります。

Java のメソッド呼出しでは、呼び出されたメソッドの受け取る側の**仮引数**が、呼出し側で与えた実引数の値で**初期化**されることになっています。このケースでは、仮引数 `a` が、受け取った参照で初期化されますので、配列変数 `a` の参照先は、配列 *`height`* の本体となります。

その結果、メソッド *`maxOf`* 内の配列 `a` は、事実上 `main` メソッドの配列 *`height`* そのものになる、という仕組みです。

このような原理で《配列の受渡し》が行われますので、メソッド *`maxOf`* 内では、受け取った配列の要素数を `a.length` として取得でき、個々の要素を `a[i]` としてアクセスできます。

乱数による値の設定

配列の要素に対して値を一つずつ入力するのが面倒であれば、各要素に**乱数**を代入すればよいでしょう。そのように実現したのが、**List 2-4** のプログラム例です。

List 2-4 chap02/MaxOfArrayRand.java

```java
// 配列の要素の最大値を表示する（値は乱数で生成）

import java.util.Random;                                    // 1
import java.util.Scanner;

class MaxOfArrayRand {

  //--- 配列aの最大値を求めて返却 ---//
  static int maxOf(int[] a) {
    int max = a[0];
    for (int i = 1; i < a.length; i++)
      if (a[i] > max)
        max = a[i];
    return max;
  }

  public static void main(String[] args) {
    Random rand = new Random();                             // 2
    Scanner stdIn = new Scanner(System.in);

    System.out.println("身長の最大値を求めます。");
    System.out.print("人数は：");
    int num = stdIn.nextInt();          // 配列の要素数を読み込む

    int[] height = new int[num];        // 要素数numの配列を生成

    System.out.println("身長は次のようになっています。");
    for (int i = 0; i < num; i++) {                         // 3
      height[i] = 100 + rand.nextInt(90);   // 要素の値を乱数で決定
      System.out.println("height[" + i + "]：" + height[i]);
    }

    System.out.println("最大値は" + maxOf(height) + "です。");
  }
}
```

実行例

```
身長の最大値を求めます。
人数は：5
身長は次のようになっています。
height[0]：172
height[1]：137
height[2]：168
height[3]：189
height[4]：113
最大値は189です。
```

▶ 実行例に示す値は一例です。実行のたびに異なる値が生成されます。

プログラムを実行しましょう。キーボードから人数を打ち込むと、その人数分の身長が自動生成されて、最大値が表示されます（値を打ち込む手間が省けます）。

本プログラムでは、乱数の生成のために、`java.util` パッケージの *Random* クラスを使っています。乱数生成に必要なコードは、次の3箇所です。

1 *Random* クラスを単純名で利用するための型インポート宣言。
2 *Random* クラス型の変数（本プログラムでは *rand*）を作るための宣言。
3 乱数の生成（変数 *rand* に対する、乱数を生成するメソッド `nextInt` の呼出し）。

キーボードからの読込みを行うために必要なコードとよく似ていることが分かるでしょう。

さて、`nextInt(n)` が返却するのは、`0` 以上 `n - 1` 以下の乱数です。そのため、プログラム3の式 `rand.nextInt(90)` を評価すると、`0` ～ 89 の乱数が得られます。

▶ その `0` ～ 89 の乱数に `100` を加えていますので、`height[i]` に代入される値は `100` ～ 189 です。

演習 2-1

身長だけでなく人数も乱数で生成するように **List 2-4** を書きかえたプログラムを作成せよ。

Column 2-3 乱数の生成

乱数の生成に必要な1・2・3について、概要を学習しましょう（それなりに高度なテクニックなので、深く理解する必要はありません）。

＊

`java.util` パッケージに所属する `Random` クラスは、Java が提供する莫大なクラスライブラリの一つです。`Random` クラスのインスタンスは、一連の擬似（ぎじ）乱数を生成します。

その擬似乱数は、無から生成されるのではなく、《種（たね）》と呼ばれる数値に対して種々の演算を行うことで得られます（種とは、乱数を産み出すための卵（たまご）のようなものです）。`Random` クラスでは 48 ビットの種を使い、この種は線形合同法という計算法によって変更されます。

`Random` クラスのインスタンスの生成は、次のいずれの形式でも行えます。

```
a Random rand = new Random();      // 種を自動決定
b Random rand = new Random(n);     // 種を指定
```

List 2-4 で利用したaでは、乱数ジェネレータ（生成器）が新規に作られます。その際、`Random` クラスの他のインスタンスと重複しないように《種》の値が自動的に決定されます。

もう一つのbは、プログラム側で明示的に《種》を与える方法です。乱数ジェネレータの生成が、与えられた種に基づいて行われます。

※ 変数 `rand` の名前は、私が適当に与えたものですから、自由に変更して構いません。

＊

List 2-4 のプログラムでは、`int` 型整数の乱数を生成するために `nextInt` メソッドを利用しました。このメソッドを含め、**Table 2C-1** のメソッドが提供されますので、用途や目的に応じて使い分けます。

なお、乱数を生成するライブラリは、`java.lang.Math` クラスでも別仕様のものが提供されます。

Table 2C-1　乱数を生成する Random クラスのメソッド

求める式（メソッド呼出し）	型	生成される値の範囲
`nextBoolean()`	`boolean`	`true` または `false`
`nextInt()`	`int`	-2147483648 ～ +2147483647
`nextInt(n)`	`int`	`0 ～ n - 1`
`nextLong()`	`long`	-9223372036854775808 ～ +9223372036854775807
`nextDouble()`	`double`	`0.0` 以上 `1.0` 未満
`nextFloat()`	`float`	`0.0` 以上 `1.0` 未満

配列の要素の並びを反転する

配列の要素の並びを反転するアルゴリズムを考えましょう。たとえば、配列 a の要素数が 7 であって先頭から順に {2, 5, 1, 3, 9, 6, 7} が格納されているのであれば、その配列を {7, 6, 9, 3, 1, 5, 2} にする、というのが目的です。

反転の手順の一例を示したのが **Fig.2-7** です。まず最初に、図aに示すように、先頭要素 a[0] と末尾要素 a[6] の値を交換します。引き続き、図bと図cに示すように、それぞれ一つ内側の要素の値を交換する作業を繰り返します。

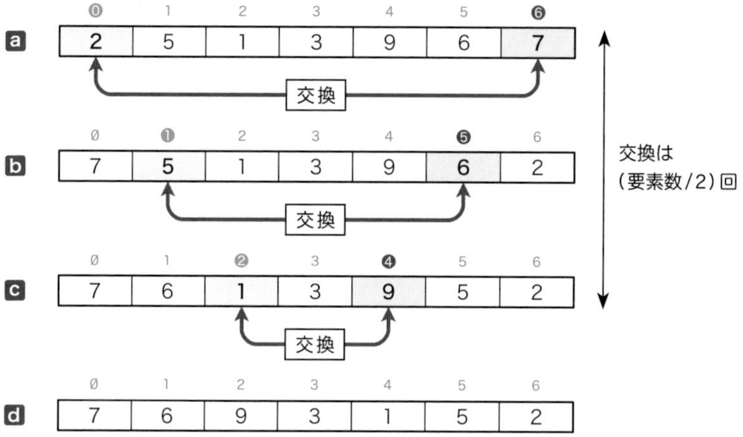

Fig.2-7　配列の要素の並びを反転する

交換作業の回数は (要素数 / 2) です。この除算での剰余は切り捨てます。というのも、ここに示す例のように、要素数が奇数のときは、中央要素の交換が不要だからです。

▶ "整数 / 整数" の演算では、**剰余が切り捨てられた整数部**が得られるため、好都合です（もちろん要素数が 7 のときの交換回数は 7 / 2 によって 3 が得られます）。

要素数 *n* の配列に対する a ⇨ b ⇨ … の処理を、変数 *i* を 0, 1, … とインクリメントすることで一般的に表すと、交換する要素のインデックスは、次のようになります。

- 左側要素のインデックス（図中●内の値）… *i*　　　*n* が 7 であれば 0 ⇨ 1 ⇨ 2
- 右側要素のインデックス（図中●内の値）… *n* - *i* - 1　　　*n* が 7 であれば 6 ⇨ 5 ⇨ 4

これで、要素数 *n* の配列の要素の並びを反転するアルゴリズムのコードが得られます。

```
for (int i = 0; i < n / 2; i++)
  a[i] と a[n - i - 1] の値を交換。
```

▶ 本書では、このように Java と日本語を交えて記述することがあります。

2値の交換

配列の反転には、配列内の２要素の**交換**が必要です。

二つの値の交換の手続きを考えましょう。一般的に考えるために、交換する2値の対象を、*x*と*y*として表したのが、**Fig.2-8** です。

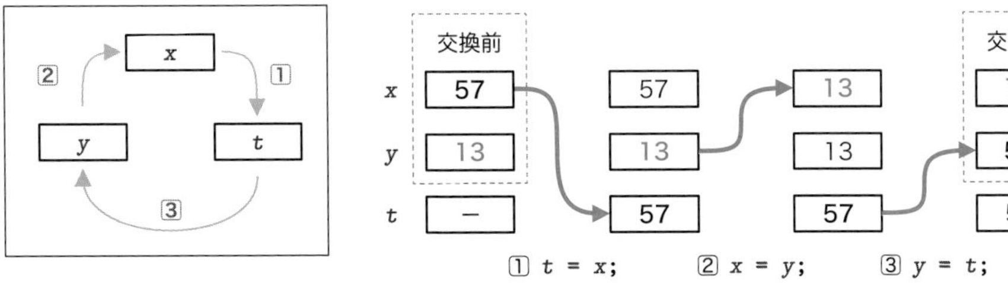

Fig.2-8　2値の交換手順

すなわち、作業用の変数を*t*とすると、交換の手順は次のようになります。

① *t* = *x*;　*x*の値を*t*に保存。
② *x* = *y*;　*y*の値を*x*に代入。
③ *y* = *t*;　*t*に保存していた最初の*x*の値を*y*に代入。

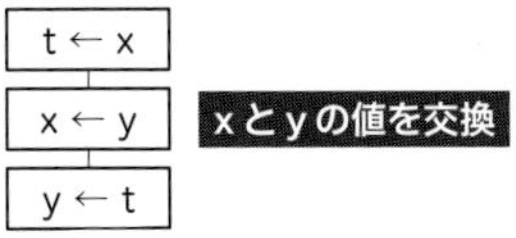

▶　2値の交換を次のように行うことはできません。

```
x = y;
y = x;
```

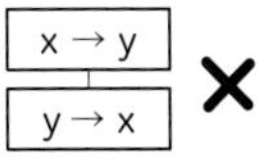

これだと、二つの変数*x*と*y*の値は、代入前の*y*の値になってしまいます。

さて、配列の要素の並びを反転する過程で交換するのは、*x*と*y*ではなく、配列内の２要素の値です。その処理をメソッドで実現すると、次のようになります。

```
//--- 配列の要素a[idx1]とa[idx2]の値を交換 ---//
static void swap(int[] a, int idx1, int idx2) {
  int t = a[idx1];
  a[idx1] = a[idx2];
  a[idx2] = t;
}
```

先ほどのコードの*x*が a[*idx1*] に変わり、*y*が a[*idx2*] に変わっていますが、行っている手続きは同じです。

このメソッド*swap*は、配列 a の要素 a[*idx1*] の値と、要素 a[*idx2*] の値を交換します。そのため、*swap*(x, 1, 5) と呼び出すと、メソッドから戻ってきたときには、x[1] の値と x[5] の値が交換されていることになります。

▶　**Column 2-2**（p.41）で学習した原理に基づいて、仮引数である配列変数 a の参照先が、実引数である配列変数 x の参照先の配列本体となるからです。

配列の要素の並びを反転するプログラムを作るための準備が、すべて整いました。プログラムを **List 2-5** に示します。

List 2-5 chap02/ReverseArray.java

```
// 配列の要素に値を読み込んで並びを反転する

import java.util.Arrays;                                        ← A
import java.util.Scanner;

class ReverseArray {

  //--- 配列の要素a[idx1]とa[idx2]の値を交換 ---//
  static void swap(int[] a, int idx1, int idx2) {
    int t = a[idx1];  a[idx1] = a[idx2];  a[idx2] = t;
  }

  //--- 配列aの要素の並びを反転 ---//
  static void reverse(int[] a) {
    for (int i = 0; i < a.length / 2; i++)
      swap(a, i, a.length - i - 1);
  }

  public static void main(String[] args) {
    Scanner stdIn = new Scanner(System.in);

    System.out.print("要素数は：");
    int num = stdIn.nextInt();    // 要素数

    int[] x = new int[num];       // 要素数numの配列

    for (int i = 0; i < num; i++) {
      System.out.print("x[" + i + "] : ");
      x[i] = stdIn.nextInt();
    }

    reverse(x);    // 配列aの要素の並びを反転

    System.out.println("要素の並びを反転しました。");
    System.out.println("x = " + Arrays.toString(x));
  }                                                              ← B
}
```

実行例

```
要素数は：7
x[0] : 2
x[1] : 5
x[2] : 1
x[3] : 3
x[4] : 9
x[5] : 6
x[6] : 7
要素の並びを反転しました。
x = [7, 6, 9, 3, 1, 5, 2]
```

配列内の2要素を交換するメソッド**swap**は、前ページで設計したとおりです。このメソッドは、第6章で多用します。

▶ 提示スペース節約のため、メソッド本体を1行につめて表記しています。みなさんがプログラムを作成する際は、ゆとりをもって表記しましょう。

引数として受け取った配列の要素の並びを反転するのが、メソッド**reverse**です。このメソッドの本体は、p.44で設計したとおりです（ただし、要素数の式を、**n**ではなく、**a.length**に変更しています）。

▶ **main**メソッドでは、生成した配列への参照**x**を、メソッド**reverse**に渡します。そこで呼び出された**reverse**では、仮引数**a**に受け取った参照を、そのまま**swap**に渡します（すなわち、配列への参照が2回にわたって、《たらい回し》されるわけです）。
　そのため、メソッド**reverse**の仮引数**a**と、**swap**の仮引数**a**は、いずれも**main**メソッド内で**x**として生成した配列本体を参照することになります。

配列の全要素の表示

本プログラムは、配列の全要素の値の表示を、**for** 文を使うことなく一発で行っています。そのために使っているのが、**Arrays.toString** メソッドです。

プログラム冒頭に宣言**A**の **import** 宣言を置けば、"**Arrays.toString(配列変数名)**" というメソッド呼出し式**B**によって『**全要素をコンマ , で区切ったものを [ ] で囲んだ文字列**』が得られる、という仕組みです。

▶ 実行例の場合、式 **Arrays.toString(x)** の評価で得られるのは文字列 "[7, 6, 9, 3, 1, 5, 2]" であり、その文字列が **println** メソッドに渡されて表示されます。

演習 2-2

右に示すように、配列要素の並びの反転の経過を逐一表示するプログラムを作成せよ。

```
[2, 5, 1, 3, 9, 6, 7]
a[0]とa[6]を交換します。
[7, 5, 1, 3, 9, 6, 2]
a[1]とa[5]を交換します。
[7, 6, 1, 3, 9, 5, 2]
a[2]とa[4]を交換します。
[7, 6, 9, 3, 1, 5, 2]
反転が終了しました。
```

演習 2-3

配列 **a** の全要素の合計値を求めて返却するメソッドを作成せよ。

```
static int sumOf(int[] a)
```

演習 2-4

配列 **b** の全要素を配列 **a** にコピーするメソッドを作成せよ。

```
static void copy(int[] a, int[] b)
```

演習 2-5

配列 **b** の全要素を配列 **a** に逆順にコピーするメソッドを作成せよ。

```
static void rcopy(int[] a, int[] b)
```

Column 2-4 前置増分演算子と後置増分演算子

インクリメントを行う増分演算子 **++** は、前置形式と後置形式とで働きが異なります。

■ 前置増分演算子 ++a

前置形式では、式全体の評価が行われる前に、オペランドの値がインクリメントされます。そのため、**a** の値が **3** のときに **b = ++a** の代入を実行すると、まず **a** がインクリメントされて値が **4** となり、それから式 **++a** を評価した値である **4** が **b** に代入されます。

最終的に、**a** と **b** は **4** になります。

■ 後置増分演算子 a++

後置形式では、式全体の評価が行われた後に、オペランドの値がインクリメントされます。そのため、**a** の値が **3** のときに **b = a++** の代入を実行すると、まず式 **a++** を評価した値 **3** が **b** に代入され、それからインクリメントが行われて、**a** の値が **4** となります。

最終的に、**a** は **4** になり、**b** は **3** になります。

※ 評価の順序に関しては、デクリメントを行う前置／後置減分演算子 **--** も同様です。

基数変換

次に、整数値を任意の基数へと基数変換するアルゴリズムを考えましょう。

10 進整数を n 進整数に変換するには、整数を n で割った剰余を求めるとともに、その商に対して除算を行います。商が 0 になるまで除算を繰り返して、その過程で求められた剰余を**逆に並べたもの**が、変換後の数です。

この考えに基づいて、10 進整数 59 を、2 進数・8 進数・16 進数に変換する様子を示したのが、**Fig.2-9** に示す図です。

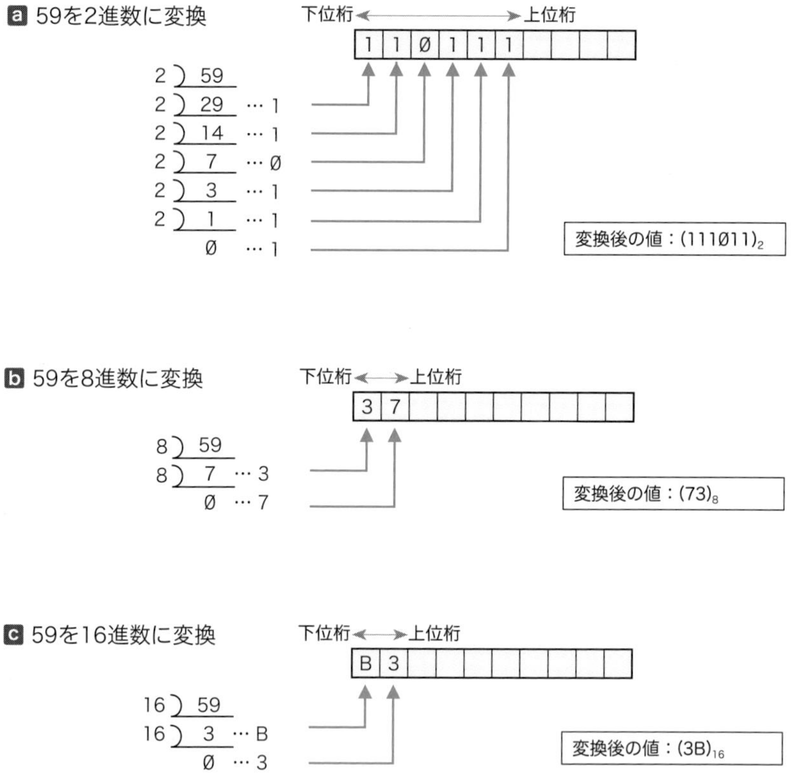

Fig.2-9　基数変換の過程

16 進数は、次の 16 個の文字によって表現される数です（**Column 2-5**：右ページ）。

0, 1, 2, 3, 4, 5, 6, 7, 8, 9, A, B, C, D, E, F

このように、基数が 10 を超える場合は、**0** ～ **9** に続く数字として、アルファベット文字 **A, B,** … を使います。**A, B,** … は、10 進数での **10, 11,** … に相当します。

数字文字 `0` ～ `9` と、アルファベット `A` ～ `Z` を使うことで、36 進数までを表現できます。

基数変換を行うプログラムを、次ページの **List 2-6** に示します。

Column 2-5 基数について

10 進数は 10 を**基数**（cardinal number）とする数です。同様に、2進数は2を基数とする数であり、8進数は8を基数とする数であり、16 進数は 16 を基数とする数です。各基数について簡単に学習します。

■ 10 進数

次に示す 10 種類の数字を使って数を表現します。

`0 1 2 3 4 5 6 7 8 9`

これらを使い切ったら、桁が繰り上がって 10 となります。2桁の数は、10 から始まって 99 までです。その次は、さらに繰り上がった 100 です。

10 進数の各桁は、下の桁から順に 10^0, 10^1, 10^2, … と、10 のべき乗の重みをもちます。たとえば 1234 は、次のように解釈できます（10^0 は 1 です。2^0 でも 8^0 でも、とにかく 0 乗の値は 1 です）。

$$1234 = 1 \times 10^3 + 2 \times 10^2 + 3 \times 10^1 + 4 \times 10^0$$

■ 2進数

次に示す2種類の数字を使って数を表現します。

`0 1`

これらを使い切ったら、桁が繰り上がって10となります。2桁の数は、10と11 の二つです。その次は、さらに繰り上がった 100 です。

2進数の各桁は、下の桁から順に 2^0, 2^1, 2^2, … と、2のべき乗の重みをもちます。たとえば1011（整数リテラルでは `0b1011` と表記）は、次のように解釈されます（10 進数の 11 です）。

$$1011 = 1 \times 2^3 + 0 \times 2^2 + 1 \times 2^1 + 1 \times 2^0$$

■ 8進数

次に示す8種類の数字を使って数を表現します。

`0 1 2 3 4 5 6 7`

これらを使い切ったら、桁が繰り上がって 10 となり、さらにその次の数は 11 となります。2 桁の数は、10 から始まって 77 までです。これで 2 桁を使い切りますので、その次は 100 です。

8進数の各桁は、下の桁から順に 8^0, 8^1, 8^2, … と、8のべき乗の重みをもちます。たとえば5306（整数リテラルでは `05306` と表記）は、次のように解釈されます（10 進数の 2758 です）。

$$5306 = 5 \times 8^3 + 3 \times 8^2 + 0 \times 8^1 + 6 \times 8^0$$

■ 16 進数

次に示す 16 種類の数字を使って数を表現します。

`0 1 2 3 4 5 6 7 8 9 A B C D E F`

先頭から順に、10 進数の 0 ～ 15 に対応します（`A` ～ `F` は小文字でも構いません）。

これらを使い切ったら、桁が繰り上がって 10 となります。2 桁の数は、10 から始まって FF までです。その次は、さらに繰り上がった 100 です。

16 進数の各桁は、下の桁から順に 16^0, 16^1, 16^2, … と、16 のべき乗の重みをもちます。たとえば 12A0（整数リテラルでは `0x12A0` と表記）は、次のように解釈されます（10 進数の 4768 です）。

$$12A0 = 1 \times 16^3 + 2 \times 16^2 + 10 \times 16^1 + 0 \times 16^0$$

List 2-6 [A] chap02/CardConv.java

```
// 読み込んだ10進整数を2進数〜36進数へと基数変換して表示

import java.util.Scanner;

class CardConv {

  //--- 整数値xをr進数に変換した数字文字の並びを配列dに格納して桁数を返却 ---//
  static int cardConv(int x, int r, char[] d) {
    int digits = 0;                    // 変換後の桁数
    String dchar = "0123456789ABCDEFGHIJKLMNOPQRSTUVWXYZ";

    do {
      d[digits++] = dchar.charAt(x % r);  // rで割った剰余を格納    ─1  ─A
      x /= r;                                                         ─2
    } while (x != 0);

    for (int i = 0; i < digits / 2; i++) {  // 配列dの並びを反転
      char t = d[i];
      d[i] = d[digits - i - 1];                                           ─B
      d[digits - i - 1] = t;
    }

    return digits;
  }
```

➡

メソッド cardConv は、整数 x を r 進数に変換した数字文字の並びを char 型の配列 d に格納して、その桁数（配列に格納した文字数）を返却します。

メソッドの先頭で 0 で初期化している digits が、変換後の数値の桁数を表す変数です。

Aの do 文では、ループ本体で次の二つの処理を行います。

1 まず、x を r で割った剰余をインデックスとする文字を配列 d の要素 d[digits] に代入し、その直後に digits の値をインクリメントする。

▶ charAt は、文字列中の任意の文字をアクセスするメソッドです（**Column 7-2**：p.246）。

2 x を r で割る。

この作業を、x が 0 になるまで繰り返します。**Fig.2-10** に示すのは、10 進数 59 を 16 進数に変換する様子です。

▶ 文字 'B' を d[0] に格納した後に digits は 1 で x は 3 となり、文字 '3' を d[1] に格納した後に digits は 2 で x は 0 となります。x が 0 になると、do 文の繰返しは終了します。

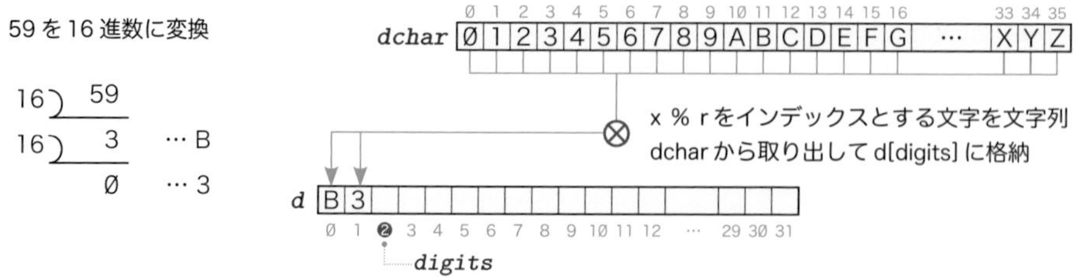

Fig.2-10 基数変換

List 2-6 [B] chapØ2/CardConv.java

```
  public static void main(String[] args) {
    Scanner stdIn = new Scanner(System.in);
    int no;                     // 変換する整数
    int cd;                     // 基数
    int dno;                    // 変換後の桁数
    int retry;                  // もう一度？
    char[] cno = new char[32];  // 変換後の各桁を格納する文字の配列

    System.out.println("1Ø進数を基数変換します。");
    do {
      do {
        System.out.print("変換する非負の整数：");
        no = stdIn.nextInt();
      } while (no < Ø);

      do {
        System.out.print("何進数に変換しますか（2-36）：");
        cd = stdIn.nextInt();
      } while (cd < 2 || cd > 36);

      dno = cardConv(no, cd, cno);     // noをcd進数に変換

      System.out.print(cd + "進数では");
      for (int i = Ø; i < dno; i++)    // 順に表示
        System.out.print(cno[i]);
      System.out.println("です。");

      System.out.print("もう一度しますか（1…はい／Ø…いいえ）：");
      retry = stdIn.nextInt();
    } while (retry == 1);
  }
}
```

実行例

```
1Ø進数を基数変換します。
変換する非負の整数：59↵
何進数に変換しますか（2-36）：2↵
2進数では111Ø11です。
もう一度しますか（1…はい／Ø…いいえ）：Ø↵
```

剰余（数字文字）を求めた順に格納していくため、**配列 d の先頭側が下位桁となります。**すなわち、変換後の桁の並びは、本来のものとは逆順です。

そこで、**B**では、**配列の反転**を行っています（既に学習したアルゴリズムです）。

＊

main メソッドでは基数変換を対話的に行います。

メソッド cardConv からの返却値が代入される dno には、変換後の桁数が入ります。変換後の各桁の数字文字が格納されているのは、配列 cno の要素 cno[Ø], cno[1], …, cno[dno - 1] です。そのため、網かけ部では、配列 cno を走査しながら変換結果を表示しています。

演習 2-6

右に示すように、基数変換の過程を詳細に表示するプログラムを作成せよ。

```
1Ø進数を基数変換します。
変換する非負の整数：59↵
何進数に変換しますか（2-36）：2↵
2 | 59
  +-----
2 | 29    … 1
  +-----
… 中略 …
2 | 1     … 1
  +-----
    Ø     … 1
2進数では111Ø11です。
```

素数の列挙

ある整数以下の素数（prime number）をすべて列挙するアルゴリズムを考えます。

素数とは、**自分自身と1以外の整数で割り切ることのできない整数**です。たとえば、素数である13は、2, 3, …, 12のどの整数でも割り切れません。

そのため、ある整数 *n* は、次の条件を満たせば、素数であると判定できます。

2から *n* - 1までのいずれの整数でも割り切れない。

---

n を割り切れる整数が1個でも存在すれば、その数は**合成数**（composite number）です。

1,000以下の素数を列挙する **List 2-7** のプログラムを理解していきましょう。

List 2-7 chap02/PrimeNumber1.java

```
// 1,000以下の素数を列挙（第１版）

class PrimeNumber1 {

  public static void main(String[] args) {
    int counter = 0;      // 除算の回数

    for (int n = 2; n <= 1000; n++) {
      int i;
      for (i = 2; i < n; i++) {
        counter++;
        if (n % i == 0) // 割り切れると素数ではない
          break;         // それ以上の繰返しは不要
      }
      if (n == i)        // 最後まで割り切れなかった
        System.out.println(n);
    }

    System.out.println("除算を行った回数：" + counter);
  }
}
```

実行結果

```
2
3
5
7
… 中略 …
991
997
除算を行った回数：78022
```

素数を求める箇所は、２重の for 文の構造です。

外側の for 文では、*n* の値を2から始めて1000になるまでインクリメントしていき、その値が素数かどうかを判定します。右ページの **Fig.2-11** に示すのが、判定の様子をまとめたものです。

ここでは、9と13を例に、判定の様子を具体的に見てみましょう。

■ 9が素数であるかどうかの判定

内側の for 文では、*i* の値を2, 3, …, 8とインクリメントしていきます。ただし、*i* が3のときに *n* が *i* で割り切れるため、break 文の働きで for 文の繰返しは中断されます。

除算が行われるのは、2と3の2回だけです。for 文中断時の *i* の値は3です。

■ 13が素数であるかどうかの判定

内側の for 文では、*i* の値を2, 3, …, 12とインクリメントしていきます。*n* が *i* で割り切れることはなく、**11回の除算がすべて行われます**。for 文終了時の *i* の値は13です。

素数
合成数

立体	**3**	その数で除算を行ったが割り切れなかった。
斜字	*3*	その数で除算を行ったら割り切れた。
薄字	~~3~~	その数での除算は不要なので行われなかった。

n	割る数	除算の回数
2		
3	**2**	1
4	*2* ~~3~~	1
5	**2 3 4**	3
6	*2* ~~3 4 5~~	1
7	**2 3 4 5 6**	5
8	*2* ~~3 4 5 6 7~~	1
9	**2** *3* ~~4 5 6 7 8~~	2
10	*2* ~~3 4 5 6 7 8 9~~	1
11	**2 3 4 5 6 7 8 9 10**	9
12	*2* ~~3 4 5 6 7 8 9 10 11~~	1
13	**2 3 4 5 6 7 8 9 10 11 12**	11
14	*2* ~~3 4 5 6 7 8 9 10 11 12 13~~	1
15	**2** *3* ~~4 5 6 7 8 9 10 11 12 13 14~~	2
16	*2* ~~3 4 5 6 7 8 9 10 11 12 13 14 15~~	1
17	**2 3 4 5 6 7 8 9 10 11 12 13 14 15 16**	15
18	*2* ~~3 4 5 6 7 8 9 10 11 12 13 14 15 16 17~~	1

Fig.2-11　素数であるかどうかの判定のための除算

内側の`for`文による繰返しが終了した時点の変数`i`の値は次のようになっています。

- `n`が素数のとき　：`for`文は最後まで実行される ⇨ `n`と等しい値
- `n`が合成数のとき：`for`文は中断される　　　　 ⇨ `n`より小さい値

そこで、プログラム網かけ部では、`i`の値が`n`と等しければ、その値を素数として表示します。

実行結果が示すように、除算が行われるのは全部で78,022回です。

▶ 除算を行うたびに変数`counter`をインクリメントすることによって、回数をカウントしています。

＊

さて、`n`が2や3で割り切れなければ、2×2である**4**や、2×3である**6**で割り切れることはありません。本プログラムが無駄な除算を行っていることは、明らかです。

実は、整数`n`が素数であるかどうかは、次の条件を満たすのかを調べればよいのです。

2から`n - 1`までのいずれの**素数**でも割り切れない。

たとえば、7が素数であるかどうかは、それより小さい素数である**2, 3, 5**での除算を行うだけで十分です（**4**や**6**で割る必要はありません）。

このアイディアを導入して、計算に要する時間を短縮しましょう。

アルゴリズムの改良（1）

前ページのアイディアに基づいて改良したのが、右ページの **List 2-8** です。

素数を求める過程では、その時点までに求められた素数を配列 `prime` の要素として蓄えていきます。`n` が素数かどうかの判定では、そこまでに蓄えられた素数での除算を行います。

プログラムの進行に伴って配列に格納される値の変化の様子を表したのが **Fig.2-12** です。

2 が素数であることは明確ですから、点線内の図に示すように、その値を配列の先頭要素 `prime[0]` に格納します（**1**）。

配列に格納されている素数の個数を表すのが、図中●内に値を示している変数 `ptr` です。`prime[0]` に 2 を格納した直後の `ptr` の値は 1 です。

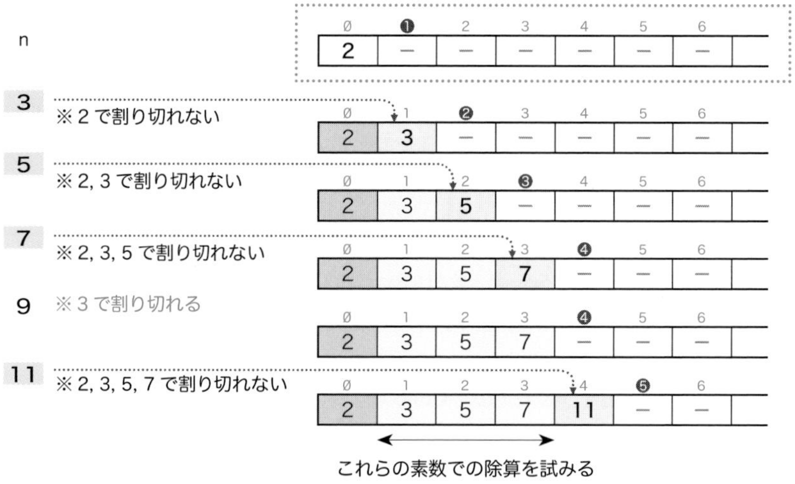

Fig.2-12　素数であるかどうかの判定のための除算

続く2重の `for` 文で、3 以上の素数を求めていきます。

外側の `for` 文では、`n` の値を二つずつ増やして 3, 5, 7, 9, …, 999 と奇数の値だけを生成します。4 以上の偶数は（2 で割り切れるため）素数ではないからです。

内側の `for` 文では、変数 `i` の値を 1 から始めて `ptr - 1` 回だけ繰り返します。これは、図中の □ 内の値で除算を行うための繰返しです。

▶ 変数 `i` のインクリメントを 0 からでなく 1 から始めています。判定の対象となる `n` が奇数であるため、`prime[0]` に格納されている 2 で割る必要がないからです。

具体的にどのような演算が行われるのかを、四つの例で見てみましょう。

a 3が素数であるかどうかの判定（n は 3 で ptr は 1 ⇨ 2）

内側の `for` 文は実行されません（`ptr` が 1 だからです）。`if` 文によって `n` の値 3 が `prime[1]` に格納されます。

▶ **2** の `if` 文では、制御式 `ptr == i` すなわち `1 == 1` が真となって成立するため、`prime[ptr++]` に対する、`n` すなわち 3 の代入が実行されます。

List 2-8 chap02/PrimeNumber2.java

```
// 1,000以下の素数を列挙（第２版）

class PrimeNumber2 {

  public static void main(String[] args) {
    int counter = 0;                    // 除算の回数
    int ptr = 0;                        // 得られた素数の個数
    int[] prime = new int[500];         // 素数を格納する配列

    prime[ptr++] = 2;                   // ２は素数である                 ――❶

    for (int n = 3; n <= 1000; n += 2) {     // 対象は奇数のみ
      int i;
      for (i = 1; i < ptr; i++) {       // 既に得られた素数で割ってみる
        counter++;
        if (n % prime[i] == 0)          // 割り切れると素数ではない
          break;                        // それ以上の繰返しは不要
      }
      if (ptr == i)                     // 最後まで割り切れなかったら     ――❷
        prime[ptr++] = n;               // 素数として配列に登録
    }

    for (int i = 0; i < ptr; i++)       // 求めたptr個の素数を表示
      System.out.println(prime[i]);

    System.out.println("除算を行った回数：" + counter);
  }
}
```

実行結果

```
… 中略 …
除算を行った回数：14622
```


b 5が素数であるかどうかの判定（n は 5 で ptr は 2 ⇨ 3）

prime[1] の 3 による除算を行います（割り切れません）。

素数と判定されますので、**n** の値 5 を **prime[2]** に格納します。

▶ すべての [　　] の値で割り切れず、内側の **for** 文が中断されることなく最後まで実行されると、**for** 文終了時の **i** の値は **ptr** と一致します。そのため、**n** は素数と判定されます（❷）。

c 7が素数であるかどうかの判定（n は 7 で ptr は 3 ⇨ 4）

prime[1] の 3 と、**prime[2]** の 5 での除算を行います（いずれでも割り切れません）。

素数と判定されますので、**n** の値 7 を **prime[3]** に格納します。

d 9が素数であるかどうかの判定（n は 9 で ptr は 4）

prime[1] の 3 での除算を行うと割り切れるため、素数でなく合成数と判定されます（配列 **prime** の要素への値の格納は行われません）。

▶ [　　] の値で割り切れるときは、**n** は素数ではなく合成数です。内側の **for** 文が中断されるため、**for** 文終了時の **i** の値は **ptr** よりも小さくなります。

除算を行う回数は78,022回から14,622回に減少しました。二つのプログラムを比較すると、次のことが分かります。

- 同じ解を得るためのアルゴリズムは一つであるとは限らない。
- 高速なアルゴリズムは、より多くの記憶域を必要とする傾向がある。

アルゴリズムの改良（2）

引き続きアルゴリズムの改良を行います。100 の約数を表した **Fig.2-13**（ただし 1 × 100 は除いています）を考えましょう。

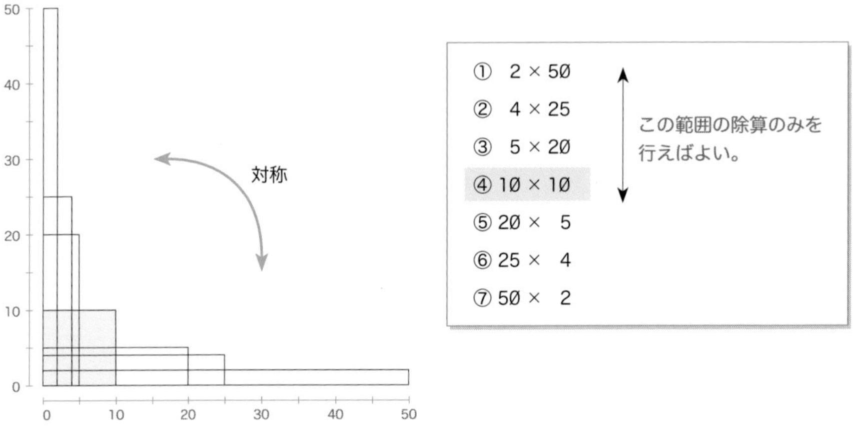

Fig.2-13　100 の約数の対称性

これらの値は、面積が 100 の長方形の、縦横の辺の長さです。たとえば 4×25 と 25×4 は、横長であるか縦長であるかが異なるものの、**同じ長方形です。**

そのため、すべての長方形は、**正方形である 10×10 を境に対称となっています。**

もし仮に 100 が 4 で割り切れないのであれば、25 でも割り切れることはありません。このことは、正方形の一辺の長さまでの除算を試みて、その過程で一度も割り切れなければ、素数と判定できることを意味します。

＊

すなわち、ある整数 `n` は、次の条件を満たせば素数であると判定できます。

`n` の**平方根以下**のいずれの素数でも割り切れない。

このアイディアを導入して改良したプログラムが、右ページの **List 2-9** です。

`prime[i]` が `n` の平方根以下であるかどうかの判定を行う**A**では、

`prime[i]` の2乗が `n` 以下であるか。

と、《乗算》を利用しています。これは、`n` の平方根の値を求めるよりも、はるかに単純かつ高速な判定法です。

＊

ここで新たに導入された乗算のコストは、除算と同等とみなせます。第1版と第2版のプログラムでは除算の回数をカウントしていましたが、本プログラムでは、`counter` に格納する値を、乗算と除算の回数の合計としています。

List 2-9 chap02/PrimeNumber3.java

```
// 1,000以下の素数を列挙（第３版）

class PrimeNumber3 {

  public static void main(String[] args) {
    int counter = 0;                      // 乗除算の回数
    int ptr = 0;                          // 得られた素数の個数
    int[] prime = new int[500];           // 素数を格納する配列

    prime[ptr++] = 2;                     // ２は素数である
    prime[ptr++] = 3;                     // ３は素数である

    for (int n = 5 ; n <= 1000; n += 2) {    // 対象は奇数のみ
      boolean flag = false;
      for (int i = 1; prime[i] * prime[i] <= n; i++) {      ── A
        counter += 2;                                         ── B
        if (n % prime[i] == 0) {          // 割り切れると素数ではない
          flag = true;
          break;                          // それ以上の繰返しは不要
        }
      }
      if (!flag) {                        // 最後まで割り切れなかったら
        prime[ptr++] = n;                 // 素数として配列に登録
        counter++;
      }
    }

    for (int i = 0; i < ptr; i++)         // 求めたptr個の素数を表示
      System.out.println(prime[i]);

    System.out.println("乗除算を行った回数：" + counter);
  }
}
```

（1 ：内側の if 文、2 ：if (!flag) 文）

実行結果
```
… 中略 …
乗除算を行った回数：3774
```


乗除算の回数を表す変数 counter のカウントアップを行うのは、２箇所の黒網部です。

内側の for 文で counter を２増やしているのは、次の二つの演算回数をカウントするためです。

A 乗算 … prime[i] * prime[i]

B 除算 … n % prime[i]

ただし、prime[i] * prime[i] <= n が成立しない場合は、プログラムの流れが内側の for 文のループ本体に入らないため、その乗算がカウントされません。そこで、for 文終了後に実行される2の if 文で、その分をカウントしています。

▶ 1の if 文で flag が true になったときは、乗算 prime[i] * prime[i] の回数はカウントずみですから、flag が false のとき（n が素数であった場合）のみ counter をカウントアップします。

乗除算の回数は、一気に減って 3,774 回となります。

＊

第１版のプログラムを、第２版・第３版と改良しました。アルゴリズムによって、計算の速度が変わることが実感できたでしょう。

▶ 第２版と第３版では、素数を格納する配列 prime の要素数を 500 としています。偶数は素数でないことが明らかであり、少なくとも半分を用意していれば、素数は必ず配列に収まるからです。

Column 2-6 配列に関する補足

ここでは、配列に関する細かな規則などを補足します。

■ 空の配列

配列の要素数は0であっても構いません。そのような配列は、**空**（から）**の配列**（empty array）と呼ばれます。

■ 配列要素のアクセス

配列の要素のアクセスは、すべて実行時に検査されます。もし0未満あるいは配列の要素数以上のインデックスを使用すると、**IndexOutOfBoundsException** の例外が発生します。

■ 配列初期化子のコンマと new 演算子

配列初期化子では、末尾要素に対する初期化子の後ろに“余分な”コンマを置くことができます。すなわち、次のような宣言が許されます。

```
int[] a = {1, 2, 3, 4, };
```

初期化子を縦に並べた場合、網かけ部の余分なコンマを導入するとバランスがとれます。さらに、1行分の初期化子の追加／削除の際に必要となる、コンマの追加／削除に関するミスを防ぐ効果もあります。

なお、明示的に new 演算子を適用して、次のように宣言することもできます。

```
int[] a = new int[]{1, 2, 3, 4};
```

■ 配列の複製（クローン）

配列の複製は、次に示す clone メソッドを呼び出すことによって、簡単に作れます。

配列名.clone()　　　　配列の複製

この式は、配列の複製を作って、その参照先を生成します。**List 2C-1** に示すのが、配列を複製するプログラム例です。

List 2C-1 chap02/CloneArray.java

```
// 配列の複製を作る

import java.util.Arrays;

class CloneArray {

  public static void main(String[] args) {
    int[] a = {1, 2, 3, 4, 5};
    int[] b = a.clone();        // bはaの複製を参照

    b[3] = 0;                   // 1要素だけ落書き

    System.out.println("a = " + Arrays.toString(a));
    System.out.println("b = " + Arrays.toString(b));
  }
}
```

実行結果

```
a = [1, 2, 3, 4, 5]
b = [1, 2, 3, 0, 5]
```

要素数5の配列aが、{1, 2, 3, 4, 5} で初期化されています。一方、配列変数bは、配列aの**複製**を参照するように初期化されるため、要素数も要素の値もaとまったく同じとなります。

プログラムでは、b[3] の値を0に書きかえた後に全要素の値を表示しています（配列変数bの参照先が、配列aの本体そのものではなく、その複製であることを確認するためです）。

■ 拡張 for 文

ここまでのプログラムが示すように、配列を扱う際は、必ずといってよいほど **for** 文を利用します。この **for** 文は、**基本 for 文**（basic for statement）と呼ばれるものです。

もう一つの **for** 文である**拡張 for 文**（enhanced for statement）を用いると、配列の走査を極めて簡潔に実現できます。

そのプログラム例が、**List 2C-2** です。配列の全要素の合計を求めて表示します。

List 2C-2 chap02/ArraySumForIn.java

```java
// 配列の全要素の和を求めて表示（拡張for文）

class ArraySumForIn {

  public static void main(String[] args) {
    double[] a = { 1.0, 2.0, 3.0, 4.0, 5.0 };

    for (int i = 0; i < a.length; i++)
      System.out.println("a[" + i + "] = " + a[i]);

    double sum = 0; // 合計
    for (double i : a)
      sum += i;

    System.out.println("全要素の和は" + sum + "です。");
  }
}
```

実行結果

```
a[0] = 1.0
a[1] = 2.0
a[2] = 3.0
a[3] = 4.0
a[4] = 5.0
全要素の和は15.0です。
```

網かけ部が拡張 **for** 文です。( ) 中のコロン記号 **:** は、"〜の中の" という意味であり、この **for** 文は、"**for**（フォー） (**double**（ダブル） **i**（アイ） **:**（イン） **a**（エイ）)" と発音します。

そのため、拡張 **for** 文は、"**for-in 文**" あるいは "**for-each 文**" などとも呼ばれます。

この **for** 文は、次のようなイメージです。

配列 a の先頭から末尾までの全要素を 1 個ずつ走査します。ループ本体では、現在着目している要素を *i* と表現します。

すなわち、変数 *i* が表すのは、**int** 型の整数値である "**インデックス**" ではなく、**double** 型の実数値である "**走査において着目している要素**" です。

本プログラムの拡張 **for** 文を、基本 **for** 文を使って書きかえると、次のようになります。

```java
for (int i = 0; i < a.length; i++)
  sum += a[i];
```

もし、制御式 **i < a.length** を書き間違えて、**i <= a.length** にしてしまうと、プログラムの実行時に **IndexOutOfBoundsException** 例外が発生してしまいます。

拡張 **for** 文を利用することには、次に示すようなメリットがあります。

- 配列の要素数（長さ）を調べる手間が省ける。
- 配列の全要素を着実に走査できる（開始や終了の条件指定のミスを防げる）
- イテレータと同じ方法で走査を行える。
  ※《イテレータ》については、本書では学習しません。

拡張 **for** 文は、その仕様上、ループ本体中で、インデックスの値を使えません。

配列の全要素を走査する過程においてインデックス自体の値が不要であれば、拡張 **for** 文によって走査を実現するとよいでしょう。

2-2 クラス

クラスは、任意のデータ型を自由に組み合わせて作ることのできるデータ構造です。

クラスとは

あるグループの身体検査データを処理することを考えましょう。データが氏名・身長・視力の三つであれば、**Fig.2-14** のように、それぞれの項目に配列を用意することになります（ここに示すのはグループが 7 人の例です）。

`name[0]` の氏名 "赤坂忠雄" をもつ人の身長は `height[0]` に格納され、視力は `vision[0]` に格納されているはずです。

ところが、各個人のデータが、同一のインデックスに格納されるという関係は、**プログラムのコードとしては表現できません。**

▶ ひねくれたプログラマであれば、氏名の並びの逆順に身長を格納したり、ランダムな順序で視力を格納するかもしれません。

	name		height		vision
0	赤坂忠雄	0	162	0	0.3
1	加藤富明	1	173	1	0.7
2	斉藤正二	2	175	2	2.0
3	武田信也	3	171	3	1.5
4	長浜良一	4	168	4	0.4
5	浜田哲明	5	174	5	1.2
6	松富明雄	6	169	6	0.8

Fig.2-14 バラバラに作られた三つの配列

現実の世界では、**Fig.2-15** に示すように、各個人の視力や身長などを記入した《カード》を人数分だけ用意します。プログラム上でも、このように実現すべきです。

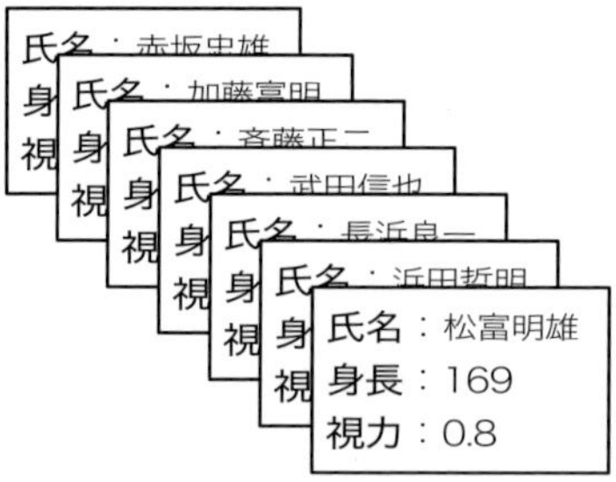

0	赤坂忠雄	162	0.3
1	加藤富明	173	0.7
2	斉藤正二	175	2.0
3	武田信也	171	1.5
4	長浜良一	168	0.4
5	浜田哲明	174	1.2
6	松富明雄	169	0.8

Fig.2-15 氏名／身長／視力をセットにした《カード》の配列

クラスの宣言

任意の型の要素を組み合わせて作るデータ構造が、**クラス**（class）です。もちろん、たまたま要素の型がすべて同じであっても構いません。

▶ これまでのプログラムもクラスを利用していましたが、目的とする処理を行うメソッドと、それをテストする `main` メソッドを包むためのものでした。

次に示すのは、単純な構造をもつクラスの宣言例です。

```
//--- クラスXYZ ---//
class XYZ {
  int    x;      // xはint型のフィールド
  long   y;      // yはlong型のフィールド
  double z;      // zはdouble型のフィールド
}
```

クラス XYZ は、3個のデータ要素で構成されます。なお、データ要素は**フィールド**（field）と呼ばれます。

int 型のフィールド x と、long 型のフィールド y と、double 型のフィールド z が**セットになったもの**がクラス XYZ である、というイメージです。

クラス型の変数を利用する際は、まず**クラス型変数**（実体を参照するための変数）を作るとともに、実体である**クラスインスタンス**を生成します。

これらは**関連付け**を行う必要があり、その手続きは、配列の場合（配列変数と配列本体を関連付ける手続き）と同じです。

クラス XYZ 型のクラス型変数を宣言し、インスタンスを生成して関連付けを行うコードは、次のようになります。

```
XYZ a;                  // XYZ型のクラス型変数aの宣言
a = new XYZ();          // XYZ型のクラスインスタンスを生成して参照先を代入
```

なお、次のように、クラス型変数に対する初期化子として、new 式を与えて宣言すると、一連の作業（クラスインスタンスの生成と、クラス型変数との関連付け）が一度に行えます。

```
XYZ a = new XYZ();  // 変数とインスタンス生成を一度に宣言
```

クラス型変数 a が、実体であるインスタンスを参照するイメージを表したのが、**Fig.2-16** です。

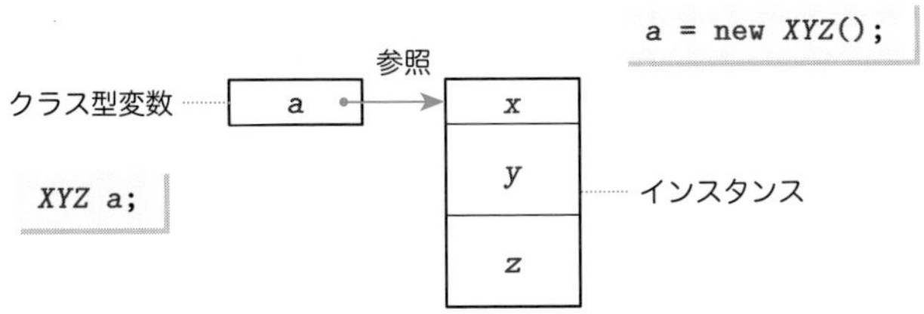

Fig.2-16　クラス型変数とインスタンス

なお、クラス型変数 a の参照先クラスインスタンス内のフィールドは、**メンバアクセス演算子 .** を使った式 a.x、a.y、a.z でアクセスできます。

クラスの配列

身体検査データを、バラバラな配列のよせ集めではなく、クラスの配列として実現したプログラム例を **List 2-10** に示します。

List 2-10 chap02/PhysicalExamination.java

```
// 身体検査データ用クラスの配列から平均身長と視力の分布を求める

import java.util.Scanner;

class PhysicalExamination {

  static final int VMAX = 21;    // 視力の分布（0.0から0.1刻みで21個）

  static class PhyscData {
    String name;          // 氏名
    int    height;        // 身長
    double vision;        // 視力

    //--- コンストラクタ ---//
    PhyscData(String name, int height, double vision) {
      this.name   = name;
      this.height = height;
      this.vision = vision;
    }
  }

  //--- 身長の平均値を求める ---//
  static double aveHeight(PhyscData[] dat) {
    double sum = 0;

    for (int i = 0; i < dat.length; i++)
      sum += dat[i].height;

    return sum / dat.length;
  }

  //--- 視力の分布を求める ---//
  static void distVision(PhyscData[] dat, int[] dist) {
    int i = 0;

    dist[i] = 0;
    for (i = 0; i < dat.length; i++)
      if (dat[i].vision >= 0.0 && dat[i].vision <= VMAX / 10.0)
        dist[(int)(dat[i].vision * 10)]++;
  }

  public static void main(String[] args) {
    Scanner stdIn = new Scanner(System.in);

    PhyscData[] x = {
      new PhyscData("赤坂忠雄", 162, 0.3),
      new PhyscData("加藤富明", 173, 0.7),
      new PhyscData("斉藤正二", 175, 2.0),
      new PhyscData("武田信也", 171, 1.5),
      new PhyscData("長浜良一", 168, 0.4),
      new PhyscData("浜田哲明", 174, 1.2),
      new PhyscData("松富明雄", 169, 0.8),
    };
```

実行結果

```
■ 身体検査一覧表 ■
 氏名       身長 視力
--------------------
赤坂忠雄     162  0.3
加藤富明     173  0.7
斉藤正二     175  2.0
武田信也     171  1.5
長浜良一     168  0.4
浜田哲明     174  1.2
松富明雄     169  0.8

平均身長：170.3cm

視力の分布
0.0～： 0人
0.1～： 0人
0.2～： 0人
0.3～： 1人
0.4～： 1人
0.5～： 0人
… 以下省略 …
```

```
    int[] vdist = new int[VMAX];          // 視力の分布

    System.out.println("■ 身体検査一覧表 ■");
    System.out.println(" 氏名        身長 視力");
    System.out.println("--------------------");
    for (int i = 0; i < x.length; i++)
      System.out.printf("%-8s%3d%5.1f\n",
                        x[i].name, x[i].height, x[i].vision);

    System.out.printf("\n平均身長：%5.1fcm\n", aveHeight(x));

    distVision(x, vdist);                 // 視力の分布を求める

    System.out.println("\n視力の分布");
    for (int i = 0; i < VMAX; i++)
      System.out.printf("%3.1f〜：%2d人\n", i / 10.0, vdist[i]);
  }
}
```

クラス *PhyscData* のフィールドは、氏名 *name*（String 型）、身長 *height*（int 型）、視力 *vision*（double 型）の3個です。

▶ クラス *PhyscData* は、クラス *PhysicalExamination* の**メンバクラス**（**Column 2-7**：p.64）として定義しています。

このプログラムは、身体検査データの一覧表を表示し、さらに、平均身長と視力の分布を表示します。

＊

本章では、**配列**と**クラス**という二つの**データ構造**を学習しました。

Java では、配列本体とクラスインスタンスは、プログラム実行時に new 式で生成するという共通点があります。両者の総称が、**オブジェクト**（object）です。

演習 2-7

視力の分布を右のようなグラフで出力するように書きかえたプログラムを作成せよ。

記号文字 '*' を人数分だけ繰り返し表示すること。

```
0.1〜：*
0.2〜：***
0.3〜：*
… 以下省略 …
```

演習 2-8

右に示すように、西暦年月日をフィールドとしてもつクラスを作成せよ。次に示すコンストラクタとメソッドを定義すること。

```
class Date {
  int y;   // 西暦年
  int m;   // 月（1〜12）
  int d;   // 日（1〜31）
}
```

- コンストラクタ（与えられた日付に設定）
  YMD(int *y*, int *m*, int *d*)
- *n* 日後の日付を返す
  YMD after(int *n*)
- *n* 日前の日付を返す
  YMD before(int *n*)

この他にも、いろいろなメソッドを設計して作成せよ。

Column 2-7 クラスに関する補足

クラスに関して詳細にまとめると、それだけで一冊の本になってしまいます。ここでは、最低限知っておくべき事項について、要点のみを学習します。

クラス本体とメンバ

クラス本体では、次のものを宣言できます：

- **メンバ**（フィールド／メソッド／入れ子クラス／入れ子インタフェース）
- **クラス初期化子／インスタンス初期化子**
- **コンストラクタ**

次のような決まりや特徴があります。

- フィールド／メソッド／コンストラクタの宣言には、**public**／**protected**／**private** を指定できる。
- メソッド／コンストラクタは、**多重定義＝オーバロード**（同一クラス内の、**シグネチャ**＝形式の異なるメソッド／コンストラクタに対して同一名を与えること）ができる。
- **final** 宣言されたフィールドには、一度だけしか値を代入できない。
- コンストラクタは、新しく生成されるインスタンスの初期化のために利用される。

次に示すのが、単純な構造のクラスの例です。

```
class A {
  private int   f1;            // 非公開フィールド
  protected int f2;            // 限定公開フィールド
  public int    f3;            // 公開フィールド

  static final int S1 = 0;     // 静的定数フィールド

  public A() {                 // コンストラクタ
    f1 = f2 = f3 = 0;
  }

  public A(int f1, int f2, int f3) {  // コンストラクタ
    this.f1 = f1;
    this.f2 = f2;
    this.f3 = f3;
  }

  public void setF1(int f) {          // メソッド（f1のセッタ）
    f1 = f;
  }

  public int getF1() {                // メソッド（f1のゲッタ）
    return f1;
  }
}
```

公開クラス

クラス修飾子 **public** 付きで宣言されたクラスは、他のパッケージから利用できる**公開クラス**（public class）となります。

ファイナルクラス

クラス修飾子 **final** 付きで宣言されたクラスは、下位クラスをもつことのできない（新たなクラスを継承できない）**ファイナルクラス**（final class）となります。

▪ 派生クラス

クラス *A* を**直接上位クラス**（direct superclass）とするには、宣言に **extends** *A* を加えます。このとき、宣言したクラスは、クラス *A* の**直接下位クラス**（direct subclass）となります。

クラスの宣言に **extends** がないクラスの直接上位クラスは、**Object** クラスとなります。

※ **Object** は、上位クラスをもたない唯一のクラスです。

以下に示すのは、クラス *A* を直接上位クラスとする、クラス *C* の宣言です。

```
class C extends A {
  // ...
}
```

上位（祖先）
下位（子孫）
Object
A
C
すべてのクラスの上位クラス。
java.lang パッケージに所属する。
クラス A は Object から派生。
スーパークラスは Object。C はサブクラス。
クラス C はクラス A から派生。
スーパークラスは A。

▪ インタフェースの実装

インタフェース *X* を実装するには、宣言に **implements** *X* を加えます。

以下に示すのは、インタフェース *X* を実装する、クラス *Y* の宣言です。

```
class Y implements X {
  // ...
}
```

▪ 抽象クラス

クラス修飾子 **abstract** 付きでクラスを宣言すると、**抽象メソッド**をもつことのできる**抽象クラス**（abstract class）となります。抽象クラス型は、不完全なクラスであって、その型のインスタンスを作ることはできません。

※ 抽象メソッドとは、実体が未定義のメソッドのことです（その実体は、下位クラスで定義されることになります）。

▪ 入れ子クラス

クラスまたはインタフェース内で宣言されたクラスは、**入れ子クラス**（nested class）となります。

- **メンバクラス**（member class）は、その宣言が他のクラスまたはインタフェース宣言に直接取り囲まれるクラスです。
- **内部クラス**（inner class）は、明示的にも暗黙裏にも **static** と宣言されない入れ子クラスです。静的初期化子やメンバインタフェースの宣言は行えません。また、コンパイル時定数フィールドでない限り、静的メンバの宣言は行えません。
- **局所クラス**（local class）は、名前が与えられた、入れ子クラスである内部クラスです。どのクラスのメンバにもなりません。

第3章

探　索

- 線形探索
- 番兵法
- ２分探索
- 計算量
- Arrays.binarySearchによる探索
- コンパレータの定義
- ハッシュ法
- チェイン法
- オープンアドレス法

3-1 探索アルゴリズム

本章では、データの集合から、目的とする値をもった要素を探し出すための探索アルゴリズムを学習します。

探索とキー

住所録からの**探索**（searching）を考えましょう。ひとことで《探索》といっても、次に示すように、さまざまな探し方があります。

- 国籍が日本である人を探す。
- 年齢が 21 歳以上 27 歳未満の人を探す。
- ある語句と最も発音が似ている名前の人を探す。

これらの探索の共通点は、**何らかの項目**に着目することです。着目する項目は、**キー**（key）と呼ばれます。たとえば、国籍での探索を行う場合は国籍がキーであり、年齢で探索する場合は年齢がキーです。

多くの場合、**キーはデータの《一部》です**。もっとも、データが（たとえば整数値のように）単一の値であれば、データの値がそのままキー値となります。

さて、さきほどの探索は、キー値に対して、次のような指定を行ったものでした。

- キー値と**一致**することを指定する。
- キー値の**区間**で指定する。
- キー値の**近接**として指定する。

もちろん、これらの条件を単独に指定するのではなく、論理積や論理和を用いて複合的に指定することもあります。

とはいえ、ある値と**一致**するキー値をもつデータを探すのが、単純であるとともに、一般的です。他の条件による探索は、その応用と考えられます。

配列からの探索

これまでに、数多くの探索手法が考案されています。右ページの **Fig.3-1** に示すのが、いくつかの探索の例です。

これらの多くは、データの格納先のデータ構造に依存します。たとえば、図**b**は、**線形リスト**からの探索です（第8章で学習します）。また、図**c**は、**2分探索木**からの探索です（第9章で学習します）。

また、ここには示していませんが、文字列の中の一部として存在する**文字列**の探索については第7章で学習します。

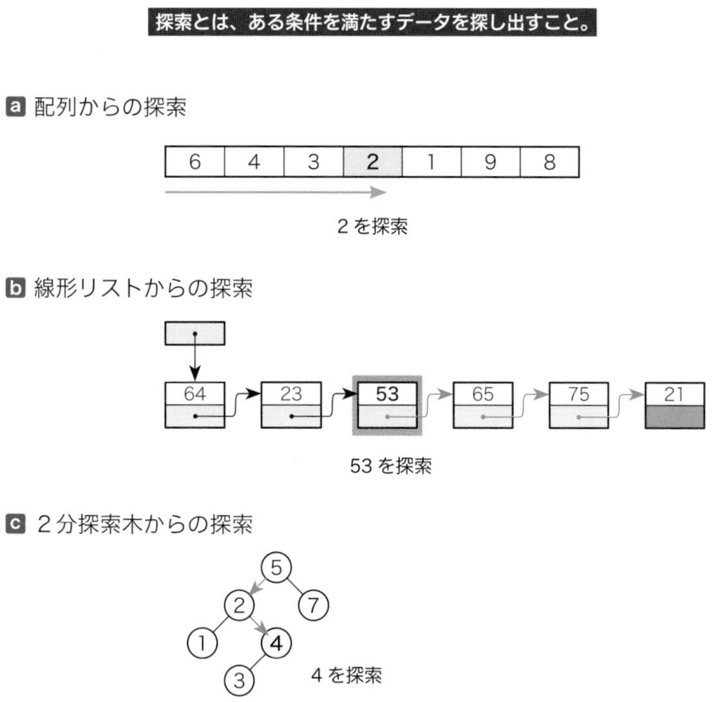

Fig.3-1 探索の例

本章で学習するのは、図aに示す《配列からの探索》です。具体的には、次に示すアルゴリズムです。

- **線形探索**：ランダムに並んだデータの集まりからの探索を行う。
- **2分探索**：一定の規則で並んだデータの集まりからの高速な探索を行う。
- **ハッシュ法**：追加・削除が高速に行えるデータの集まりからの高速な探索を行う。
  - **チェイン法**　　　　：同一ハッシュ値のデータを線形リストでつなぐ手法。
  - **オープンアドレス法**：衝突時に再ハッシュを行う手法。

なお、ハッシュ法は、データの探索だけでなく、追加や削除などを効率よく行うための総合的な手法です。

▶ データの集合から『探索さえ行えればよい』のであれば、探索に要する計算時間が短いアルゴリズムを選択することになります。
　とはいえ、データの集合に対して、探索だけでなく、データの追加や削除などを頻繁に行う場合は、探索以外の操作に要するコストなども含めて総合的に評価を行った上でアルゴリズムを選択する必要があります。たとえば、データの追加を頻繁に行うのであれば、たとえ探索が速くても、追加のコストが高くつくようなアルゴリズムは避けるべきです。
　ある目的に対して複数のアルゴリズムが存在する場合は、用途や目的・実行速度・対象となるデータ構造などを考慮してアルゴリズムを選択します。

3-2 線形探索

配列からの探索として最も基本的なアルゴリズムが、本節で学習する線形探索です。このアルゴリズムは、後の章でも利用しますので、しっかりと学習しましょう。

線形探索

要素が直線状に並んだ配列からの探索は、目的とするキー値をもつ要素に出会うまで先頭から順に要素を走査する（なぞる）ことで実現できます。

これが、**線形探索**（linear search）あるいは**逐次探索**（sequential search）と呼ばれるアルゴリズムです。

具体的な手順を、**Fig.3-2** に示しています。二つの図は、配列 {6, 4, 3, 2, 1, 2, 8} からの探索を行う様子です。

図Aは、2 の探索に成功する例で、図Bは、5 の探索に失敗する例です。

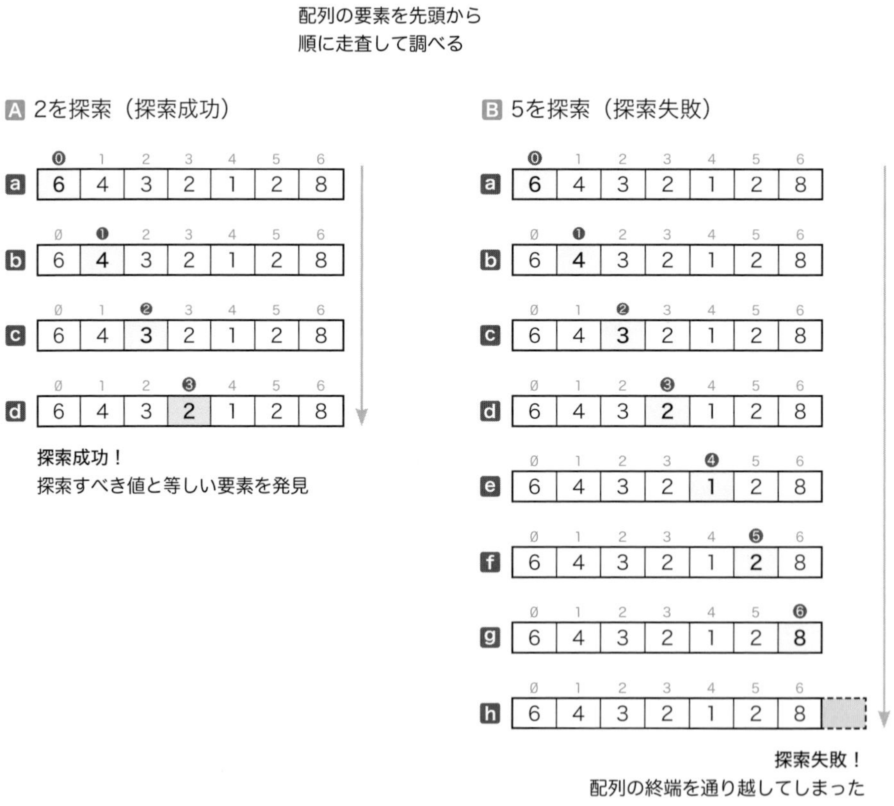
配列の要素を先頭から
順に走査して調べる
A 2を探索（探索成功）
B 5を探索（探索失敗）
探索成功！
探索すべき値と等しい要素を発見
探索失敗！
配列の終端を通り越してしまった

Fig.3-2　線形探索の一例

図中、●内に示している値は、配列の走査過程で着目する要素のインデックスです。たとえば図Aの場合、次のように走査を行います。

---

a インデックス0の要素6に着目します。目的とする値ではありません。
b インデックス1の要素4に着目します。目的とする値ではありません。
c インデックス2の要素3に着目します。目的とする値ではありません。
d インデックス3の要素2に着目します。目的とする値ですから、**探索成功**です。

なお、図Bでは、aからhまで、配列の要素を先頭から順に走査していきます。キーと同じ値の要素に出会うことは、最後までありません。キーと同じ値の要素が配列中に存在しないため、**探索失敗**となります。

＊

成功例と失敗例は、配列の走査の終了条件が二つあることを示しています。次に示す条件の**いずれか一方でも成立すれば、走査を終了します。**

◆ 線形探索における配列走査の終了条件 ◆
1 探索すべき値が見つからず終端を通り越した（通り越しそうになった）。 ⇨ **探索失敗**
2 探索すべき値と等しい要素を見つけた。 ⇨ **探索成功**

要素数が n であれば、これらの条件を判定する回数は、いずれも平均 n / 2 回です。

▶ 配列中に目的とする値が存在しないときは、1と2の判定は、それぞれ n + 1 回と n 回行われます。

＊

要素数 n の配列 a から、値が key の要素を探索するコードは、次のようになります。

```
int i = 0;

while (true) {
  if (i == n)
    return -1;       // 探索失敗（-1を返却）      ―1
  if (a[i] == key)
    return i;        // 探索成功（インデックスを返却）―2
  i++;
}
```

配列走査時に着目する要素のインデックスを表すのが、カウンタ用変数 i です（図の●内の値に相当します）。最初に 0 にしておき、要素を一つなぞるたびに、while 文が制御するループ本体の末尾でインクリメントします。

while 文を抜け出るのは、終了条件1と2のいずれかが成立したときであり、各 if 文の判定と対応しています。

---

1 i == n が成立した（終了条件1）。
2 a[i] == key が成立した（終了条件2）。

＊

このアルゴリズムを具体化したプログラムが、次ページの **List 3-1** です。

List 3-1 chap03/SeqSearch.java

```
// 線形探索

import java.util.Scanner;

class SeqSearch {

  //--- 配列aの先頭n個の要素からkeyと一致する要素を線形探索 ---//
  static int seqSearch(int[] a, int n, int key) {
    int i = 0;

    while (true) {
      if (i == n)
        return -1;        // 探索失敗（-1を返却）             ―1
      if (a[i] == key)
        return i;         // 探索成功（インデックスを返却）     ―2
      i++;
    }
  }

  public static void main(String[] args) {
    Scanner stdIn = new Scanner(System.in);

    System.out.print("要素数：");
    int num = stdIn.nextInt();
    int[] x = new int[num];     // 要素数numの配列

    for (int i = 0; i < num; i++) {
      System.out.print("x[" + i + "]：");
      x[i] = stdIn.nextInt();
    }

    System.out.print("探す値：");       // キー値の読込み
    int ky = stdIn.nextInt();

    int idx = seqSearch(x, num, ky);  // 配列xから値がkyの要素を探索

    if (idx == -1)
      System.out.println("その値の要素は存在しません。");
    else
      System.out.println("その値はx[" + idx + "]にあります。");
  }
}
```

実行例

```
要素数：7
x[0]：6
x[1]：4
x[2]：3
x[3]：2
x[4]：1
x[5]：2
x[6]：8
探す値：2
その値はx[3]にあります。
```

メソッド *seqSearch* は、配列 a の先頭 n 個の要素を対象に、値が **key** の要素を線形探索します。返却するのは、見つけた要素のインデックスです。もし値が **key** の要素が複数個存在する場合は、走査の過程で最初に見つけた要素のインデックスを返却します。

▶ 実行例に示しているのは、2 を探索する例です。この値は、x[3] と x[5] の両方に存在しますが、先頭側のものを見つけて 3 を返却します。

なお、値が **key** の要素が存在しない場合は、-1 を返却します。

▶ 探索失敗時に返却する -1 は、配列のインデックスとしてはあり得ない値です。そのため、メソッドを呼び出す側では、探索に成功したかどうかの判定が容易になります。

無限ループの実現

プログラムの **while** 文は、制御式が **true** であって、《無限ループ》の形となっています。

“無限” といっても、**break** 文を使えばループから抜け出せますし、**return** 文を使えばループを含んだメソッドから抜け出せます。

その無限ループは、**Fig.3-3** のように実現できます。

```
while (true) {
  // 中略
}
```

```
for ( ; true ; ) {
  // 中略
}
```

```
do {
  // 中略
} while (true);
```

Fig.3-3　無限ループの実現例

`for` 文では、繰返しの継続を判定するための制御式 `true` は省略可能です（制御式を省略すると、`true` が指定されたものとみなされるからです）。

さて、私たちは通常、ソースプログラムを上から下へと眺めていきます。そのため、`while` 文と `for` 文は、先頭行を読むだけで無限ループと分かります。

最後まで読まないと無限ループと分からない `do` 文による実現は、お勧めできません。

for 文による実現

配列の走査を `while` 文ではなく `for` 文で実現すると、プログラムは短く簡潔になります。**List 3-2** に示すのが、そのプログラムです。

List 3-2　chap03/SeqSearchFor.java

```
//--- 配列aの先頭n個の要素からkeyと一致する要素を線形探索 ---//
static int seqSearch(int[] a, int n, int key) {
  for (int i = 0; i < n; i++)
    if (a[i] == key)
      return i;          // 探索成功（インデックスを返却）
  return -1;             // 探索失敗（-1を返却）
}
```

要素を順に走査する線形探索は、ランダムな並びの配列から探索を行う唯一の方法です。

Column 3-1　型インポート宣言

クラスやインタフェースなどの型は、必ず何らかのパッケージに所属します。たとえば、`Scanner` クラスと `Random` クラスの所属先は、`java.util` パッケージです。そのため、`Scanner` クラスのフルネームともいうべき**完全限定名**は、`java.util.Scanner` となります。

パッケージ名を含んだ完全限定名ではなく、クラス名だけの**単純名**でクラスを利用できるようにするのが、**型インポート宣言**です。

```
import java.util.Scanner;
```

この型インポート宣言をソースプログラムの先頭に置くと、そのソースプログラム内では、インポートされた型名（この場合は `Scanner`）を単純名だけで利用できます。

※ 型インポート宣言を行わないソースプログラムでは、`Scanner` を利用する箇所すべてで、完全限定名 `java.util.Scanner` を使って表記する必要があります。

番兵法

線形探索では、繰返しのたびに二つの終了条件①と②（p.71）の両方をチェックします。単純な判定とはいえ、“塵も積もれば山となる”ため、そのコストは決して無視できません。

このコストを半分に抑えるのが、ここで学習する**番兵法**（sentinel method）です。

番兵法による線形探索の様子を **Fig.3-4** に示しています。この図を見ながら理解していきましょう。

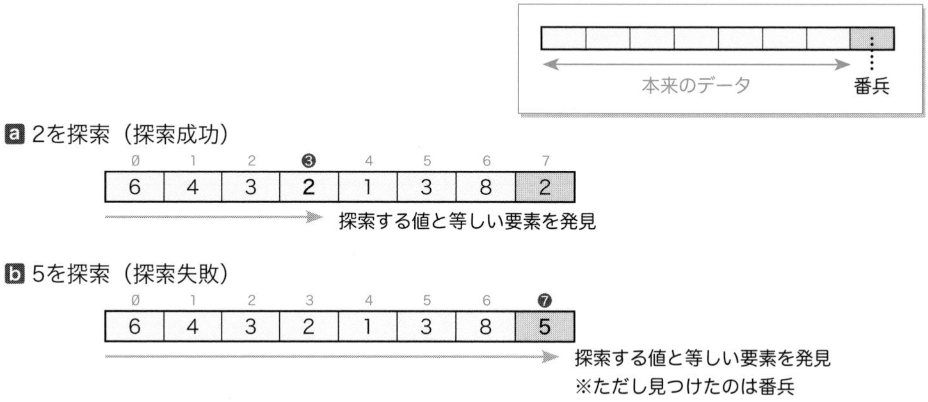

Fig.3-4　番兵法を用いた線形探索

各配列中の `a[0]` ～ `a[6]` の要素が本来のデータで、末尾の `a[7]` が探索の準備の段階で格納する**番兵**（sentinel）です。

番兵は、次のように、**探索するキーと同じ値**として格納します。

図**a**：2 を探索する準備として、番兵として `a[7]` に 2 を格納する。

図**b**：5 を探索する準備として、番兵として `a[7]` に 5 を格納する。

図**b**のように、目的とする値が本来のデータ内に存在しなくても、`a[7]` の番兵まで走査した段階で、終了条件②（探索すべき値と等しい要素を見つけたか）が成立します。

そのため、終了条件①（探索すべき値が見つからず終端を通り越したか）の判定が**不要**となります。**番兵は、繰返しの終了判定を削減する役割をもちます。**

＊

番兵法を導入して、**List 3-1**（p.72）を書きかえたのが、右ページの **List 3-3** です。

まずは、`main` メソッドに着目しましょう。**A**では、キーボードから読み込んだ要素数に 1 を加えた要素数の配列を生成しています（たとえば、要素数として 7 が入力されると、要素数 8 の配列を生成します）。

▶ 本来のデータに加えて、その後ろに番兵を格納するためです。

List 3-3 chap03/SeqSearchSen.java

```
// 線形探索（番兵法）

import java.util.Scanner;

class SeqSearchSen {

  //--- 配列aの先頭n個の要素からkeyと一致する要素を線形探索（番兵法）---//
  static int seqSearchSen(int[] a, int n, int key) {
    int i = 0;

    a[n] = key;              // 番兵を追加                    ―1

    while (true) {
      if (a[i] == key)  // 探索成功
        break;                                                ―2
      i++;
    }
    return i == n ? -1 : i;                                   ―3
  }

  public static void main(String[] args) {
    Scanner stdIn = new Scanner(System.in);

    System.out.print("要素数：");
    int num = stdIn.nextInt();
    int[] x = new int[num + 1];            // 要素数num + 1の配列  ―A

    /*=== 省略：配列xの要素とキーへの値の読込み ===*/

    int idx = seqSearchSen(x, num, ky);    // 配列xから値がkyの要素を探索

    if (idx == -1)
      System.out.println("その値の要素は存在しません。");
    else
      System.out.println("その値はx[" + idx + "]にあります。");
  }
}
```

実行例

```
要素数：7↵
x[0]：6↵
x[1]：4↵
x[2]：3↵
x[3]：2↵
x[4]：1↵
x[5]：3↵
x[6]：8↵
探す値：2↵
その値はx[3]にあります。
```

それでは、メソッド *seqSearchSen* を理解していきましょう。

1 探索する値 key を、番兵として a[n] に代入します。

2 配列の要素を走査します。**List 3-1**（p.72）の **while** 文には、2個の **if** 文がありました。

```
if (i == n)             // 終了条件①  ⇐ 番兵法では不要
if (a[i] == key)        // 終了条件②
```

本プログラムでは、前者が不要となったため、**if** 文は1個だけです。そのため、繰返し終了のための**判定回数は実質的に半分となります。**

3 **while** 文による繰返しが終了すると、**見つけたのが、配列内の本来のデータなのか、それとも番兵なのかの判定が必要です。**変数 *i* の値が *n* になっていれば、見つけたのは**番兵**ですから、探索に失敗したことを表す **-1** を返します。そうでなければ、見つけたのは**本来のデータ**ですので、*i* の値を返却します。

番兵法の導入によって、**if** 文の判定回数が減少しました。具体的には、**2**によって半分に減るとともに、**3**の（**if** 文と同等な）条件式によって1回増えました。

3-3 2分探索

本節で学習するのは、2分探索です。このアルゴリズムの適用は、データがキー値でソートずみの場合に限定されるものの、線形探索よりも極めて高速に探索を行えます。

2分探索

2分探索（にぶん）（binary search）は、要素がキーの昇順または降順にソート（整列）されている配列から効率よく探索を行うアルゴリズムです。

▶ ソートアルゴリズムは、第6章で学習します。

下図に示す、昇順にソートされた（小さいほうから順に並んだ）データの並びからの **39** の探索を考えましょう。まず、配列の中央に位置する要素 **a[5]** すなわち **31** に着目します。

0	1	2	3	4	❺	6	7	8	9	10
5	7	15	28	29	**31**	39	58	68	70	95

目的とする **39** は、この要素よりも末尾側に存在するはずです。そこで、探索の対象を末尾側の5個すなわち **a[6]** ～ **a[10]** に絞り込みます。

引き続き、更新された対象範囲の中央要素である **a[8]** すなわち **68** に着目します。

0	1	2	3	4	5	6	7	❽	9	10
5	7	15	28	29	31	39	58	**68**	70	95

目的とする値は、この要素よりも先頭側に存在するはずですから、探索の対象を先頭側の2個すなわち **a[6]** ～ **a[7]** に絞り込みます。

二つの要素の中央要素として先頭側の値である **a[6]** すなわち **39** に着目します（整数どうしの除算では小数点以下が切り捨てられて、二つのインデックス **6** と **7** の中央値 **(6 + 7) / 2** が **6** となるからです）。

0	1	2	3	4	5	❻	7	8	9	10
5	7	15	28	29	31	**39**	58	68	70	95

着目した **39** は、目的とするキー値と一致しますので、**探索成功**です。

＊

n 個の要素が昇順に並んでいる配列 **a** から ***key*** を探索するとして、このアルゴリズムを一般的に表現しましょう（**Fig.3-5**：右ページ）。

探索範囲の先頭、末尾、中央のインデックスを、それぞれ pl、pr、pc とします。探索開始時の pl は **0**、pr は n **- 1**、pc は **(**n **- 1) / 2** です。これが図**a**の状態です。

探索の対象範囲は □ 内の要素で、探索の対象から外れた範囲は ▒ 内の要素です。探索範囲は、比較のたびに（ほぼ）半分に絞り込まれていきます。また、着目要素を1個ずつずらす線形探索とは異なり、●で示す着目要素 **a[**pc**]** は**一気に移動します**。

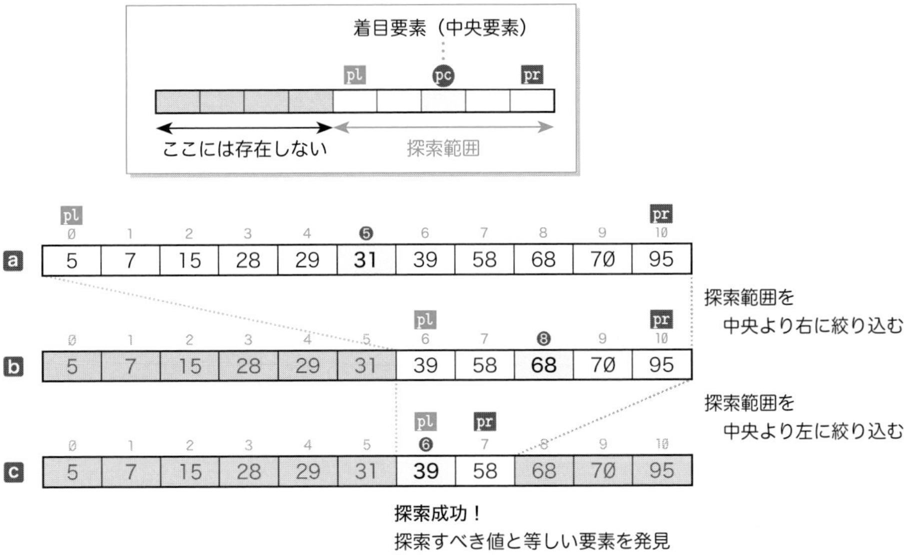

Fig.3-5　2分探索の一例（39 を探索：探索成功）

図cのように、a[pc] と key を比較して等しければ**探索成功**ですが、そうでない場合は、次のように探索範囲を絞り込みます。

■ a[pc] < key のとき（例：図a ⇨ 図b）

a[pl] ～ a[pc] は、key よりも小さいことが明らかであって探索対象から外せます。
探索範囲を、中央要素 a[pc] より後方の a[pc + 1] ～ a[pr] に絞り込みます。
そのために、pl の値を pc + 1 に更新します。

■ a[pc] > key のとき（例：図b ⇨ 図c）

a[pc] ～ a[pr] は、key よりも大きいことが明らかであって探索対象から外せます。
探索範囲を、中央要素 a[pc] より前方の a[pl] ～ a[pc - 1] に絞り込みます。
そのために、pr の値を pc - 1 に更新します。

探索範囲の《絞り込み》をまとめると、次のようになります。

- 中央値 a[pc] が key より小さい：中央の一つ右を新たな左端 pl として、後半に絞り込む。
- 中央値 a[pc] が key より大きい：中央の一つ左を新たな右端 pr として、前半に絞り込む。

アルゴリズムの終了条件は、以下の条件1と2のいずれか一方が成立することです。

1 a[pc] と key が一致した。
2 探索範囲がなくなった。

ここまでは、条件1が成立して、探索に成功する例を考えてきました。

次は、条件[2]が成立して、探索に失敗する具体例を考えましょう。先ほどと同じ配列から6を探索する様子を**Fig.3-6**に示しています。

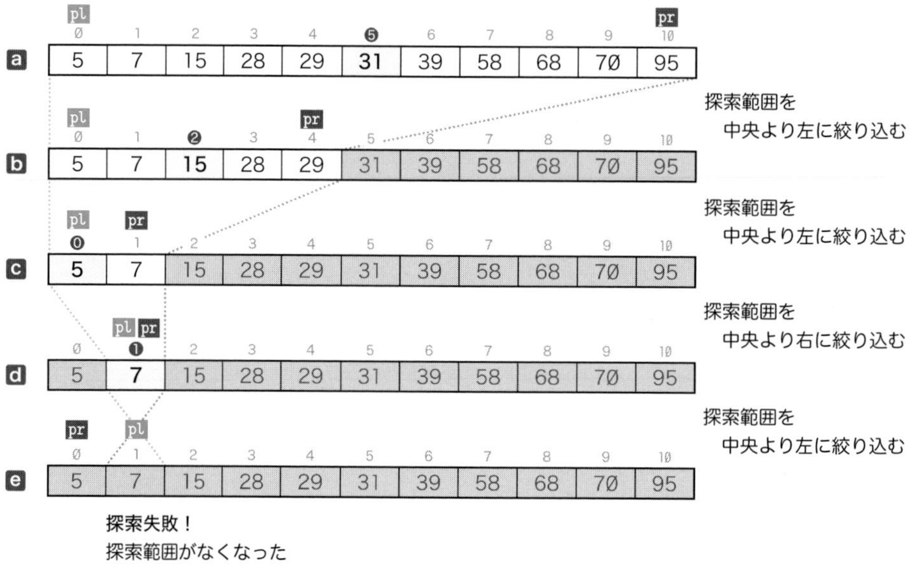

Fig.3-6　2分探索の失敗例（6を探索）

a　探索範囲は、配列全体すなわち`a[0]`～`a[10]`であり、中央要素`a[5]`の値は31です。これは`key`の値6より大きいため、探索する範囲を先頭から`a[5]`の直前の要素まで、すなわち`a[0]`～`a[4]`に絞り込みます。

b　探索範囲の中央要素`a[2]`の値は15です。これは`key`の値6よりも大きいため、探索すべき範囲を`a[2]`の直前の要素まで、すなわち`a[0]`～`a[1]`に絞り込みます。

c　探索範囲の中央要素`a[0]`の値は5です。これは`key`の値6より小さいため、`pl`を`pc + 1`すなわち1に更新します。そうすると、`pl`と`pr`の両方が1になります。

d　探索範囲の中央要素`a[1]`の値は7です。これは`key`の値6より大きいため、`pr`を`pc - 1`すなわち0に更新します。そうすると、`pl`が`pr`よりも大きくなって**探索範囲がなくなります。終了条件[2]が成立しますので、探索失敗です。**

ここまで考えてきたアルゴリズムを実現したプログラムを、右ページの**List 3-4**に示します。

▶　2分探索は、探索の対象となる配列が昇順にソートされている必要があります。そのため、`main`メソッドの網かけ部では、各要素の値を読み込む際に一つ前に読み込んだ要素よりも小さい値が入力された場合は、再入力させるようにしています。

List 3-4 chap03/BinSearch.java

```
// 2分探索

import java.util.Scanner;

class BinSearch {

  //--- 配列aの先頭n個の要素からkeyと一致する要素を2分探索 ---//
  static int binSearch(int[] a, int n, int key) {
    int pl = 0;          // 探索範囲先頭のインデックス
    int pr = n - 1;      //     〃    末尾のインデックス

    do {
      int pc = (pl + pr) / 2; // 中央要素のインデックス
      if (a[pc] == key)
        return pc;            // 探索成功
      else if (a[pc] < key)
        pl = pc + 1;          // 探索範囲を後半に絞り込む
      else
        pr = pc - 1;          // 探索範囲を前半に絞り込む
    } while (pl <= pr);

    return -1;                // 探索失敗
  }

  public static void main(String[] args) {
    Scanner stdIn = new Scanner(System.in);

    System.out.print("要素数：");
    int num = stdIn.nextInt();
    int[] x = new int[num];          // 要素数numの配列

    System.out.println("昇順に入力してください。");

    System.out.print("x[0]：");     // 先頭要素の読込み
    x[0] = stdIn.nextInt();

    for (int i = 1; i < num; i++) {
      do {
        System.out.print("x[" + i + "]：");
        x[i] = stdIn.nextInt();
      } while (x[i] < x[i - 1]);  // 一つ前の要素より小さければ再入力させる
    }

    System.out.print("探す値：");      // キー値の読込み
    int ky = stdIn.nextInt();

    int idx = binSearch(x, num, ky);  // 配列xから値がkyの要素を探索

    if (idx == -1)
      System.out.println("その値の要素は存在しません。");
    else
      System.out.println("その値はx[" + idx + "]にあります。");
  }
}
```

実行例

```
要素数：7↵
昇順に入力してください。
x[0]：15↵
x[1]：27↵
x[2]：39↵
x[3]：77↵
x[4]：92↵
x[5]：108↵
x[6]：121↵
探す値：39↵
その値はx[2]にあります。
```

繰返しのたびに探索範囲が（ほぼ）半分になりますから、要素の比較回数の平均は $\log n$ です。なお、探索失敗時は $\lceil \log(n + 1) \rceil$ 回となり、探索成功時は約 $\log n - 1$ 回となります。

▶ $\lceil x \rceil$ は、x の**天井関数**（ceiling）であり、x 以上の最小の整数を表します。たとえば $\lceil 3.5 \rceil$ は4です。

計算量

プログラムの実行速度や実行に要する時間は、それを動作させるハードウェアやコンパイラなどの条件に依存します。アルゴリズムの性能を客観的に評価するための尺度として用いられるのが、**計算量**（complexity）です。

計算量は、次の二つに大別されます。

- **時間計算量**（time complexity）
  実行に要する時間を評価したもの。
- **領域計算量**（space complexity）
  どのくらいの記憶域やファイル域が必要であるかを評価したもの。

前章で学習した《素数》を求める三つのプログラム（第1版／第2版／第3版）は、アルゴリズム選択の際に、二つの計算量のバランスを考える必要性を示しています。

それでは、線形探索と2分探索の時間計算量を考察していきましょう。

線形探索の時間計算量

次に示す線形探索のメソッドをもとに、時間計算量を検討します。

```
    static int seqSearch(int[] a, int n, int key) {
❶      int i = 0;

❷      while (i < n) {
❸        if (a[i] == key)
❹          return i;       // 探索成功
❺        i++;
       }
❻      return -1;          // 探索失敗
    }
```

▶ このプログラムは、**List 3-1**（p.72）のメソッド *seqSearch* を改変したものです。

❶～❻の各ステップの実行回数をまとめたものを、**Table 3-1** に示しています。

Table 3-1　線形探索における各ステップの実行回数と計算量

ステップ	実行回数	計算量
❶	1	O(1)
❷	n / 2	O(n)
❸	n / 2	O(n)
❹	1	O(1)
❺	n / 2	O(n)
❻	1	O(1)

変数 `i` に `0` を代入する1が行われるのは1回限りであって、データ数nとは無関係です。このような計算量をO(1)と表します。

もちろん、メソッドから値を返すための4と6なども同様にO(1)です。

配列の末尾に到達したかを判定する2や、着目要素と探索すべき値との等価性を判定するための3が行われる平均回数はn / 2です。このように、nに比例した回数だけ実行される計算量はO(n)と表します。

計算量の表記で利用しているOはorderの頭文字です。O(n)は、**『nのオーダー』**あるいは**『オーダーn』**と呼ばれます。

さて、nをどんどん大きくしていくと、O(n)に要する計算時間は、nに比例して長くなります。その一方で、O(1)に要する計算時間が変化することはありません。

このことからも推測できるように、一般に、O(f(n))とO(g(n))の操作を連続した場合の計算量は、次のようになります。

$$O(f(n)) + O(g(n)) = O(\max(f(n), g(n)))$$

▶ max(a, b)はaとbの大きいほうを表します。

すなわち、二つの計算で構成されるアルゴリズムの計算量は、**より大きいほうの計算量に支配されます。**二つの計算でなく、三つ以上の計算から構成されるアルゴリズムも同様です。全体の計算量は、**最も大きい計算量に支配されます。**

そのため、線形探索のアルゴリズムの計算量を求めると、次に示すようにO(n)となります。

$$\begin{aligned} &O(1) + O(n) + O(n) + O(1) + O(n) + O(1) \\ &\quad = O(\max(1, n, n, 1, n, 1)) \\ &\quad = O(n) \end{aligned}$$

演習 3-1

List 3-3（p.75）のメソッド *seqSearchSen* を、`while` 文ではなく、`for` 文を用いて書きかえたプログラムを作成せよ。

演習 3-2

右のように、線形探索の走査過程を詳細に表示するプログラムを作成せよ。

各行の左端に着目要素のインデックスを表示するとともに、着目中の要素の上に、アステリスク記号 `'*'` を表示すること。

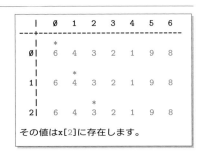

```
   |  0  1  2  3  4  5  6
---+---------------------
   |  *
  0|  6  4  3  2  1  9  8
   |
   |     *
  1|  6  4  3  2  1  9  8
   |
   |        *
  2|  6  4  3  2  1  9  8

その値はx[2]に存在します。
```

2分探索の時間計算量

次に検討するのは、2分探索の計算量です。

```
    //--- 2分探索 ---//
    static int binSearch(int[] a, int n, int key) {
❶     int pl = 0;          // 探索範囲先頭のインデックス
❷     int pr = n - 1;      //     〃    末尾のインデックス

      do {
❸       int pc = (pl + pr) / 2; // 中央要素のインデックス
❹       if (a[pc] == key)
❺         return pc;            // 探索成功
❻       else if (a[pc] < key)
❼         pl = pc + 1;          // 探索範囲を後半に絞り込む
        else
❽         pr = pc - 1;          // 探索範囲を前半に絞り込む
❾     } while (pl <= pr);

❿     return -1;                // 探索失敗
    }
```

2分探索では、着目する要素の範囲がほぼ半分ずつに減っていきます。プログラム中の各ステップの実行回数と計算量は、**Table 3-2** のようになります。

Table 3-2　2分探索における各ステップの実行回数と計算量

ステップ	実行回数	計算量
❶	1	O(1)
❷	1	O(1)
❸	log n	O(log n)
❹	log n	O(log n)
❺	1	O(1)

ステップ	実行回数	計算量
❻	log n	O(log n)
❼	log n	O(log n)
❽	log n	O(log n)
❾	log n	O(log n)
❿	1	O(1)

2分探索アルゴリズムの計算量を求めると、次のように、O(log n) が得られます。

$$
\begin{aligned}
&O(1) + O(1) + O(\log n) + O(\log n) + O(1) + O(\log n) + \cdots + O(1) \\
&\quad = O(\log n)
\end{aligned}
$$

さて、O(n) や O(log n) が O(1) より大きいのは当然です。これらを含めて、計算量の大小関係を示したのが **Fig.3-7** です。

Fig.3-7　計算量と増加率

演習 3-3

要素数 *n* の配列 a から *key* と一致する全要素のインデックスを、配列 *idx* の先頭から順に格納し、一致した要素数を返すメソッドを作成せよ。

```
static int searchIdx(int[] a, int n, int key, int[] idx)
```

たとえば、要素数 8 の配列 a の要素が {1, 9, 2, 9, 4, 6, 7, 9} であって、*key* が 9 であれば、配列 *idx* に {1, 3, 7} を格納するとともに 3 を返却する。

演習 3-4

右のように、２分探索の過程を詳細に表示するプログラムを作成せよ。

各行の左端に中央要素（現在着目している要素）のインデックスを表示するとともに、探索範囲の先頭要素の上に "<-" を、末尾要素の上に "->" を、着目している中央要素の上に "+" を表示すること。

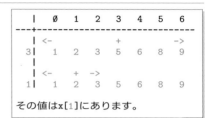

```
   |  0  1  2  3  4  5  6
---+---------------------
   | <-       +       ->
  3|  1  2  3  5  6  8  9
   |
   | <-  +  ->
  1|  1  2  3  5  6  8  9
その値はx[1]にあります。
```

演習 3-5

２分探索アルゴリズムでは、探索すべきキー値と同じ値をもつ要素が複数存在する場合、それらの要素の先頭要素を見つけるとは限らない。たとえば、下図に示す配列から 7 を探索すると、中央要素のインデックスである 5 を見つける。

２分探索アルゴリズムによって探索に成功した場合（下図a）、その位置から先頭側へ一つずつ走査すれば（下図b）、複数の要素が一致する場合でも、最も先頭側に位置する要素のインデックスを見つけられる。

そのように改良したメソッドを作成せよ。

```
static int binSearchX(int[] a, int n, int key)
```

a

0	1	2	3	4	❺	6	7	8	9	10
1	3	5	7	7	7	7	8	8	9	9

b

0	1	2	❸	4	❺	6	7	8	9	10
1	3	5	7	7	7	7	8	8	9	9

配列の先頭を越えない範囲で、同じ値の要素が続く限り前方に走査

Column 3-2 **java.lang パッケージの自動インポート**

クラスを単純名で利用するためには、その型名を明示的に型インポートする必要があることを **Column 3-1**（p.73）で学習しました。

ただし、例外があります。Java の言語と密接に関連したクラスやインタフェースなどが集められている **java.lang** パッケージに限っては、型インポートは不要です。

そのため、このパッケージに所属する **Integer** や **String** や **System** などのクラスは、型インポートすることなく、単純名だけで表せます。

Arrays.binarySearchによる2分探索

配列からの2分探索を行うメソッドは、標準ライブラリとして提供されます。それが、java.util.Arraysクラスに所属する**クラスメソッド**（**Column 3-3**：p.87）であるbinarySearchメソッドです。

このメソッドを利用することには、次のようなメリットがあります。

- 2分探索メソッドを自作しなくてよい。
- あらゆる要素型の配列からの探索を行える（要素型ごとに作り分ける必要がない）。

それでは、binarySearchメソッドの使い方を簡単に学習していきましょう。

▶ ここでは、メソッドの完全な仕様を解説するわけではありません。詳細に関しては、APIのドキュメントを参照しましょう（**Column 9-2**：p.333）。

＊

binarySearchメソッドは、あらゆる要素型の配列からの探索に対応できるように、**Table 3-3**に示す9種類のものが多重定義されています。

いずれのメソッドも、昇順にソートずみの配列aから、キー値がkeyの要素を2分探索します。

Table 3-3 java.util.Arraysクラスが提供する2分探索メソッドbinarySearch

1	static int binarySearch(byte[] a, byte key)
2	static int binarySearch(char[] a, char key)
3	static int binarySearch(double[] a, double key)
4	static int binarySearch(float[] a, float key)
5	static int binarySearch(int[] a, int key)
6	static int binarySearch(long[] a, long key)
7	static int binarySearch(short[] a, short key)
8	static int binarySearch(Object[] a, Object key)
9	static <T> int binarySearch(T[] a, T key, Comparator<? super T> c)

▶ 配列aの要素が昇順にソートずみでない場合の結果は定義されません（どのような結果になるかは分かりません）。

＊

このメソッドが返却する値は、少し複雑であるため、学習が必要です。

■ 探索に成功した場合

keyと一致する要素のインデックスを返します。なお、一致する要素が複数存在する場合、どの要素のインデックスを返すのかは決まっていません（最も先頭に位置する要素のインデックスが返される保証はありません）。

▪ 探索に失敗した場合

探索に失敗した場合は、『配列内に`key`が入るべき位置（**挿入ポイント**）を示唆する値』が返却されます。挿入ポイントを`x`とすると、返却するのは`-x - 1`です。

さて、その**挿入ポイント**とは、ソートされた状態を維持するように`key`が挿入できる位置のインデックスです。具体的には、`key`より大きな要素の中で最も先頭の要素のインデックスです。なお、配列の全要素が`key`より小さければ、配列の要素数となります。

＊

これらの返却値について、**Fig.3-8** で理解を深めましょう。

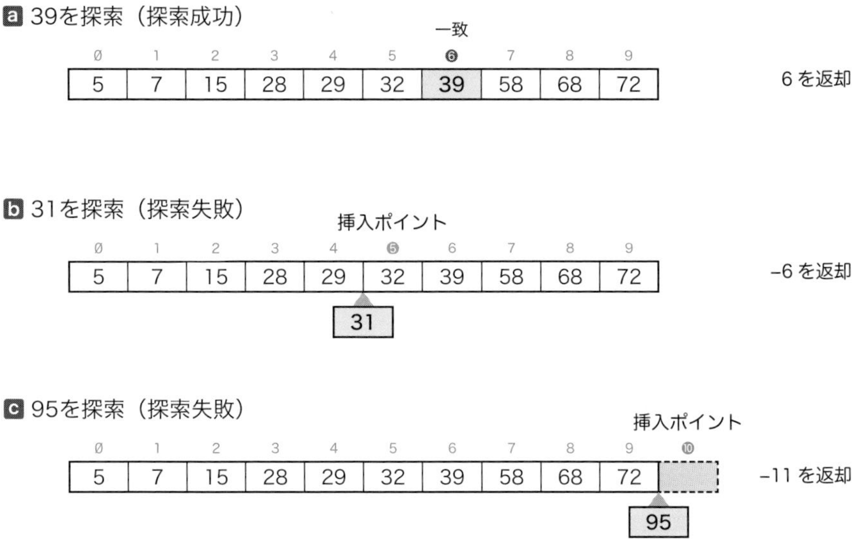

Fig.3-8　Arrays.binarySearchによる探索

ここに示すのは、配列`{5, 7, 15, 28, 29, 32, 39, 58, 68, 72}`からの探索を行った場合の探索結果（`binarySearch`メソッドによって返却される値）です。

a　39を探索する例です。探索に成功しますので、39が格納されている要素のインデックス6が返されます。

b　31を探索する例です。31はインデックス4の29とインデックス5の32のあいだに位置すべき値であり、挿入ポイントは5です（探索は失敗です）。`-5 - 1`すなわち`-6`が返されます。

c　95を探索する例です。95は全要素より大きな値であり、挿入ポイントは配列の要素数と等しい`10`です（探索は失敗です）。`-10 - 1`すなわち`-11`が返されます。

基本型の配列からの探索

Table 3-3（p.84）の1～7の binarySearch メソッドは、基本型（int 型や long 型などの組込み型）の配列からの探索を行うためのメソッドです。

このメソッドを利用して int 型配列からの探索を行うプログラムを作りましょう。**List 3-5** に示すのが、そのプログラムです。

List 3-5 chap03/BinarySearchTester.java

```
// Arrays.binarySearchによる２分探索

import java.util.Arrays;
import java.util.Scanner;

class BinarySearchTester {

  public static void main(String[] args) {
    Scanner stdIn = new Scanner(System.in);

    System.out.print("要素数：");
    int num = stdIn.nextInt();
    int[] x = new int[num];       // 要素数numの配列

    System.out.println("昇順に入力してください。");

    System.out.print("x[0]：");    // 先頭要素の読込み
    x[0] = stdIn.nextInt();

    for (int i = 1; i < num; i++) {
      do {
        System.out.print("x[" + i + "]：");
        x[i] = stdIn.nextInt();
      } while (x[i] < x[i - 1]);  // 一つ前の要素より小さければ再入力
    }

    System.out.print("探す値："); // キー値の読込み
    int ky = stdIn.nextInt();

    int idx = Arrays.binarySearch(x, ky); // 配列xから値がkyの要素を探索

    if (idx < 0)
      System.out.println("その値の要素は存在しません。");
    else
      System.out.println("その値はx[" + idx + "]にあります。");
  }
}
```

実行例

```
要素数：7
昇順に入力してください。
x[0]：15
x[1]：27
x[2]：39
x[3]：77
x[4]：92
x[5]：108
x[6]：121
探す値：39
その値はx[2]にあります。
```

網かけ部のメソッド呼出しでは、実引数として int 型の配列（探索対象の配列）と、int 型の値（探索すべきキー値）を渡します。呼び出すのが5のメソッドであることは、コンパイラによって自動的に判断されます（呼出し側での指定は不要です）。

演習 3-6

探索に失敗した場合に、挿入ポイントを表示するように、**List 3-5** を書きかえたプログラムを作成せよ。

Column 3-3 クラスメソッドとインスタンスメソッド

Java のメソッドは、静的であるかどうかで、次の2種類に分類されます。

- **インスタンスメソッド（非静的メソッド）**
- **クラスメソッド（静的メソッド）**

インスタンスメソッドは、**static** を付けることなく宣言されたメソッドであり、そのクラス型の個々のインスタンスに所属します。

クラスメソッドは、**static** を付けて宣言されたメソッドです。特定のインスタンスに所属しない点が、インスタンスメソッドとの違いです。クラス全体に関わる処理や、そのクラスに所属する個々のインスタンスの状態とは無関係な処理を実現するためのメソッドです。

List 3C-1 のプログラムで理解を深めましょう。これは、インスタンスを生成するたびに、1，2，… という連番の識別番号を与えるクラス *Id* と、それをテストするプログラムです。

List 3C-1 chap03/IdTester.java

```
// 連番クラス

class Id {
  private static int counter = 0;   // 何番までの識別番号を与えたか     クラス変数

  private int id;                   // 識別番号                       インスタンス変数

  //-- コンストラクタ --//                                             コンストラクタ
  public Id() { id = ++counter; }

  //--- 最大の識別番号を取得 ---//                                     クラスメソッド
  public static int getCounter() { return counter; }

  //--- 識別番号を取得 ---//                                           インスタンスメソッド
  public int getId() { return id; }
}

public class IdTester {

  public static void main(String[] args) {
    Id a = new Id();      // 識別番号１番
    Id b = new Id();      // 識別番号２番

    System.out.println("aの識別番号：" + a.getId());
    System.out.println("bの識別番号：" + b.getId());

    System.out.println("最後に与えた識別番号 = " + Id.getCounter());
  }
}
```

実行結果

```
aの識別番号：1
bの識別番号：2
最後に与えた識別番号 = 2
```

インスタンスとは無関係に1個のみが作られる**クラス変数** *counter* は、現在までに何番までの識別番号を与えたのかを表し、インスタンスごとに1個ずつ割り当てられるインスタンス変数 *id* は、そのインスタンスの識別番号を表します。

クラスメソッド *getCounter* は、最後に与えた識別番号を返すメソッドで、インスタンスメソッド *getId* は、個々のインスタンスの識別番号を返すメソッドです。

インスタンスメソッドの呼出しの形式が、

クラス型変数名 . メソッド名 (...)

であるのに対し、**クラスメソッド**の呼出しの形式は、次のようになります。

クラス名 . メソッド名 (...)

※ **クラス型変数名 . メソッド名 (...)** として呼び出すこともできますが、推奨されません。

オブジェクトの配列からの探索

オブジェクトの配列からの探索は、**Table 3-3**（p.84）の⑧と⑨によって行えます。

A `static int binarySearch(Object[] a, Object key)`

自然な順序（**Column 3-4**：右ページ）で要素の大小関係を判定して、探索を行うメソッドです。そのため、`Integer`型や`String`型の配列からの探索などに適しています。

B `static <T> int binarySearch(T[] a, T key, Comparator<? super T> c)`

"自然な順序" ではない順序で並べられた配列からの探索を行うメソッドです。"自然な順序" を論理的にもたないクラスの配列からの探索などに適しています。

これら二つのメソッドの使い方を学習しましょう。

A 自然な順序で並べられた配列からの探索

自然な順序で要素の大小関係を判定するメソッドです。このメソッドを利用して探索を行うプログラム例を**List 3-6**に示します。探索の対象である`x`は`String`型の配列です（各要素の文字列はJavaのキーワードです）。

文字列を`ky`に読み込んで、配列`x`とキー値`ky`を`binarySearch`メソッドに渡すだけで探索が行えますので、**List 3-5**（p.86）のプログラムとまったく同じ感覚で利用できます。

List 3-6 chap03/StringBinarySearch.java

```
// 文字列の配列（Javaのキーワード）からの探索

import java.util.Arrays;
import java.util.Scanner;

class StringBinarySearch {

  public static void main(String[] args) {
    Scanner stdIn = new Scanner(System.in);
    String[] x = {  // Javaのキーワード：アルファベット順
      "abstract",   "assert",       "boolean",   "break",      "byte",
      "case",       "catch",        "char",      "class",      "const",
      "continue",   "default",      "do",        "double",     "else",
      "enum",       "extends",      "final",     "finally",    "float",
      "for",        "goto",         "if",        "implements", "import",
      "instanceof", "int",          "interface", "long",       "native",
      "new",        "package",      "private",   "protected",  "public",
      "return",     "short",        "static",    "strictfp",   "super",
      "switch",     "synchronized", "this",      "throw",      "throws",
      "transient",  "try",          "void",      "volatile",   "while"
    };

    System.out.print("何を探しますか：");  // キー値の読込み
    String ky = stdIn.next();

    int idx = Arrays.binarySearch(x, ky);  // 配列xから値がkyの要素を探索

    if (idx < 0)
      System.out.println("そのキーワードは存在しません。");
    else
      System.out.println("それはx[" + idx + "]にあります。");
  }
}
```

実行例

```
何を探しますか：int
それはx[26]にあります。
```

▶ この **binarySearch** メソッドが受け取る配列の要素型は **Object**（**Column 9-3**：p.334）です。
クラス型変数は、同一型のインスタンスだけでなく、下位クラス型のインスタンスも参照できることになっています。そのため、すべてのクラスの最上位クラスである **Object** 型の引数は、あらゆるクラス型のインスタンスを受け取れます（Java では、配列が一種のクラスとして内部的に実現されているため、**Object** 型の引数には配列を渡すことも可能です）。

Column 3-4　自然な順序（natural ordering）

List 3-6 のプログラムのように、**binarySearch** メソッドに配列とキー値を渡すだけで探索が行えるのは、**String** クラスが *Comparable<T>* インタフェースを実装するとともに、**compareTo** メソッドを実装しているからです。

なお、以下に列挙するクラスも同様です。**整数や実数の小さいほうから大きいほうへ、日付の古いほうから新しいほうへ、といった“自然な順序付け”による探索が行えます。**

Authenticator.RequestorType, *BigDecimal*, *BigInteger*, Boolean, Byte, *ByteBuffer*, *Calendar*, Character, *CharBuffer*, *Charset*, *CollationKey*, *CompositeName*, *CompoundName*, *Date*（java.util パッケージ）, *Date*（java.sql パッケージ）, Double, *DoubleBuffer*, *ElementType*, Enum, *File*, Float, *FloatBuffer*, *Formatter.BigDecimalLayoutForm*, *FormSubmitEvent.MethodType*, *GregorianCalendar*, *IntBuffer*, Integer, *JTable.PrintMode*, *KeyRep.Type*, *LdapName*, Long, *LongBuffer*, *MappedByteBuffer*, *MemoryType*, *ObjectStreamField*, *Proxy.Type*, *Rdn*, *RetentionPolicy*, *RoundingMode*, Short, *ShortBuffer*, *SSLEngineResult.HandshakeStatus*, *SSLEngineResult.Status*, String, *Thread.State*, *Time*, *Timestamp*, *TimeUnit*, *URI*, *UUID*

自作クラス *A* に対して“**自然な順序付け**”を定義する必要がある場合は、クラスを **List 3C-2** の形式で宣言します。《定石（じょうせき）》として覚えておくとよいでしょう。

※ このプログラムは、プログラムのパターンを示すためのものであり、このままコンパイルしてもエラーとなります（クラスの各メソッドに **return** 文がないからです）。

List 3C-2　　chap03/A.java

```
// 自然な順序付けのできるクラスの定義方法
class A implements Comparable<A> {
  // フィールドやメソッドなど

  public int compareTo(A c) {
    // thisがcより大きければ正の値を、
    // thisがcより小さければ負の値を、
    // thisがcと等しければ0を返す。
  }

  public boolean equals(Object c) {
    // thisがcと等しければtrueを、
    // thisがcと等しくなければfalseを返す。
  }
}
```

- Comparable インタフェースを実装
- compareTo メソッドを実装
- equals メソッドを実装

※ **equals** による同値性と **compareTo** による同値性とが一致する（**compareTo** メソッドが **0** を返す場合は **equals** メソッドが **true** を返し、**compareTo** メソッドが非 **0** を返す場合は **equals** メソッドが **false** を返す、という整合性がとれる）ように定義することが、必須ではないものの、推奨されています。

B 自然な順序でない配列からの探索

次は、“自然な順序”ではない順序で並べられた配列からの探索です。これを行うのが **Fig.3-9** に示す**ジェネリックメソッド**（**Column 3-5**：p.93）です。

第1引数 a は探索の対象となる配列で、第2引数 **key** は探索するキー値です。ジェネリックなメソッドですから、要素の型は、**Integer**、**String**、身体検査データ用クラス *PhyscData*（**List 2-10**：p.62）など、何でも OK です。

なお、『配列内の要素がどのような順序で並んでいて、各要素の大小関係をどのように判定すべきなのか』といった情報は、呼出し側から **binarySearch** メソッドに通知することになっています。その情報を受け取るのが第3引数 *c* です。

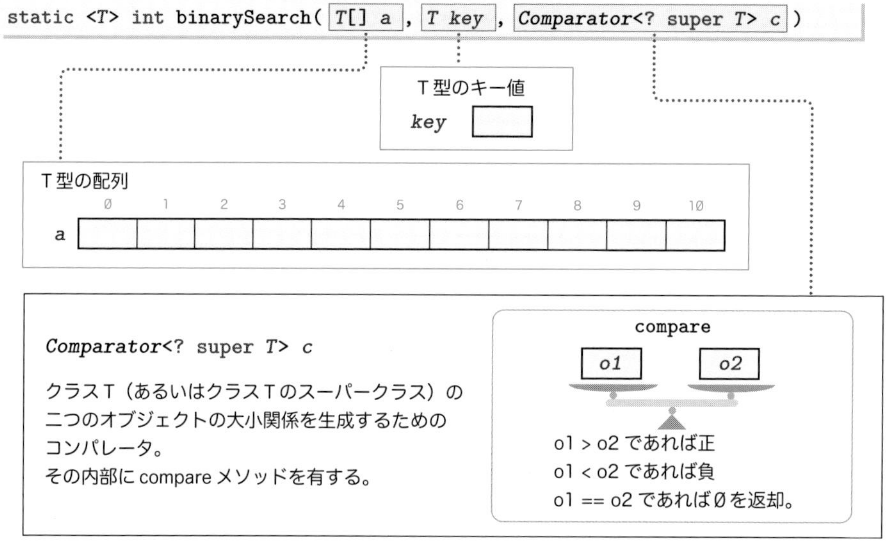

Fig.3-9　ジェネリックな binarySearch メソッドの引数

第3引数 *c* が受け取るのは**コンパレータ**（comparator）です。そのコンパレータのもとになるのは、次のように定義された **java.util.*Comparator*** インタフェースです。

```
// java.util.Comparatorの定義

package java.util;

public interface Comparator<T> {
  int compare(T o1, T o2);
  boolean equals(Object obj);
}
```

オブジェクトの大小関係を判定するコンパレータを自作するには、この ***Comparator*** インタフェースを実装したクラスを定義するとともに、そのクラス型のインスタンスを生成しなければなりません。

クラスの定義にあたっては、引数として渡された二つのオブジェクトの大小関係を比較して、その結果を次の値として返す **compare** メソッドを実装します。

- 第１引数のほうが大きければ正の値。
- 第１引数のほうが小さければ負の値。
- 第１引数と第２引数が同じ値であれば **0**。

この定義を一般化したのが、**List 3-7** の網かけ部です。この定義は、《定石》として覚えておくとよいでしょう。

List 3-7 chap03/X.java

```
// クラスXの内部でコンパレータCOMPARATORを定義

import java.util.Comparator;

class X {
  // フィールドやメソッドなど
  public static final Comparator<T> COMPARATOR = new Comp();    ―1

  private static class Comp implements Comparator<T> {
    public int compare(T d1, T d2) {
      // d1がd2より大きければ正の値を、
      // d1がd2より小さければ負の値を、                          ―2
      // d1がd2と等しければ0を返す。
    }
  }
}
```

▶ *Comparator* インタフェースと compare メソッドを実装したクラスを定義して（2）、そのクラス型のインスタンスを生成します（1）。生成したインスタンス *COMPARATOR* がコンパレータです。
　ここに示すプログラムは、プログラムのパターンを示すためのものであり、そのままコンパイルしてもエラーとなります（compare メソッドに return 文がないからです）。なお、本プログラムではコンパレータをクラス内部で定義していますが、クラスの外部で定義することもできます。

定義したコンパレータの使い方は単純です。**binarySearch** メソッドの第３引数として、クラス *X* に所属するコンパレータ *COMPARATOR* である *X.COMPARATOR* を渡すだけです。

呼び出された **binarySearch** メソッドは、受け取ったコンパレータをもとに配列要素の大小関係を判定して２分探索を行います。

＊

具体例として、身長順に並んでいる身体検査データの配列から、ある特定の身長の人を探索するプログラムを、次ページの **List 3-8** に示します。

演習 3-7

List 3-8 を改変して、視力の降順に並んでいる身体検査データから、ある特定の視力の人を探索するプログラムを作成せよ。

List 3-8 chap03/PhysExamSearch.java

```
// 身体検査データ配列からの探索

import java.util.Arrays;
import java.util.Scanner;
import java.util.Comparator;

class PhysExamSearch {

  //--- 身体検査データ ---//
  static class PhyscData {
    private String name;      // 氏名
    private int    height;    // 身長
    private double vision;    // 視力

    //--- コンストラクタ ---//
    public PhyscData(String name, int height, double vision) {
      this.name = name;  this.height = height;  this.vision = vision;
    }

    //--- 文字列化 --//
    public String toString() {
      return name + " " + height + " " + vision;
    }

    //--- 身長昇順用コンパレータ ---//
    public static final Comparator<PhyscData> HEIGHT_ORDER =
                                new HeightOrderComparator();

    private static class HeightOrderComparator
                          implements Comparator<PhyscData> {
      public int compare(PhyscData d1, PhyscData d2) {
        return (d1.height > d2.height) ?  1 :
               (d1.height < d2.height) ? -1 : 0;
      }
    }
  }

  public static void main(String[] args) {
    Scanner stdIn = new Scanner(System.in);
    PhyscData[] x = {          // 配列の要素は身長順でなければならない
      new PhyscData("赤坂忠雄", 162, 0.3),
      new PhyscData("長浜良一", 168, 0.4),
      new PhyscData("松富明雄", 169, 0.8),
      new PhyscData("武田信也", 171, 1.5),
      new PhyscData("加藤富明", 173, 0.7),
      new PhyscData("浜田哲明", 174, 1.2),
      new PhyscData("斉藤正二", 175, 2.0),
    };
    System.out.print("何cmの人を探しますか：");
    int height = stdIn.nextInt();          // キー値の読込み
    int idx = Arrays.binarySearch(
              x,                              // 配列xから
              new PhyscData("", height, 0.0), // 身長がheightの要素を
              PhyscData.HEIGHT_ORDER          // HEIGHT_ORDERによって探索
             );
    if (idx < 0)
      System.out.println("その値の要素は存在しません。");
    else {
      System.out.println("その値はx[" + idx + "]にあります。");
      System.out.println("データ：" + x[idx]);
    }
  }
}
```

クラス PhyscData に所属するコンパレータ HEIGHT_ORDER

暗黙裏に toString メソッドが呼び出される

実行例

```
何cmの人を探しますか：174⏎
その値はx[5]にあります。
データ：浜田哲明 174 1.2
```

▶ toString メソッドについては、**Column 8-1**（p.280）で学習します。

Column 3-5 ジェネリクス

ジェネリクスは、処理の対象となる型に依存しない汎用的なクラスやメソッドを、**型安全**な手法で実現する機能です。

ジェネリックなクラスとジェネリックなインタフェースは、クラス名やインタフェース名の直後に`<Type>`といった形式のパラメータ（型変数）を置いて宣言します。

```
class クラス名 < 型変数 > { /* … */ }
interface インタフェース名 < 型変数 > { /* … */ }
```

なお、コンマで区切れば、型変数は複数指定できます。

```
class クラス名 < 型変数1 , 型変数2 , …> { /* … */ }
interface インタフェース名 < 型変数1 , 型変数2 , … > { /* … */ }
```

このように定義されたクラスやインタフェースは、引数として《型》を受け取ることになり、処理の対象となるオブジェクトの型に依存しません。

型変数の標準的な命名法は、次のとおりです。

- できるだけ1文字の大文字を使用して、小文字は使わない。
- コレクション内の要素型は、element の頭文字 *E* とする。
- マップ内のキー型と値型を表す場合には、key と value の頭文字 *K* と *V* とする。
- 一般的な型は *T* で表す。

ジェネリックなクラスと、それを利用するプログラム例を **List 3C-3** に示します。

List 3C-3 chap03/GenericClassTester.java

```
// ジェネリックなクラスの一例

class GenericClassTester {

  static class GenericClass<T> {
    private T xyz;
    GenericClass(T t) {   // コンストラクタ
      this.xyz = t;
    }
    T getXyz() {          // xyzのゲッタ
      return xyz;
    }
  }

  public static void main(String[] args) {
    GenericClass<String>  s = new GenericClass<String>("ABC");
    GenericClass<Integer> n = new GenericClass<Integer>(15);

    System.out.println(s.getXyz());
    System.out.println(n.getXyz());
  }
}
```

実行結果

```
ABC
15
```

なお、型変数にはワイルドカードを指定することもできます。

`<? extends T>`
　クラス *T* のサブクラスを受け取ることを意味します。

`<? super T>`
　クラス *T* のスーパークラスを受け取ることを意味します。

3-4 ハッシュ法

本節で学習するハッシュ法は、探索だけでなく、データの追加や削除をも効率よく行うための手法です。

ソートずみ配列の操作

Fig.3-10 **a**に示す配列 **x** を考えましょう。要素数が 13 である配列の先頭 10 個の要素に、データが昇順にソートされた状態で格納されています。

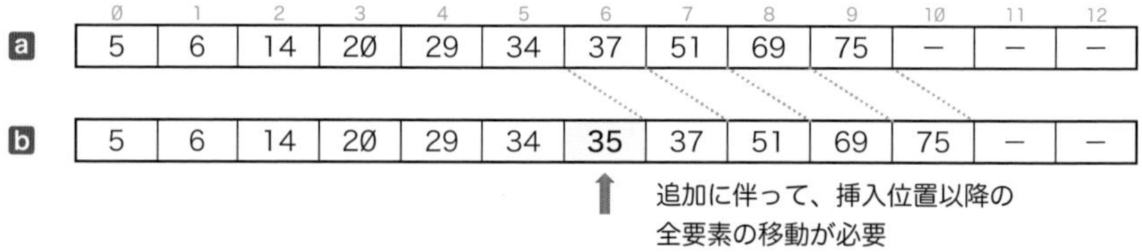

Fig.3-10　ソートずみ配列へのデータの追加

この配列に対して 35 を追加するのであれば、その手続きは次のようになります。

- 挿入すべき位置が **x**[5] と **x**[6] のあいだであることを2分探索法で調べる。
- 図**b**に示すように、**x**[6] 以降の**全要素を一つずつ後方へ移動する。**
- **x**[6] に 35 を代入する。

要素の移動に要する計算量は O(n) ですから、そのコストは決して小さくはありません。もちろん、データを削除する場合も、まったく同様なコストが生じます。

ハッシュ法

データを格納すべき位置＝インデックスを単純な演算で求めることで、**探索だけではなく、挿入や削除も効率よく行う**のが、本節で学習する**ハッシュ法**（hashing）です。

図**a**の配列のキー値（各要素の値）を、配列の要素数 13 で割った剰余を **Table 3-4** にまとめています。

Table 3-4　キー値とハッシュ値の対応

キー値	5	6	14	20	29	34	37	51	69	75
ハッシュ値（13 で割った剰余）	5	6	1	7	3	8	11	12	4	10

表の下段の値は、**ハッシュ値**（hash value）と呼ばれ、データをアクセスする際の目印です。

▶ hash とは、『よせ集め』『ごちゃまぜ』『細切れ（こまぎれ）の肉料理』という意味です。

ハッシュ値がインデックスとなるように、キー値を格納した配列（表）が、**ハッシュ表**（hash table）です。この例では、ハッシュ表は**Fig.3-11** ⓐのようになります。

▶ たとえば、14 を x[1] に格納しているのは、ハッシュ値（13 で割った剰余）が 1 だからです。

Fig.3-11　ハッシュへの追加

それでは、図ⓐの配列に 35 を追加しましょう。35 を 13 で割った剰余は 9 ですから、図ⓑに示すように、格納先は a[9] となります。左ページの場合とは異なり、データの追加に伴って要素をずらす必要がありません。

キー値からハッシュ値への変換を行う手続きを**ハッシュ関数**（hash function）と呼びます。通常は、ここに示したように、**剰余を求める演算、あるいは、それを応用した演算**が使われます。

なお、ハッシュ表の各要素のことは、**バケット**（bucket）と呼ばれます。

衝突

引き続き、配列に 18 を追加します。18 を 13 で割った剰余は 5 であり、格納先はバケット a[5] です。ところが、**Fig.3-12** に示すように、このバケットは既に**埋まっています。**

キー値とハッシュ値の対応関係が 1 対 1 である保証はなく、通常は多対1です。格納すべきバケットが重複する現象は、**衝突**（しょうとつ）（collision）と呼ばれます。

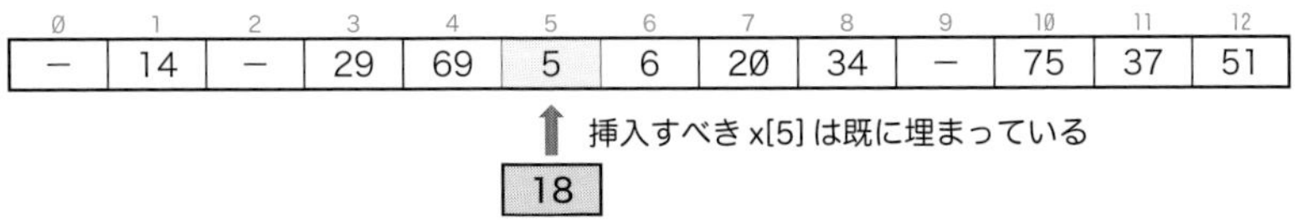

Fig.3-12　ハッシュへの追加における衝突

衝突が発生した場合の対処方法として、次に示す二つの手法があります。

- **チェイン法**　　　　：同一のハッシュ値をもつ要素を線形リストで管理する。
- **オープンアドレス法**：空きバケットを見つけるまで、ハッシュを繰り返す。

チェイン法

チェイン法（chaining）は、同一ハッシュ値をもつデータを、鎖（くさり）＝チェイン状に線形リストでつなぐ方法です。**オープンハッシュ法**（open hashing）とも呼ばれます。

▶ チェイン法は内部で《線形リスト》を利用します。第8章の『線形リスト』を先に学習して、それから戻ってきて学習を進めるとよいでしょう。

同一ハッシュ値をもつデータの格納法

チェイン法によって実現されたハッシュの一例を、**Fig.3-13** に示しています。

▶ この図では、キーを 13 で割った剰余をハッシュ値としています。

チェイン法では、同一ハッシュ値をもつデータを線形リストによって鎖状につなぎます。配列の各バケットに格納するのは、そのインデックスをハッシュ値とする線形リストの先頭ノードへの参照です（以下、配列名を *table* とします）。

たとえば、69 と 17 のハッシュ値はともに 4 ですから、それらを連結した線形リストへの先頭ノードへの参照を *table*[4] に格納します。また、ハッシュ値 0 や 2 のように、データが一つもないバケットの値は、空参照 **null** とします。

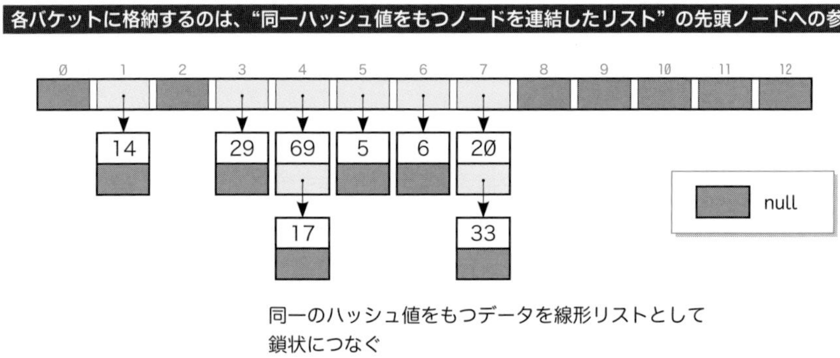

Fig.3-13　チェイン法におけるハッシュの実現

右ページの **List 3-9** に示すのが、チェイン法を実現するクラス *ChainHash*<*K*,*V*> です。プログラムと対比しながら理解していきましょう。

バケット用クラス Node<K,V>

個々のバケットを表すのが、ノードクラス *Node*<*K*,*V*> です。このクラスのフィールドは、次の3個です。

- *key* … キー値（型 *K* は任意の型）。
- *data* … データ（型 *V* は任意の型）。
- *next* … チェインにおける後続ポインタ（後続ノードへの参照：型は *Node*<*K*,*V*>）。

List 3-9 [A] chap03/ChainHash.java

```
// チェイン法によるハッシュ

public class ChainHash<K,V> {

  //--- ハッシュを構成するノード ---//
  class Node<K,V> {
    private K key;              // キー値
    private V data;             // データ
    private Node<K,V> next;     // 後続ポインタ（後続ノードへの参照）

    //--- コンストラクタ ---//
    Node(K key, V data, Node<K,V> next) {
      this.key  = key;
      this.data = data;
      this.next = next;
    }

    //--- キー値を返す ---//
    K getKey() {
      return key;
    }

    //--- データを返す ---//
    V getValue() {
      return data;
    }

    //--- キーのハッシュ値を返す ---//
    public int hashCode() {
      return key.hashCode();
    }
  }
```

ジェネリックなクラス Node<K,V> の型引数は、キー値の型 K と、データの型 V です。

K と V は独立した参照ですから、たとえばデータが《会員番号・氏名・身長・体重》から構成されていて、《会員番号》をキーとして表すのであれば、**Fig.3-14** の図aと図bのどちらの方法も使うことができます。

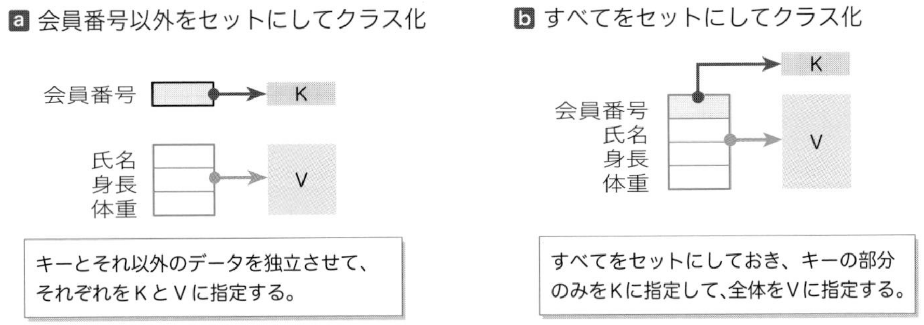
a 会員番号以外をセットにしてクラス化
会員番号
K
氏名
身長
体重
V
キーとそれ以外のデータを独立させて、
それぞれをKとVに指定する。
b すべてをセットにしてクラス化
K
会員番号
氏名
身長
体重
V
すべてをセットにしておき、キーの部分
のみをKに指定して、全体をVに指定する。

Fig.3-14 クラス Node のキーとデータ

自己参照型のクラスである`Node<K,V>`のイメージを**Fig.3-15**に示しています。

フィールド`next`は、チェイン上に存在する後続ノードへの参照です。後続ノードが存在しない場合は`null`とします。

```
class Node<K,V> {
  K key;              // キー値
  V data;             // データ
  Node<K,V> next;     // 後続ノードへの参照
}
```

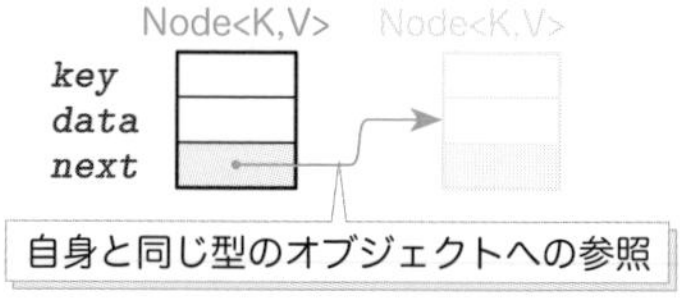

Fig.3-15　バケットを表すクラス

`Node<K,V>`のメソッドは、次の3個です。

- *getKey* … キー値すなわち*key*をそのまま返す。
- *getValue* … データすなわち*data*をそのまま返す。
- **hashCode** … キー値*key*のハッシュ値を返す。

ハッシュクラス ChainHash<K,V> のフィールド

ハッシュクラス`ChainHash<K,V>`のフィールドは、次の2個です（コードは右ページ）。

- *size* … ハッシュ表の容量（配列*table*の要素数）。
- *table* … ハッシュ表を格納する配列。

コンストラクタ：ChainHash

クラス`ChainHash<K,V>`のコンストラクタは、**空のハッシュ表**を生成します。

仮引数*capacity*に受け取るのは、ハッシュ表の容量です。要素数が*capacity*である配列*table*の本体を生成して、*capacity*の値をフィールド*size*に代入します。

ハッシュ表の各バケットは、先頭から順に`table[0]`, `table[1]`, …, `table[size - 1]`としてアクセスできます。

コンストラクタが呼び出された直後は、配列*table*の全要素は空参照**null**となります。すなわち、**Fig.3-16**に示すように、全バケットが《空》の状態です。

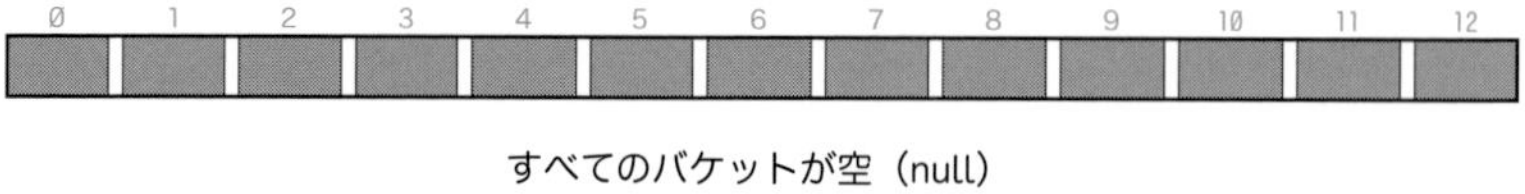

Fig.3-16　空のハッシュ

List 3-9 [B] chap03/ChainHash.java

```
private int size;              // ハッシュ表の大きさ
private Node<K,V>[] table;     // ハッシュ表

//--- コンストラクタ ---//
public ChainHash(int capacity) {
  try {
    table = new Node[capacity];
    this.size = capacity;
  } catch (OutOfMemoryError e) {    // 表を生成できなかった
    this.size = 0;
  }
}

//--- ハッシュ値を求める ---//
public int hashValue(Object key) {
  return key.hashCode() % size;
}
```
➡

なお、記憶域の確保に失敗したとき（`OutOfMemoryError` 例外を捕捉したとき）は、フィールド `size` に `0` を代入します。

▶ ハッシュ表の要素（バケット）は、**Fig.3-15** に示す `Node<K,V>` への参照型です。配列 `table` の全要素が `null` で初期化されるのは、参照型の既定値が空参照 `null` だから（p.36）です。

ハッシュ関数：hashValue

ハッシュ値を求めるメソッドです。`key` のハッシュ値を、ハッシュ表の大きさ `size` で割った剰余を返します。

Column 3-6 ハッシュとハッシュ関数について

もし衝突がまったく発生しないのであれば、ハッシュ関数によってインデックスを求めるだけで、探索・追加・削除がほぼ完了しますから、それらの時間計算量は、いずれも O(1) です。

ハッシュ表を大きくすれば衝突の発生を抑えることができますが、記憶領域を無駄に占有することになります。すなわち、時間と空間のトレードオフの問題がつきまとうわけです。

さて、衝突を避けるためには、ハッシュ関数は、ハッシュ表の大きさ以下の整数を、なるべく偏らないように生成するものでなければなりません。そのため、ハッシュ表の大きさは、**素数**が好ましいとされています。

＊

キー値が整数でない場合は、ハッシュ値を求める際に、ちょっとした工夫が必要です。たとえば、実数のキー値に対してはビット演算をほどこす方法を、文字列のキー値に対しては各文字に対する乗算や加算をほどこす方法を使うことになります。

なお、**List 3-9** のクラス `Node<K,V>` と **List 3-11**（p.110）のクラス `Bucket<K,V>` の `hashCode` メソッドは、`java.lang.Object` クラスで定義されたメソッド（**Column 9-3**：p.334）をオーバライドしたものです。

List 3-9 [C] chap03/ChainHash.java

```
//--- キー値がkeyの要素の探索（データを返却） ---//
public V search(K key) {
  int hash = hashValue(key);        // 探索するデータのハッシュ値
  Node<K,V> p = table[hash];        // 着目ノード

  while (p != null) {
    if (p.getKey().equals(key))
      return p.getValue();          // 探索成功
    p = p.next;                     // 後続ノードに着目
  }
  return null;                      // 探索失敗
}

//--- キー値がkeyでデータがdataの要素の追加 ---//
public int add(K key, V data) {
  int hash = hashValue(key);        // 追加するデータのハッシュ値
  Node<K,V> p = table[hash];        // 着目ノード

  while (p != null) {
    if (p.getKey().equals(key))     // このキー値は登録ずみ
      return 1;
    p = p.next;                     // 後続ノードに着目
  }
  Node<K,V> temp = new Node<K,V>(key, data, table[hash]);
  table[hash] = temp;               // ノードを挿入
  return 0;
}
```

➡

キーによる要素の探索：search

キー値が **key** の要素を探索するメソッドです。

右ページの **Fig.3-17** に示す具体例で、探索の手続きを理解しましょう。

■ 図 a から 33 を探索

33 のハッシュ値は 7 ですから、**table[7]** が参照する線形リストをたぐっていきます。20 ⇨ 33 とたぐっていくと探索成功です。

■ 図 a から 26 を探索

26 のハッシュ値は 0 です。**table[0]** は **null** ですから、探索失敗です。

探索の手続きは、次のようになります。

1. ハッシュ関数によってキー値をハッシュ値に変換する。
2. ハッシュ値をインデックスとするバケットに着目する。
3. 着目したバケットが参照する線形リストを先頭から順に線形探索する。キー値と同じ値が見つかれば探索成功。末尾まで走査して見つからなければ探索失敗。

要素の挿入：add

キー値が **key** でデータが **data** の要素を挿入するメソッドです。

Fig.3-17 に示す具体例で、挿入の手続きを理解しましょう。

■ 図aへの 13 の挿入

13 のハッシュ値は 0 であり、*table*[0] は **null** です。図bに示すように、13 を格納したノードを新たに生成して、そのノードへの参照を *table*[0] に代入します。

■ 図aへの 46 の挿入

46 のハッシュ値は 7 であり、*table*[7] のバケットには、20 と 33 を連結したリストへの参照が格納されています。このリスト内には 46 は存在しませんので、リストの先頭に 46 を挿入します。具体的には、46 を格納したノードを新たに生成して、そのノードへの参照を *table*[7] に代入します。さらに、挿入したノードがもつ後続ポインタ **next** が、20 を格納したノードを指すように更新します。

要素挿入の手続きは、次のようになります。

1. ハッシュ関数によってキー値をハッシュ値に変換する。
2. ハッシュ値をインデックスとするバケットに着目する。
3. バケットが参照する線形リストを先頭から順に線形探索する。キー値と同じ値が見つかればキー値は登録ずみであり挿入失敗。最後まで探して見つからなければリストの先頭位置にノードを挿入。

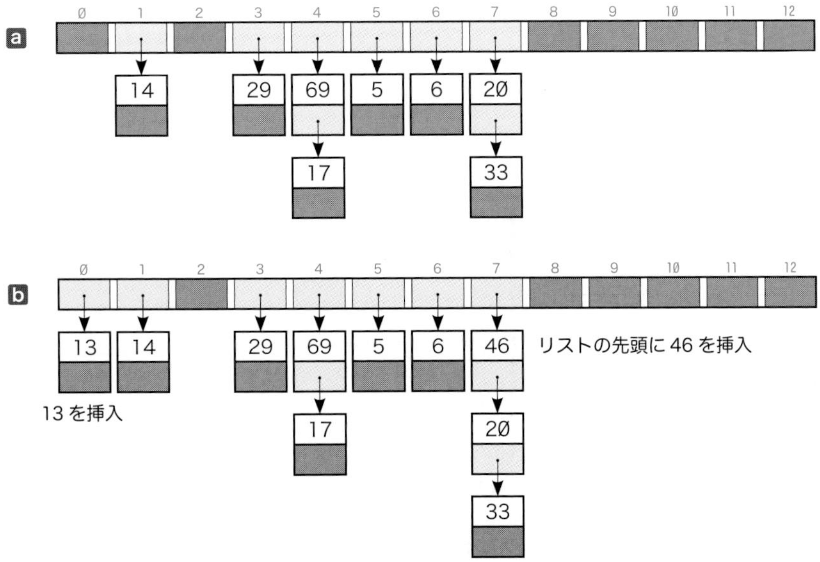

Fig.3-17　チェイン法におけるハッシュの探索と挿入

List 3-9 [D] chap03/ChainHash.java

```
  //--- キー値がkeyの要素の削除 ---//
  public int remove(K key) {
    int hash = hashValue(key);        // 削除するデータのハッシュ値
    Node<K,V> p = table[hash];        // 着目ノード
    Node<K,V> pp = null;              // 前回の着目ノード

    while (p != null) {
      if (p.getKey().equals(key)) {  // 見つけたら
        if (pp == null)
          table[hash] = p.next;
        else
          pp.next = p.next;
        return 0;
      }
      pp = p;
      p = p.next;                     // 後続ノードに着目
    }
    return 1;                         // そのキー値は存在しない
  }

  //--- ハッシュ表をダンプ ---//
  public void dump() {
    for (int i = 0; i < size; i++) {
      Node<K,V> p = table[i];
      System.out.printf("%02d  ", i);
      while (p != null) {
        System.out.printf("→ %s (%s)  ", p.getKey(), p.getValue());
        p = p.next;
      }
      System.out.println();
    }
  }
}
```

要素の削除：remove

キー値が **key** の要素を削除するメソッドです。

右ページの **Fig.3-18** **a**から 69 を削除する例を考えましょう。

69 のハッシュ値は 4 です。**table[4]** のバケットに格納されている参照先のリストを線形探索すると 69 が見つかります。このノードの後続ノードは、17 を格納したノードです。そこで、図**b**に示すように、17 を格納したノードへの参照を、**table[4]** のバケットに代入すると、ノードの削除が完了します。

要素削除の手続きは、次のようになります。

1. ハッシュ関数によってキー値をハッシュ値に変換する。
2. ハッシュ値をインデックスとするバケットに着目する。
3. バケットが参照する線形リストを先頭から順に線形探索する。キー値と同じ値が見つかればそのノードをリストから削除。そうでなければ削除失敗。

▶ 本プログラムでは、キー値を比較するために、多くの箇所で **equals** メソッドを呼び出しています。このメソッドについては、**Column 9-3**：p.334 で学習します。

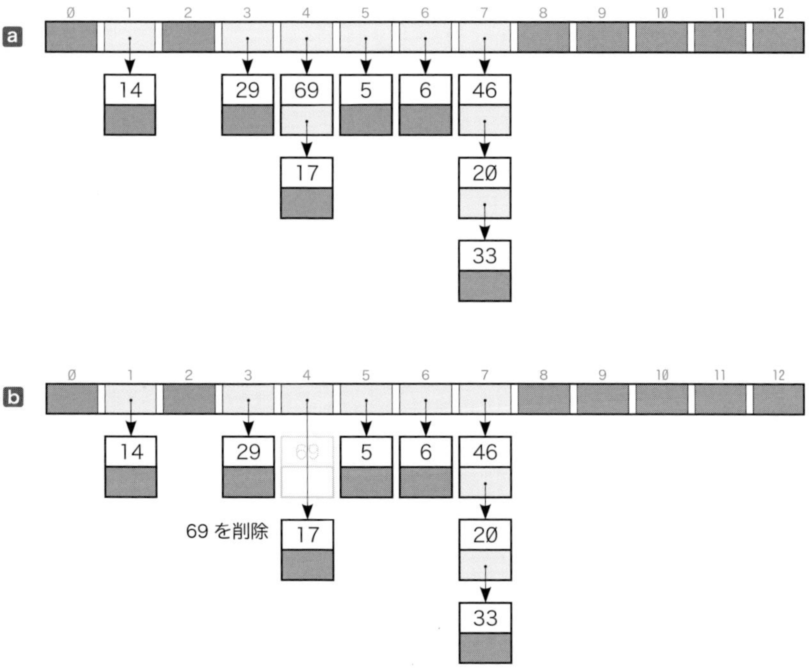

Fig.3-18　チェイン法におけるハッシュからの削除

全要素のダンプ：dump

全要素をダンプ（表示）する、すなわち、表の内容をまるごと表示するメソッドです。

ハッシュ表の全要素 `table[Ø]` から `table[size - 1]` に対して、後続ノードをたぐっていきながら各ノードのキー値とデータを表示する処理を繰り返します。

Fig.3-18 a のハッシュであれば、右に示す表示を行います。すなわち、同一ハッシュ値をもつデータを矢印記号 → で結んで表示します。

このメソッドを実行することで、同一ハッシュ値をもつバケットが線形リストで鎖状に結び付いている様子が確認できます。

▶　スペースの都合上、この実行例には、キー値のみを示しています。
　実際にメソッド **dump** を実行すると、キー値とデータの両方が表示されます。
　なお、メソッド名の **dump** は、ダンプカーが一度に荷を下ろすさまにたとえた用語です。

```
ØØ
Ø1  → 14
Ø2
Ø3  → 29
Ø4  → 69  → 17
Ø5  → 5
Ø6  → 6
Ø7  → 46  → 2Ø  → 33
Ø8
Ø9
1Ø
11
12
```

クラス *ChainHash*<*K*,*V*> を利用するプログラム例を **List 3-10** に示します。

処理の対象とするクラス **Data** は、整数の会員番号と文字列の氏名がセットになったものです。キー値となるのは会員番号です。

List 3-10 chap03/ChainHashTester.java

要：ChainHash

```
// チェイン法によるハッシュの利用例

import java.util.Scanner;

class ChainHashTester {

  static Scanner stdIn = new Scanner(System.in);

  //--- データ（会員番号＋氏名） ---//
  static class Data {
    static final int NO   = 1;     // 番号を読み込むか？
    static final int NAME = 2;     // 氏名を読み込むか？

    private Integer no;            // 会員番号（キー値）
    private String  name;          // 氏名

    //--- キー値 ---//
    Integer keyCode() {
      return no;
    }

    //--- 文字列表現を返す ---//
    public String toString() {
      return name;
    }

    //--- データの読込み ---//
    void scanData(String guide, int sw) {
      System.out.println(guide + "するデータを入力してください。");

      if ((sw & NO) == NO) {
        System.out.print("番号：");
        no = stdIn.nextInt();
      }
      if ((sw & NAME) == NAME) {
        System.out.print("氏名：");
        name = stdIn.next();
      }
    }
  }

  //--- メニュー列挙型 ---//
  enum Menu {
    ADD(      "追加"),
    REMOVE(   "削除"),
    SEARCH(   "探索"),
    DUMP(     "表示"),
    TERMINATE("終了");

    private final String message;       // 表示用文字列

    static Menu MenuAt(int idx) {       // 序数がidxである列挙を返す
      for (Menu m : Menu.values())
        if (m.ordinal() == idx)
          return m;
      return null;
    }
```

```
    Menu(String string) {           // コンストラクタ
      message = string;
    }

    String getMessage() {           // 表示用文字列を返す
      return message;
    }
  }

  //--- メニュー選択 ---//
  static Menu SelectMenu() {
    int key;
    do {
      for (Menu m : Menu.values())
        System.out.printf("(%d) %s  ", m.ordinal(), m.getMessage());
      System.out.print(" : ");
      key = stdIn.nextInt();
    } while (key < Menu.ADD.ordinal() || key > Menu.TERMINATE.ordinal());

    return Menu.MenuAt(key);
  }

  public static void main(String[] args) {
    Menu menu;                     // メニュー
    Data data;                     // 追加用データ参照
    Data temp = new Data();        // 読込み用データ

    ChainHash<Integer, Data> hash = new ChainHash<Integer, Data>(13);

    do {
      switch (menu = SelectMenu()) {
       case ADD :                  // 追加
          data = new Data();
          data.scanData("追加", Data.NO | Data.NAME);
          hash.add(data.keyCode(), data);
          break;

       case REMOVE :               // 削除
          temp.scanData("削除", Data.NO);
          hash.remove(temp.keyCode());
          break;

       case SEARCH :               // 探索
          temp.scanData("探索", Data.NO);
          Data t = hash.search(temp.keyCode());
          if (t != null)
            System.out.println("そのキーをもつデータは" + t + "です。");
          else
            System.out.println("該当するデータはありません。");
          break;

       case DUMP :                 // 表示
          hash.dump();
          break;
      }
    } while (menu != Menu.TERMINATE);
  }
}
```

▶ 本プログラムのコンパイル・実行に際しては、**List 3-9** (p.97) のコンパイルによって得られたクラスファイル "ChainHash.class" が必要です。

ここに示す実行例では、同一ハッシュ値をもつ会員番号 **1** 番と **14** 番のデータが、線形リストによってチェイン状にリンクされています。

実行例

```
(Ø)追加 (1)削除 (2)探索 (3)表示 (4)終了：Ø↵
追加するデータを入力してください。
番号：1↵                                  {①赤尾}を追加
氏名：赤尾↵
(Ø)追加 (1)削除 (2)探索 (3)表示 (4)終了：Ø↵
追加するデータを入力してください。
番号：5↵                                  {⑤武田}を追加
氏名：武田↵
(Ø)追加 (1)削除 (2)探索 (3)表示 (4)終了：Ø↵
追加するデータを入力してください。
番号：1Ø↵                                 {⑩小野}を追加
氏名：小野↵
(Ø)追加 (1)削除 (2)探索 (3)表示 (4)終了：Ø↵
追加するデータを入力してください。
番号：12↵                                 {⑫鈴木}を追加
氏名：鈴木↵
(Ø)追加 (1)削除 (2)探索 (3)表示 (4)終了：Ø↵
追加するデータを入力してください。
番号：14↵                                 {⑭神崎}を追加
氏名：神崎↵
(Ø)追加 (1)削除 (2)探索 (3)表示 (4)終了：2↵
探索するデータを入力してください。
番号：5↵                                  ⑤を探索
そのキーをもつデータは武田です。
(Ø)追加 (1)削除 (2)探索 (3)表示 (4)終了：3↵
ØØ
Ø1  → 14（神崎） → 1（赤尾）   同一ハッシュ値をもつデータがリンクされている
Ø2
Ø3
Ø4
Ø5  → 5（武田）
Ø6                                        ハッシュ表の内部を表示
Ø7
Ø8
Ø9
1Ø  → 1Ø（小野）
11
12  → 12（鈴木）
(Ø)追加 (1)削除 (2)探索 (3)表示 (4)終了：1↵
削除するデータを入力してください。
番号：14↵                                 ⑭を削除
(Ø)追加 (1)削除 (2)探索 (3)表示 (4)終了：3↵
ØØ
Ø1  → 1（赤尾）
Ø2
Ø3
Ø4
Ø5  → 5（武田）
Ø6                                        ハッシュ表の内部を表示
Ø7
Ø8
Ø9
1Ø  → 1Ø（小野）
11
12  → 12（鈴木）
(Ø)追加 (1)削除 (2)探索 (3)表示 (4)終了：4↵
```

Column 3-7 列挙

List 3-10 のプログラムでは、対話的なメニューの表示・選択を行います。その実現のために利用しているのが、列挙（れっきょ）です。

他のプログラミング言語では、整数を拡張したものとして実現されることが多いのですが、Java の列挙は、内部的に《クラス》として実現されるため、非常に強力で多機能です。

たとえば、季節を表すための、単純な列挙を考えましょう。

```
enum Season {
  SPRING, SUMMER, AUTUMN, WINTER
};
```

この列挙は、次のようにコンパイルされます（このようなコードを直接書くことはできません）。

```
final class Season extends Enum<Season> {

  public static final Season[] values() {
    return (Season[])$VALUES.clone();
  }

  public static Season valueOf(String s) {
    return (Season)Enum.valueOf(Season, s);
  }

  private Season(String s, int i) {
    super(s, i);
  }

  public static final Season SPRING;
  public static final Season SUMMER;
  public static final Season AUTUMN;
  public static final Season WINTER;

  private static final Season $VALUES[];

  static {
    SPRING = new Season("SPRING", 0);
    SUMMER = new Season("SUMMER", 1);
    AUTUMN = new Season("AUTUMN", 2);
    WINTER = new Season("WINTER", 3);
    $VALUES = (new Season[] {
      SPRING, SUMMER, AUTUMN, WINTER
    });
  }
}
```

列挙は、java.lang.Enum クラスから派生したサブクラスとしてコンパイルされ、次のような特徴があります。

- 各列挙定数を表す序数（じょすう）（宣言順に割り振られた連番 0, 1, 2, …）は、ordinal メソッドによって調べられる。
- 列挙型の値すべてが宣言順に含まれた配列は、values メソッドによって取得できる。
- name メソッドと toString メソッドは、ともに name フィールドの値を返す。ただし、name メソッドが final 宣言されていてオーバライドできないのに対し、toString メソッドはオーバライドできる。

※ 上記のプログラムリストに ordinal、name、toString の各メソッドがないのは、スーパークラスである Enum クラスで定義されているメソッドが継承されるからです。

＊

列挙には、メソッドやフィールドを自由に追加したり、インタフェースを実装したりできますので、拡張性も優れています。

オープンアドレス法

もう一つのハッシュ法である**オープンアドレス法**（open addressing）は、衝突が発生した際に**再ハッシュ**（rehashing）を行うことによって、空いているバケットを探し出す手法です。**クローズドハッシュ法**（closed hashing）とも呼ばれます。

要素の挿入・削除・探索の手続きを **Fig.3-19** に示す具体例で考えていきましょう。

▶ 先ほどと同様に、キー値を 13 で割った剰余をハッシュ値とします。

要素の挿入

図aは、18 を挿入しようとして、**衝突が発生している状態**です。ここで行うのが**再ハッシュ**です。再ハッシュのためのハッシュ関数は、自由に決められます。ここでは、キー値に 1 を加えた値を 13 で割った剰余とします。

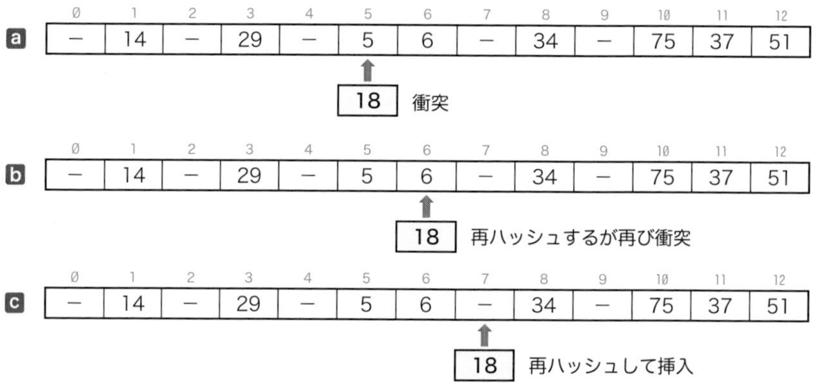

Fig.3-19　オープンアドレス法における再ハッシュ

再ハッシュによって、**(18 + 1) % 13** すなわち **6** が得られます。ところが、図bに示すように、インデックス **6** のバケットもデータが埋まっていますので、さらに再ハッシュを行います。得られるハッシュ値は **(19 + 1) % 13** すなわち **7** です。そこで、図cに示すように、インデックス **7** のバケットにデータ **18** を挿入します。

オープンアドレス法は、空きバケットに出会うまで再ハッシュを何度も繰り返すことから、**線形探査法**（linear probing）と呼ばれます。

要素の削除

次に、図cの状態から **5** を削除する手続きを考えます。インデックスが **5** のバケットのデータを空にするだけでよいように感じられますが、実際はそうではありません。

というのも、同じハッシュ値をもつ **18** の探索を行う際に、『ハッシュ値 **5** のデータは存在しない』と勘違いされて探索に失敗してしまうからです。

そこで、各バケットに対して、次の属性のいずれかを与えます。

- データが格納されている。
- 空。
- 削除ずみ。

バケットが空であることを“−”で、削除ずみであることを“★”で表すとします。**5** を削除するときは、**Fig.3-20** に示すように、その位置のバケットに削除ずみであることを表す属性“★”を格納します。

Fig.3-20　オープンアドレス法における“削除ずみ”フラグ

要素の探索

ここで、**17** の探索を行ってみましょう。ハッシュ値である **4** のバケットを覗(のぞ)くと、その属性が“空”ですから、探索失敗と判定できます。

それでは、**18** の探索はどうでしょうか。ハッシュ値 **5** のバケットを覗くと、その属性は“削除ずみ”です。そこで、**Fig.3-21** に示すように、再ハッシュを行って **6** のバケットを覗きます。ここには値 **6** が格納されていますので、さらに再ハッシュを行って **7** のバケットを覗きます。探索すべき値 **18** が格納されていますので、探索は成功です。

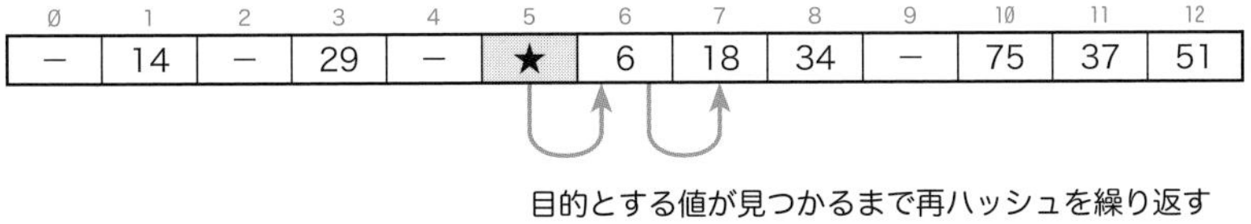

Fig.3-21　オープンアドレス法における探索

オープンアドレス法を実装するクラス *OpenHash<K,V>* を **List 3-11**（次ページ）に示します。

▶　型パラメータ *K* と *V* は、チェイン法のプログラムと同様です。

List 3-11 [A] chap03/OpenHash.java

```
// オープンアドレス法によるハッシュ

public class OpenHash<K,V> {

  //--- バケットの状態 ---//
  enum Status {OCCUPIED, EMPTY, DELETED}; // {データ格納, 空, 削除ずみ}

  //--- バケット ---//
  static class Bucket<K,V> {
    private K key;             // キー値
    private V data;            // データ
    private Status stat;       // 状態

    //--- コンストラクタ ---//
    Bucket() {
      stat = Status.EMPTY;  // バケットは空
    }

    //--- 全フィールドに値を設定 ---//
    void set(K key, V data, Status stat) {
      this.key  = key;       // キー値
      this.data = data;      // データ
      this.stat = stat;      // 状態
    }

    //--- 状態を設定 ---//
    void setStat(Status stat) {
      this.stat = stat;
    }

    //--- キー値を返す ---//
    K getKey() {
      return key;
    }

    //--- データを返す ---//
    V getValue() {
      return data;
    }

    //--- キーのハッシュ値を返す ---//
    public int hashCode() {
      return key.hashCode();
    }
  }

  private int size;                   // ハッシュ表の大きさ
  private Bucket<K,V>[] table;        // ハッシュ表

  //--- コンストラクタ ---//
  public OpenHash(int size) {
    try {
      table = new Bucket[size];
      for (int i = 0; i < size; i++)
        table[i] = new Bucket<K,V>();
      this.size = size;
    } catch (OutOfMemoryError e) {     // 表を生成できなかった
      this.size = 0;
    }
  }
```

```
//--- ハッシュ値を求める ---//
public int hashValue(Object key) {
  return key.hashCode() % size;
}

//--- 再ハッシュ値を求める ---//
public int rehashValue(int hash) {
  return (hash + 1) % size;
}

//--- キー値がkeyのバケットの探索 ---//
private Bucket<K,V> searchNode(K key) {
  int hash = hashValue(key);        // 探索するデータのハッシュ値
  Bucket<K,V> p = table[hash];      // 着目バケット

  for (int i = 0; p.stat != Status.EMPTY && i < size; i++) {
    if (p.stat == Status.OCCUPIED && p.getKey().equals(key))
      return p;
    hash = rehashValue(hash);       // 再ハッシュ
    p = table[hash];
  }
  return null;
}

//--- キー値がkeyの要素の探索（データを返却）---//
public V search(K key) {
  Bucket<K,V> p = searchNode(key);
  if (p != null)
    return p.getValue();
  else
    return null;
}

//--- キー値がkeyでデータがdataの要素の追加 ---//
public int add(K key, V data) {
  if (search(key) != null)
    return 1;                // このキー値は登録ずみ

  int hash = hashValue(key);        // 追加するデータのハッシュ値
  Bucket<K,V> p = table[hash];      // 着目バケット
  for (int i = 0; i < size; i++) {
    if (p.stat == Status.EMPTY || p.stat == Status.DELETED) {
      p.set(key, data, Status.OCCUPIED);
      return 0;
    }
    hash = rehashValue(hash);       // 再ハッシュ
    p = table[hash];
  }
  return 2;                         // ハッシュ表が満杯
}

//--- キー値がkeyの要素の削除 ---//
public int remove(K key) {
  Bucket<K,V> p = searchNode(key);  // 着目バケット
  if (p == null)
    return 1;                       // このキー値は登録されていない

  p.setStat(Status.DELETED);
  return 0;
}
```

➡

List 3-11 [B] chap03/OpenHash.java

```
  //--- ハッシュ表をダンプ ---//
  public void dump() {
    for (int i = 0; i < size; i++) {
      System.out.printf("%02d ", i);
      switch (table[i].stat) {
       case OCCUPIED :
        System.out.printf("%s (%s)\n",
                    table[i].getKey(), table[i].getValue());
        break;

       case EMPTY :
        System.out.println("-- 未登録 --"); break;

       case DELETED :
        System.out.println("-- 削除ずみ --"); break;
      }
    }
  }
}
```

メソッド **dump** は、ハッシュ表の内容をまるごと表示するメソッドです。バケット内にデータが登録されていればキーと値を表示し、そうでなければ、未登録、あるいは削除ずみである旨を表示します。

オープンアドレス法を利用するプログラム例を **List 3-12** に示します。ハッシュに格納するデータのクラスである **Data** 型は、チェイン法の **List 3-10**（p.104）と同じです。

▶ 本プログラムのコンパイル・実行に際しては、**List 3-11**（p.110）のコンパイルによって得られたクラスファイル "OpenHash.class" が必要です。

List 3-12 [A] chap03/OpenHashTester.java

要：OpenHash

```
// オープンアドレス法によるハッシュの利用例

import java.util.Scanner;

public class OpenHashTester {

  static Scanner stdIn = new Scanner(System.in);

  //--- データ（会員番号＋氏名） ---//
  static class Data {
    static final int NO   = 1;     // 番号を読み込むか？
    static final int NAME = 2;     // 氏名を読み込むか？

    private Integer no;          // 会員番号（キー値）
    private String  name;        // 氏名

    //--- キー値 ---//
    Integer keyCode() {
      return no;
    }

    //--- 文字列表現を返す ---//
    public String toString() {
      return name;
    }
```

```
    //--- データの読込み ---//
    void scanData(String guide, int sw) {
      System.out.println(guide + "するデータを入力してください。");

      if ((sw & NO) == NO) {
        System.out.print("番号：");
        no = stdIn.nextInt();
      }
      if ((sw & NAME) == NAME) {
        System.out.print("氏名：");
        name = stdIn.next();
      }
    }
  }

  //--- メニュー列挙型 ---//
  enum Menu {
    ADD(       "追加"),
    REMOVE(    "削除"),
    SEARCH(    "探索"),
    DUMP(      "表示"),
    TERMINATE("終了");

    private final String message;    // 表示用文字列

    static Menu MenuAt(int idx) {    // 序数がidxである列挙を返す
      for (Menu m : Menu.values())
        if (m.ordinal() == idx)
          return m;
      return null;
    }

    Menu(String string) {            // コンストラクタ
      message = string;
    }

    String getMessage() {            // 表示用文字列を返す
      return message;
    }
  }

  //--- メニュー選択 ---//
  static Menu SelectMenu() {
    int key;
    do {
      for (Menu m : Menu.values())
        System.out.printf("(%d) %s  ", m.ordinal(), m.getMessage());
      System.out.print("：");
      key = stdIn.nextInt();
    } while (key < Menu.ADD.ordinal() || key > Menu.TERMINATE.ordinal());

    return Menu.MenuAt(key);
  }

  public static void main(String[] args) {
    Menu menu;                    // メニュー
    Data data;                    // 追加用データ参照
    Data temp = new Data();       // 読込み用データ

    OpenHash<Integer, Data> hash = new OpenHash<Integer, Data>(13);
```

➡

List 3-12 [B]　chap03/OpenHashTester.java

```
    do {
      switch (menu = SelectMenu()) {
       case ADD :                       // 追加
        data = new Data();
        data.scanData("追加", Data.NO | Data.NAME);
        int k = hash.add(data.keyCode(), data);
        switch (k) {
         case 1: System.out.println("そのキー値は登録ずみです。");
              break;
         case 2: System.out.println("ハッシュ表が満杯です。");
              break;
        }
        break;

       case REMOVE :                    // 削除
        temp.scanData("削除", Data.NO);
        hash.remove(temp.keyCode());
        break;

       case SEARCH :                    // 探索
        temp.scanData("探索", Data.NO);
        Data t = hash.search(temp.keyCode());
        if (t != null)
          System.out.println("そのキーをもつデータは" + t + "です。");
        else
          System.out.println("該当するデータはありません。");
        break;

       case DUMP :                      // 表示
        hash.dump();
        break;
      }
    } while (menu != Menu.TERMINATE);
  }
}
```

チェイン法の実行例（p.106）とまったく同じように、データを追加・検索・削除する実行例を右ページに示しています。

チェイン法とオープンアドレス法の実行例を比較・検討してみましょう。

▪ チェイン法

同一ハッシュ値 **1** をもつ {⑴ 赤尾} と {⒁ 神崎} とをつなぐ線形リストが、《バケット1》からリンクされていました。

▪ オープンアドレス法

後から追加された {⒁ 神崎} は再ハッシュの結果、《バケット2》に登録されています。

さらに、そのデータを削除した後に、《バケット2》に削除ずみフラグが入れられています。

演習 3-8

List 3-10 (p.104) と **List 3-12** (p.112) のプログラムは、会員番号をキー値としている。氏名をキー値にしたプログラムを作成せよ。

実行例

```
(0)追加 (1)削除 (2)探索 (3)表示 (4)終了：0↵
追加するデータを入力してください。
番号：1↵                                      {①赤尾}を追加
氏名：赤尾↵

(0)追加 (1)削除 (2)探索 (3)表示 (4)終了：0↵
追加するデータを入力してください。
番号：5↵                                      {⑤武田}を追加
氏名：武田↵

(0)追加 (1)削除 (2)探索 (3)表示 (4)終了：0↵
追加するデータを入力してください。
番号：10↵                                     {⑩小野}を追加
氏名：小野↵

(0)追加 (1)削除 (2)探索 (3)表示 (4)終了：0↵
追加するデータを入力してください。
番号：12↵                                     {⑫鈴木}を追加
氏名：鈴木↵

(0)追加 (1)削除 (2)探索 (3)表示 (4)終了：0↵
追加するデータを入力してください。
番号：14↵                                     {⑭神崎}を追加
氏名：神崎↵

(0)追加 (1)削除 (2)探索 (3)表示 (4)終了：2↵
探索するデータを入力してください。
番号：5↵                                      ⑤を探索
そのキーをもつデータは武田です。

(0)追加 (1)削除 (2)探索 (3)表示 (4)終了：3↵
00 -- 未登録 --
01 1（赤尾）
02 14（神崎）
03 -- 未登録 --
04 -- 未登録 --
05 5（武田）
06 -- 未登録 --                               ハッシュ表の内部を表示
07 -- 未登録 --
08 -- 未登録 --
09 -- 未登録 --
10 10（小野）
11 -- 未登録 --
12 12（鈴木）

(0)追加 (1)削除 (2)探索 (3)表示 (4)終了：1↵
削除するデータを入力してください。
番号：14↵                                     ⑭を削除

(0)追加 (1)削除 (2)探索 (3)表示 (4)終了：3↵
00 -- 未登録 --
01 1（赤尾）
02 -- 削除ずみ --
03 -- 未登録 --
04 -- 未登録 --
05 5（武田）
06 -- 未登録 --                               ハッシュ表の内部を表示
07 -- 未登録 --
08 -- 未登録 --
09 -- 未登録 --
10 10（小野）
11 -- 未登録 --
12 12（鈴木）

(0)追加 (1)削除 (2)探索 (3)表示 (4)終了：4↵
```

第4章

スタックとキュー

- スタック
- 後入れ先出し（LIFO）
- プッシュとポップ
- ソフトウェアの頑健さ
- キュー
- 先入れ先出し（FIFO）
- エンキューとデキュー
- リングバッファ

4-1 スタック

スタックは、一時的にデータを保存するためのデータ構造です。最後に入れたデータが最初に取り出されます。

スタックとは

スタック（stack）は、データを一時的に蓄えるためのデータ構造の一つです。データの出し入れは**後入れ先出し**（LIFO／Last In First Out）で行われます。すなわち、最後に入れられたデータが最初に取り出されます。

なお、スタックにデータを入れる操作を**プッシュ**（push）と呼び、スタックからデータを取り出す操作を**ポップ**（pop）と呼びます。

Fig.4-1 に示すのが、スタックにデータをプッシュ／ポップするイメージです。テーブルの上に積み重ねた皿のように、データを入れるのも、取り出すのも、最も“上側”で行います。

プッシュとポップが行われる側は**頂上**（top）で、その反対側が**底**（bottom）です。

▶ stack は、『干し草を積んだ山』『堆積』『積み重ね』という意味の語句です。そのため、プッシュすることを“**積む**”ともいいます。

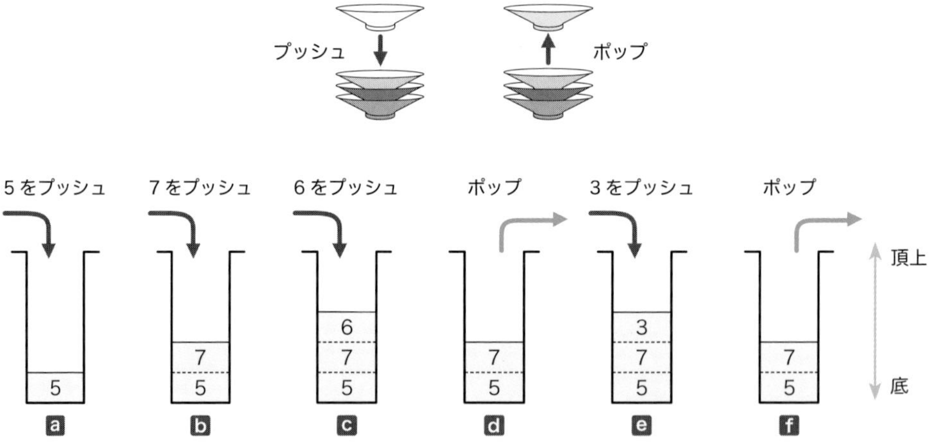

Fig.4-1　スタックへのプッシュとポップ

さて、Java プログラムでのメソッド呼出しや、その実行にあたっては、プログラムの内部でスタックが使われています。

そのイメージを表したのが、右ページの **Fig.4-2** です。この図に示しているプログラムは、`main` を含めて4個のメソッドで構成されます。

```
void x() { /*...*/ }

void y() { /*...*/ }

void z() {
  x();
  y();
}

void main() {
  z();
}
```

- **a** main メソッドの実行が開始される前の状態。
- **b** main メソッドが呼び出されて実行が開始された。
- **c** メソッドzが呼び出された。
- **d** メソッドxが呼び出された。
- **e** メソッドxの実行が終了して、メソッドzに戻ってきた。
- **f** メソッドyが呼び出された。
- **g** メソッドyの実行が終了して、メソッドzに戻ってきた。
- **h** メソッドzの実行が終了して、main メソッドに戻ってきた。
- **i** main メソッドの実行が終了した。

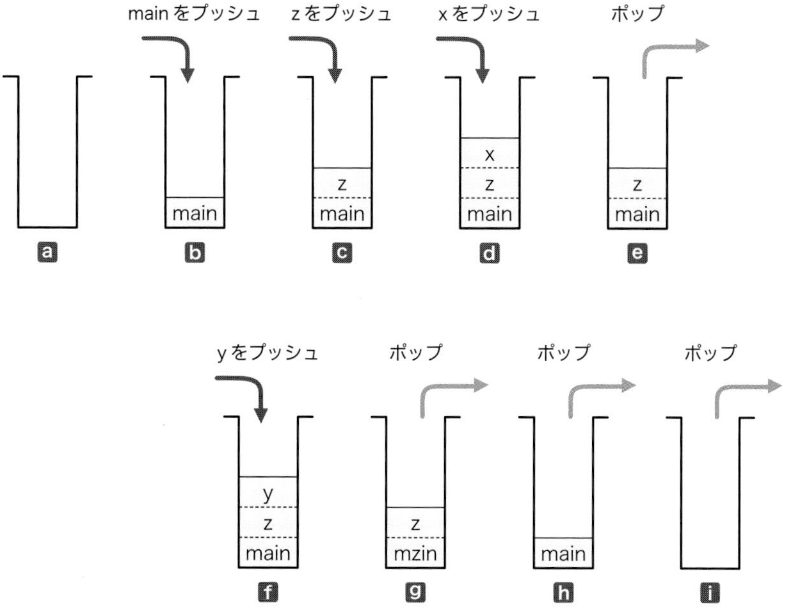

Fig.4-2　メソッド呼出しとスタック

まず最初に、**main** メソッドの実行が開始されます。その **main** メソッドは、メソッド **z** を呼び出します。呼び出されたメソッド **z** は、メソッド **x** とメソッド **y** を順次呼び出します。

この図に描かれているのは、呼び出される際にメソッドがプッシュされ、実行が終了して呼出し元に戻る際にメソッドがポップされる様子です。

たとえば、図**d**に着目してみましょう。この図は、メソッドが、**main** ⇨ **z** ⇨ **x** と呼び出されていて、メソッド呼出しが階層構造となっていることを表しています。

この状態でメソッド **x** の実行が終了したときに、メソッド **x** と **z** の二つがポップされて、いきなり **main** メソッドに戻るといったことはありません。

▶　ここに示したのは、メソッド呼出しのイメージを理解するための概略図です。実際のスタックは、もっと複雑な構造です。

スタックの実現

スタックを実現するプログラムを作りましょう。基礎的な考え方を身に付けるために、スタックの容量（スタックに積める最大のデータ数）を生成時に決定するスタック、すなわち、固定長のスタックを作っていきます。

なお、スタックに格納するデータは、単なる **int** 型の値とします。それを実現するのが、**List 4-1** に示すクラス *IntStack* です。

List 4-1 [A] chap04/IntStack.java

```
// int型固定長スタック

public class IntStack {
  private int[] stk;       // スタック用の配列
  private int capacity;    // スタックの容量
  private int ptr;         // スタックポインタ

  //--- 実行時例外：スタックが空 ---//
  public class EmptyIntStackException extends RuntimeException {
    public EmptyIntStackException() { }
  }

  //--- 実行時例外：スタックが満杯 ---//
  public class OverflowIntStackException extends RuntimeException {
    public OverflowIntStackException() { }
  }

  //--- コンストラクタ ---//
  public IntStack(int maxlen) {
    ptr = 0;
    capacity = maxlen;
    try {
      stk = new int[capacity];          // スタック本体用の配列を生成
    } catch (OutOfMemoryError e) {      // 生成できなかった
      capacity = 0;
    }
  }
```
➡

フィールド、コンストラクタ、メソッドの順に理解していきましょう。

▶ クラス *IntStack* の中では、例外用のクラス *EmptyIntStackException* と *OverflowIntStackException* も定義されています。これらは、*push* と *pop* と *peek* のメソッドで使われます。
次節で学習するキュークラス *IntQueue*（**List 4-3**：p.132）も同様です。例外用のクラス *EmptyIntQueueException* と *OverflowIntQueueException* が定義されています。

スタック用の配列：stk

プッシュされたデータを格納するための、スタック用の配列です。

右ページの **Fig.4-3** に示すように、インデックス **0** の要素をスタックの底とします。そのため、最初にプッシュされたデータの格納先は **stk[0]** となります。

▶ フィールド *stk* は、配列本体を参照するための配列変数です。配列本体の生成は、コンストラクタで行います。

スタックの容量：capacity

スタックの容量（スタックに積める最大のデータ数）を表す **int** 型のフィールドです。

スタックポインタ：ptr

スタックに積まれているデータの個数を表すフィールドです。この値は、**スタックポインタ**（stack pointer）と呼ばれます。もちろん、スタックが空であれば ***ptr*** の値は **0** となり、満杯であれば ***capacity*** と同じ値になります。

図に示しているのは、容量8のスタックに4個のデータがプッシュされている状態です。最初にプッシュされた底のデータは ***stk*[0]** の 19 で、最後にプッシュされた頂上のデータは ***stk*[*ptr* - 1]** の 53 です。

▶ 図の●内に示す値が ***ptr*** です。最後にプッシュされたデータが格納されている要素のインデックスに **1** を加えた値と一致します。この後で学習するように、スタックにデータをプッシュする際に ***ptr*** をインクリメントし、スタックからデータをポップする際に ***ptr*** をデクリメントします。

コンストラクタ：IntStack

コンストラクタは、スタック用の配列本体を生成するなどの準備処理を行います。

生成時のスタックは空（データが 1 個も積まれていない状態）ですから、スタックポインタ ***ptr*** の値を **0** にします。そして、仮引数 ***maxlen*** に受け取った値を、スタックの容量を表すフィールド ***capacity*** に代入した上で、要素数が ***capacity*** の配列本体を生成します。

そのため、スタック用の配列本体の個々の要素をアクセスするインデックス式は、底から順に ***stk*[0], *stk*[1], …, *stk*[*capacity* - 1]** となります。

▶ 配列本体の生成に失敗した場合（**OutOfMemoryError** を捕捉したとき）は、***capacity*** の値を **0** にします。他のメソッドが、存在しない配列 ***stk*** の本体領域に対して不正にアクセスするのを防止するための予防策です。

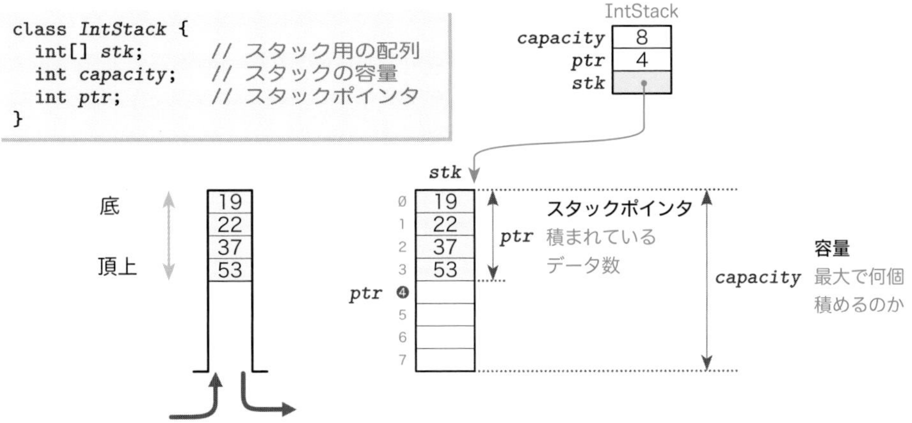

Fig.4-3 スタックの実現例

List 4-1 [B] chap04/IntStack.java

```
//--- スタックにxをプッシュ ---//
public int push(int x) throws OverflowIntStackException {
  if (ptr >= capacity)                    // スタックは満杯
    throw new OverflowIntStackException();
  return stk[ptr++] = x;
}

//--- スタックからデータをポップ（頂上のデータを取り出す） ---//
public int pop() throws EmptyIntStackException {
  if (ptr <= 0)                           // スタックは空
    throw new EmptyIntStackException();
  return stk[--ptr];
}
```


プッシュ：push

スタックにデータをプッシュするメソッドです。

▶ スタックが満杯でプッシュできない場合は、例外 *OverflowIntStackException* を送出します。

例外処理を除くと、実質的に1行だけのメソッドです。**Fig.4-4** ⓐに示すように、受け取ったデータ *x* を、配列の要素 **stk[ptr]** に格納するとともに、スタックポインタをインクリメントします。メソッドの返却値は、プッシュした値です。

▶ **return** 文で返却するのは、*x* が代入された後の **stk[ptr]** の値です（代入式を評価すると、代入後の左オペランドの型と値が得られるからです：p.21）。

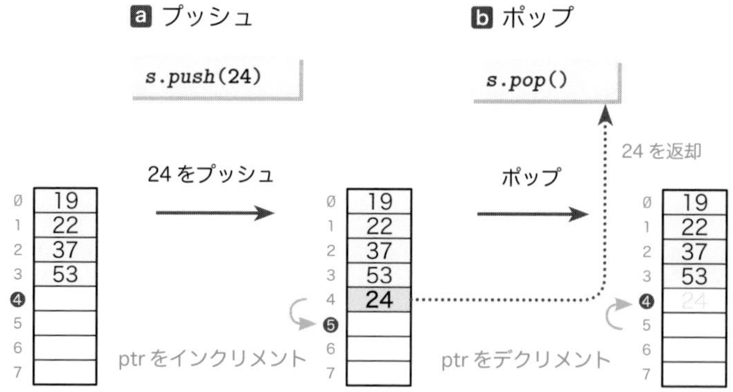

Fig.4-4 スタックへのプッシュとポップ

ポップ：pop

スタックの頂上からデータをポップして、その値を返すメソッドです。ただし、スタックが空でポップできない場合は、例外 *EmptyIntStackException* を送出します。

プッシュと同様に、実質的に1行だけのメソッドです。図ⓑに示すように、まずスタックポインタ *ptr* の値をデクリメントして、それから **stk[ptr]** に格納されている値を返します。

ピーク：peek

スタックの頂上のデータ（次にポップを行ったときに取り出されるデータ）を《覗き見》するメソッドです。

▶ スタックが空のときは、例外 *EmptyIntStackException* を送出します。

List 4-1 [C] chap04/IntStack.java

```
//--- スタックからデータをピーク（頂上のデータを覗き見） ---//
public int peek() throws EmptyIntStackException {
  if (ptr <= 0)                          // スタックは空
    throw new EmptyIntStackException();
  return stk[ptr - 1];
}
```


スタックが空でなければ、頂上の要素 **stk[ptr - 1]** の値を返します。なお、データの出し入れを行わないため、スタックポインタの更新は行いません。

▶ メソッド *push* と、*pop* と *peek* では、スタックが満杯であるか、あるいは、スタックが空であるかどうかの判定をメソッド冒頭で行っています（網かけ部）。いずれの判定においても、**>=** 演算子あるいは **<=** 演算子を使っています。
　さて、スタックが満杯であるかどうかの判定は、等価演算子 **==** を利用して、次のように行えます。

```
if (ptr == capacity)       // スタックは満杯か？
```

　同様に、スタックが空であるかどうかも、次の式で判定できます。

```
if (ptr == 0)              // スタックは空か？
```

　というのも、クラス *IntStack* のコンストラクタとメソッドを利用してスタック操作を行う限り、スタックポインタ *ptr* の値は、必ず **0** 以上かつ *capacity* 以下になるからです。
　とはいえ、プログラムミスなどに起因して *ptr* の値が不正に書きかえられた場合、**0** より小さくなったり、*capacity* を超えたりする可能性があります。
　本プログラムのように不等号を付けて判定すれば、スタック本体の配列に対する上限や下限を超えたアクセスを防げます。このような些細な工夫で、**プログラムの頑健さが向上します。**

全要素の削除：clear

スタックに積まれている全データを削除するメソッドです。

List 4-1 [D] chap04/IntStack.java

```
//--- スタックを空にする ---//
public void clear() {
  ptr = 0;
}
```

スタックに対するプッシュやポップなどのすべての操作は、スタックポインタに基づいて行われるため、スタック本体用の配列要素の値を変更する必要はありません。全要素の削除は、スタックポインタ *ptr* の値を **0** にするだけで完了します。

List 4-1 [E] chap04/IntStack.java

```
  //--- スタックからxを探してインデックス（見つからなければ-1）を返す ---//
  public int indexOf(int x) {
    for (int i = ptr - 1; i >= 0; i--)     // 頂上側から線形探索
      if (stk[i] == x)
        return i;       // 探索成功
    return -1;          // 探索失敗
  }

  //--- スタックの容量を返す ---//
  public int getCapacity() {
    return capacity;
  }
```

探索：indexOf

スタック本体の配列 **stk** 内に、**x** と同じ値のデータが含まれているかどうか、含まれているのであれば配列のどこに入っているのかを調べるメソッドです。

Fig.4-5 に示すのが、その探索の一例です。この図に示すように、探索は、**頂上側から底側**への線形探索によって行います。すなわち、配列のインデックスの大きいほうの要素から小さいほうの要素へと走査します。

頂上側から走査するのは、《先にポップされるデータ》を優先的に見つけるためです。

探索に成功した場合は、見つけた要素のインデックスを返し、失敗した場合は **-1** を返します。

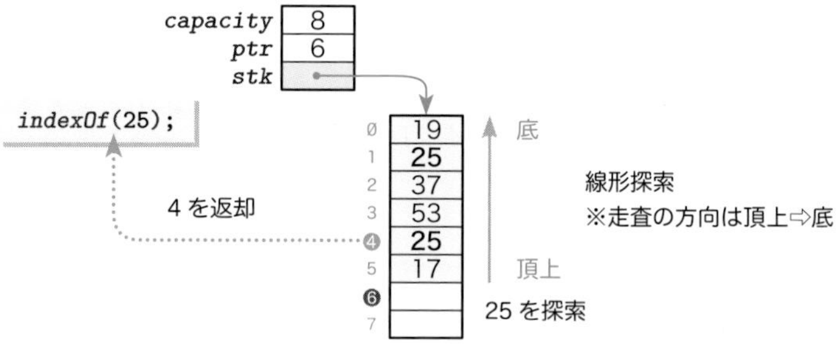

Fig.4-5 スタックからの探索

▶ 図に示すスタックには、値が 25 の要素が2個あります（インデックス 1 の要素と 4 の要素の2要素です）。このスタックから 25 を探索すると、**頂上側**の 25 のインデックス 4 を返します。

容量を調べる：getCapacity

スタックの容量を返すメソッドです。**capacity** の値をそのまま返します。

List 4-1 [F] chap04/IntStack.java

```
  //--- スタックに積まれているデータ数を返す ---//
  public int size() {
    return ptr;
  }

  //--- スタックは空であるか ---//
  public boolean isEmpty() {
    return ptr <= 0;
  }

  //--- スタックは満杯であるか ---//
  public boolean isFull() {
    return ptr >= capacity;
  }

  //--- スタック内の全データを底→頂上の順に表示 ---//
  public void dump() {
    if (ptr <= 0)
      System.out.println("スタックは空です。");
    else {
      for (int i = 0; i < ptr; i++)
        System.out.print(stk[i] + " ");
      System.out.println();
    }
  }
}
```


データ数を調べる：size

スタックに積まれているデータ数を返すメソッドです。**ptr** の値をそのまま返します。

空であるかを判定する：isEmpty

スタックが空（データが１個も積まれていない状態）であるかどうかを判定するメソッドです。空であれば **true** を、そうでなければ **false** を返します。

▶ 既に学習したように、判定の式は、**ptr == 0** とすることもできます。

満杯であるかを判定する：isFull

スタックが満杯（それ以上データをプッシュできない状態）であるかどうかを判定するメソッドです。満杯であれば **true** を、そうでなければ **false** を返します。

▶ 既に学習したように、判定の式は、**ptr == capacity** とすることもできます。

全データのダンプ：dump

スタックに積まれている、**ptr** 個のデータすべてを底から頂上へと順に表示するメソッドです。なお、スタックが空の場合は『スタックは空です。』と表示します。

＊

クラス **IntStack** は、第５章や第６章のプログラムでも利用します。

利用例

スタッククラス *IntStack* を利用するプログラムを作りましょう。**List 4-2** に示すのが、そのプログラムです（同一ディレクトリに "IntStack.class" が必要です）。

List 4-2 chap04/IntStackTester.java

要：IntStack

```
// int型固定長スタックの利用例

import java.util.Scanner;

class IntStackTester {

  public static void main(String[] args) {
    Scanner stdIn = new Scanner(System.in);
    IntStack s = new IntStack(64);  // 最大64個プッシュできるスタック

    while (true) {
      System.out.printf("現在のデータ数：%d / %d\n", s.size(), s.getCapacity());
      System.out.print("(1)プッシュ　(2)ポップ　(3)ピーク　" +
                       "(4)ダンプ　(0)終了：");

      int menu = stdIn.nextInt();
      if (menu == 0) break;

      int x;
      switch (menu) {
       case 1:                    // プッシュ
        System.out.print("データ：");
        x = stdIn.nextInt();
        try {
          s.push(x);
        } catch (IntStack.OverflowIntStackException e) {
          System.out.println("スタックが満杯です。");
        }
        break;

       case 2:                    // ポップ
        try {
          x = s.pop();
          System.out.println("ポップしたデータは" + x + "です。");
        } catch (IntStack.EmptyIntStackException e) {
          System.out.println("スタックが空です。");
        }
        break;

       case 3:                    // ピーク
        try {
          x = s.peek();
          System.out.println("ピークしたデータは" + x + "です。");
        } catch (IntStack.EmptyIntStackException e) {
          System.out.println("スタックが空です。");
        }
        break;

       case 4:                    // ダンプ
        s.dump();
        break;
      }
    }
  }
}
```

実行例

```
現在のデータ数：0 / 64
(1)プッシュ　(2)ポップ　(3)ピーク　(4)ダンプ　(0)終了：1↵
データ：1↵ ........................ 1をプッシュ
現在のデータ数：1 / 64
(1)プッシュ　(2)ポップ　(3)ピーク　(4)ダンプ　(0)終了：1↵
データ：2↵ ........................ 2をプッシュ
現在のデータ数：2 / 64
(1)プッシュ　(2)ポップ　(3)ピーク　(4)ダンプ　(0)終了：1↵
データ：3↵ ........................ 3をプッシュ
現在のデータ数：3 / 64
(1)プッシュ　(2)ポップ　(3)ピーク　(4)ダンプ　(0)終了：1↵
データ：4↵ ........................ 4をプッシュ
現在のデータ数：4 / 64
(1)プッシュ　(2)ポップ　(3)ピーク　(4)ダンプ　(0)終了：3↵
ピークしたデータは4です。.......... 4をピーク
現在のデータ数：4 / 64
(1)プッシュ　(2)ポップ　(3)ピーク　(4)ダンプ　(0)終了：4↵
1 2 3 4 ........................... スタックの中身を表示
現在のデータ数：4 / 64
(1)プッシュ　(2)ポップ　(3)ピーク　(4)ダンプ　(0)終了：2↵
ポップしたデータは4です。.......... 4をポップ
現在のデータ数：3 / 64
(1)プッシュ　(2)ポップ　(3)ピーク　(4)ダンプ　(0)終了：2↵
ポップしたデータは3です。.......... 3をポップ
現在のデータ数：2 / 64
(1)プッシュ　(2)ポップ　(3)ピーク　(4)ダンプ　(0)終了：4↵
1 2 ............................... スタックの中身を表示
現在のデータ数：2 / 64
(1)プッシュ　(2)ポップ　(3)ピーク　(4)ダンプ　(0)終了：0↵
```

演習 4-1

List 4-2 で利用しているメソッドは、*size*，*getCapacity*，*push*，*pop*，*peek*，*dump* のみである。クラス *IntStack* の全メソッドを利用するプログラムを作成せよ。

演習 4-2

任意のオブジェクト型のデータを蓄えることのできるジェネリックなスタッククラス *Stack<E>* を作成せよ。

```
public class Stack<E> {
  private E[] stk;          // スタック用の配列
  private int capacity;     // スタックの容量
  private int ptr;          // スタックポインタ
  //...
}
```

演習 4-3

一つの配列を共有して二つのスタックを実現する int 型データ用のスタッククラスを作成せよ。図のように配列の先頭側と末尾側の両側を利用すること。

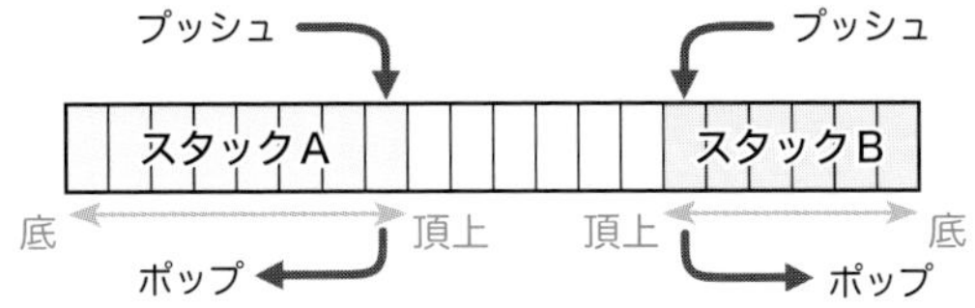

4-2 キュー

本節で学習するキューは、スタックと同様、データを一時的に蓄えるデータ構造です。ただし、最初に入れられたデータが最初に取り出される『先入れ先出し』である点が異なります。

キューとは

キュー（queue）は、スタックと同様に、データを一時的に蓄えるための基本的なデータ構造の一つです。**Fig.4-6** に示すように、最初に入れられたデータが最初に取り出されるという**先入れ先出し**（FIFO／First In First Out）の機構です。

身近なキュー構造の例としては、銀行の窓口の待ち行列や、スーパーのレジの待ち行列などがあります。

▶ もしも、これらの待ち行列が《スタック》だったら、最初のほうに並んだ人がいつまでも待たされてしまいます。

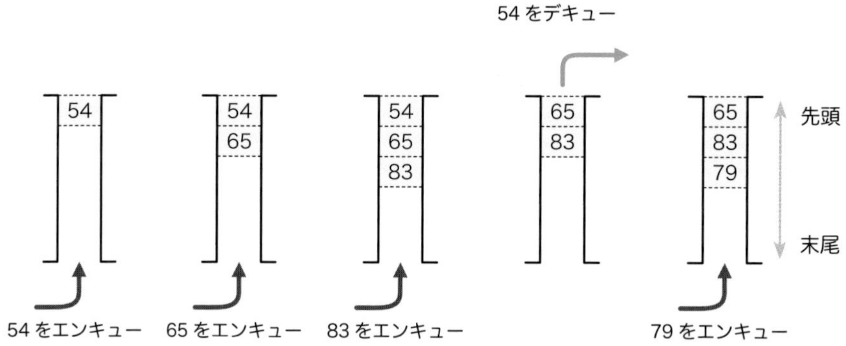

Fig.4-6 キューへのエンキューとデキュー

キューにデータを追加する操作は**エンキュー**（en-queue）と呼ばれ、データを取り出す操作は**デキュー**（de-queue）と呼ばれます。なお、データが取り出される側が**先頭**（front）で、データが押し込まれる側が**末尾**（rear）です。

▶ エンキューすることは、“**押し込む**” とも呼ばれます。なお、**デキュー**（de-queue）と、**デック**（deque）＝**両方向待ち行列**（p.139）を混同しないようにしましょう。

配列によるキューの実現

スタックと同様に、キューは配列を用いて実現できます。配列で実現されたキューに対する操作を、右ページの **Fig.4-7** を例に考えましょう。

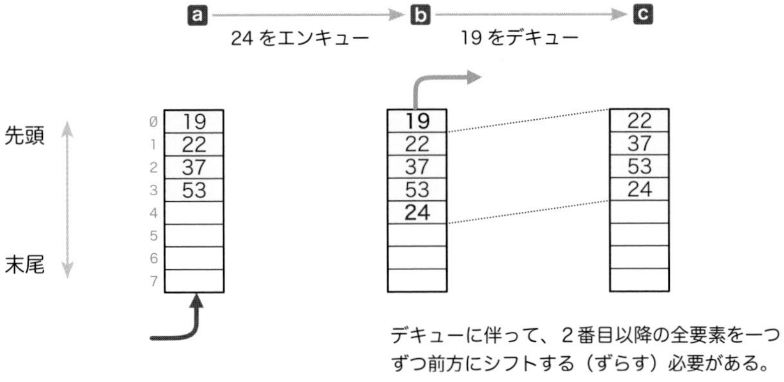

Fig.4-7　配列によるキューの実現例

図aは、配列の先頭から順に{19, 22, 37, 53}の4個のデータが入っている様子です。配列名を*que*とすると、*que*[0]〜*que*[3]にデータが格納されています（インデックス0の要素をキューの先頭とします）。

この状態から、エンキューとデキューを行ってみます。

■24 のエンキュー

まずは、データ24をエンキューします。図bに示すように、末尾データが格納されている*que*[3]の一つ後ろの要素*que*[4]に24を格納します。この処理の計算量はO(1)であり、低コストで実現できます。

■19 のデキュー

次は、デキューによってデータを取り出します。図cに示すように、*que*[0]に格納されている19を取り出すのに伴って、2番目以降の要素すべてを先頭側にずらす必要があります。この処理の計算量はO(n)です。

データを取り出すたびに、このような処理を行っていては、高い実行効率は望めません。

演習 4-4

本ページに示したアイディアに基づいて、キューを実現するプログラムを作成せよ。

なお、キューを実現するクラスは、次に示すフィールドをもった*IntArrayQueue*型として、**List 4-3**（pp.132〜136）に示すメソッドに対応するメソッドをすべて作成すること。

```
public class IntArrayQueue {
  private int[] que;         // キュー用の配列
  private int capacity;      // キューの容量
  private int num;           // 現在のデータ数
  //...
}
```

リングバッファによるキューの実現

デキューの際に配列内の要素をずらすことなくキューを実現することを考えましょう。そのために用いるのが、**リングバッファ**（ring buffer）というデータ構造です。

リングバッファでは、**Fig.4-8** に示すように、配列の末尾が先頭につながっているとみなします。どの要素が論理的な先頭要素であって、どの要素が論理的な末尾要素であるのかを識別するための変数が、***front*** と ***rear*** です。

▶ ここでの《先頭》と《末尾》は、論理的なデータの並びとしての先頭／末尾のことであって、配列の物理的な要素の並びとしての先頭／末尾ではありません。

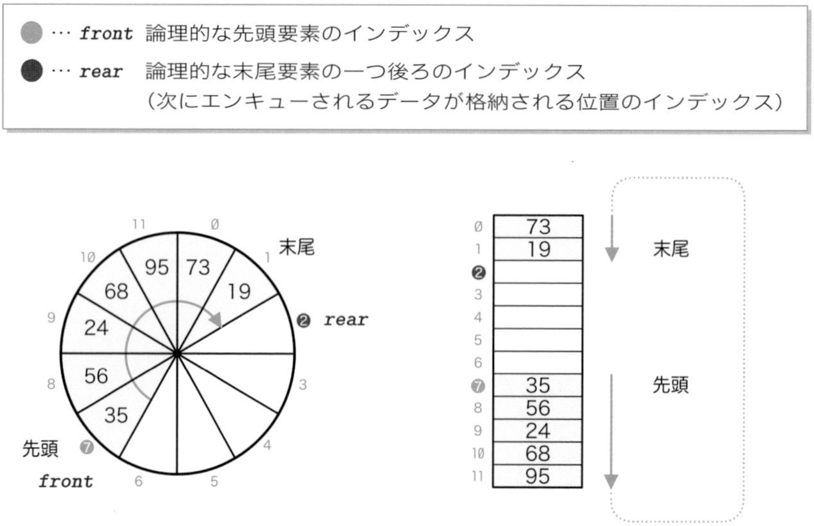

Fig.4-8 リングバッファによるキューの実現

エンキューとデキューの操作に伴って、変数 ***front*** と ***rear*** の値は変化します。右ページの **Fig.4-9** に示すのが、具体例です。

a 7 個のデータ {35, 56, 24, 68, 95, 73, 19} が、この並びの順で que[7], que[8], …, que[11], que[0], que[1] に格納されています。すなわち、***front*** の値は 7 で、***rear*** の値は 2 です。

b 図**a**に対して 82 をエンキューした後の状態です。末尾の次に位置する que[***rear***] すなわち que[2] に 82 を格納するとともに、***rear*** をインクリメントして 3 とします。

c 図**b**に対して 35 をデキューした後の状態です。先頭要素 que[***front***] すなわち que[7] の値である 35 を取り出すとともに、***front*** をインクリメントして 8 とします。

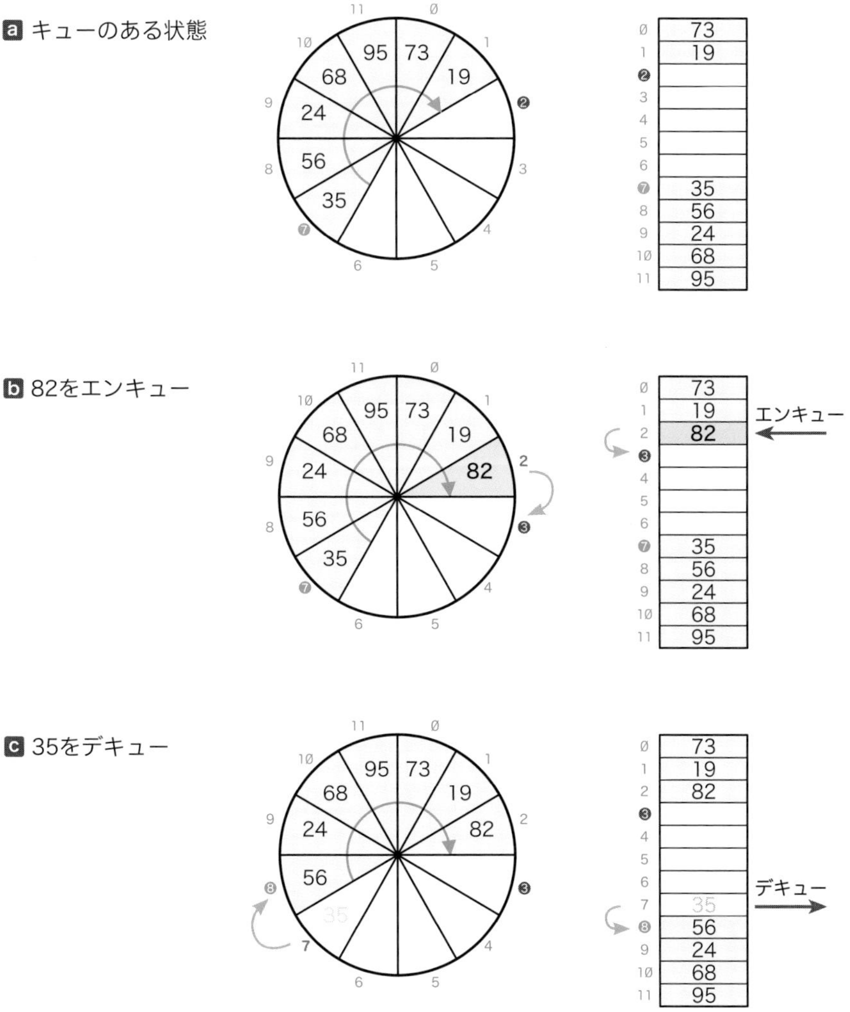

Fig.4-9　リングバッファに対するエンキューとデキュー

Fig.4-7（p.129）とは異なり、《要素の移動》が不要であり、*front* や *rear* の値を更新するだけで、エンキューやデキューが行えます。もちろん、いずれの処理も、計算量は O(1) です。

＊

リングバッファを用いてキューを実現するプログラムを作りましょう。

前節のスタックと同様に、容量（キューに押し込める最大のデータ数）を生成時に決定する固定長のものとし、**int** 型のデータを格納するものとします。

それを実現するクラス *IntQueue* が、次ページの **List 4-3** です。

List 4-3 [A] chap04/IntQueue.java

```
// int型固定長キュー

public class IntQueue {
  private int[] que;          // キュー用の配列
  private int capacity;       // キューの容量
  private int front;          // 先頭要素カーソル
  private int rear;           // 末尾要素カーソル
  private int num;            // 現在のデータ数

  //--- 実行時例外：キューが空 ---//
  public class EmptyIntQueueException extends RuntimeException {
    public EmptyIntQueueException() { }
  }

  //--- 実行時例外：キューが満杯 ---//
  public class OverflowIntQueueException extends RuntimeException {
    public OverflowIntQueueException() { }
  }

  //--- コンストラクタ ---//
  public IntQueue(int maxlen) {
    num = front = rear = 0;
    capacity = maxlen;
    try {
      que = new int[capacity];            // キュー本体用の配列を生成
    } catch (OutOfMemoryError e) {        // 生成できなかった
      capacity = 0;
    }
  }
```

➡

まずは、クラス **IntQueue** のフィールドとコンストラクタを理解していきましょう。

キュー用の配列：que

押し込まれたデータを格納するための、キュー本体用の配列です。

▶ フィールド **que** は、配列本体を参照する配列変数です。配列本体はコンストラクタで生成します。

キューの容量：capacity

キューの容量（キューに押し込める最大のデータ数）を表すフィールドです。この値は、配列 **que** の要素数と一致します。

先頭カーソル：front

キューに押し込まれているデータのうち、最初に押し込まれた**先頭要素のインデックス**を表すフィールドです。

末尾カーソル：rear

キューに押し込まれているデータのうち、最後に押し込まれた**末尾要素の一つ後ろのインデックス**（次にエンキューが行われる際に、データが格納される要素のインデックス）を表すフィールドです。

データ数：num

キューに蓄えられているデータ数を表す、`int` 型のフィールドです。

変数 `front` と `rear` の値が等しくなった場合に、キューが空なのか満杯なのかが区別できなくなるのを避けるために必要な変数です（Fig.4-10）。

`num` は、キューが空のときに `0` となり、満杯のときに `capacity` と同じ値となります。

▶ 図aが空の状態です。`front` と `rear` の値は同じです。図bは満杯の状態です。この図でも、`front` と `rear` の値は同じです（`que[2]` が先頭要素で、`que[1]` が末尾要素です）。図には示していませんが、両方とも `0` 以外の値であって、キューが空である、ということもありえます。

コンストラクタ：IntQueue

コンストラクタは、キュー本体用の配列を生成するなどの準備処理を行います。

生成時のキューは空（データが１個もない状態）ですから、`num` と `front` と `rear` の値をすべて `0` にします。さらに、仮引数 `maxlen` に受け取った《キューの容量》をフィールド `capacity` に代入した上で、要素数 `capacity` の配列 `que` の本体を生成します（図aの状態となります）。

▶ 配列本体の生成に失敗した際に `capacity` に `0` を代入する理由は、スタックの場合と同じです。

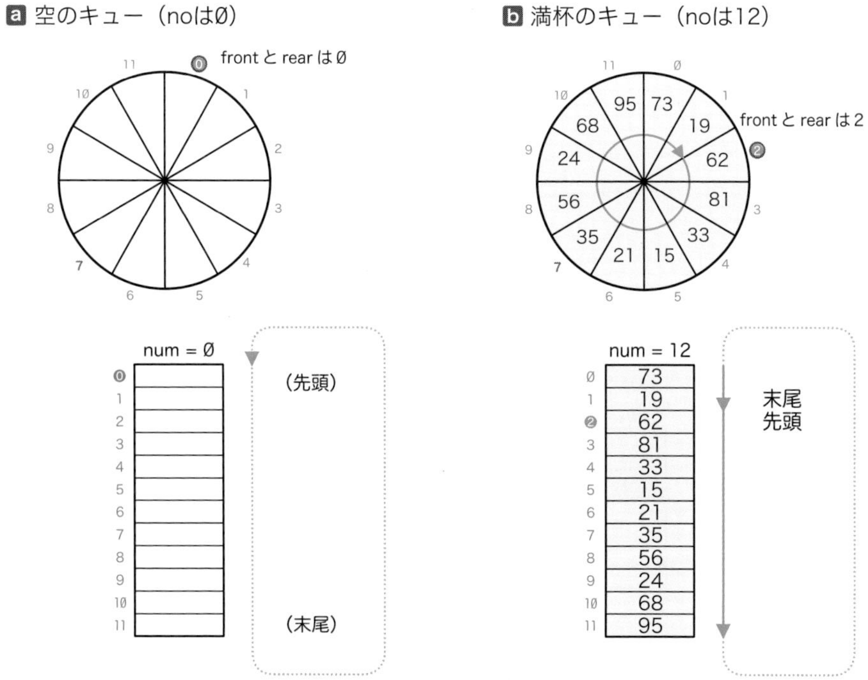

Fig.4-10　空のキューと満杯のキュー

エンキュー：enque

キューにデータをエンキューして、エンキューした値をそのまま返却するメソッドです。

▶ キューが満杯でエンキューできない（*num* >= *capacity* が成立する）場合は、例外 *OverflowIntQueueException* を送出します。

List 4-3 [B] chap04/IntQueue.java

```
//--- キューにデータをエンキュー ---//
public int enque(int x) throws OverflowIntQueueException {
  if (num >= capacity)
    throw new OverflowIntQueueException();      // キューは満杯
  que[rear++] = x;      ─1
  num++;
  if (rear == capacity)  ─2
    rear = 0;
  return x;
}
```

エンキューを行う例を、**Fig.4-11** に示しています。図aは、先頭から順に {3, 5, 2, 6, 9, 7, 1} が押し込まれているキューに対して 8 をエンキューする様子です。

que[*rear*] すなわち *que*[2] にエンキューするデータを格納して、*rear* と *num* の値をインクリメントする（プログラム1部）と、エンキューは完了します。

＊

さて、エンキュー前の *rear* が配列の物理的な末尾（本図の例では 11）であるときに *rear* をインクリメントすると、その値が *capacity*（本図の例では 12）と等しくなって、**配列のインデックスの上限を超えてしまいます。**

そこで、図bに示すように、インクリメントした後の *rear* の値がキューの容量 *capacity* と等しくなった場合は、*rear* を配列の先頭のインデックス 0 に戻します（プログラム2部）。

▶ こうしておくと、次にエンキューされるデータは、正しく *que*[0] の位置に格納されます。

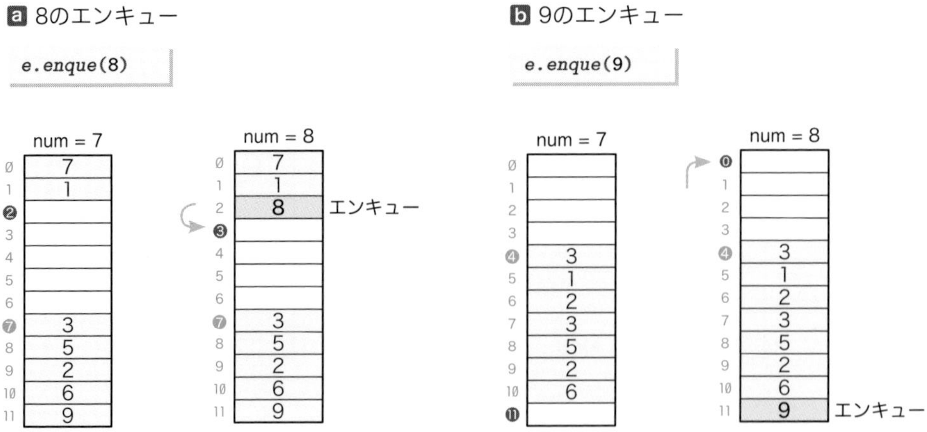

Fig.4-11 キューへのエンキュー

デキュー：deque

キューの先頭からデータをデキューして、その値を返すメソッドです。

▶ ただし、キューが空でデキューできない（num <= 0 が成立する）場合は、例外 EmptyIntQueueException を送出します。

List 4-3 [C] chap04/IntQueue.java

```
//--- キューからデータをデキュー ---//
public int deque() throws EmptyIntQueueException {
  if (num <= 0)
    throw new EmptyIntQueueException();      // キューは空
  int x = que[front++];   ―1
  num--;
  if (front == capacity)   ―2
    front = 0;
  return x;
}
```

➡

デキューを行う例を **Fig.4-12** に示しています。図aは、先頭から順に {3, 5, 2, 6, 9, 7, 1, 8} が押し込まれているキューから、先頭の 3 をデキューする様子です。

キューの先頭である que[front] すなわち que[7] に格納されている値 3 を取り出して、front の値をインクリメントして num の値をデクリメントします（プログラム1部）。

＊

さて、デキュー前の front が配列の物理的な末尾（本図の例では 11）であるときに front をインクリメントすると、その値が capacity（本図の例では 12）となって、**配列のインデックスの上限を超えてしまいます**（エンキューの場合と同じ問題が発生します。）

そこで、図bに示すように、インクリメントした後の front の値が容量 capacity と等しくなった場合は、front を配列の先頭インデックス 0 に戻します（プログラム2部）。

▶ こうしておくと、次に行われるデキューでは、正しく que[0] の位置からデータが取り出されます。

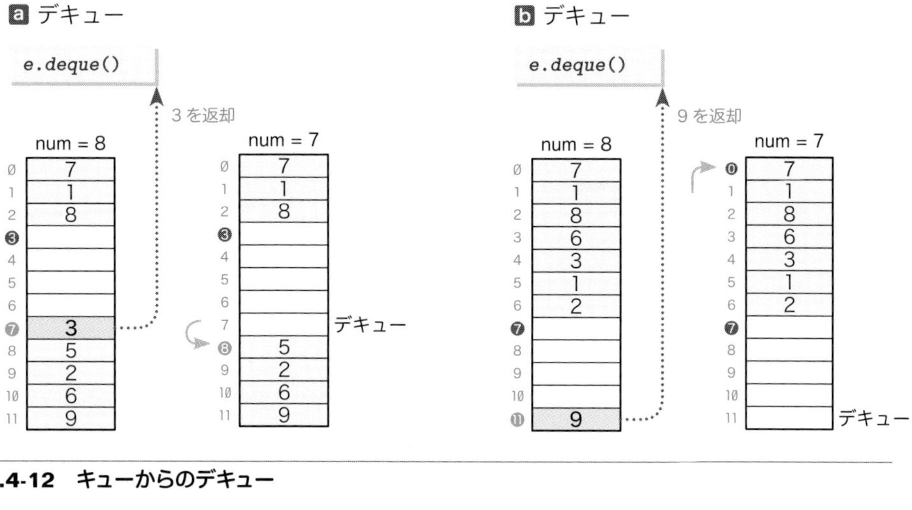

Fig.4-12 キューからのデキュー

List 4-3 [D] chap04/IntQueue.java

```
  //--- キューからデータをピーク（先頭データを覗く） ---//
  public int peek() throws EmptyIntQueueException {
    if (num <= 0)
      throw new EmptyIntQueueException();       // キューは空
    return que[front];
  }

  //--- キューを空にする ---//
  public void clear() {
    num = front = rear = 0;
  }

  //--- キューからxを探してインデックス（見つからなければ-1）を返す ---//
  public int indexOf(int x) {
    for (int i = 0; i < num; i++) {
      int idx = (i + front) % capacity;
      if (que[idx] == x)          // 探索成功
        return idx;
    }
    return -1;                    // 探索失敗
  }

  //--- キューの容量を返す ---//
  public int getCapacity() {
    return capacity;
  }

  //--- キューに蓄えられているデータ数を返す ---//
  public int size() {
    return num;
  }

  //--- キューは空であるか ---//
  public boolean isEmpty() {
    return num <= 0;
  }

  //--- キューは満杯であるか ---//
  public boolean isFull() {
    return num >= capacity;
  }

  //--- キュー内の全データを先頭→末尾の順に表示 ---//
  public void dump() {
    if (num <= 0)
      System.out.println("キューは空です。");
    else {
      for (int i = 0; i < num; i++)
        System.out.print(que[(i + front) % capacity] + " ");
      System.out.println();
    }
  }
}
```

ピーク：peek

先頭のデータ、すなわち、次のデキューで取り出されるデータを“覗き見”するメソッドです。

que[front] の値を返すだけであって、データの取出しは行いませんので、**front** や **rear** や **num** の値を更新することはありません。

なお、キューが空のときは、例外 *EmptyIntQueueException* を送出します。

全要素の削除：clear

現在キューに押し込まれている全データを削除するメソッドです。

エンキューとデキューは **num** と ***front*** と ***rear*** の値に基づいて行われますので、それらの値を **0** にするだけです（キュー本体用の配列要素の値の変更は不要です）。

探索：indexOf

キュー本体用の配列内の、**x** と等しいデータが含まれている位置を調べるメソッドです。

Fig.4-13 に示すように、先頭から末尾側へと線形探索を行います。もちろん、走査の開始は、配列の物理的な先頭要素ではなく、キューとしての論理的な先頭要素です。

そのため、走査において着目するインデックス ***idx*** の計算式が ***(i + front) % capacity*** となっています。

▶ 図の例では、次のように変化します。

i　　0 ⇨ 1 ⇨ 2 ⇨ 3 ⇨ 4 ⇨ 5 ⇨ 6

idx　7 ⇨ 8 ⇨ 9 ⇨ 10 ⇨ 11 ⇨ 0 ⇨ 1

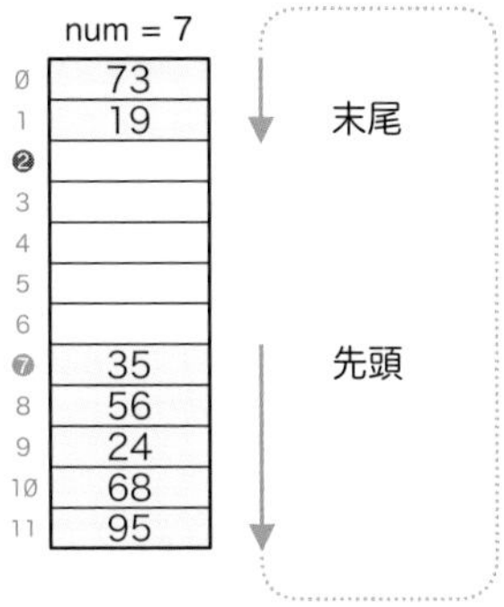

Fig.4-13　キュー内の線形探索

探索成功時は見つけた要素のインデックスを返し、失敗時は **-1** を返します。

容量／データ数を調べる：getCapacity ／ size

- キューの容量（キューに押し込める最大のデータ数）を返すのが、メソッド ***getCapacity*** です。フィールド ***capacity*** の値をそのまま返します。
- キューに押し込まれているデータ数を返すのが、メソッド ***size*** です。フィールド **num** の値をそのまま返します。

空であるか／満杯であるかを判定する：isEmpty ／ isFull

- キューが空（データが一つも押し込まれていない状態）であるかどうかを判定するのが、メソッド ***isEmpty*** です。空であれば **true** を、そうでなければ **false** を返します。
- キューが満杯（これ以上データが押し込めない状態）であるかどうかを判定するのが、メソッド ***isFull*** です。満杯であれば **true** を、そうでなければ **false** を返します。

全データのダンプ：dump

キューに押し込まれているすべて（**num** 個）のデータを先頭から末尾へと順に表示するメソッドです。ただし、キューが空の場合は『キューは空です。』と表示します。

利用例

キュークラス *IntQueue* を利用するプログラムを作りましょう。**List 4-4** に示すのが、そのプログラムです（同一ディレクトリに "IntQueue.class" が必要です）。

List 4-4 chap04/IntQueueTester.java

要：IntQueue

```
// int型固定長キューのテストプログラム

import java.util.Scanner;

class IntQueueTester {

  public static void main(String[] args) {
    Scanner stdIn = new Scanner(System.in);
    IntQueue s = new IntQueue(64);  // 最大64個エンキューできるキュー

    while (true) {
      System.out.printf("現在のデータ数：%d / %d\n", s.size(), s.getCapacity());
      System.out.print("(1)エンキュー　(2)デキュー　(3)ピーク　" +
                       "(4)ダンプ　(0)終了：");

      int menu = stdIn.nextInt();
      if (menu == 0) break;

      int x;
      switch (menu) {
       case 1:                   // エンキュー
        System.out.print("データ：");
        x = stdIn.nextInt();
        try {
          s.enque(x);
        } catch (IntQueue.OverflowIntQueueException e) {
          System.out.println("キューが満杯です。");
        }
        break;

       case 2:                   // デキュー
        try {
          x = s.deque();
          System.out.println("デキューしたデータは" + x + "です。");
        } catch (IntQueue.EmptyIntQueueException e) {
          System.out.println("キューが空です。");
        }
        break;

       case 3:                   // ピーク
        try {
          x = s.peek();
          System.out.println("ピークしたデータは" + x + "です。");
        } catch (IntQueue.EmptyIntQueueException e) {
          System.out.println("キューが空です。");
        }
        break;

       case 4:                   // ダンプ
        s.dump();
        break;
      }
    }
  }
}
```

実行例

```
現在のデータ数：0 / 64
(1)エンキュー　(2)デキュー　(3)ピーク　(4)ダンプ　(0)終了：1↵
データ：1↵ ……………………………… 1をエンキュー
現在のデータ数：1 / 64
(1)エンキュー　(2)デキュー　(3)ピーク　(4)ダンプ　(0)終了：1↵
データ：2↵ ……………………………… 2をエンキュー
現在のデータ数：2 / 64
(1)エンキュー　(2)デキュー　(3)ピーク　(4)ダンプ　(0)終了：4↵
1 2 ……………………………… キューの中身を表示
現在のデータ数：2 / 64
(1)エンキュー　(2)デキュー　(3)ピーク　(4)ダンプ　(0)終了：2↵
デキューしたデータは1です。 ……………………………… 1をデキュー
現在のデータ数：1 / 64
(1)エンキュー　(2)デキュー　(3)ピーク　(4)ダンプ　(0)終了：4↵
2 ……………………………… キューの中身を表示
現在のデータ数：1 / 64
(1)エンキュー　(2)デキュー　(3)ピーク　(4)ダンプ　(0)終了：3↵
ピークしたデータは2です。 ……………………………… 2をピーク
現在のデータ数：1 / 64
(1)エンキュー　(2)デキュー　(3)ピーク　(4)ダンプ　(0)終了：0↵
```

演習 4-5

クラス *IntQueue* に、任意のデータを探索するメソッド *search* を追加せよ。

```
int search(int x)
```

メソッド *indexOf* のように見つけた位置の配列のインデックスを返すのではなく、キュー内で何番目に存在するのかを、正の整数値（キューの先頭であれば 1 とする）として返すこと。なお、探索に失敗した場合は 0 を返すものとする。

※たとえば、**Fig.4-13**（p.137）の例であれば、35 を探索すると 1 を、56 を探索すると 2 を、99 を探索すると 0 を返す。

演習 4-6

任意のオブジェクト型のデータを蓄えることのできるジェネリックなキュークラス *Queue<E>* を作成せよ。

```
public class Queue<E> {
  private E[] que;          // キュー用の配列
  private int capacity;     // キューの容量
  private int num;          // 現在のデータ数
  private int front;        // 先頭要素カーソル
  private int rear;         // 末尾要素カーソル
  //...
}
```

演習 4-7

一般に**デック**と呼ばれる**両方向待ち行列**（deque ／ double ended queue）は、下図に示すように、先頭と末尾の両方に対して、データの押込み・取出しが行えるデータ構造である。int 型データ用の両方向待ち行列を実現する、固定長のデッククラス *IntDeque* を作成せよ。

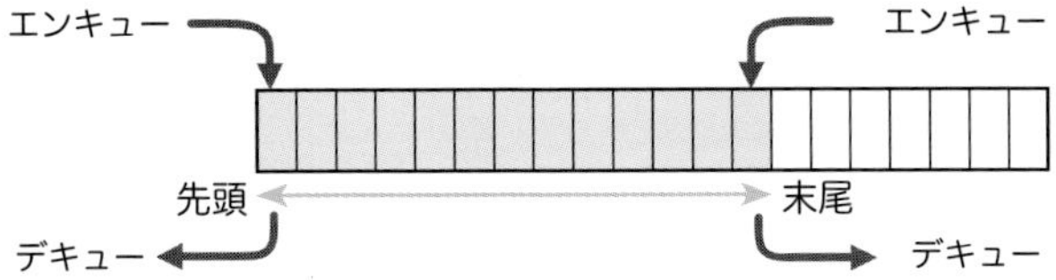

Column 4-1 リングバッファの応用例

リングバッファは、“古いデータを捨てる” 用途に応用できます。具体的な例をあげると、要素数が n の配列に対して、次々にデータが入力されるとき、最新の n 個のみを保存しておき、それより古いデータは切り捨てる、といった用途です。

そのようなプログラムの一例を **List 4C-1** に示します。配列 a の要素数は 10 です。整数の入力自体は何回でも行えますが、配列に保存されるのは最新の N 個すなわち 10 個のみです。

List 4C-1 chap04/LastNElements.java

```
// 好きな個数だけ値を読み込んで要素数Nの配列に最後のN個を格納

import java.util.Scanner;

class LastNElements {

  public static void main(String[] args) {
    Scanner stdIn = new Scanner(System.in);
    final int N = 10;
    int[] a = new int[N]; // 読み込んだ値を格納
    int cnt = 0;          // 読み込んだ個数
    int retry;            // もう一度?

    System.out.println("整数を入力してください。");

    do {
      System.out.printf("%d個目の整数：", cnt + 1);
      a[cnt++ % N] = stdIn.nextInt();                       ―1

      System.out.print("続けますか？ (Yes…1／No…0) ：");
      retry = stdIn.nextInt();
    } while (retry == 1);

    int i = cnt - N;
    if (i < 0) i = 0;
                                                            ―2
    for ( ; i < cnt; i++)
      System.out.printf("%2d個目＝%d\n", i + 1, a[i % N]);
  }
}
```

右ページの **Fig.4C-1** に示すのは、次に示す 12 個の整数を読み込んだ例です。

15, 17, 64, 57, 99, 21, 0, 23, 44, 55, 97, 85

配列に残っているのは最後の 10 個ですから、最初に読み込んだ2個は切り捨てられています。

15, 17, 64, 57, 99, 21, 0, 23, 44, 55, 97, 85

←→ 切捨て

*

プログラムの1では、キーボードから読み込んだ値を a[cnt++ % N] に代入しています。読み込まれた値がどのように配列の要素に格納されるのかを、具体的に検証してみましょう。

■ 1個目の値の読込み

cnt の値は 0 であり、それを 10 で割った剰余は 0 です。読み込んだ数値は a[0] に格納されます。

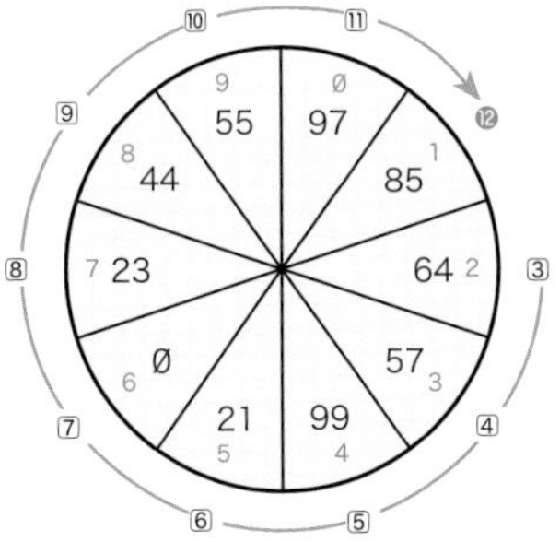

※青文字の数値 … 要素のインデックス
□内の数値 … 何個目に読み込んだか

実行例

```
整数を入力してください。
1個目の整数：15
続けますか？ (Yes…1／No…Ø) ：1
2個目の整数：17
続けますか？ (Yes…1／No…Ø) ：1
… 中略 …
12個目の整数 : 85
続けますか？ (Yes…1／No…Ø) ：Ø
 3個目＝64
 4個目＝57
 5個目＝99
… 中略 …
1Ø個目＝55
11個目＝97
12個目＝85
```

Fig.4C-1 キーボードからの読込み

▪ 2個目の値の読込み

`cnt` の値は `1` であり、それを `1Ø` で割った剰余は `1` です。読み込んだ数値は `a[1]` に格納されます。

… 中略 …

▪ 1Ø 個目の値の読込み

`cnt` の値は `9` であり、それを `1Ø` で割った剰余は `9` です。読み込んだ数値は `a[9]` に格納されます。

▪ 11 個目の値の読込み

`cnt` の値は `1Ø` であり、それを `1Ø` で割った剰余は `Ø` です。読み込んだ数値は `a[Ø]` に格納されます。すなわち、1 個目のデータが、11 個目のデータで上書きされます。

▪ 12 個目の値の読込み

`cnt` の値は `11` であり、それを `1Ø` で割った剰余は `1` です。読み込んだ数値は `a[1]` に格納されます。すなわち、2 個目のデータが、12 個目のデータで上書きされます。

読み込んだ値の格納先インデックスを `cnt++ % N` で求めることによって、配列の全要素を循環的に利用していることが分かりました。

※ クラス `IntQueue` のメソッド `indexOf` におけるインデックスの求め方も、同じ原理に基づいています。

＊

なお、読み込んだ値を表示する際は、ちょっとした工夫が必要です（プログラム**2**）。

読み込んだ個数 `cnt` が `1Ø` 以下であれば、

```
a[Ø] 〜 a[cnt - 1]
```

を順に表示するだけで実現できます（表示する値は `cnt` 個です）。

ただし、図に示すように、たとえば 12 個読み込んだ場合は、

```
a[2], a[3], …, a[9], a[Ø], a[1]
```

という順で表示する必要があります（表示する値は `N` 個すなわち 1Ø 個です）。

ここでも、剰余演算子 `%` を利用して簡潔に処理しています。プログラムをしっかり読んで、理解しましょう。

第5章

再帰的アルゴリズム

- 再帰
- 階乗値
- 最大公約数（ユークリッドの互除法）
- トップダウン解析
- ボトムアップ解析
- 再帰アルゴリズムの非再帰的表現
- メモ化
- ハノイの塔
- ８王妃問題
- 分割統治法と分枝限定法

5-1 再帰の基本

本節では、再帰的アルゴリズムの基本を学習します。

再帰とは

ある事象は、それが自分自身を含んでいたり、自分自身を用いて定義されていたりするのであれば、**再帰的**（recursive）であるといわれます。

Fig.5-1 に示すのが、再帰的な図の一例です。ディスプレイ画面の中に、ディスプレイ画面が映っています。そのディスプレイ画面の中にも … 。

再帰の考えを利用すると、1 から始まって、2、3、… と無限に続く自然数は、次のように定義できます。

- 自然数の定義
  - ⓐ 1 は自然数である。
  - ⓑ ある自然数の直後の整数も自然数である。

再帰的定義（recursive definition）によって、無限に存在する自然数を、わずか二つの文で表しました。

再帰を効果的に利用すれば、定義だけではなく、プログラムも簡潔かつ効率のよいものとなります。

▶ 再帰的アルゴリズムは、第6章で学習するマージソートとクイックソート、第9章で学習する2分探索木などでも利用します。

Fig.5-1　再帰の例

階乗値

再帰を用いるプログラム例として最初に取り上げるのは、**非負の整数値の階乗値を求める**問題です。

非負の整数 *n* の階乗を、再帰的に定義すると、次のようになります。

- 階乗 n! の定義（n は非負の整数とする）
  - [a] 0! = 1
  - [b] *n* > 0 ならば　*n*! = *n* × (*n* - 1)!

たとえば、10 の階乗である 10! は、10 × 9! で求められますし、そこで使われている 9! は、9 × 8! で求められます。

＊

ここに示した定義を、そのままプログラムとして実現したのが、**List 5-1** に示すプログラム中のメソッド *factorial* です。

List 5-1　chap05/Factorial.java

```
// 階乗値を再帰的に求める

import java.util.Scanner;

class Factorial {

  //--- 非負の整数値nの階乗値を返却 ---//
  static int factorial(int n) {
    if (n > 0)
      return n * factorial(n - 1);
    else
      return 1;
  }

  public static void main(String[] args) {
    Scanner stdIn = new Scanner(System.in);

    System.out.print("整数を入力せよ：");
    int x = stdIn.nextInt();

    System.out.println(x + "の階乗は" + factorial(x) + "です。");
  }
}
```

実行例

```
整数を入力せよ：3
3の階乗は6です。
```

メソッド *factorial* が返す値は、次のようになっています。

- 仮引数 *n* に受け取った値が 0 より大きければ：*n* * *factorial*(*n* - 1)
- そうでなければ：1

▶ このメソッドの本体は、条件演算子を使うと1行で実現できます（"chap05/Factorial2.java"）

```
return (n > 0) ? n * factorial(n - 1) : 1;
```

再帰呼出し

メソッド *factorial* の実行によって階乗値が求められる手順を、**Fig.5-2** の『3 の階乗値を求める』例で理解しましょう。

a メソッド呼び出し式 *factorial*(3) の評価・実行によってメソッド *factorial* が起動されます。このメソッドは、仮引数 *n* に 3 を受け取っているため、次の値を返します。

3 * *factorial*(2)

もっとも、この乗算を行うには、*factorial*(2) の値が必要です。そこで、実引数として整数値 2 を渡してメソッド *factorial* を呼び出します。

b 呼び出されたメソッド *factorial* は、仮引数 *n* に 2 を受け取っています。

2 * *factorial*(1)

の乗算を行うために、メソッド *factorial*(1) を呼び出します。

c 呼び出されたメソッド *factorial* は、仮引数 *n* に 1 を受け取っています。

1 * *factorial*(0)

の乗算を行うために、メソッド *factorial*(0) を呼び出します。

d 呼び出されたメソッド *factorial* は、仮引数 *n* に受け取った値が 0 ですから、1 を返します。

▶ この時点で、初めて return 文が実行されます。

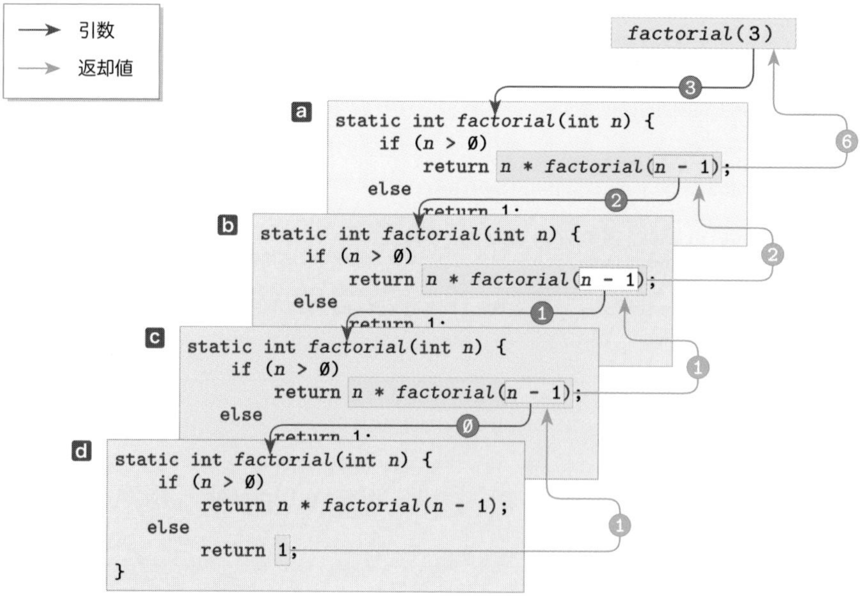

Fig.5-2　3 の階乗値を求める手順

c 返却された値1を受け取ったメソッド*factorial*は、1 * *factorial*(0) すなわち1 * 1を返します。

b 返却された値1を受け取ったメソッド*factorial*は、2 * *factorial*(1) すなわち2 * 1を返します。

a 返却された値2を受け取ったメソッド*factorial*は、3 * *factorial*(2) すなわち3 * 2を返します。これで3の階乗値6が得られます。

メソッド*factorial*は、*n* - 1の階乗値を求めるために、メソッド*factorial*を呼び出します。このようなメソッド呼出しが**再帰呼出し**（recursive call）です。

▶ 再帰呼出しは、『"自分自身のメソッド" の呼出し』というよりも、『"自分自身と同じメソッド" の呼出し』と理解したほうが自然です。もしも本当に自分自身を呼び出すのであれば、延々（えんえん）と自分自身を呼び出し続けることになってしまいますから。

直接的な再帰と間接的な再帰

メソッド*factorial*は、その内部でメソッド*factorial*を呼び出します。このように、自分自身と同じメソッドを呼び出すのが、**直接的な**（direct）**再帰**です（**Fig.5-3 a**）。

一方、メソッドaがメソッドbを呼び出して、そのメソッドbがメソッドaを呼び出すという構造であれば、**間接的な**（indirect）**再帰**です（図**b**）。

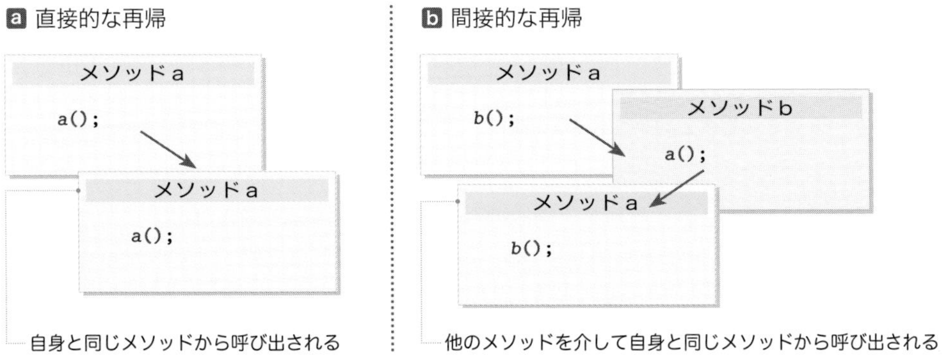

Fig.5-3　直接的な再帰と間接的な再帰

再帰的アルゴリズムが適しているのは、解くべき問題や計算すべきメソッド、あるいは処理すべきデータ構造が再帰的に定義されている場合です。

再帰的手続きによって階乗値を求めるのは、再帰の原理を理解するための一例にすぎないものであって、**現実的には適切ではありません**。

ユークリッドの互除法

二つの整数値の**最大公約数**（greatest common divisor）を再帰的に求める方法を考えましょう。二つの整数値を長方形の２辺の長さとすると、二つの整数値の最大公約数を求める問題は、次の問題に置きかえられます。

長方形を、正方形で埋めつくす。
そのようにして作ることのできる正方形の最大の辺の長さを求めよ。

辺の長さが 22 と 8 である長方形を例に、具体的な手順を示したのが、**Fig.5-4** です。

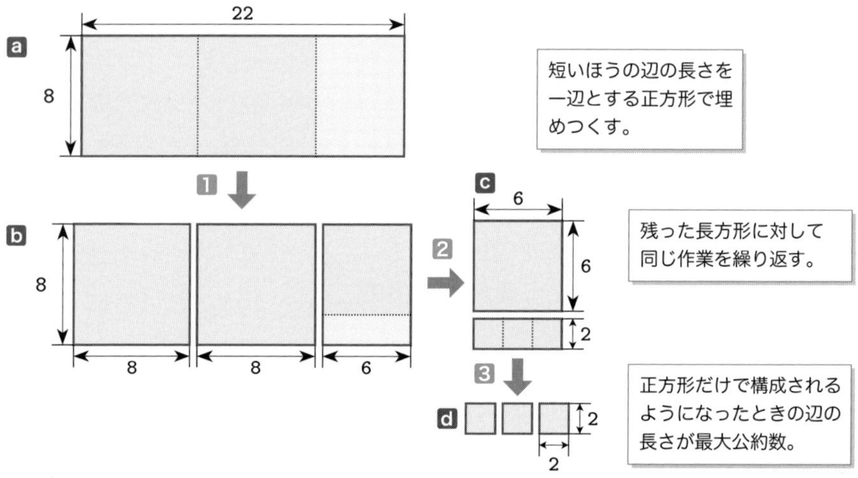

Fig.5-4　22 と 8 の最大公約数を求める手順

1　図aに示す 22 × 8 の長方形を、短い辺の長さ 8 の正方形に分割します。その結果、図bに示すように、8 × 8 の正方形が二つタイル張りにされて、8 × 6 の長方形が残ります。

2　残った 8 × 6 の長方形に対して、同じ手順を試みた結果が図cです。6 × 6 の正方形が 1 個できて、6 × 2 の長方形が残ります。

3　残った 6 × 2 の長方形に対して、同じ手順を試みた結果が図dです。今回は 2 × 2 の正方形のタイル三つで埋まります。得られた 2 が最大公約数です。

二つの整数値が与えられたとき、大きいほうの値を小さいほうの値で割ってみて、割り切れる場合は、小さいほうの値が最大公約数です（例：3）。

割り切れない場合は、小さいほうの値と、得られた剰余に対して、同じ手続きを割り切れるまで再帰的に繰り返します（例：1および2）。

この手続きを数学的に表現しましょう。二つの整数 *x* と *y* の最大公約数を *gcd*(*x*, *y*) と表記するものとします。このとき、x = az と y = bz を満たす整数 a, b が存在する最大の整数 z が、*gcd*(*x*, *y*) です。すなわち、最大公約数は、次のように求められます。

- *y* が 0 であれば … *x*
- そうでなければ … *gcd*(*y*, *x* % *y*)

このアルゴリズムは、**ユークリッドの互除法**（ごじょほう）（Euclidean method of mutual division）と呼ばれます。**List 5-2** に示すのが、ユークリッドの互除法によって、二つの整数値の最大公約数を求めて表示するプログラムです。

List 5-2 chap05/EuclidGCD.java

```
// ユークリッドの互除法によって最大公約数を求める

import java.util.Scanner;

class EuclidGCD {

  //--- 整数値x, yの最大公約数を求めて返却 ---//
  static int gcd(int x, int y) {
    if (y == 0)
      return x;
    else
      return gcd(y, x % y);
  }

  public static void main(String[] args) {
    Scanner stdIn = new Scanner(System.in);

    System.out.println("二つの整数の最大公約数を求めます。");

    System.out.print("整数を入力せよ："); int x = stdIn.nextInt();
    System.out.print("整数を入力せよ："); int y = stdIn.nextInt();

    System.out.println("最大公約数は" + gcd(x, y) + "です。");
  }
}
```

実行例

```
二つの整数の最大公約数を求めます。
整数を入力せよ：22⏎
整数を入力せよ：8⏎
最大公約数は2です。
```

▶ このアルゴリズムは、紀元前 300 年頃に記されたユークリッドの『原論』に示されている、極めて歴史のあるアルゴリズムです。

演習 5-1

List 5-1 のメソッド factorial を、再帰呼出しを用いずに実現せよ。

演習 5-2

List 5-2 のメソッド gcd を、再帰呼出しを用いずに実現せよ。

演習 5-3

配列 a の全要素の最大公約数を求めるメソッドを作成せよ。

```
static int gcdArray(int[] a)
```

5-2 再帰アルゴリズムの解析

本節では、再帰アルゴリズムを解析する手法を学習し、さらに再帰アルゴリズムを非再帰的に実現する手法を学習します。

再帰アルゴリズムの解析

本節で題材とするのは、**List 5-3** に示すプログラムです。たった数行で実現された再帰的なメソッド *recur* と、main メソッドとで構成されています。

List 5-3 chap05/Recur.java

```
// 再帰に対する理解を深めるための真に再帰的なメソッド

import java.util.Scanner;

class Recur {

  //--- 真に再帰的なメソッド ---//
  static void recur(int n) {
    if (n > 0) {
      recur(n - 1);
      System.out.println(n);
      recur(n - 2);
    }
  }

  public static void main(String[] args) {
    Scanner stdIn = new Scanner(System.in);

    System.out.print("整数を入力せよ：");
    int x = stdIn.nextInt();

    recur(x);
  }
}
```

実行例

```
整数を入力せよ：4
1
2
3
1
4
1
2
```

メソッド *recur* は、メソッド *factorial* やメソッド *gcd* とは異なり、メソッドの中で再帰呼出しを２回行っています。このように、再帰呼出しを複数回行うメソッドは、**真に**（genuinely）**再帰的**であると呼ばれ、その挙動は複雑です。

＊

メソッド *recur* が仮引数 *n* に 4 を受け取ると、1231412 の数字を１行に１文字ずつ表示することが、実行例から分かります。

それでは、*n* が 3 や 5 などの値であったら、どのような表示が行われるでしょう。簡単には分からないはずです。

ここでは、メソッド *recur* を、トップダウン解析とボトムアップ解析の二つの手法で解析していきます。

トップダウン解析

仮引数 *n* に 4 を受け取ったメソッド ***recur*** は、次のことを順に実行します。

***recur*(4)**	a ***recur*(3)** を実行
	b **4** を出力
	c ***recur*(2)** を実行

もちろん、bで 4 の出力を行うのは、aによる ***recur*(3)** の実行が完了した後ですから、まず ***recur*(3)** が何をするのかを調べねばなりません。

言葉による表現は容易ではありませんから、**Fig.5-5** の図で考えましょう。

それぞれの箱が、メソッド ***recur*** の挙動を表しています。なお、受け取った値が **0** 以下であればメソッド ***recur*** は実質的に何も行わないため、箱の中を“－”と表記しています。

最上流の箱が ***recur*(4)** の挙動です。aの ***recur*(3)** によって何が行われるのかは、左下側の矢印をたどると分かりますし、cの ***recur*(2)** によって何が行われるのかは、右下側の矢印をたどると分かります。

▶ 『左側の矢印をたどって1個下流の箱へと移動し、戻ってきたら■の中に書かれた値を表示し、右側の矢印をたどって1個下流の箱へと移動する』という一連の作業が完了すると、1個上流に戻ります。もちろん、空の箱に行きついた場合は、何もすることなくそのまま戻ります。

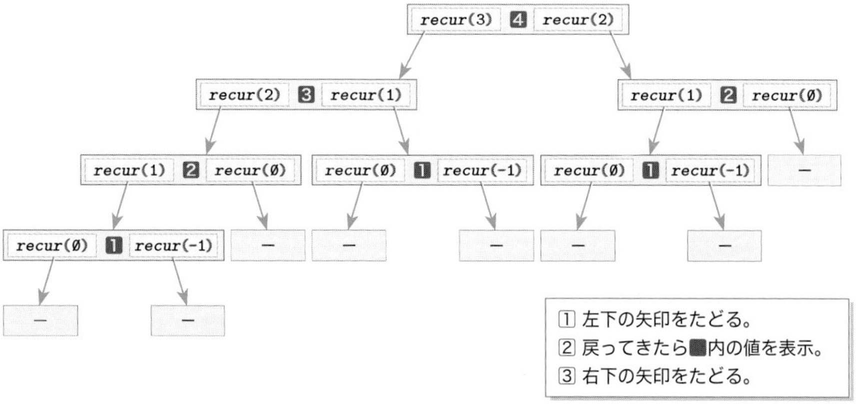

Fig.5-5 メソッド recur のトップダウン解析

このような、上流に位置する呼出し側から始めて、段階的に詳細に調べていく解析手法が、**トップダウン解析**（top-down analysis）です。

さて、この図には、***recur*(1)** や ***recur*(2)** の解析が複数個存在します。もちろん、それらは同じものです。てっぺんから解析しようとすると、下流に同じものが何度も出てくるという点では、このトップダウン解析は必ずしも効率がよいとはいえません。

ボトムアップ解析

上流側からの解析を行うトップダウン解析とは対照的に、下流側から積み上げていくのが、**ボトムアップ解析**（bottom–up analysis）です。

メソッド **recur** は、*n* が正のときにのみ実質的な処理を行いますので、まず **recur(1)** について考えます。

recur(1) が行う処理は、次のとおりです。

recur(1)	[a] *recur*(0) を実行 [b] 1 を出力 [c] *recur*(-1) を実行

ここで、[a]の **recur(0)** と[c]の **recur(-1)** は何も表示しませんので、**recur(1)** が 1 とだけ出力することが分かります。

次に、**recur(2)** について考えましょう。

recur(2)	[a] *recur*(1) を実行 [b] 2 を出力 [c] *recur*(0) を実行

[a]の **recur(1)** は 1 と出力し、[c]の **recur(0)** は何も出力しませんので、全体をとおして 1 と 2 を出力することが分かります。

この作業を **recur(4)** まで積み上げたものが **Fig.5-6** です。これで、**recur(4)** の出力が得られます。

recur(-1)	：	何もしない				
recur(0)	：	何もしない				
recur(1)	：	*recur*(0)	1	*recur*(-1)	⇨	1
recur(2)	：	*recur*(1)	2	*recur*(0)	⇨	1 2
recur(3)	：	*recur*(2)	3	*recur*(1)	⇨	1 2 3 1
recur(4)	：	*recur*(3)	4	*recur*(2)	⇨	1 2 3 1 4 1 2

Fig.5-6　ボトムアップ解析の例

演習 5-4

右に示すメソッド *recur2* に対して、トップダウン解析とボトムアップ解析を行え。

```
static void recur2(int n) {
  if (n > 0) {
    recur2(n - 2);
    System.out.println(n);
    recur2(n - 1);
  }
}
```

再帰アルゴリズムの非再帰的表現

次は、メソッド *recur* を非再帰的に（再帰呼出しを用いずに）実現する方法を考えます。

末尾再帰の除去

まず、末尾側の再帰呼出し *recur*(*n* - 2) に着目します。

これは、"引数として *n* - 2 の値を渡してメソッド *recur* を呼び出す" ことですので、次の動作に置きかえられます。

---

n の値を *n* - 2 に更新して、メソッドの先頭に戻る。

この考えを実現したのが **List 5-4** のメソッド *recur* です。*n* の値を 2 減らした後に、メソッドの先頭に戻ります（その結果、メソッド冒頭の if が while に変わっています）。

List 5-4 chap05/RecurX1.java

```
//--- 末尾再帰を除去したrecur ---//
static void recur(int n) {
  while (n > 0) {
    recur(n - 1);
    System.out.println(n);
    n = n - 2;
  }
}
```

このように、**メソッドの最後に行われる再帰呼出し**である**末尾再帰**（tail recursion）は、容易に除去できます。

再帰の除去

一方、先頭側の再帰呼出しの除去は容易ではありません。というのも、変数 *n* の値を出力する前に、*recur*(*n* - 1) が行う処理を完了させねばならないからです。

そのため、再帰呼出し *recur*(*n* - 1) を、次のように単純に置きかえることはできません。

---

n の値を *n* - 1 に更新して、メソッドの先頭に戻る。　　⬅ NG

たとえば *n* が 4 であれば、再帰呼出し *recur*(3) の処理が完了するまで、*n* の値 4 の保存が必要です。すなわち、

現在の *n* の値を "一時的に" 保存しておく。

という処理が必要です。さらに、*recur*(*n* - 1) の処理が完了して *n* の値を表示する際は、次の手順を踏むことになります。

保存していた *n* を取り出して、その値を表示する。

変数 n の値の "一時的な" 保存の必要性が分かりました。それに最適なデータ構造が、前章で学習した**スタック**（stack）です。

スタックを用いて非再帰的に実現したメソッド recur を **List 5-5** に示します。

▶ 本プログラムのコンパイル・実行にあたっては、**List 4-1**（p.120）の IntStack のクラスファイル "IntStack.class" が同一ディレクトリ内に必要です。

List 5-5 chap05/RecurX2.java

要：IntStack

```
//--- 再帰を除去したrecur ---//
static void recur(int n) {
  IntStack s = new IntStack(n);

  while (true) {
    if (n > 0) {
      s.push(n);                   // nの値をプッシュ      ―1
      n = n - 1;                                          ―2
      continue;                                           ―3
    }
    if (s.isEmpty() != true) {  // スタックが空でなければ
      n = s.pop();                 // 保存していた値をnにポップ ―4
      System.out.println(n);                              ―5
      n = n - 2;                                          ―6
      continue;                                           ―7
    }
    break;
  }
}
```

本メソッドが recur(4) と呼び出されたときの挙動を考えましょう。

n に受け取った値 4 は 0 より大きいため、先頭側の if 文の働きによって、次の処理が行われます（**Fig.5-7**：右ページ）。

1 n の値 4 をスタックにプッシュする（図a）。
2 n の値を 1 減らして 3 にする。
3 continue 文の働きによって、while 文の先頭に戻る。

n の値 3 は 0 より大きいため、再び先頭側の if 文が実行されます。その結果、上記と同様な処理が繰り返されて、図b⇨図c⇨図dと進み、スタックに 4, 3, 2, 1 が積まれた状態となります。

スタックに 1 を積んだ後は、n の値が 1 だけ減らされて 0 となって、while 文の先頭に戻ってきます。そうすると、n の値は 0 ですから、先頭側の if 文は実行されません。そして、後ろ側の if 文によって、次の処理が行われます。

4 スタックからポップした値 1 を n に取り出す（図e）。
5 n の値 1 を表示する。
6 n の値を 2 減らして -1 とする。
7 continue 文の働きによって、while 文の先頭に戻る。

nの値は-1ですから、再び後ろ側のif文が実行され、図fに示すように、スタックから2がポップされ、表示されます。

以降の手順の解説は省略しますので、図をよく見て理解を深めましょう。なお、nが0以下となってスタックが空になると、二つのif文のいずれも実行されることなくbreak文が実行されますので、メソッドの実行が終了します。

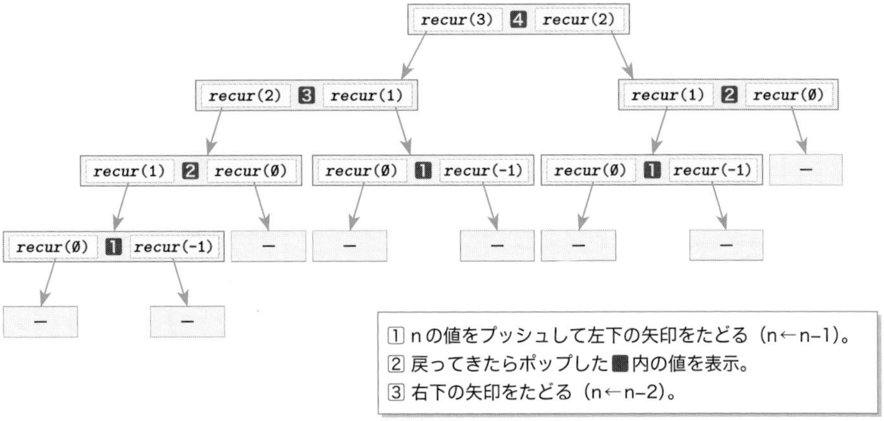

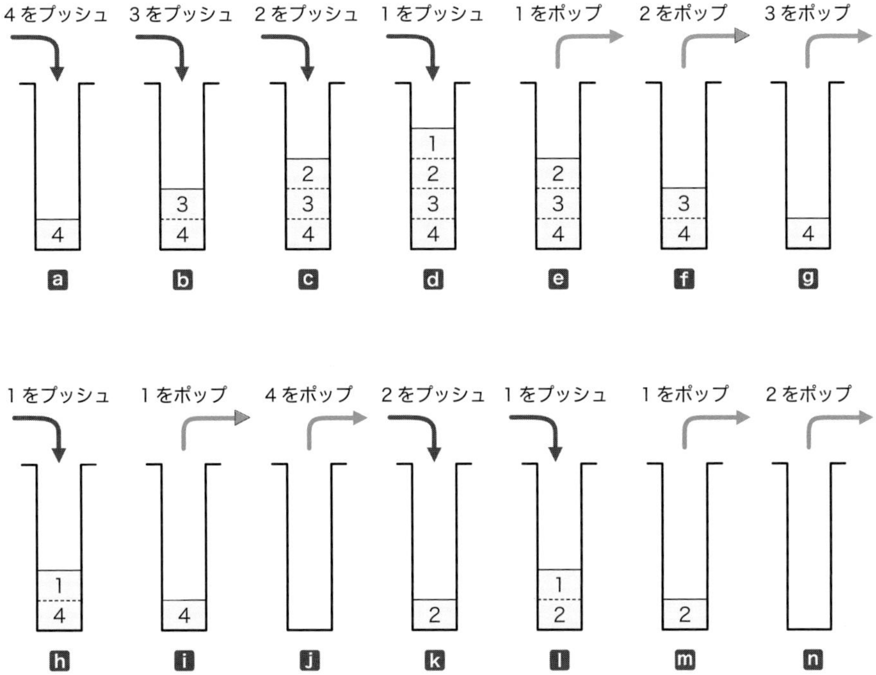

Fig.5-7　List 5-5のメソッド実行に伴うスタックの変化

メモ化

メソッド*recur*を実行する過程では、同じ計算を何度も行います。たとえば、前ページの**Fig.5-7**では、*recur*(1)が3回も実行されています。*n*の値が大きくなると、重複した計算の数は、極めて多くなります。

同一の計算は、1回きりにして、複数回行わないように改良しましょう。そこで必要となるのが、**メモ化**（memoization）のテクニックです。

ある**問題**（この場合、メソッド*recur*が受け取る*n*）に対する**解答**が得られた場合、それを**メモ**しておきます。たとえば、*recur*(3)は、1、2、3、1と表示するわけですから、表示する文字列"1\n2\n3\n1"をメモします。再び*recur*(3)が呼び出されたときは、メモしておいた内容（文字列）を画面に表示すれば、計算は不要、というわけです。

このアイディアを使って実現したのが、**List 5-6**のプログラムです。

List 5-6 chap05/RecurMemo.java

```
// 真に再帰的なメソッドrecurをメモ化して実現

import java.util.Scanner;

class RecurMemo {

  static String[] memo;

  //--- メモ化を導入したメソッドrecur ---//
  static void recur(int n) {
    if (memo[n + 1] != null)
      System.out.print(memo[n + 1]);                    // メモを出力   ―1
    else {
      if (n > 0) {
        recur(n - 1);
        System.out.println(n);                                          ―2
        recur(n - 2);
        memo[n + 1] = memo[n] + n + "\n" + memo[n - 1];   // メモ化    ―3
      } else {
        memo[n + 1] = "";  // メモ化：recur(0)とrecur(-1)は空文字列   ―4
      }
    }
  }

  public static void main(String[] args) {
    Scanner stdIn = new Scanner(System.in);

    System.out.print("整数を入力せよ：");
    int x = stdIn.nextInt();

    memo = new String[x + 2];
    recur(x);
  }
}
```

実行例
```
整数を入力せよ：4
1
2
3
1
4
1
2
```

先ほど考えたように、メモするのは、表示すべき文字列です。そのため、メモの保存先は、String型の配列としています（配列名は*memo*です）。

具体的には、配列 **memo** へのメモは、次のように行います。

```
recur(-1) の実行結果（表示すべき文字列） ""       ⇨ memo[0]
recur(0) の実行結果（表示すべき文字列）  ""       ⇨ memo[1]
recur(1) の実行結果（表示すべき文字列）  "1"      ⇨ memo[2]
recur(2) の実行結果（表示すべき文字列）  "1\n2"   ⇨ memo[3]
    ⋮
```

すなわち、**recur** が **n** に受け取る引数の値と、メモ用配列 **memo** のインデックスは 1 ずれます。
それでは、プログラムを理解していきましょう。

＊

▪ main メソッドでのメモの準備

配列 **memo** の生成は、**main** メソッドで行っています。配列を生成した段階で、すべての要素は、既定値 **null** で初期化されています。

メモの値が **null** であることを、『まだメモをとっていない』とします。

▪ メソッド recur でのメモの活用

メソッド **recur** の動作が変更されています。次のように処理を行います。

▫ メモを既に取っている場合

メモの内容 **memo[n + 1]** を、そのまま画面に表示するだけで、処理は完了します（**1**）。

▫ そうでない場合

n が **0** より大きければ、まずは、**2**によって、これまでのプログラムの **recur** と同じ処理を行います。処理終了後は、表示内容と同じ文字列をメモにとります（**3**）。すなわち、メモ用配列の要素 **memo[n + 1]** に表示内容の文字列を代入します。

そうでなければ、**n** は **0** か **-1** です。空文字列 **""** をメモします（**4**）。

recur の呼び出し回数を、オリジナル版と、メモ化版を比較したのが、**Table 5-1** です。

Table 5-1　メソッドの呼び出し回数

n	1	2	3	4	5	6	7	8	9	10
オリジナル版	3	5	9	15	25	41	67	109	177	287
メモ化版	3	5	7	9	11	13	15	17	19	21

演習 5–5

メソッド呼び出し回数をカウント・表示するように、**List 5-3**（p.150）と **List 5-6** を書きかえたプログラムを、それぞれ作成せよ。

5-3 ハノイの塔

本節では、重ねられた円盤を最少の回数で移すためのアルゴリズムである《ハノイの塔》を学習します。

ハノイの塔

ハノイの塔（towers of Hanoi）は、小さいものが上に、大きいものが下になるように重ねられた円盤を、3 本の柱のあいだで移動する問題です。すべての円盤の大きさは異なっていて、最初は、第1軸上に重ねられています。

この状態から、すべての円盤を第3軸に最少の回数で移動します。なお、移動は1 枚ずつであって、より大きい円盤を上に重ねることはできません。

Fig.5-8 に示すのは、円盤が 3 枚であるときの解法です。順に眺めていけば、解法の手順が理解できるでしょう。

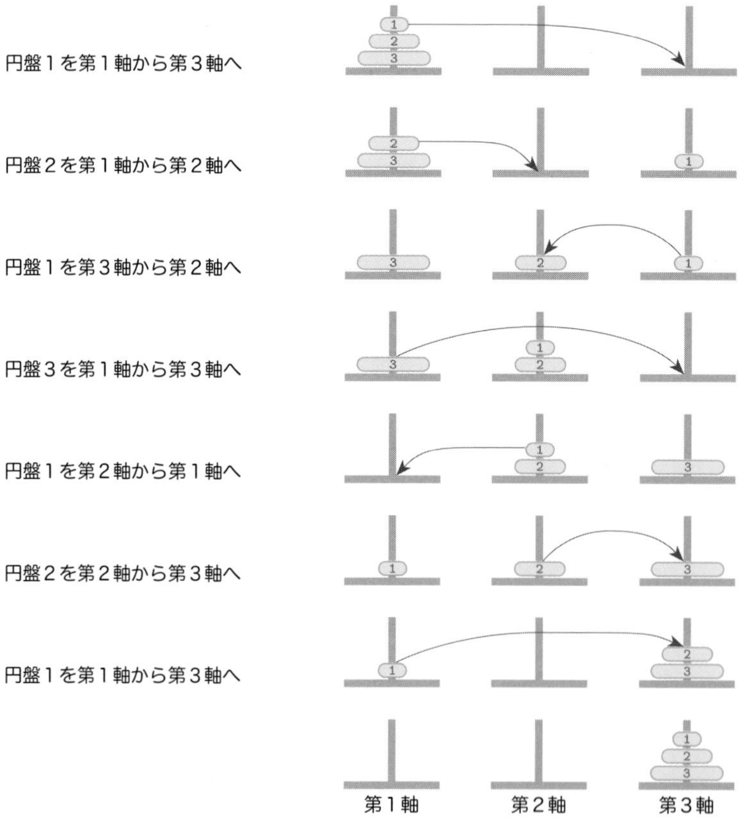
円盤1を第1軸から第3軸へ
円盤2を第1軸から第2軸へ
円盤1を第3軸から第2軸へ
円盤3を第1軸から第3軸へ
円盤1を第2軸から第1軸へ
円盤2を第2軸から第3軸へ
円盤1を第1軸から第3軸へ
第1軸
第2軸
第3軸

Fig.5-8　ハノイの塔（円盤が3枚）

円盤の移動手順を一般化して考えていきましょう。なお、円盤の移動元の軸を**開始軸**、移動先の軸を**目的軸**、残りの軸を**中間軸**と呼びます。

Fig.5-9 に示すのは、円盤が 3 枚のときの移動手順の概略です。円盤 1 と円盤 2 が重なったものを《グループ》とします。この図が示すように、最大の円盤を最少のステップで目的軸へ移動するには、まず最初に《グループ》を中間軸に移します。そうすると、3 ステップで完了します。

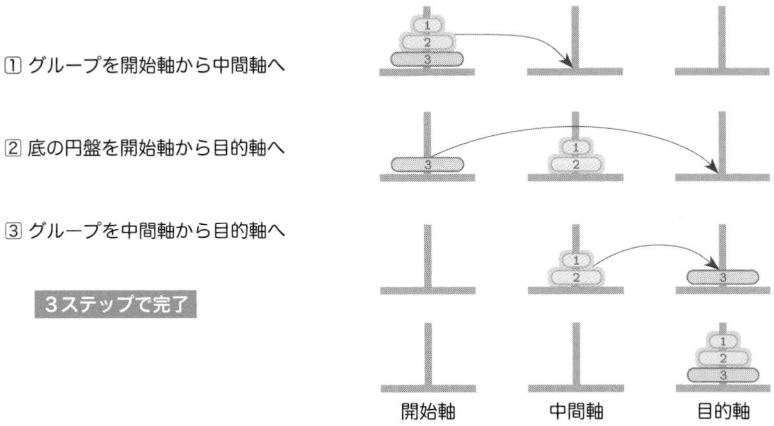
① グループを開始軸から中間軸へ
② 底の円盤を開始軸から目的軸へ
③ グループを中間軸から目的軸へ
3ステップで完了
1
2
3
開始軸
中間軸
目的軸

Fig.5-9　ハノイの塔の考え方（円盤が3枚）

円盤 1 と円盤 2 が重なった《グループ》の移動ステップを具体的にどのように実現するのかを考えましょう。その手順を示したのが **Fig.5-10** です。円盤 1 だけを《グループ》とみなすと、**Fig.5-9** とまったく同じ 3 ステップで実現できます。

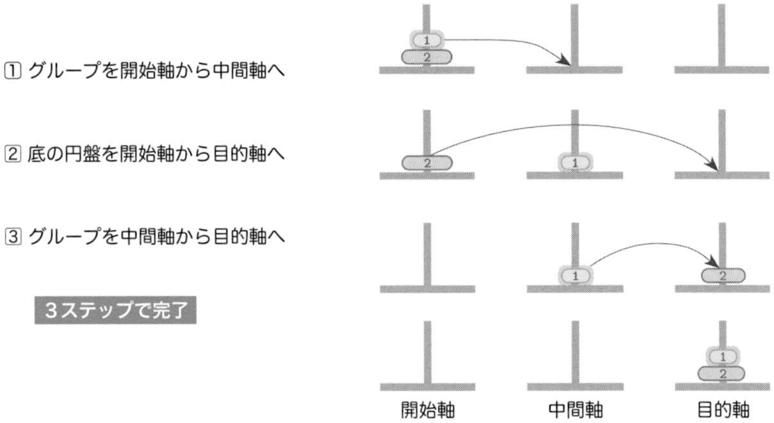
① グループを開始軸から中間軸へ
② 底の円盤を開始軸から目的軸へ
③ グループを中間軸から目的軸へ
3ステップで完了
1
2
開始軸
中間軸
目的軸

Fig.5-10　ハノイの塔の考え方（円盤が2枚）

円盤が４枚でも同じです。**Fig.5-11** に示すように、円盤1・円盤2・円盤3の３枚を重ねたものを《グループ》とみなすと、移動は3ステップで完了します。

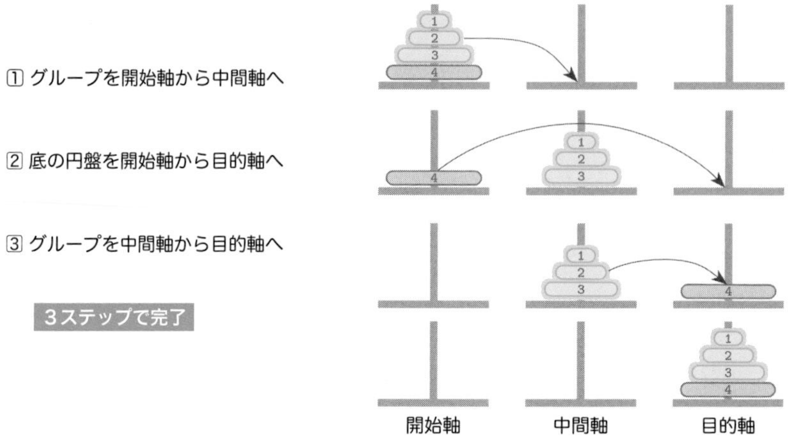
① グループを開始軸から中間軸へ
② 底の円盤を開始軸から目的軸へ
③ グループを中間軸から目的軸へ
3ステップで完了
1
2
3
4
開始軸
中間軸
目的軸

Fig.5-11　ハノイの塔（円盤が4枚）

それでは、３枚の《グループ》の移動はどうすればいいのかということになりますが、これは、前ページの **Fig.5-9** に示したとおりです。

ハノイの塔を実現するプログラム例を **List 5-7** に示します。メソッド *move* の仮引数 *no* は移動すべき円盤の枚数、*x* は開始軸の番号、*y* は目的軸の番号です。

List 5-7　chap05/Hanoi.java

```
// ハノイの塔

import java.util.Scanner;

class Hanoi {

  //--- no枚の円盤をx軸からy軸へ移動 ---//
  static void move(int no, int x, int y) {
    if (no > 1)
      move(no - 1, x, 6 - x - y);                                   ―1

    System.out.printf("円盤[%d]を%d軸から%d軸へ移動\n", no, x, y);   ―2

    if (no > 1)
      move(no - 1, 6 - x - y, y);                                   ―3
  }

  public static void main(String[] args) {
    Scanner stdIn = new Scanner(System.in);

    System.out.println("ハノイの塔");
    System.out.print("円盤の枚数：");
    int n = stdIn.nextInt();

    move(n, 1, 3);   // 第1軸に積まれたn枚を第3軸に移動
  }
}
```

実行例

```
ハノイの塔
円盤の枚数：3⏎
円盤[1]を1軸から3軸へ移動
円盤[2]を1軸から2軸へ移動
円盤[1]を3軸から2軸へ移動
円盤[3]を1軸から3軸へ移動
円盤[1]を2軸から1軸へ移動
円盤[2]を2軸から3軸へ移動
円盤[1]を1軸から3軸へ移動
```

本プログラムでは、軸の番号を整数値 **1**, **2**, **3** で表しています。軸番号の合計は **6** ですから、開始軸・目的軸がどの軸であっても、中間軸は **6 - *x* - *y*** の計算で求められます。

メソッド ***move*** は、***no*** 枚の円盤の移動を、次の3ステップで行います。

---

1 底の円盤を除いたグループ（円盤 [1] ～円盤 [*no* - 1]）を開始軸から中間軸へ移動。

2 底の円盤 *no* を開始軸から目的軸へ移動した旨を表示。

3 底の円盤を除いたグループ（円盤 [1] ～円盤 [*no* - 1]）を中間軸から目的軸へ移動。

もちろん、1と3は、再帰呼出しで実現しています。*no* が 3 のときのメソッド *move* の挙動を示したのが、**Fig.5-12** です。

▶ 1と3を行うのは、*no* が 1 より大きいときに限られますので、図中の *no* が 1 である箇所（最下流に相当する箇所）では、2だけを示しています。

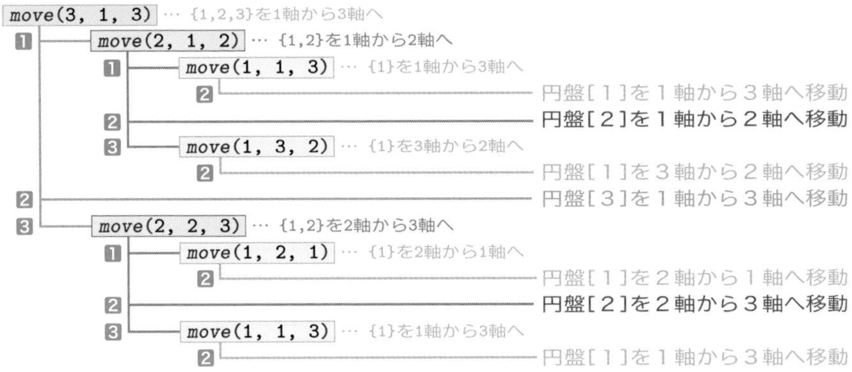

Fig.5-12　メソッド move の挙動（no = 3 の場合）

▶ ハノイの塔の名称は、『64 枚の黄金の円盤を三つの塔のあいだで移しかえる作業が完了したら、世界の終末が訪れる。』という古代インドの伝説に由来します。

演習 5-6

右に示すメソッド *recur3* を非再帰的に実現せよ。

※本問は、前節の内容に関する問題である。

```
static void recur3(int n) {
  if (n > 0) {
    recur3(n - 1);
    recur3(n - 2);
    System.out.println(n);
  }
}
```

演習 5-7

List 5-7 を、数値でなく文字列で軸名を表示するように変更したプログラムを作成せよ（たとえば、"A軸", "B軸", "C軸" のようにすること）。

演習 5-8

List 5-7 のメソッド *move* を非再帰的に実現するように書きかえたプログラムを作成せよ。

5-4　8王妃問題

本節では8王妃問題を学習します。ハノイの塔と同様に、問題を小問題に分割することによって、解を導きます。

8王妃問題とは

8王妃問題（8-Queen problem）は、再帰的アルゴリズムに対する理解を深めるための例題として頻繁に取り上げられるだけでなく、19 世紀の有名な数学者 C.F.Gauss が、誤った解答を出したことでも知られている問題です。これは、

互いに取りあえないように、8個の王妃を8×8のチェス盤に配置せよ。

という一見単純な問題です。

▶ チェスの《王妃》は、将棋での《飛車》と《角》の働きをあわせもっており、縦・横・斜めのライン上のコマを取ることができます。

この問題の解答は 92 個あります。その 1 個を示したのが、**Fig.5-13** です。

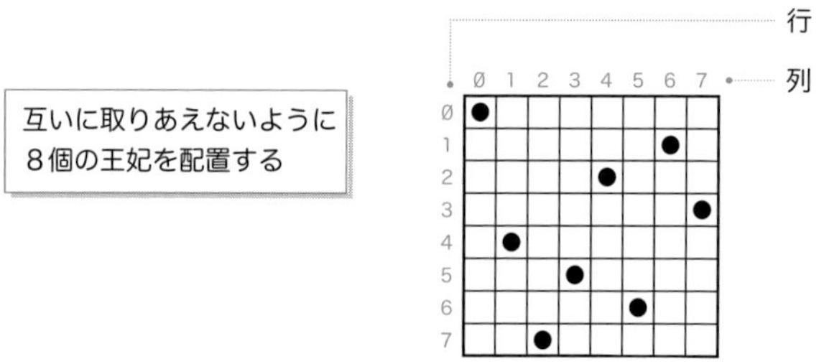

Fig.5-13　8王妃問題の解の一例

チェス盤の横方向の並びを**行**、縦方向の並びを**列**と呼び、配列のインデックスにあわせて、行と列とに **0** ～ **7** の番号をふることにします。

この図に配置されている王妃は、左側から順に、0 行 0 列、4 行 1 列、7 行 2 列、5 行 3 列、2 行 4 列、6 行 5 列、1 行 6 列、3 行 7 列です。

王妃の配置

8 個の王妃を配置する組合せが全部で何通りあるかを考えてみましょう。そもそもチェス盤には 8 × 8 ＝ 64 個のマスがありますから、最初に王妃を 1 個置くときは、64 マスの好きな場所を選べます。そして、次に王妃を置くときは、残りの 63 マスから任意に選択できます。

同様にして8個目まで考えると、実に、

$$64 \times 63 \times 62 \times 61 \times 60 \times 59 \times 58 \times 57 = 178{,}462{,}987{,}637{,}760$$

もの組合せとなります。この組合せをすべて列挙して、個々の配置が8王妃問題の条件を満足するかどうかを調べるのは、**現実的ではありません。**

王妃は自分と同じ列（縦方向）のコマを取れますから、次のようにしましょう。

【方針1】各列には王妃を1個だけ配置する。

これで王妃の配置の組合せは激減しますが、それでも、その数は、

$$8 \times 8 \times 8 \times 8 \times 8 \times 8 \times 8 \times 8 = 16{,}777{,}216$$

にもなります。**Fig.5-14** には、その配置のごく一部を示していますが、ここには、8王妃問題を満たす解は1個もありません。

しかも、すべての配置が8王妃問題の解でないことは、一目瞭然です。というのも、王妃は自分と同じ行（横方向）のコマを取れるからです。

▶ 同じ行に王妃が2個以上配置されていれば、8王妃問題の解でないのは、いうまでもありません。

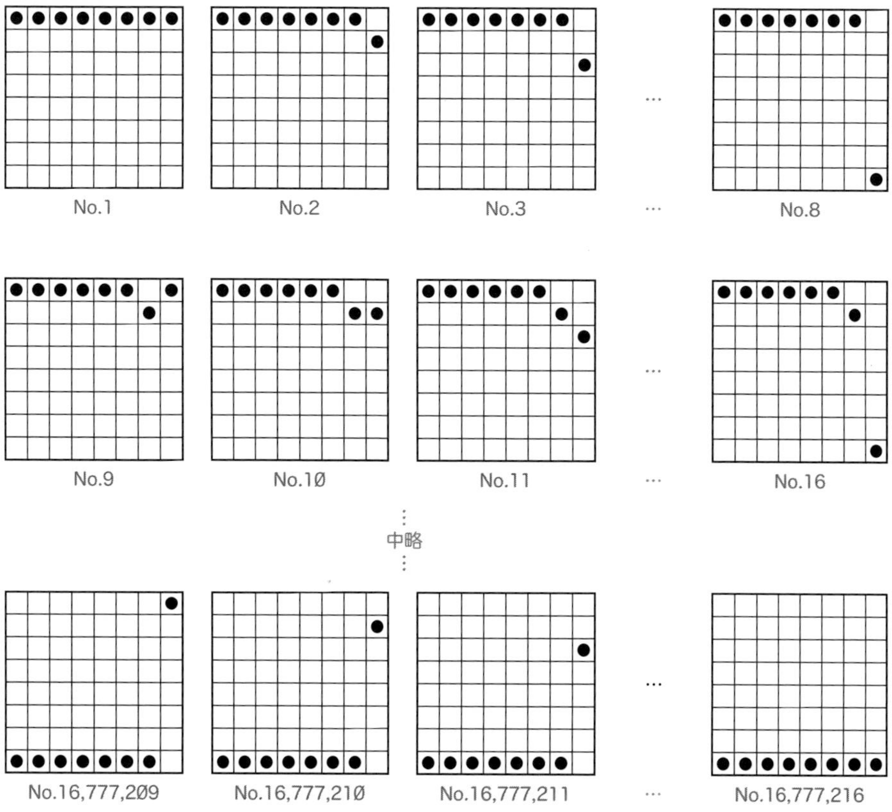

Fig.5-14　王妃を各列に1個だけ配置する組合せ

そこで、次の方針を加えることにします。

【方針2】各行には王妃を1個だけ配置する。

Fig.5-15 に示すのは、前ページの図の配置順の中で、【方針2】を満たす最初の4通りの配置です。組合せの数は、ずいぶんと少なくなります。

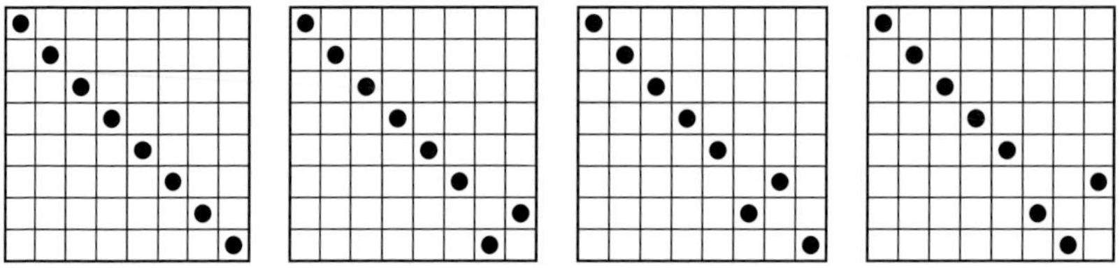

Fig.5-15　王妃を各行・各列に1個だけ配置する組合せの一例

それでは、この組合せを列挙するアルゴリズムは、どのようになるでしょう。簡単には作れそうにありません。

そこで、問題を整理するために、まず最初に【方針1】に基づいて組合せを列挙するアルゴリズムを考えていきましょう。

ここで、王妃の列挙を開始する直前の状態を、**Fig.5-16** のように表します。図中の?は、その列に王妃が未配置であることの目印です。

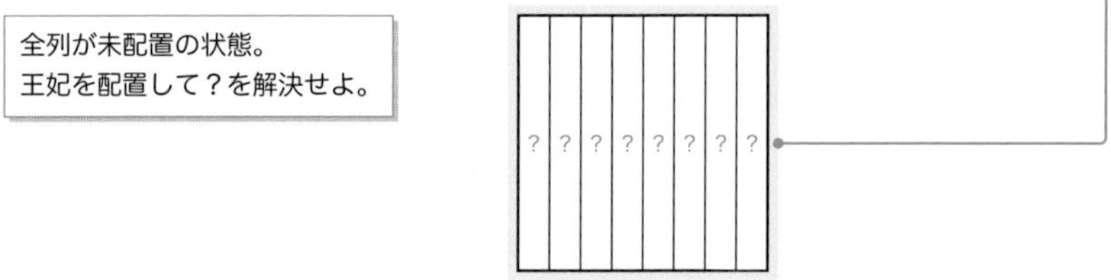

全列が未配置の状態。
王妃を配置して？を解決せよ。
? ? ? ? ? ? ? ?

Fig.5-16　各列に王妃を1個だけ配置する原問題

最初はすべての列が?であり、8列すべての?を埋めると配置が完了します。

まず0列目への王妃の配置を検討しましょう。右ページの **Fig.5-17** に示す8通りがあります。図中の●は、その位置に王妃が配置されたことを表しています。すなわち、**1**～**8**の各図は、いずれも0列目の王妃の配置が確定し、それ以外の列が未配置の状態です。

▶　少し難しい言葉で表現すると、**Fig.5-16** に示す『**原**(げん)**問題**』を『8個の**部分問題**』に“**分割した**”結果が **Fig.5-17** ということです。

0列目への王妃の配置が完了しましたので、次は1列目への王妃の配置を考えます。

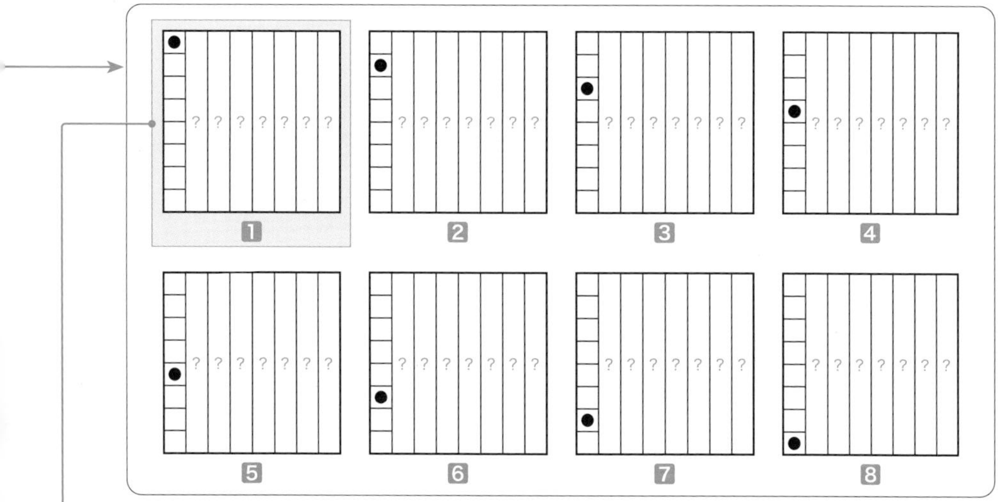

Fig.5-17　Ø 列目に王妃を 1 個だけ配置する組合せ

たとえば、『**Fig.5-17** の❶の局面に対して、1 列目に王妃を配置する』組合せを列挙すると、**Fig.5-18** に示す 8 通りがあります。

▶　すなわち、**Fig.5-17** ❶の問題を『8 個の部分問題』に分割した結果が **Fig.5-18** です。

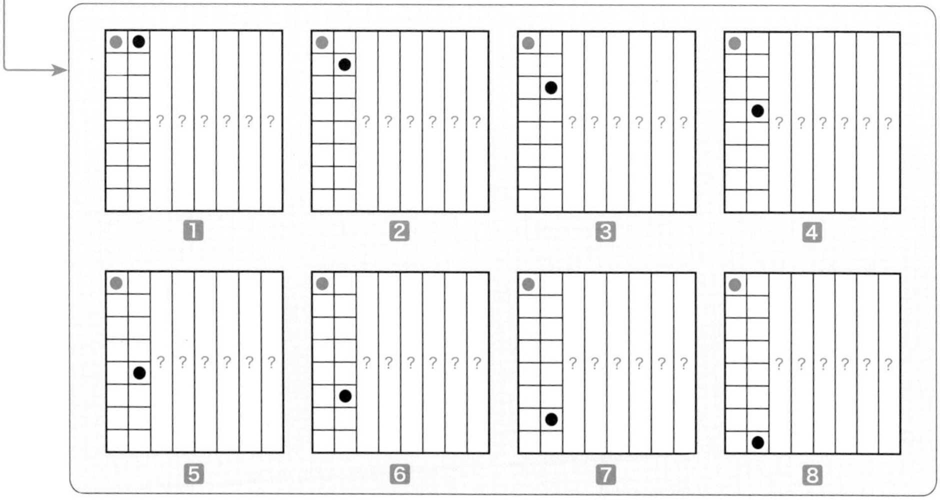

Fig.5-18　Fig.5–17 ❶に対して 1 列目に王妃を 1 個だけ配置する組合せ

Fig.5-17 の❷～❽に対しても同様な配置を行うため、Ø 列目と 1 列目が確定した配置は全部で 64 通りとなります。

この作業を繰り返して、7 列目までのすべての配置が完了した組合せを示したのが、次ページの **Fig.5-19** です。全部で 16,777,216 通りです。

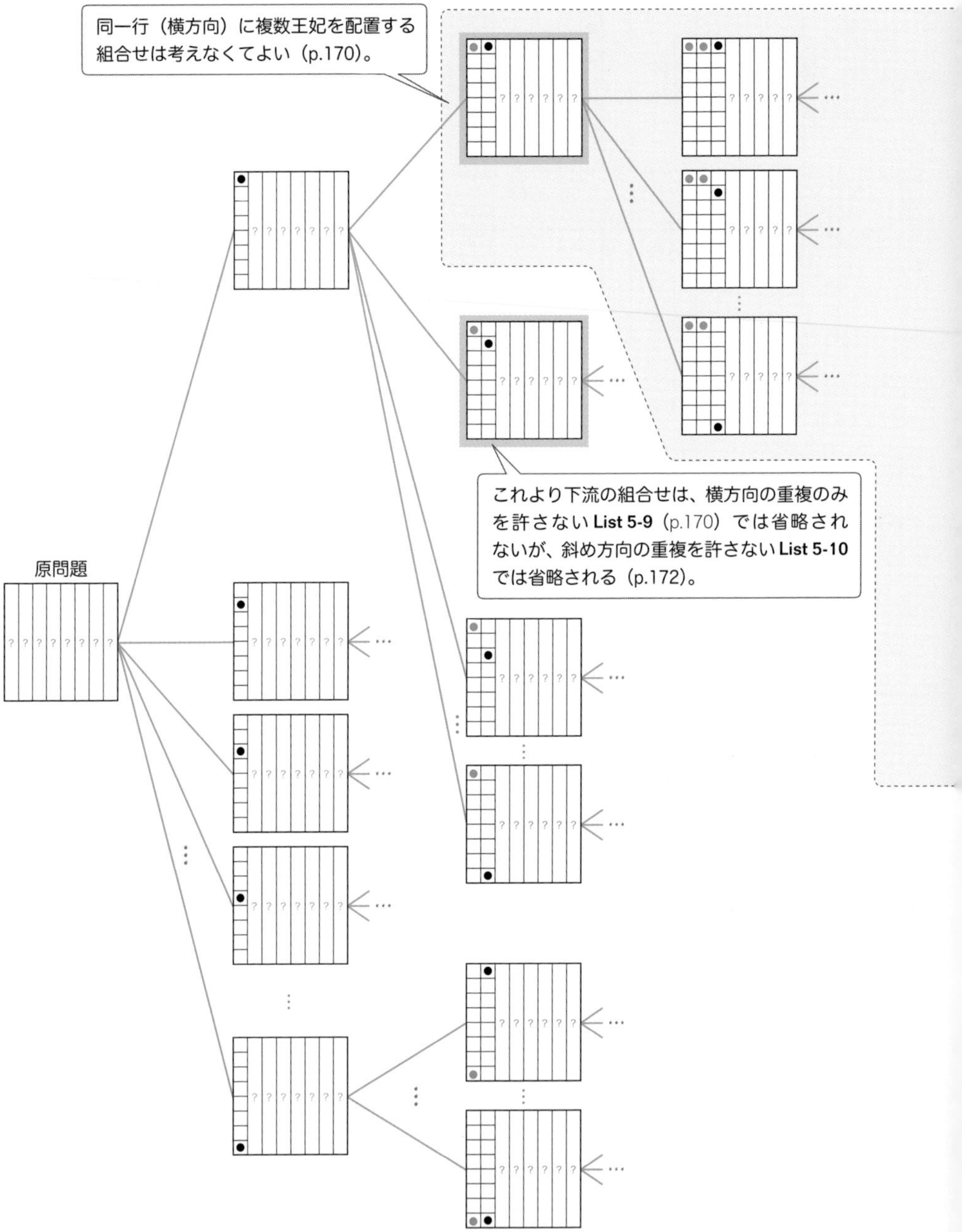

同一行（横方向）に複数王妃を配置する組合せは考えなくてよい（p.170）。
原問題
これより下流の組合せは、横方向の重複のみを許さない List 5-9（p.170）では省略されないが、斜め方向の重複を許さない List 5-10 では省略される（p.172）。

Fig.5-19　各列に王妃を1個だけ配置する組合せの列挙

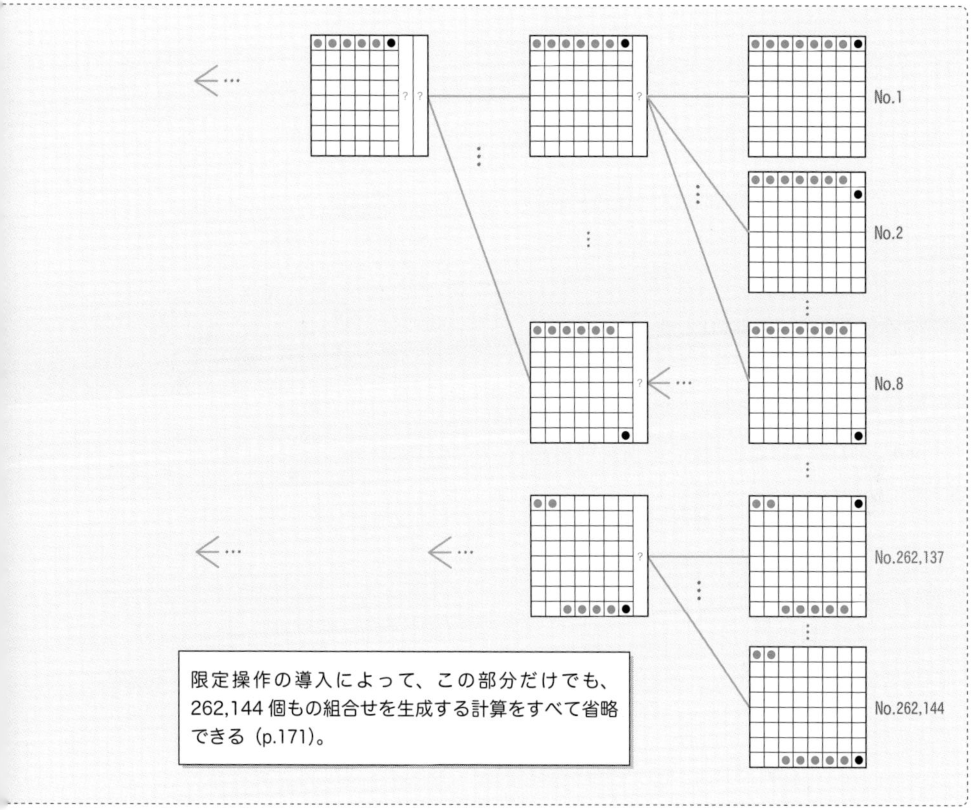
No.1
No.2
No.8
No.262,137
No.262,144
限定操作の導入によって、この部分だけでも、262,144個もの組合せを生成する計算をすべて省略できる（p.171）。

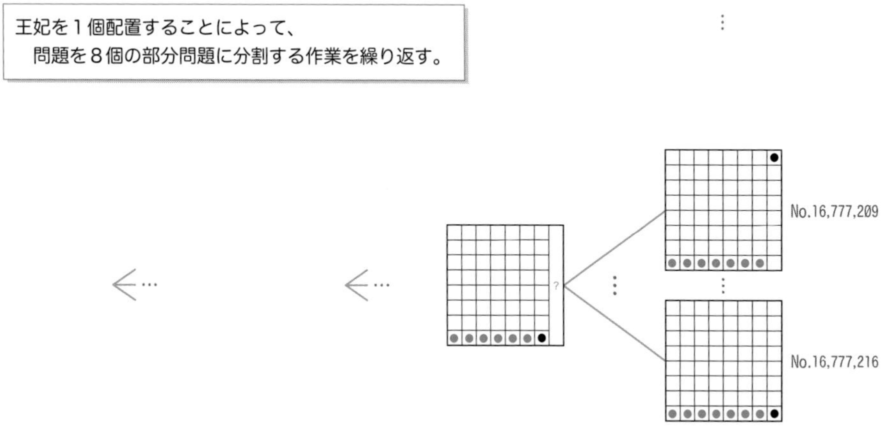
王妃を1個配置することによって、
問題を8個の部分問題に分割する作業を繰り返す。
No.16,777,209
No.16,777,216

※本図には、次ページ以降で学習する内容も書き込まれています。

分枝操作

前ページの図のように、次々と枝分かれを行うことによって、すべての組合せを列挙するプログラムを作りましょう。それが、右ページの **List 5-8** に示すプログラムです。

▶ 組合せを生成するだけであって、8王妃問題を解いているわけではありません。

王妃の配置を表すのが配列 ***pos*** です。*i* 列目に配置されている王妃の位置が *j* 行目であれば、***pos***[*i*] の値を *j* とします。

具体例を示したのが **Fig.5-20** です。

たとえば、***pos***[0] の値 0 は、0 列目の王妃が 0 行目に配置されていることを表しています。

また、***pos***[1] の値 4 は、1 列目の王妃が 4 行目に配置されていることを表します。

＊

メソッド **set** は、***pos***[*i*] に 0 から 7 の値を順次代入することによって、

> *i* 列に王妃を1個だけ配置する8通りの組合せを生成する

という再帰的なメソッドです。仮引数 *i* に受け取るのが、配置の対象となる列です。

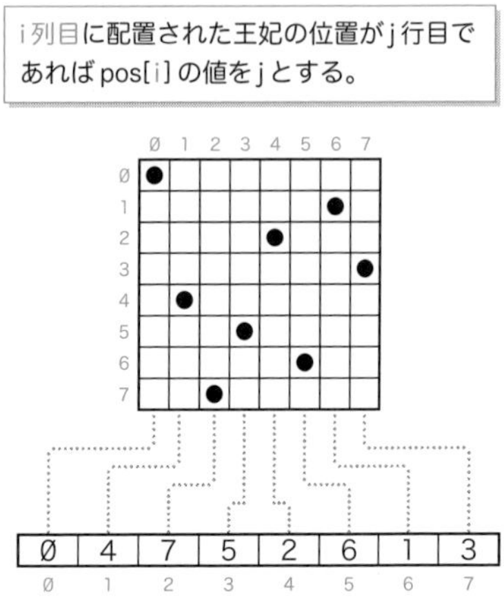

Fig.5-20　王妃の配置を表現する配列

＊

このメソッドが最初に呼び出されるのは、**main** メソッド中の、次の呼出しです。

```
set(0);              // 0列目に王妃を配置
```

呼び出されたメソッド **set** は、仮引数 *i* に 0 を受け取りますので、**Fig.5-17**（p.165）に示した、0列目に1個だけ王妃を配置する作業を行います。

for 文による繰返しでは、*j* の値を 0 から 7 までインクリメントしながら ***pos***[*i*] に *j* を代入することで、王妃を *j* 行目に配置します。この代入で 0 列目が確定しますので、次は、1 列目の確定が必要です。

そこで行うのが、メソッド末尾に置かれている、

```
set(i + 1);          // 次の列に王妃を配置
```

という再帰呼出しです。これによって、同じ操作を、次の列である 1 列目に対して行います。

▶ **set(0)** と呼び出されたメソッド **set** は、**for** 文の繰返しによって、**Fig.5-17**（p.165）の1～8の組合せを列挙します。1の列挙時に呼び出された **set(1)** は、**for** 文の繰返しによって、**Fig.5-18**（p.165）の1～8の組合せを列挙します。

List 5-8 chap05/QueenB.java

```
// 各列に1個の王妃を配置する組合せを再帰的に列挙

class QueenB {

  static int[] pos = new int[8];  // 各列の王妃の位置

  //--- 盤面（各列の王妃の位置）を出力 ---//
  static void print() {
    for (int i = 0; i < 8; i++)
      System.out.printf("%2d", pos[i]);
    System.out.println();
  }

  //--- i列目に王妃を配置 ---//
  static void set(int i) {
    for (int j = 0; j < 8; j++) {
      pos[i] = j;          // 王妃をj行に配置
      if (i == 7)          // 全列に配置終了
        print();
      else
        set(i + 1);        // 次の列に王妃を配置
    }
  }

  public static void main(String[] args) {
    set(0);                // 0列目に王妃を配置
  }
}
```

iは列
jは行

実行結果

```
0 0 0 0 0 0 0 0
0 0 0 0 0 0 0 1
0 0 0 0 0 0 0 2
0 0 0 0 0 0 0 3
0 0 0 0 0 0 0 4
0 0 0 0 0 0 0 5
0 0 0 0 0 0 0 6
0 0 0 0 0 0 0 7
0 0 0 0 0 0 1 0
0 0 0 0 0 0 1 1
0 0 0 0 0 0 1 2
0 0 0 0 0 0 1 3
0 0 0 0 0 0 1 4
0 0 0 0 0 0 1 5
0 0 0 0 0 0 1 6
0 0 0 0 0 0 1 7
0 0 0 0 0 0 2 0
0 0 0 0 0 0 2 1
0 0 0 0 0 0 2 2
0 0 0 0 0 0 2 3
0 0 0 0 0 0 2 4
0 0 0 0 0 0 2 5
0 0 0 0 0 0 2 6
   … 中略 …
7 7 7 7 7 7 7 6
7 7 7 7 7 7 7 7
```

同様に、再帰呼出しを繰り返していき、再帰の呼出しが深くなって、*i* が 7 になると、8個の王妃が配置ずみとなります。

それ以上の配置は不要ですから、その時点でメソッド **print** を呼び出して、盤面の出力を行います。出力するのは、配列 *pos* の要素の値です。

プログラムを実行すると、**Fig.5-19**（p.166）に示した 16,777,216 個のすべての組合せが列挙されます。

▶ たとえば、最初に表示される『0 0 0 0 0 0 0 0』は、すべての王妃が 0 行目に配置されていることを表します（**Fig.5-19** の No.1 に相当します）。
　また、最後に表示される『7 7 7 7 7 7 7 7』は、すべての王妃が 7 行目に配置されていることを表します（**Fig.5-19** の No. 16,777,216に相当します）。

次々と枝分かれを行っていくことによって、配置の組合せを列挙しました。このような手法を、**分枝**（ぶんし）（branching）操作といいます。

＊

ハノイの塔や、8王妃問題のように、問題を小問題（部分問題）に分割し、小問題の解を結合して全体の解を得ようとする手法が、分割統治法（ぶんかつとうちほう）（divide and conquer method）**です。**

もちろん、問題を分割する際は、小問題の解から、もとの問題の解が容易に導けるように設計しなければなりません。

▶ なお、次章で学習するクイックソートやマージソートも、分割統治法によるアルゴリズムです。

限定操作と分枝限定法

分枝操作によって、王妃の配置の組合せは列挙できますが、8王妃問題の解は得られません。そこで、p.164に示した

【方針2】各行には王妃を1個だけ配置する。

という考えを組み入れましょう。そのプログラムが**List 5-9**です。

List 5-9 chap05/QueenBB.java

```
// 各行・各列に1個の王妃を配置する組合せを再帰的に列挙

class QueenBB {

  static boolean[] flag = new boolean[8];    // 各行に王妃が配置ずみか
  static int[] pos = new int[8];             // 各列の王妃の位置

  //--- 盤面（各列の王妃の位置）を出力 ---//
  static void print() {
    for (int i = 0; i < 8; i++)
      System.out.printf("%2d", pos[i]);
    System.out.println();
  }

  //--- i列目の適切な位置に王妃を配置 ---//
  static void set(int i) {
    for (int j = 0; j < 8; j++) {
      if (flag[j] == false) { // j行には王妃は未配置
        pos[i] = j;           // 王妃をj行に配置
        if (i == 7)           // 全列に配置終了
          print();
        else {
          flag[j] = true;
          set(i + 1);
          flag[j] = false;
        }
      }
    }
  }

  public static void main(String[] args) {
    set(0);
  }
}
```

実行結果

```
0 1 2 3 4 5 6 7
0 1 2 3 4 5 7 6
0 1 2 3 4 6 5 7
0 1 2 3 4 6 7 5
0 1 2 3 4 7 5 6
0 1 2 3 4 7 6 5
0 1 2 3 5 4 6 7
0 1 2 3 5 4 7 6
0 1 2 3 5 6 4 7
0 1 2 3 5 6 7 4
0 1 2 3 5 7 4 6
0 1 2 3 5 7 6 4
0 1 2 3 6 4 5 7
0 1 2 3 6 4 7 5
0 1 2 3 6 5 4 7
0 1 2 3 6 5 7 4
0 1 2 3 6 7 4 5
0 1 2 3 6 7 5 4
0 1 2 3 7 4 5 6
0 1 2 3 7 4 6 5
0 1 2 3 7 5 4 6
0 1 2 3 7 5 6 4
0 1 2 3 7 6 4 5
0 1 2 3 7 6 5 4
   … 中略 …
7 6 5 4 3 2 1 0
```

本プログラムで、新たに導入されたのが、***flag***という配列です。同一行に重複して王妃を配置しないようにするための目印として使います。

j 行目に王妃が配置ずみであれば***flag[j]***を**true**とし、未配置であれば**false**とします。

▶ 配列の全要素は既定値で初期化されますので（p.36）、生成時の配列***flag***は、全要素が**false**の状態です。

具体的に考えましょう。0列目に王妃を配置するために呼び出されたメソッド***set***は、まず0行目に王妃を配置します（***flag[0]***が**false**であるため）。その際、あらかじめ***flag[0]***に対して、配置ずみを表す**true**を代入しておき、それからメソッド***set***を再帰的に呼び出します。

呼び出されたメソッド **set** では、1列目への配置を考えます。1列目への配置を行うメソッド **set** の働きを示したのが、**Fig.5-21** です。

Ø行Ø列に王妃が配置ずみである状態での、1列目への王妃の配置の検討。

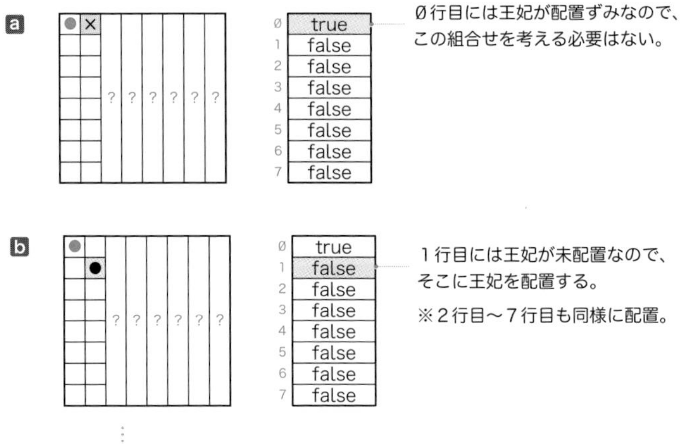

Fig.5-21　配列 flag による限定操作

for 文の繰返しでは、Ø行目～7行目への配置を行います。

a　Ø行目への配置を検討します。**flag[Ø]** が **true** ですから、この行には王妃が配置ずみです。すなわち、ここへの配置は不要です。プログラム網かけ部の実行をスキップしますので、メソッド **set** の再帰呼出しは行われません。

　その結果、**Fig.5-19**（p.166）の点線で囲んだ部分である 262,144 個もの組合せの列挙がすべて省略されます。

b　1行目への配置を検討します。**flag[1]** は **false** ですから、この行には王妃が未配置です。そこで、ここに王妃を配置するために、網かけ部を実行します。そのため、メソッド **set** の再帰呼出しによって、次の列である2列目への配置が行われます。

▶　図や説明は省略していますが、2行目から7行目も同様に配置を行います。

なお、再帰的に呼び出したメソッド **set(*i* + 1)** から戻ってきたときには、王妃を *j* 行目から取り除くために、**flag[*j*]** に対して未配置を表す **false** を代入します。

*

メソッド **set** では、王妃が未配置の行（**flag[*j*]** が **false** である行）に対してのみ王妃を配置していきます。このように、必要のない枝分かれを抑制して、不要な組合せの列挙を省く手法を**限定**（bounding）操作と呼びます。分枝操作と限定操作を組み合わせて問題を解いていくのが、**分枝限定法**（branching and bounding method）です。

8王妃問題を解くプログラム

List 5-9 のプログラムは、王妃が行方向と列方向に重複しない組合せを列挙するものでした。すなわち、8王妃(クイーン)問題ではなく、8飛車(ルーク)問題（?）の解を求めるものです。

王妃は斜め方向のコマも取れますから、どの斜めライン上にも王妃を1個のみ配置するための限定操作の追加採用が必要です。

そうすると、**List 5-10** に示す、8王妃問題を解くプログラムが完成します。

List 5-10 chap05/EightQueen.java

```
// 8王妃問題を解く

class EightQueen {

  static boolean[] flag_a = new boolean[8];    // 各行に王妃が配置ずみか
  static boolean[] flag_b = new boolean[15];   // ／対角線に王妃が配置ずみか
  static boolean[] flag_c = new boolean[15];   // ＼対角線に王妃が配置ずみか
  static int[] pos = new int[8];  // 各列の王妃の位置

  //--- 盤面（各列の王妃の位置）を出力 ---//
  static void print() {
    for (int i = 0; i < 8; i++)
      System.out.printf("%2d", pos[i]);
    System.out.println();
  }

  //--- i列目の適切な位置に王妃を配置 ---//
  static void set(int i) {
    for (int j = 0; j < 8; j++) {
      if (flag_a[j] == false &&           // 横（j行）に未配置
          flag_b[i + j] == false &&       // ／対角線に未配置        ─■1
          flag_c[i - j + 7] == false) {   // ＼対角線に未配置
        pos[i] = j;          // 王妃をj行に配置
        if (i == 7)          // 全列に配置終了
          print();
        else {
          flag_a[j] = flag_b[i + j] = flag_c[i - j + 7] = true;
          set(i + 1);
          flag_a[j] = flag_b[i + j] = flag_c[i - j + 7] = false;
        }
      }
    }
  }

  public static void main(String[] args) {
    set(0);
  }
}
```

実行結果

```
0 4 7 5 2 6 1 3
0 5 7 2 6 3 1 4
0 6 3 5 7 1 4 2
0 6 4 7 1 3 5 2
1 3 5 7 2 0 6 4
1 4 6 0 2 7 5 3
1 4 6 3 0 7 5 2
  … 中略 …
7 2 0 5 1 4 6 3
7 3 0 2 5 1 6 4
```

右ページの **Fig.5-22** に示すように、／方向および＼方向の対角線上に王妃が配置されているかどうかを表すのが、新たに追加された配列 ***flag_b*** と ***flag_c*** です。

▶ 前のプログラムで、行方向に王妃が配置ずみであるかどうかを表す配列 ***flag*** は、本プログラムでは ***flag_a*** という名前に変更しています。

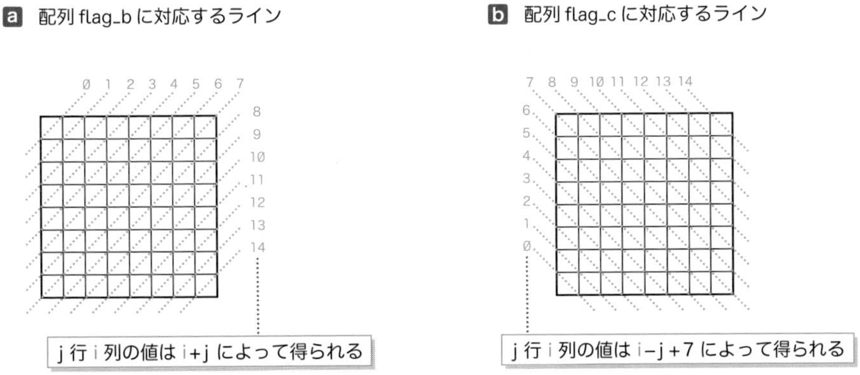

Fig.5-22　斜めのラインの配置

▶ 図aに示すように、／方向を表す ***flag_b*** のインデックス **0** ～ **14** の値は $i + j$ で得られます。また、図bに示すように、＼方向を表す ***flag_c*** のインデックス **0** ～ **14** の値は、$i - j + 7$ で得られます。

各コマに対して王妃の配置を検討する際には、同一行に王妃が配置されているかどうかの判定に加えて、二つの図に示す点線のライン上に王妃が配置されているかどうかの判定も行います（1）。

横方向（同一行）と／方向と＼方向の、どれか 1 個のライン上にでも王妃が配置ずみであれば、そのコマへの配置は不要ですので、青網部の実行をスキップします。

▶ 具体例を考えましょう。**Fig.5-21**（p.171）の図bでは、1 列目の **1** 行目に王妃を配置しました。***flag*[1]** が **false** だから（同じ行の左隣に王妃が未配置だから）でした。
　今回の場合は、1 列目の **1** 行目への王妃の配置は行いません。というのも、***flag_c*[7]** が **true** だから（左上の 0 列目の **0** 行目に王妃が配置ずみだから）です。

＊

三つの配列を利用した限定操作を行うことによって、8 王妃問題を満たす配置を効率よく列挙できます。プログラムを実行すると、92 個の解が表示されます。

これで、8 王妃問題を解くプログラムが完成しました。

演習 5-9

List 5-10 のメソッド ***print*** を書きかえて、右のように記号文字■と□とを用いて盤面を表示するプログラムを作成せよ。

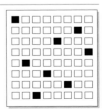

```
■□□□□□□□
□□□□□□■□
□□□□■□□□
□□□□□□□■
□■□□□□□□
□□□■□□□□
□□□□□■□□
□□■□□□□□
```

演習 5-10

8 王妃問題を非再帰的に実現したプログラムを作成せよ。

第6章

ソート

- 単純交換ソート（バブルソート）
- 単純選択ソート
- 単純挿入ソート
- シェルソート
- クイックソート
- マージソート
- ヒープソート
- 度数ソート
- Arrays.sort によるソート

6-1 ソートとは

本章では、データを一定の順序で並びかえるソートアルゴリズムについて学習します。本節は、その導入です。

ソートとは

整列（sorting）すなわち**ソート**は、名前／学籍番号／身長といったキーとなる項目の値の大小関係に基づいて、データの集合を一定の順序に並べかえる作業です。

データをソートすれば**探索が容易になる**のは、いうまでもありません。もし辞書に収録されている何万語や何十万語にも及ぶ語句がアルファベットや五十音の順でソートされていなければ、目的とする語句を見つけるのは、事実上不可能です。

Fig.6-1 に示すように、キー値の小さいデータを先頭に並べるのが**昇順**（ascending order）のソートで、その逆が**降順**（descending order）のソートです。

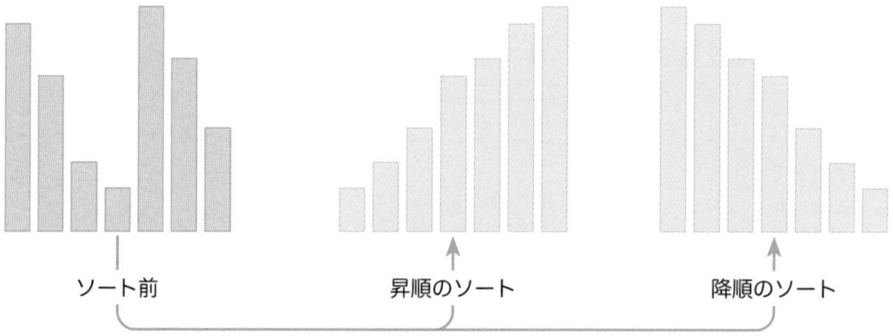

Fig.6-1　昇順ソートと降順ソート

ソートアルゴリズムの安定性

本章では、数多くのソートアルゴリズムから、代表的なものを学習します。それらのソートアルゴリズムは、**安定な**（stable）ものと、そうでないものとに分けられます。

安定なソートのイメージを表したのが、右ページの **Fig.6-2** です。左の図は、学籍番号順に並んだテストの点数の配列です。棒の高さが点数で、棒中の 1 から 9 の数値が学籍番号です。

点数をキーとしてソートすると、右の図のようになります。同じ点数の学生は、学籍番号の小さいほうが前に位置し、学籍番号の大きいほうが後ろに位置しています。このように、**同一キーをもつ要素の順序がソート前後で維持される**のが、安定なソートです。

安定でないアルゴリズムを利用してソートを行うと、たまたま学籍番号順になることもありますが、それが保証されるわけではありません。

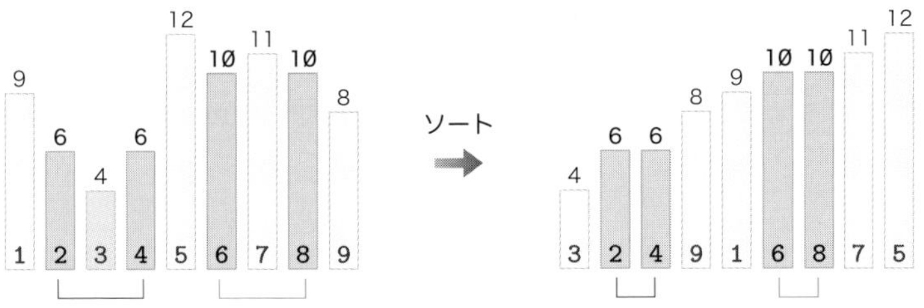
ソート
同一キーをもつ要素の順序がソート前後で維持される

Fig.6-2　安定なソート

内部ソートと外部ソート

最大で30枚のカードを並べられる机の上で、トランプのカードをソートすることを考えましょう。

もしカードが30枚以下であれば、すべてのカードを机に置いて、一度に見渡しながら作業を行えます。しかし、カードが500枚といった感じで大量になると、机の上にすべてのカードは並べられません。そのため、大きな机を別に用意するなどして、作業を行うことになります。

プログラムも同様です。次に示すように、ソートアルゴリズムは、**内部ソート**（internal sorting）と**外部ソート**（external sorting）の2種類に分類されます。

- 内部ソート
  ソートの対象となるすべてのデータが、一つの配列に格納できる場合に用いるアルゴリズムです。カードは、配列上に展開された要素に相当します。

- 外部ソート
  ソートの対象となるデータが大量であり、一度に並べかえることができない場合に用いるアルゴリズムです。

外部ソートは、内部ソートの応用です。その実現には作業用ファイルなどが必要であり、アルゴリズムも複雑です。

本書で学習するアルゴリズムは、すべて内部ソートです。

ソートの考え方

ソートアルゴリズムの三大要素は、**交換**・**選択**・**挿入**の三つです。ほとんどのソートアルゴリズムは、これらの要素を応用したものです。

6-2 単純交換ソート（バブルソート）

隣り合う二つの要素の大小関係を調べて、必要に応じて交換を繰り返すのが、本節で学習する単純交換ソートです。

単純交換ソート（バブルソート）

次に示す数値の並びを例に、**単純交換ソート**（straight exchange sort）の手順を理解していきましょう。

6	4	3	7	1	**9**	**8**

まず、末尾に位置する二つの要素 **9** と **8** に着目します。昇順にソートするのであれば、左側の先頭側の値は、右側の末尾側の値と、同じか、あるいは小さくなければなりません。

そこで、これらの2値を交換すると、並びは次のようになります。

6	4	3	7	**1**	**8**	9

引き続き、後ろから2番目と3番目の要素 **1** と **8** に着目します。左側の **1** が、右側の **8** より小さいため、交換の必要はありません。

このように、隣り合う要素を比較して必要ならば交換する、という作業を、先頭要素まで続けた様子を示したのが **Fig.6-3** です。

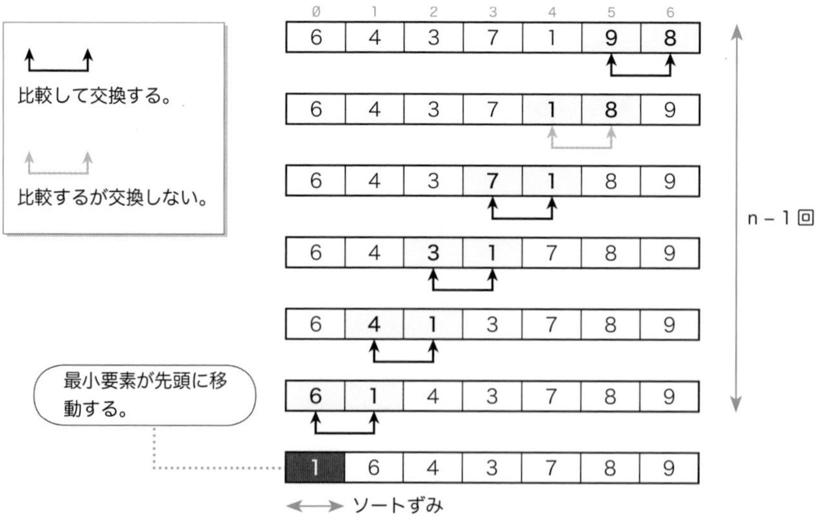

Fig.6-3 単純交換ソートにおける 1 回目のパス

要素数nの配列に対して$n - 1$回の比較・交換を行うと、**最小要素が先頭に移動します。**この一連の比較・交換の作業を**パス**と呼びます。

引き続き、配列の2番目以降の要素に対して比較・交換のパスを行います。その様子を示したのが**Fig.6-4**です。

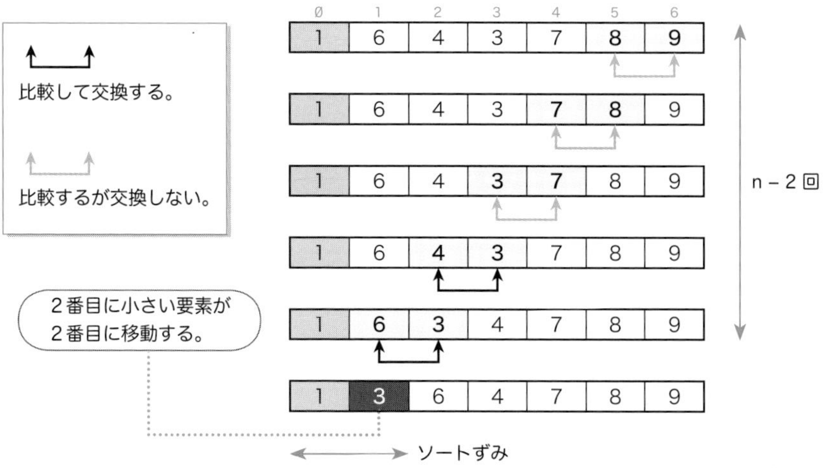

Fig.6-4　単純交換ソートにおける2回目のパス

このパスが完了すると、2番目に小さい**3**が先頭から2番目の位置へと移動します。その結果、**先頭2個の要素がソートずみ**となります。

パスを行うたびにソートすべき要素が1個ずつ減っていきますので、2パス目の比較回数は、1パス目より1回少ない$n - 2$回です。

パスをk回行うと、**先頭側k個の要素がソートずみ**となることが分かりました。全体のソートを完了させるために必要なパスは、$n - 1$回です。

▶ 行うパスの回数が、n回ではなくて$n - 1$回でよいのは、先頭$n - 1$個の要素がソートずみとなれば、最大要素が末尾に位置して全体がソートずみとなるからです。

＊

液体中の気泡を想像しましょう。液体より軽い（値の小さい）気泡が、ブクブクと上にあがってきます。

そのイメージと似ているため、単純交換ソートは、**バブルソート**（bubble sort）や、**泡立ち(あわだ)ソート**などとも呼ばれます。

単純交換ソートのプログラム

単純交換ソートのアルゴリズムを、プログラムとして実現しましょう。

変数`i`の値を`0`から$n - 2$までインクリメントしてパスを$n - 1$回行うことにすると、次のようなコードとなります（次ページ）。

```
for (int i = 0; i < n - 1; i++) {
  a[i], a[i + 1], …, a[n - 1]に対して、
  隣接する二つの要素を比較して先頭側が大きければ交換する作業を、
  末尾側から先頭側へ走査しながら行う。
}
```

ここで、比較のために着目する2要素のインデックスを、*j* - 1と*j*とします。変数*j*の値を、どのように変化させればよいのか、**Fig.6-5**を見ながら考えていきましょう。

走査は配列の末尾から先頭に向かって行いますので、走査における*j*の開始値は、すべてのパスで、末尾要素のインデックスである*n* - 1です。

走査の過程では、2要素 a[*j* - 1]とa[*j*]の値を比較して、前者のほうが大きければ交換します。これを先頭側に向かって行うために、*j*の値を一つずつデクリメントしていきます。

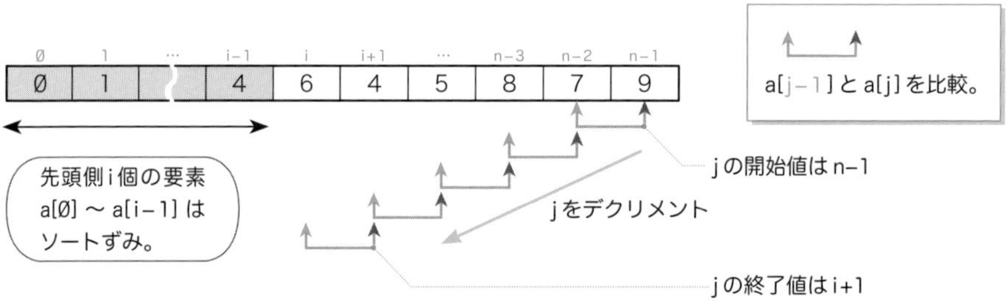

Fig.6-5　単純交換ソートにおけるi回目のパス

各パスにおいて、先頭*i*個の要素はソートずみであって、未ソート部はa[*i*] 〜 a[*n*-1]です。そのため、*j*のデクリメントは、その値が*i* + 1になるまで行います。

▶ 前ページまでに示した二つの図で確認しましょう。次のようになっています。

- *i*が0である1回目のパスでは、*j*の値が1になるまで繰り返す（**Fig.6-3**）。
- *i*が1である2回目のパスでは、*j*の値が2になるまで繰り返す（**Fig.6-4**）。

なお、比較する2要素の末尾側＝右側のインデックスを*i* + 1になるまでデクリメントしますから、先頭側＝左側のインデックスは*i*になるまでデクリメントされます。

ここまでの設計をもとに作成したのが、右ページの**List 6-1**のプログラムです。

このソートアルゴリズムは**安定です**。というのも、飛び越えた要素を一気に交換せず、隣り合う要素のみを交換するからです。

なお、要素の**比較回数**は、1回目のパスでは*n* - 1、2回目のパスでは*n* - 2、… ですから、その合計は、次のようになります。

$$(n - 1) + (n - 2) + \cdots + 1 = n(n - 1) / 2$$

ただし、実際の要素の**交換回数**は、配列の要素の値によって左右されます。その平均値は、比較回数の半分の*n*(*n* - 1) / 4回です。

▶ *swap*内で移動（代入）が3回行われますので、移動回数の平均は3*n*(*n* - 1) / 4回です。

List 6-1 chap06/BubbleSort.java

```
// 単純交換ソート（第1版）

import java.util.Scanner;

class BubbleSort {

  //--- 配列の要素a[idx1]とa[idx2]の値を交換 ---//
  static void swap(int[] a, int idx1, int idx2) {
    int t = a[idx1]; a[idx1] = a[idx2]; a[idx2] = t;
  }

  //--- 単純交換ソート ---//
  static void bubbleSort(int[] a, int n) {
    for (int i = 0; i < n - 1; i++)
      for (int j = n - 1; j > i; j--)
        if (a[j - 1] > a[j])            ← パス
          swap(a, j - 1, j);
  }

  public static void main(String[] args) {
    Scanner stdIn = new Scanner(System.in);

    System.out.println("単純交換ソート（バブルソート）");
    System.out.print("要素数：");
    int nx = stdIn.nextInt();
    int[] x = new int[nx];

    for (int i = 0; i < nx; i++) {
      System.out.print("x[" + i + "]：");
      x[i] = stdIn.nextInt();
    }

    bubbleSort(x, nx);          // 配列xを単純交換ソート

    System.out.println("昇順にソートしました。");
    for (int i = 0; i < nx; i++)
      System.out.println("x[" + i + "]＝" + x[i]);
  }
}
```

実行例

```
単純交換ソート
（バブルソート）
要素数：7
x[0]：6
x[1]：4
x[2]：3
x[3]：7
x[4]：1
x[5]：9
x[6]：8
昇順にソートしました。
x[0] = 1
x[1] = 3
x[2] = 4
x[3] = 6
x[4] = 7
x[5] = 8
x[6] = 9
```

▶ メソッド *swap* は、**List 2-5**（p.46）で作成したものと同じです。

演習 6-1

単純交換ソートの各パスにおける比較・交換の走査を、末尾側ではなく先頭側から行っても、ソートは可能である（各パスでは最大要素が末尾側へと移動する）。

そのように変更したプログラムを作成せよ。

演習 6-2

右のように、比較・交換の過程を詳細に表示しながら単純交換ソートを行うプログラムを作成せよ。

比較する２要素間には、交換を行う場合は '+' を、交換を行わない場合は '-' を表示すること。

さらに、ソート終了時に、比較回数と交換回数を表示するものとする。

```
パス1:
  6   4   3   7   1   9 + 8
  6   4   3   7   1 - 8   9
  6   4   3   7 + 1   8   9
  6   4   3 + 1   7   8   9
  6   4 + 1   3   7   8   9
  6 + 1   4   3   7   8   9
  1   6   4   3   7   8   9
パス2:
  1   6   4   3   7   8 - 9
  … 中略 …
比較は21回でした。
交換は8回でした。
```

6-2 単純交換ソート（バブルソート）

アルゴリズムの改良（1）

Fig.6-4（p.179）では、2番目に小さい要素を並べるまでの様子を考えました。比較・交換の作業を続けましょう。**Fig.6-6** に示すのは、3パス目の手続きです。パス終了時に、3番目に小さい要素である **4** が3番目に位置します。

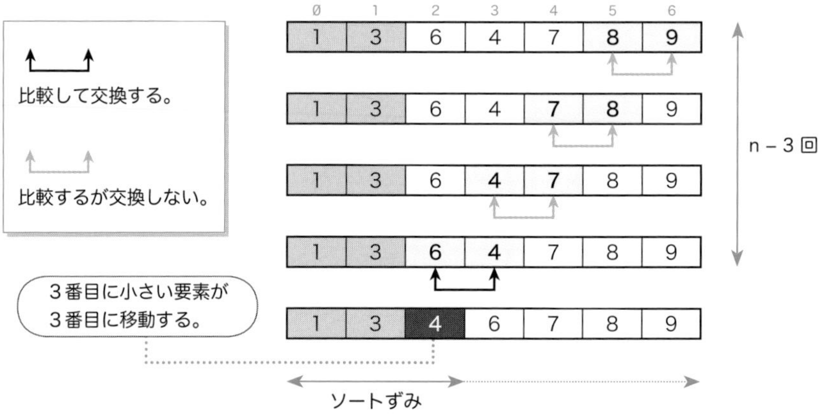

Fig.6-6　単純交換ソートにおける3回目のパス

次に行う4パス目の手続きを示したのが、**Fig.6-7** です。ここでは、要素の交換が一度も行われません。というのも、**3パス目でソートが完了している**からです。

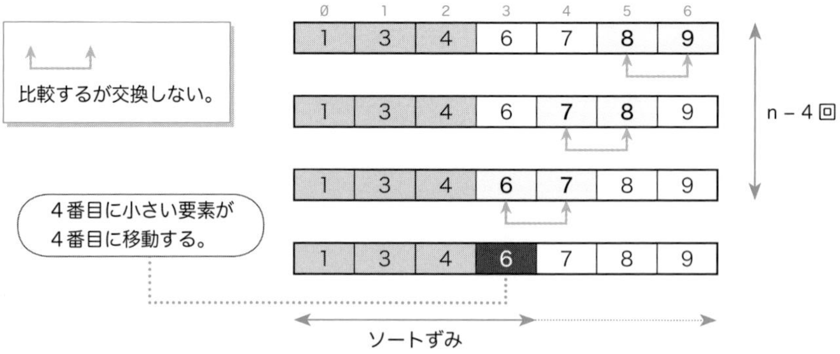

Fig.6-7　単純交換ソートにおける4回目のパス

ソートが完了すれば、それ以降のパスで交換が行われることはありません。図は省略しますが、5パス目と6パス目でも、要素の交換は行われません。

あるパスにおける要素の交換回数が **0** であれば、すべての要素がソートずみですから、**それ以降のパスは不要であって、ソート作業は打ち切れます。**

この《打切り》を導入すると、ソートずみの配列や、それに近い状態の配列に対しては、行う必要のない比較が大幅に省略されるため、短時間でソートが完了します。

そのように改良したのが、**List 6-2** に示す第２版のメソッド ***bubbleSort*** です。

List 6-2 chap06/BubbleSort2.java

```
//--- 単純交換ソート（第２版：交換回数による打切り）---//
static void bubbleSort(int[] a, int n) {
  for (int i = 0; i < n - 1; i++) {
    int exchg = 0;                    // パスにおける交換回数
    for (int j = n - 1; j > i; j--)
      if (a[j - 1] > a[j]) {
        swap(a, j - 1, j);                      パス
        exchg++;
      }
    if (exchg == 0) break;            // 交換が行われなかったら終了
  }
}
```

変数 ***exchg*** が新しく導入されています。パスの開始直前に **0** にしておき、要素を交換するたびにインクリメントしますので、パスが終了した（内側の **for** 文の繰返しが完了した）時点での変数 ***exchg*** の値は、**そのパスにおける交換回数**となります。

パス終了時点での ***exchg*** の値が **0** であれば、ソート完了と判定できるため、**break** 文によって外側の **for** 文を強制的に脱出して、関数の実行を終了します。

演習 6–3

演習 **6-2**（p.181）と同様に、比較・交換の過程を詳細に表示するように、第２版を書きかえたプログラムを作成せよ。

※ 続く２問は、次ページで学習する第３版の学習が終わってから解くようにします。

演習 6–4

演習 **6-2**（p.181）と同様に、比較･交換の過程を詳細に表示するように、第３版（**List 6-3**：p.185）を書きかえたプログラムを作成せよ。

演習 6–5

次に示すデータの並びをソートすることを考えよう。

9 1 3 4 6 7 8

ほぼソートずみであるにもかかわらず、第３版のアルゴリズムでも、ソート作業を早期に打ち切ることはできない。というのも、先頭に位置している最大の要素 **9** が、１回のパスで一つずつしか後方に移動しないためである。

そこで、奇数パスでは最小要素を先頭側に移動させ、偶数パスでは最大要素を末尾側に移動するというように、パスの走査方向を交互に変えると、このような並びのソートを少ない比較回数で行える。バブルソートを改良したこのアルゴリズムは、**双方向バブルソート**（bidirection bubble sort）あるいは**シェーカーソート**（shaker sort）という名称で知られている。

第３版を改良して、双方向バブルソートを行うプログラムを作成せよ。

アルゴリズムの改良（2）

次は、{1, 3, 9, 4, 7, 8, 6} というデータの並びに対して単純交換ソートを行ってみます。最初のパスにおける比較・交換の過程を示したのが **Fig.6-8** です。

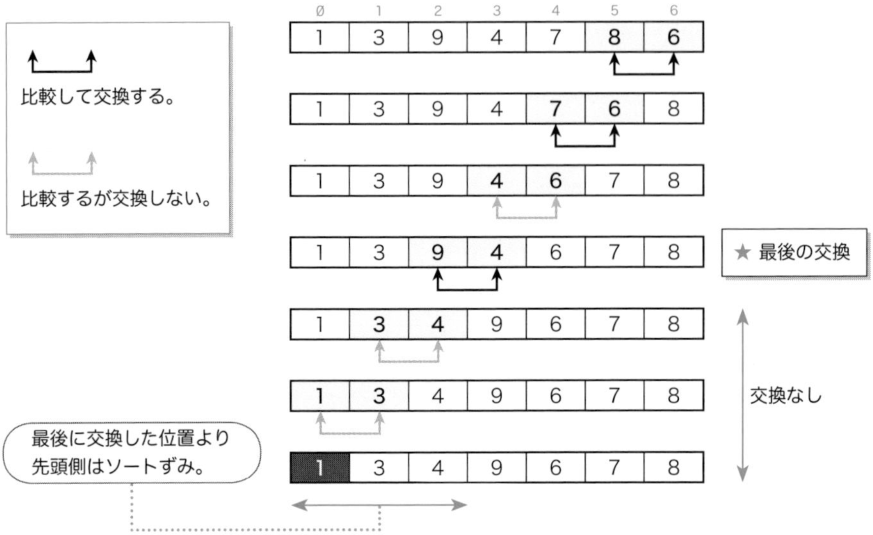

Fig.6-8　単純交換ソートにおける１回目のパス

★の交換が終了した時点で、先頭の３要素 {1, 3, 4} がソートずみとなっています。

この例が示すように、**一連の比較・交換を行うパスにおいて、ある時点以降に交換がなければ、それより先頭側はソートずみです。**

そのため、２回目のパスは、先頭を除いた６要素ではなく、４要素に絞り込めます。すなわち、**Fig.6-9** に示すように、４要素のみを比較・交換の対象とすればよいのです。

このアイディアに基づいて改良したメソッドを、右ページの **List 6-3** に示します。

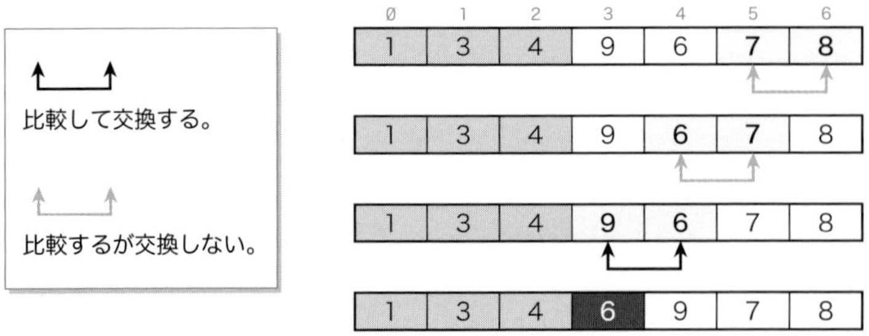

Fig.6-9　単純交換ソートにおける２回目のパス

List 6-3 chap06/BubbleSort3.java

```
//--- 単純交換ソート（第３版：走査範囲を限定）---//
static void bubbleSort(int[] a, int n) {
  int k = 0;                  // a[k]より前はソートずみ
  while (k < n - 1) {
    int last = n - 1;         // 最後に交換した位置
    for (int j = n - 1; j > k; j--)
      if (a[j - 1] > a[j]) {
        swap(a, j - 1, j);               パス
        last = j;
      }
    k = last;
  }
}
```


`last`は、各パスで最後に交換した２要素の右側要素のインデックスを格納するための変数です。交換を行うたびに、右側要素のインデックスの値を`last`に代入します。

パスが終了した（`for`文による繰返しが完了した）時点で、`last`の値を`k`に代入することによって、次に行われるパスの走査範囲が、`a[k]`までに限定されます（次のパスで最後に比較される２要素は、`a[k]`と`a[k + 1]`になります）。

▶ **Fig.6-8** の例であれば、パス終了時の`last`の値は**3**です（これは、**9**と**4**を比較した際の右側の要素のインデックスです）。そのため、次に行われる２回目のパス（**Fig.6-9**）では、*j*の値を**6**，**5**，**4**とデクリメントしながら走査します。

なお、メソッドの冒頭で`k`の値を`0`に初期化しているのは、第１回目のパスで、先頭までの全要素を走査するためです。

第１版～第３版のプログラムにおける交換過程を比べてみましょう。

▶ ここに示すのは、演習**6-2**、演習**6-3**、演習**6-4**の実行結果です。

第１版

```
実行例
パス1:
  1   3   9   4   7   8 + 6
  1   3   9   4   7 + 6   8
  1   3   9   4 - 6   7   8
  1   3   9 + 4   6   7   8
  1   3 - 4   9   6   7   8
  1 - 3   4   9   6   7   8
  1   3   4   9   6   7   8
パス2:
  1   3   4   9   6   7 - 8
  1   3   4   9   6 - 7   8
  1   3   4   9 + 6   7   8
  1   3   4 - 6   9   7   8
  1   3 - 4   6   9   7   8
  1   3   4   6   9   7   8
パス3
  1   3   4   6   9   7 - 8
  1   3   4   6   9 + 7   8
  1   3   4   6 - 7   9   8
  1   3   4 - 6   7   9   8
  1   3   4   6   7   9   8
…中略（パス６まで行われる）…
比較は21回でした。
交換は6回でした。
```

第２版

```
実行例
パス1
  1   3   9   4   7   8 + 6
  1   3   9   4   7 + 6   8
  1   3   9   4 - 6   7   8
  1   3   9 + 4   6   7   8
  1   3 - 4   9   6   7   8
  1 - 3   4   9   6   7   8
  1   3   4   9   6   7   8
パス2
  1   3   4   9   6   7 - 8
  1   3   4   9   6 - 7   8
  1   3   4   9 + 6   7   8
  1   3   4 - 6   9   7   8
  1   3 - 4   6   9   7   8
  1   3   4   6   9   7   8
パス3
  1   3   4   6   9   7 - 8
  1   3   4   6   9 + 7   8
  1   3   4   6 - 7   9   8
  1   3   4 - 6   7   9   8
  1   3   4   6   7   9   8
…中略（パス５まで行われる）…
比較は20回でした。
交換は6回でした。
```

第３版

```
実行例
パス1
  1   3   9   4   7   8 + 6
  1   3   9   4   7 + 6   8
  1   3   9   4 - 6   7   8
  1   3   9 + 4   6   7   8
  1   3 - 4   9   6   7   8
  1 - 3   4   9   6   7   8
  1   3   4   9   6   7   8
パス2
  1   3   4   9   6   7 - 8
  1   3   4   9   6 - 7   8
  1   3   4   9 + 6   7   8
  1   3   4   6   9   7   8
パス3
  1   3   4   6   9   7 - 8
  1   3   4   6   9 + 7   8
  1   3   4   6   7   9   8
パス4
  1   3   4   6   7   9 + 8
  1   3   4   6   7   8   9
比較は12回でした。
交換は6回でした。
```

6-3 単純選択ソート

単純選択ソートは、最小要素を先頭に移動し、２番目に小さい要素を先頭から２番目に移動する、といった作業を繰り返すアルゴリズムです。

単純選択ソート

次に示す並びのソートを例に、**単純選択ソート**（straight selection sort）のアルゴリズムを考えていきましょう。まず着目するのは、最小の要素 **1** です。

6	4	8	3	1	9	7

これは、配列の先頭に位置すべきものですから、先頭要素 **6** と交換します。そうすると、データの並びは次のようになります。

1	4	8	3	6	9	7

これで**最小の要素が先頭に位置しました**。

引き続き、２番目に小さい要素 **3** に着目します。先頭から２番目の要素 **4** と交換すると、次に示すように、２番目の要素までのソートが完了します。

1	3	8	4	6	9	7

同様な作業を続けていく様子を示したのが、**Fig.6-10** です。未ソート部から最小の要素を**選択**して、未ソート部の先頭要素と**交換**する操作を繰り返します。

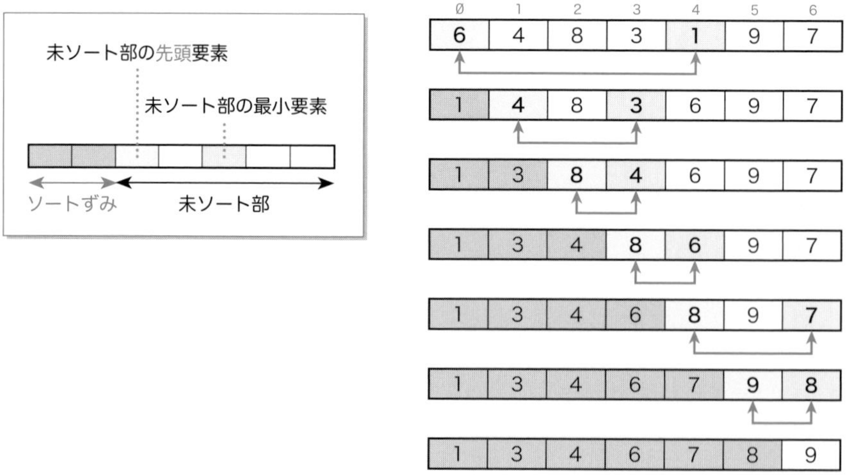

Fig.6-10　単純選択ソートの手順

交換の手順は、次のとおりです。

1. 未ソート部から最小のキーをもつ要素 a[*min*] を選択する。
2. a[*min*] と未ソート部の先頭要素を交換する。

これを *n* - 1 回繰り返すと、未ソート部がなくなってソートが完了します。そのため、アルゴリズムの概略は、次のようになります。

```
for (int i = 0; i < n - 1; i++) {
  min ← a[i], …, a[n - 1]で最小のキーをもつ要素のインデックス。
  a[i]とa[min]の値を交換する。
}
```


List 6-4 に示すのが、単純選択ソートを行うメソッドです。

List 6-4 chap06/SelectionSort.java

```
//--- 単純選択ソート ---//
static void selectionSort(int[] a, int n) {
  for (int i = 0; i < n - 1; i++) {
    int min = i;           // 未ソート部の最小要素のインデックス
    for (int j = i + 1; j < n; j++)
      if (a[j] < a[min])
        min = j;
    swap(a, i, min);       // 未ソート部の先頭要素と最小要素を交換
  }
}
```

要素の値を比較する回数は、$(n^2 - n) / 2$ です。

*

このソートアルゴリズムは、離れた要素を交換するため、**安定ではありません**。

安定でないソートが行われる具体例が **Fig.6-11** です。値 3 の要素が2個あります（識別のために、ソート前の先頭側を 3^L、末尾側を 3^R と表しています）が、これらの要素の順序は、ソート後には反転しています。

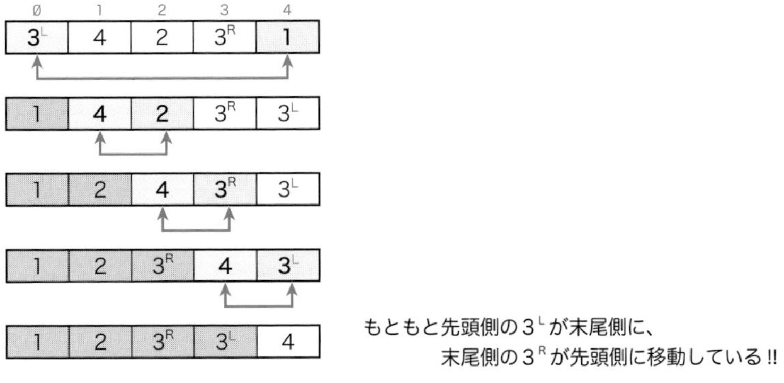

Fig.6-11 単純選択ソートが安定でないことを示す例

6-4 単純挿入ソート

単純挿入ソートは、着目要素をそれより先頭側の適切な位置に“挿入する”という作業を繰り返してソートを行うアルゴリズムです。

単純挿入ソート

単純挿入ソート（straight insertion sort）は、トランプのカードを並べるときに使う方法に似たアルゴリズムです。次に示すデータの並びを考えましょう。

6	4	1	7	3	9	8

まず2番目の要素 **4** に着目します。これは、先頭の **6** よりも先頭側に位置すべきですから、先頭に挿入します。これに伴って **6** を右にずらすと、次のようになります。

4	6	1	7	3	9	8

次に3番目の要素 **1** に着目し、先頭に挿入します。以下、同様な作業を行っていきます。その様子を示したのが **Fig.6-12** です。

図に示すように、**目的列**と**原列**とから配列が構成されると考えると、

原列の先頭要素を、目的列内の適切な位置に挿入する。

という操作を **n - 1** 回繰り返せばソートが完了します。

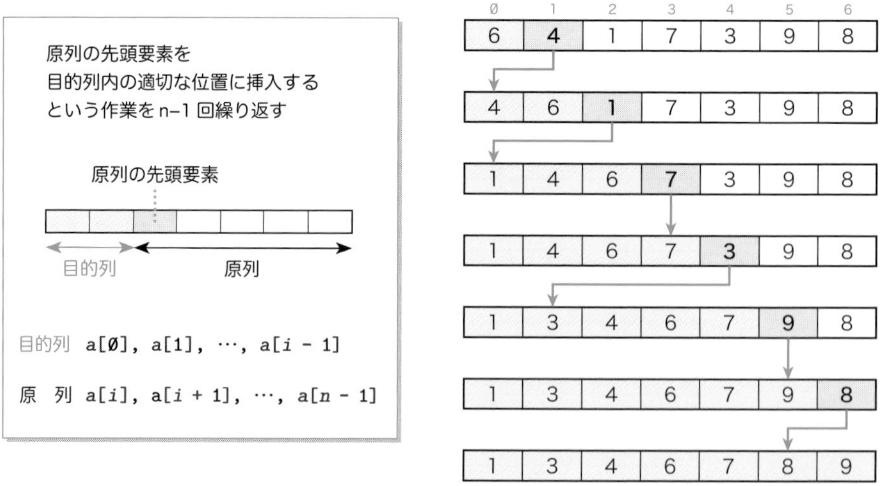

Fig.6-12　単純挿入ソートの手順

このとき、*i* を 1, 2, … , *n* - 1 とインクリメントしながら、インデックスが *i* の要素を取り出して、それを目的列内の適切な位置に挿入します。

そのため、アルゴリズムの概略は、次のようになります。

```
for (int i = 1; i < n; i++) {
  tmp ← a[i]
  a[0], …, a[i - 1]の適切な位置にtmpを挿入する。
}
```

さて、Java には配列の要素を《適切な位置に挿入する》という命令はありません。そのため、その実現には多少の工夫が必要です。

具体的な手続きの一例を **Fig.6-13** に示しています。これは、値が 3 の要素を、それより先頭側の適切な位置に挿入する手順です。

左隣の要素が、現在着目している要素の値よりも大きい限り、その値を代入する作業を繰り返します。ただし、挿入する値以下の要素に出会うと、そこから先の走査は不要なため、そこに挿入する値を代入します。

①～③ … 3より小さい要素に出会うまで一つ左側の要素を代入する操作を繰り返す。
④ … ストップした位置に3を代入。

```
j = i;
tmp = a[i];
while (j > 0 && a[j - 1] > tmp)
  a[j] = a[j - 1];
  j--
a[j] = tmp;
```

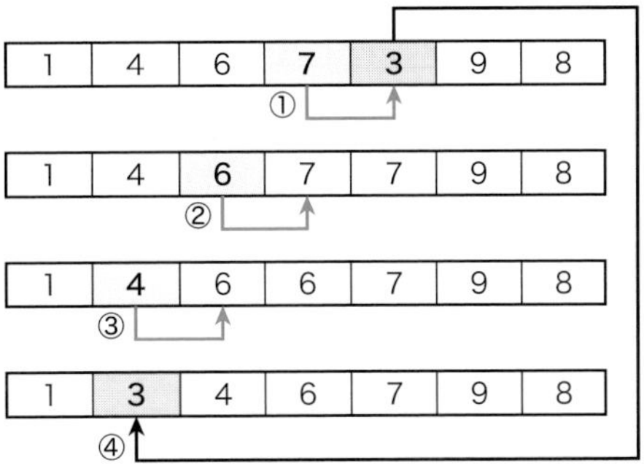

Fig.6-13　単純挿入ソートにおける《挿入》の手続き

すなわち、繰返し制御用の変数 *j* に *i* を代入し、*tmp* に a[*i*] を代入しておき、

1. 目的列の左端に達した。
2. *tmp* と等しいか小さいキーをもった項目 a[*j* - 1] が見つかった。

終了条件

のいずれか一方が成立するまで *j* をデクリメントしながら代入操作を繰り返します。

ド・モルガンの法則（**Column 1-7**：p.26）を用いると、次に示す二つの条件の両方が成立しているあいだ繰り返すことになります。

1. *j* が 0 より大きい。
2. a[*j* - 1] の値が *tmp* より大きい。

継続条件

この走査終了後に、終了位置の要素 a[*j*] に、挿入すべき値である *tmp* を代入します。

単純挿入ソートを行うプログラムを **List 6-5** に示します。

▶ 前ページの図では、挿入を **while** 文を使って実現していました。本プログラムでは、同等な **for** 文に置きかえています。

List 6-5 chap06/InsertionSort.java

```java
// 単純挿入ソート

import java.util.Scanner;

class InsertionSort {

  //--- 単純挿入ソート ---//
  static void insertionSort(int[] a, int n) {
    for (int i = 1; i < n; i++) {
      int j;
      int tmp = a[i];
      for (j = i; j > 0 && a[j - 1] > tmp; j--)
        a[j] = a[j - 1];
      a[j] = tmp;
    }
  }

  public static void main(String[] args) {
    Scanner stdIn = new Scanner(System.in);

    System.out.println("単純挿入ソート");
    System.out.print("要素数：");
    int nx = stdIn.nextInt();
    int[] x = new int[nx];

    for (int i = 0; i < nx; i++) {
      System.out.print("x[" + i + "]：");
      x[i] = stdIn.nextInt();
    }

    insertionSort(x, nx);    // 配列xを単純挿入ソート

    System.out.println("昇順にソートしました。");
    for (int i = 0; i < nx; i++)
      System.out.println("x[" + i + "]＝" + x[i]);
  }
}
```

実行例

```
単純挿入ソート
要素数：7
x[0]：6
x[1]：4
x[2]：3
x[3]：7
x[4]：1
x[5]：9
x[6]：8
昇順にソートしました。
x[0] = 1
x[1] = 3
x[2] = 4
x[3] = 6
x[4] = 7
x[5] = 8
x[6] = 9
```

飛び越えた要素の交換が行われることはありませんので、単純挿入ソートのアルゴリズムは**安定です**。要素の比較回数と交換回数は、ともに $n^2 / 2$ です。

なお、単純挿入ソートは、**シャトルソート**（shuttle sort）とも呼ばれます。

単純ソートの時間計算量

ここまで学習してきた三つの単純ソートの時間計算量は、いずれも $O(n^2)$ であり、非常に効率の悪いものです。

次節以降では、これらのソートを改良した、効率のよいアルゴリズムを学習します。

演習 6-6

要素の交換過程を詳細に表示するように書きかえた、単純選択ソートのプログラムを作成せよ。

右に示すように、未ソート部の先頭要素の上に記号文字 '*' を表示して、未ソート部の最小要素の上に記号文字 '+' を表示すること。

※本問は、前節の内容に関する演習問題である。

```
   *               +
   6   4   8   3   1   9   7
       *       +
   1   4   8   3   6   9   7
           *   +
   1   3   8   4   6   9   7
  …以下省略…
```

演習 6-7

要素の挿入過程を詳細に表示するように書きかえた、単純挿入ソートのプログラムを作成せよ。

右に示すように、着目要素の下に記号文字 '+' を表示し、挿入される位置の要素の下に記号文字 '^' を表示し、それらのあいだを記号文字 '-' で埋めること。

なお、挿入が行われない（要素の移動が必要ない）場合は、着目要素の下に '+' のみを表示する。

```
   6   4   8   5   2   9   7
 ^-----+
   4   6   8   5   2   9   7
           +
   4   6   8   5   2   9   7
     ^---------+
   4   5   6   8   2   9   7
 ^-----------------+
  …以下省略…
```

演習 6-8

単純挿入ソートにおいて、配列の先頭要素 `a[0]` が未使用でデータが `a[1]` 以降に格納されていれば、`a[0]` を番兵とすることによって、挿入処理の終了条件を緩和できる。

このアイディアに基づいて単純挿入ソートを行うメソッドを作成せよ。

演習 6-9

単純挿入ソートは、配列の要素数が多くなると、要素の挿入に要する比較・代入のコストは無視できなくなる。目的列はソートずみであるため、挿入すべき位置は２分探索法によって調べられる。そのように変更したプログラムを作成せよ。

なお、このソート法は、**２分挿入ソート**（binary insertion sort）と呼ばれるアルゴリズムとして知られている。

※ただし、安定ではなくなることに注意せよ。

6-5 シェルソート

シェルソートは、単純挿入ソートの長所を活かしたまま、その短所を補うことで、高速にソートを行うアルゴリズムです。

単純挿入ソートの特徴

次に示すデータの並びに対して、単純挿入ソートを適用してみましょう。

1	2	3	4	5	Ø	6

２番目の要素 **2**、３番目の要素 **3**、…、５番目の要素 **5** と順に着目していきます。ソートずみであり、要素の移動（値の代入）は１回も発生しません。ここまでのステップは、素早く完了します。

しかし、６番目の要素 **Ø** の挿入では、**Fig.6-14** に示すように６回もの移動（代入）が必要です。

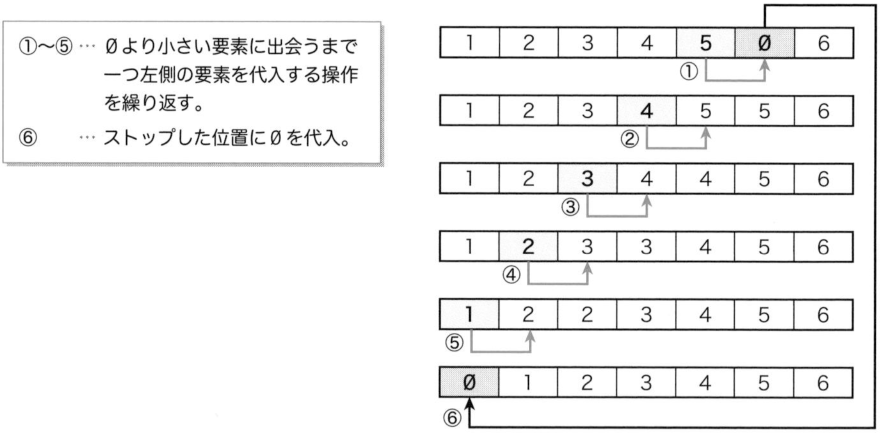

Fig.6-14　単純挿入ソートにおける要素の移動

この例は、単純挿入ソートに関する、次の特徴を示しています。

Ⓐ ソートずみあるいは、それに近い状態では高速である。
Ⓑ 挿入先が遠く離れている場合は、移動（代入）回数が多くなる。

もちろん、Ⓐは長所であり、Ⓑは短所です。

シェルソート

単純挿入ソートのⒶの長所を活かしつつ、Ⓑの短所を補うのが、D. L. Shell によって考案されたシェルソート（shell sort）という優れたアルゴリズムです。

まず最初に離れた要素をグループ化して大まかなソートを行い、そのグループを縮小しながらソートを繰り返すことによって移動回数を減らそうというアイディアです。

▶ 次節で学習するクイックソートが考案されるまでは、最高速のアルゴリズムとして知られていました。

Fig.6-15 に示すデータの並びを例にして、アルゴリズムを理解しましょう。

まずは、要素を4個間隔で取り出した `{8, 7}`、`{1, 6}`、`{4, 3}`、`{2, 5}` の四つのグループに分けて、各グループをそれぞれソートします。

▶ すなわち、①では `{8, 7}` をソートして `{7, 8}` とし、②では `{1, 6}` をソートして `{1, 6}` とし、③では `{4, 3}` をソートして `{3, 4}` とし、④では `{2, 5}` をソートして `{2, 5}` とします。

このように、4個間隔で取り出した要素のソートを行うことを"4－ソート"と呼びます。ソートは完了しないものの、ソートずみの状態に近づいています。

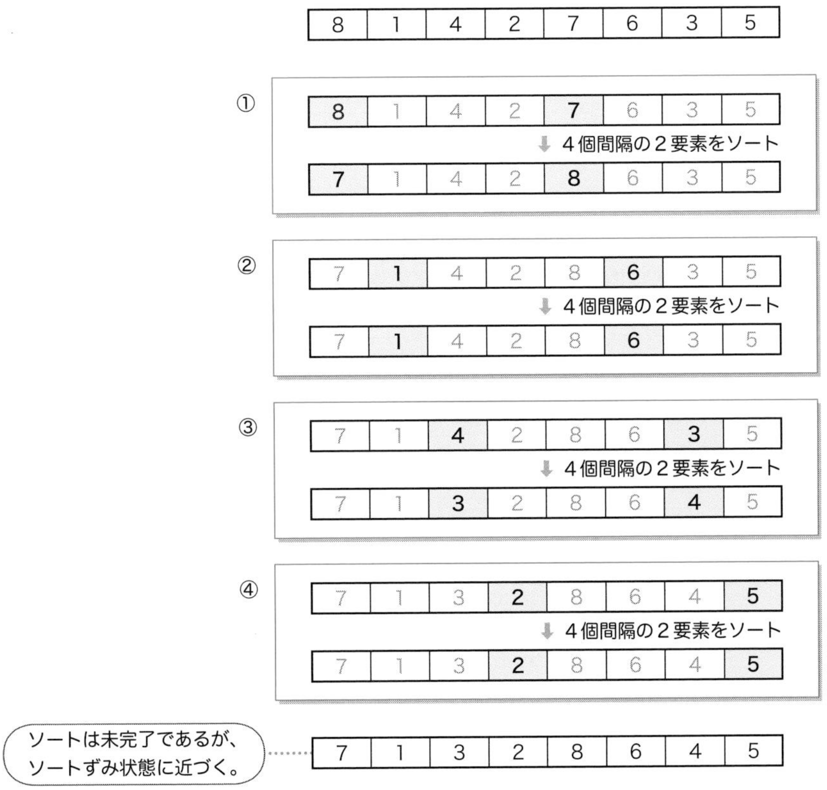

Fig.6-15 シェルソートにおける4－ソート

続いて、2個間隔で取り出した{7, 3, 8, 4}と{1, 2, 6, 5}の二つのグループに分けて“2ーソート”を行います。その様子を示したのが**Fig.6-16**です。

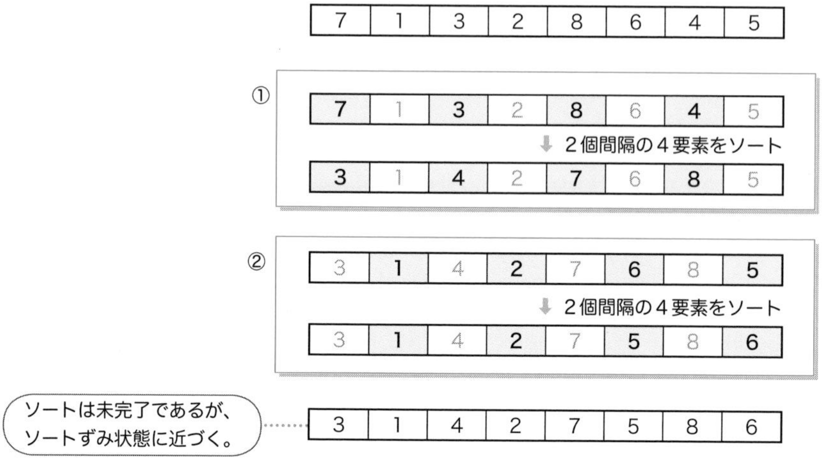

Fig.6-16　シェルソートにおける2－ソート

得られた配列は、さらにソートずみの状態に近づきました。最後に、“1ーソート”を適用して、1個間隔で取り出した要素、すなわち配列全体をソートすると、ソートは完了します。

全体の流れを示したのが、**Fig.6-17**です。シェルソートの過程における個々のソートを、“hーソート”と呼びます。この場合は、hの値を4, 2, 1と減らしながら、次のように、都合7回のソートを行うことによって、ソートを完了させました。

- 2個の要素に対して“4ーソート”を行う　×　4グループ　…　4回
- 4個の要素に対して“2ーソート”を行う　×　2グループ　…　2回
- 8個の要素に対して“1ーソート”を行う　×　1グループ　…　1回

計7回

Fig.6-17　シェルソートの大まかな流れ

図aの配列に対して、単純挿入ソートをいきなり適用せずに、4－ソートや2－ソートによる"地ならし"をして、少しでもソートずみに近い図cの状態にしておき、それから単純挿入ソートを最後にもう一度行うことによって、ソートを完了させるのです。

▶ もちろん、7 回のソートは、すべて単純挿入ソートによって行います。

このように、わざわざ何回もソートする理由は、単純挿入ソートの長所を活かして欠点を補うためです。ソートの回数は増えても、全体としての要素の移動回数が少なくなることが期待できるからです。

List 6-6 に示すのが、シェルソートを行うプログラムです。

List 6-6 chap06/ShellSort.java

```
// シェルソート（第1版）

import java.util.Scanner;

class ShellSort {

  //--- シェルソート ---//
  static void shellSort(int[] a, int n) {
    for (int h = n / 2; h > 0; h /= 2)
      for (int i = h; i < n; i++) {
        int j;
        int tmp = a[i];
        for (j = i - h; j >= 0 && a[j] > tmp; j -= h)
          a[j + h] = a[j];
        a[j + h] = tmp;
      }
  }

  public static void main(String[] args) {
    Scanner stdIn = new Scanner(System.in);

    System.out.println("シェルソート");
    System.out.print("要素数：");
    int nx = stdIn.nextInt();
    int[] x = new int[nx];

    for (int i = 0; i < nx; i++) {
      System.out.print("x[" + i + "]：");
      x[i] = stdIn.nextInt();
    }

    shellSort(x, nx);      // 配列xをシェルソート

    System.out.println("昇順にソートしました。");
    for (int i = 0; i < nx; i++)
      System.out.println("x[" + i + "]＝" + x[i]);
  }
}
```

実行例

```
シェルソート
要素数：7
x[0]：6
x[1]：4
x[2]：3
x[3]：7
x[4]：1
x[5]：9
x[6]：8
昇順にソートしました。
x[0] = 1
x[1] = 3
x[2] = 4
x[3] = 6
x[4] = 7
x[5] = 8
x[6] = 9
```

▶ 単純挿入ソートを行う網かけ部は、p.190 の **List 6-5** とほぼ同じです。異なるのは、着目要素と比較する要素が、隣接要素ではなく、`h` 個だけ離れた要素に変更されている点です。

そのhの初期値は、`n / 2` として求めています（`n` の半分です）。そして、`for` 文による繰返しを行うたびに、2 で割っていきます（半分の値となるように更新されます）。

増分の選択

先ほどの例では、hの値を次のように変化させました。

```
h = 4 ⇨ 2 ⇨ 1
```

増分hは、ある値から減少していって最後に1となればよい性質のものです。実際には、どのような数列が適当でしょうか。

まずは、先ほどの例におけるグループ分けを検討します（**Fig.6-18**）。

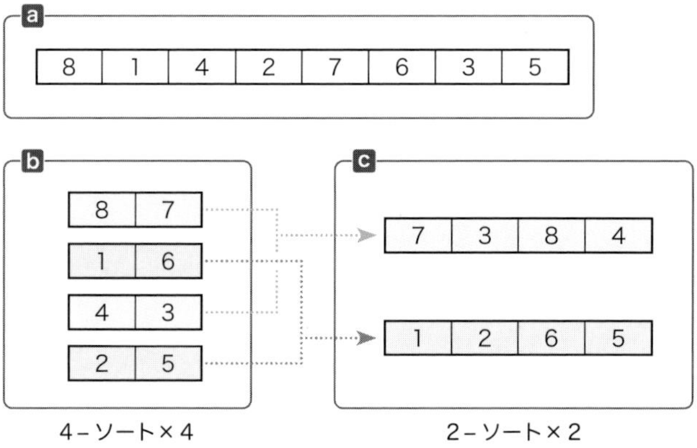

Fig.6-18　シェルソートにおけるグループ分け（h = 4, 2, 1）

図aの配列が、8人の学生の点数であると考えましょう。まず図bのように、学生を2人ずつの4グループに分けてソートを行い、その後、図cのように、学生を4人ずつの2グループに分けてソートを行います。

ここで、図b内の2グループをあわせたものが、そのまま図cのグループとなっていることに着目しましょう。《青グループ》と《黒グループ》には、“交流”がないのです。

同じメンバーで構成されるグループの学生ばかりをソートしているため、**せっかくのグループ分けが十分には機能していないことを示唆しています。**

＊

hの値が**互いに倍数とならない**ようにすれば、要素が十分にかき混ぜられて、効率のよいソートの実行が期待できます。

単純に作り出せて、しかもよい結果が得られるのが、次の数列です。

```
h = … ⇨ 121 ⇨ 40 ⇨ 13 ⇨ 4 ⇨ 1
```

逆算すると、1から始めて、3倍した値に1を加える数列です。

この数列を利用してシェルソートを行うプログラムが、右ページの**List 6-7**です。

List 6-7 chap06/ShellSort2.java

```
// シェルソート（第２版：h = …, 40, 13, 4, 1）

import java.util.Scanner;

class ShellSort2 {

  //--- シェルソート ---//
  static void shellSort(int[] a, int n) {
    int h;
    for (h = 1; h < n; h = h * 3 + 1)           ―1
      ;

    for ( ; h > 0; h /= 3)
      for (int i = h; i < n; i++) {
        int j;
        int tmp = a[i];
        for (j = i - h; j >= 0 && a[j] > tmp; j -= h)   ―2
          a[j + h] = a[j];
        a[j + h] = tmp;
      }
  }

  public static void main(String[] args) {
    Scanner stdIn = new Scanner(System.in);

    System.out.println("シェルソート");
    System.out.print("要素数：");
    int nx = stdIn.nextInt();
    int[] x = new int[nx];

    for (int i = 0; i < nx; i++) {
      System.out.print("x[" + i + "]：");
      x[i] = stdIn.nextInt();
    }

    shellSort(x, nx);      // 配列xをシェルソート

    System.out.println("昇順にソートしました。");
    for (int i = 0; i < nx; i++)
      System.out.println("x[" + i + "]＝" + x[i]);
  }
}
```

実行例

```
シェルソート
要素数：7
x[0]：6
x[1]：4
x[2]：3
x[3]：7
x[4]：1
x[5]：9
x[6]：8
昇順にソートしました。
x[0] = 1
x[1] = 3
x[2] = 4
x[3] = 6
x[4] = 7
x[5] = 8
x[6] = 9
```

1の **for** 文では、**h** の初期値を求めます。**1** から始めて、3倍して **1** を加える作業を繰り返して、**n** を超えない最大値を **h** に代入します。

2の **for** 文は、基本的には第１版と同じです。異なるのは、**h** の変化のさせ方だけです。繰返しのたびに **h** の値を **3** で割っていきます（繰返しの最後に **h** は **1** となります）。

▶ 実行例の場合、要素数が **7** ですから、**h** の初期値は **4** となります（そのため、実質的に、シェルソートではなく、単純挿入ソートが行われます）。

シェルソートの時間計算量は $O(n^{1.25})$ であり、極めて高速です。ただし、離れた要素を交換するため**安定ではありません**。

演習 6-10

要素の移動回数をカウントするように第１版と第２版を書きかえたプログラムを作成せよ。いろいろな配列に対してプログラムを実行して移動回数を比較すること。

6-6 クイックソート

クイックソートは、最も高速なソートのアルゴリズムの一つとして知られるとともに、広く利用されています。

クイックソートの概略

クイックソート（quick sort）は、広く一般的に使われている高速なアルゴリズムです。素早いソートという名称は、高速性が劇的であることから、考案者のC.A.R.Hoare自身が与えたものです。

このアルゴリズムによって、8人のグループを身長順にソートする様子を示したのが**Fig.6-19**です。まず、ある一人の身長に着目します。たとえば、身長が168cmのA君をピックアップすると、一つ下の段に示すように、A君以下のグループと、A君以上のグループとに分けられます。なお、グループ分けの基準のことを**枢軸**（すうじく）（pivot）と呼びます。

▶ 枢軸の選び方は任意であり、左側グループと右側グループのどちらに入れても構いません。

各グループに対して枢軸を設定して分割を繰り返していき、すべてのグループが1人だけになるとソートは完了です。

これで、アルゴリズムの概略は理解できました。詳細を学習していきましょう。

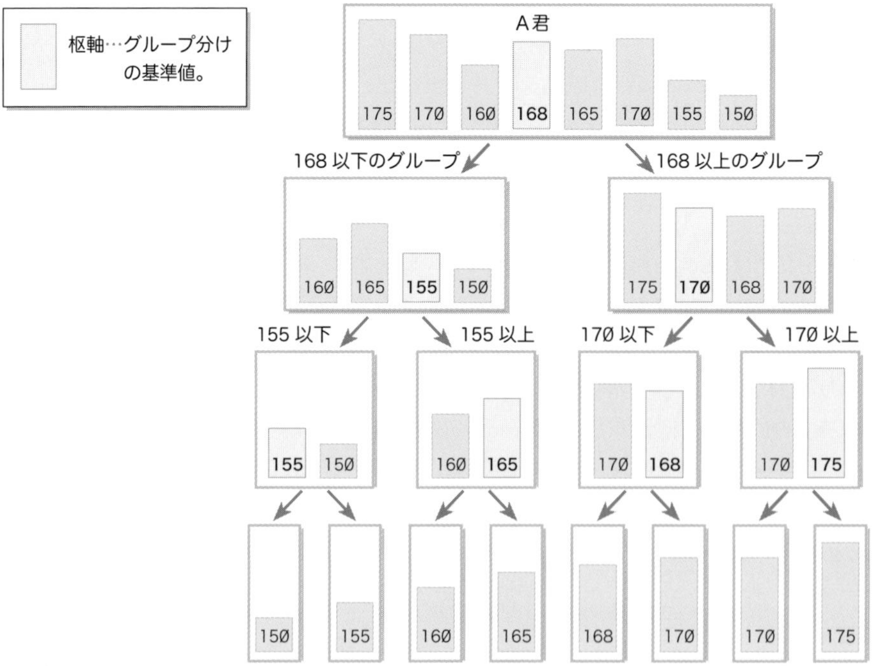

Fig.6-19　クイックソートの概略

分割の手順

まずは、配列を二つのグループに分割する手順を考えます。下図に示す配列 a から枢軸として 6 を選んで分割を行うものとします。なお、枢軸を x と表すとともに、左端の要素のインデックス pl を**左カーソル**、右端の要素のインデックス pr を**右カーソル**と呼びます。

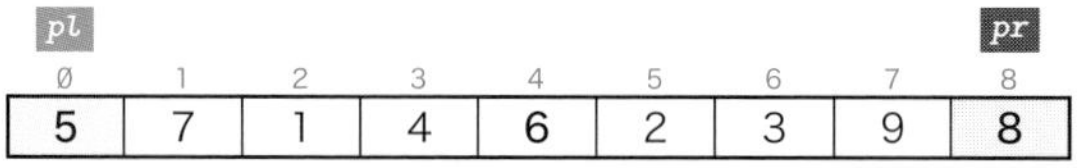

分割を行うには、枢軸以下の要素を配列の左側（先頭）側に、枢軸以上の要素を配列の右側（末尾）側に移動させなければなりません。そのために行うのが、次のことです。

- a[pl] >= x が成立する要素が見つかるまで pl を右方向へ走査する。
- a[pr] <= x が成立する要素が見つかるまで pr を左方向へ走査する。

この走査によって、pl と pr は下図の位置でストップします。左カーソルが位置するのは枢軸以上の要素であり、右カーソルが位置するのは枢軸以下の要素です。

ここで、左右のカーソルが位置する要素 a[pl] と a[pr] の値を交換します。そうすると、枢軸以下の値が左側に移動して、枢軸以上の値が右側に移動します。

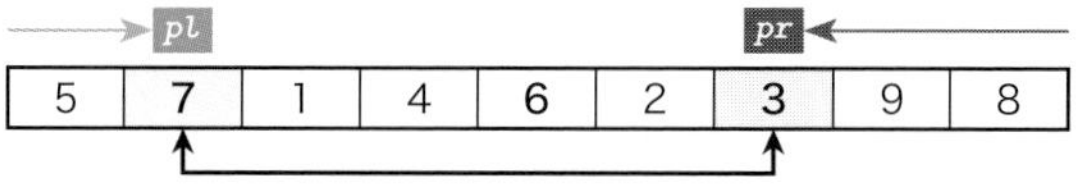

再び走査を続けると、左右のカーソルは下図の位置でストップします。そこで、これら二つの要素 a[pl] と a[pr] の値を交換します。

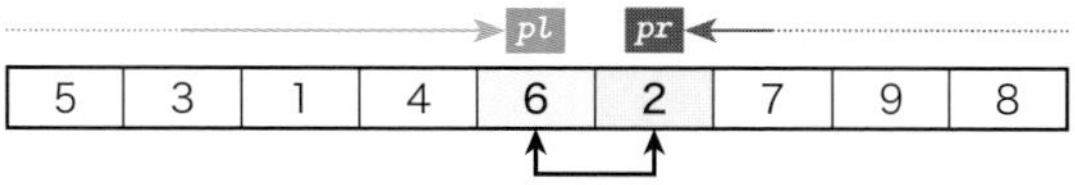

さらに走査を続けようとすると、下図のようにカーソルが交差します。

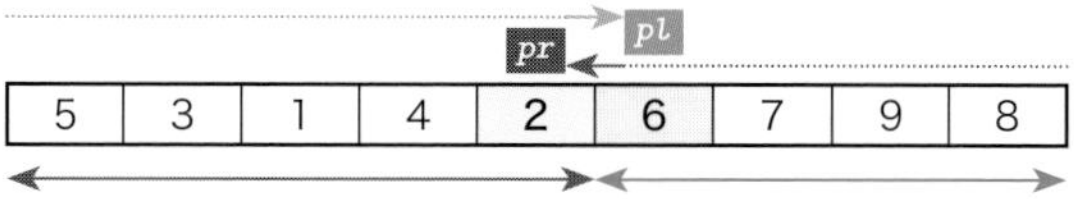

これで分割が完了しました。配列は、次のようにグループ分けされています。

- 枢軸以下のグループ　：　a[0], … , a[pl - 1]
- 枢軸以上のグループ　：　a[pr + 1], …, a[n - 1]

なお、pl > pr + 1 のときに限り、次のグループができます（次ページで検証します）。

- 枢軸と一致するグループ　：　a[pr + 1], … , a[pl - 1]

前ページの例では、枢軸と一致するグループは生成されませんでした。

枢軸と一致するグループが生成される例を **Fig.6-20** に示します。図**a**が最初の状態であり、枢軸の値は5です。

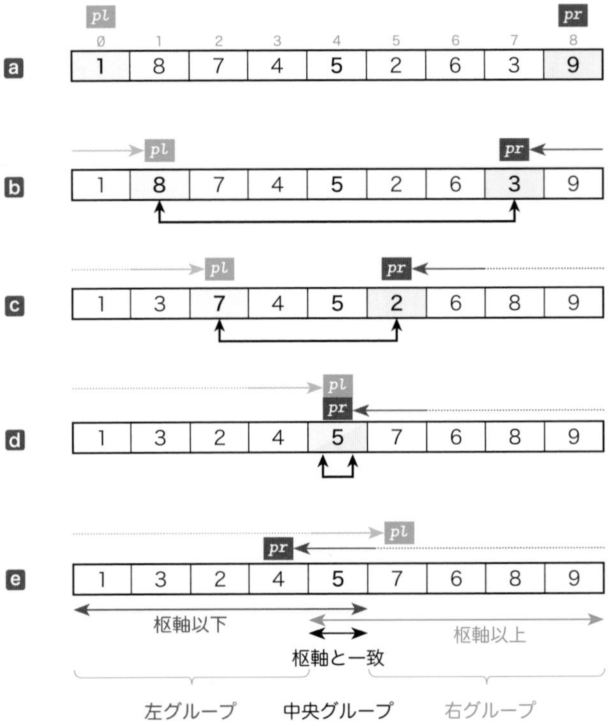

Fig.6-20　配列を分割する例

図**b**・図**c**・図**d**は、左カーソル／右カーソルが、枢軸以上／枢軸以下の要素を見つけてストップした状態です。

3回目にストップした図**d**では、*pl* と *pr* の両方が同一要素 `a[4]` 上に位置しています。そのため、同一要素である `a[4]` と `a[4]` の交換を行うことになります。

▶ 『同一要素の交換』は無駄なように感じられるでしょうが、最大で1回しか行われません。同一要素の交換を回避するのであれば、要素の交換を行おうとするたびに "*pl* と *pr* が同じ要素上にあるかどうか" のチェックが必要です。そのようなチェックを毎回行うよりも、高々1回しか行われない『同一要素の交換』を行ったほうが、(一般的には) コストは小さくなります。

走査を続けようとすると、*pl* と *pr* が交差するため、分割が完了します（図**e**）。

▶ 前ページで学習したように、中央グループができるのは、分割完了時に *pl* > *pr* + 1 が成立するときのみです。

以上のアイディアに基づいて配列の分割を行うプログラムが、右ページの **List 6-8** です。配列の中央に位置する要素を枢軸として選択し、網かけ部で分割を行っています。

List 6-8 chapØ6/Partition.java

```
// 配列の分割

import java.util.Scanner;

class Partition {

  //--- 配列の要素a[idx1]とa[idx2]の値を交換 ---//
  static void swap(int[] a, int idx1, int idx2) {
    int t = a[idx1];  a[idx1] = a[idx2];  a[idx2] = t;
  }

  //--- 配列を分割する ---//
  static void partition(int[] a, int n) {
    int pl = Ø;        // 左カーソル
    int pr = n - 1; // 右カーソル
    int x = a[n / 2]; // 枢軸（中央の要素）

    do {                                   配列 a を枢軸 x で分割
      while (a[pl] < x) pl++;
      while (a[pr] > x) pr--;
      if (pl <= pr)
        swap(a, pl++, pr--);
    } while (pl <= pr);

    System.out.println("枢軸の値は" + x + "です。");

    System.out.println("枢軸以下のグループ");
    for (int i = Ø; i <= pl - 1; i++)          // a[Ø] ～ a[pl - 1]
      System.out.print(a[i] + " ");
    System.out.println();

    if (pl > pr + 1) {
      System.out.println("枢軸と一致するグループ");
      for (int i = pr + 1; i <= pl - 1; i++)  // a[pr + 1] ～ a[pl - 1]
        System.out.print(a[i] + " ");
      System.out.println();
    }

    System.out.println("枢軸以上のグループ");
    for (int i = pr + 1; i < n; i++)           // a[pr + 1] ～ a[n - 1]
      System.out.print(a[i] + " ");
    System.out.println();
  }

  public static void main(String[] args) {
    Scanner stdIn = new Scanner(System.in);

    System.out.println("配列を分割します。");
    System.out.print("要素数：");
    int nx = stdIn.nextInt();
    int[] x = new int[nx];

    for (int i = Ø; i < nx; i++) {
      System.out.print("x[" + i + "]：");
      x[i] = stdIn.nextInt();
    }
    partition(x, nx);          // 配列xを分割
  }
}
```

実行例

```
配列を分割します。
要素数：9
x[Ø]：1
x[1]：8
x[2]：7
x[3]：4
x[4]：5
x[5]：2
x[6]：6
x[7]：3
x[8]：9
枢軸の値は5です。
枢軸以下のグループ
1 3 2 4 5
枢軸と一致するグループ
5
枢軸以上のグループ
5 7 6 8 9
```

本プログラムでは、“配列の中央に位置する要素”を枢軸としています。枢軸の選択は、分割およびソートのパフォーマンスに影響を与えます（この点は、後で考察します）。

▶ 当面は、配列の中央に位置する要素を枢軸とします。

クイックソート

配列の分割を発展させると、クイックソートのアルゴリズムとなります。

その考えを示すのが **Fig.6-21** です。図**a**に示すように、要素が9個の配列 a を分割すると、a[0] ～ a[4] の左グループと、a[5] ～ a[8] の右グループが得られます。

それぞれのグループに対して同じ手続きで再分割を行う様子を表したのが、図**b**と図**c**です。図**b**は a[0] ～ a[4] の分割の様子で、図**c**は a[5] ～ a[8] の分割の様子です。

▶ この図では、図**b**以降の分割と図**c**以降の分割を省略しています（この分割の続きは、p.204 の **Fig.6C-1** と p.207 の **Fig.6-22** の両方に示しています）。

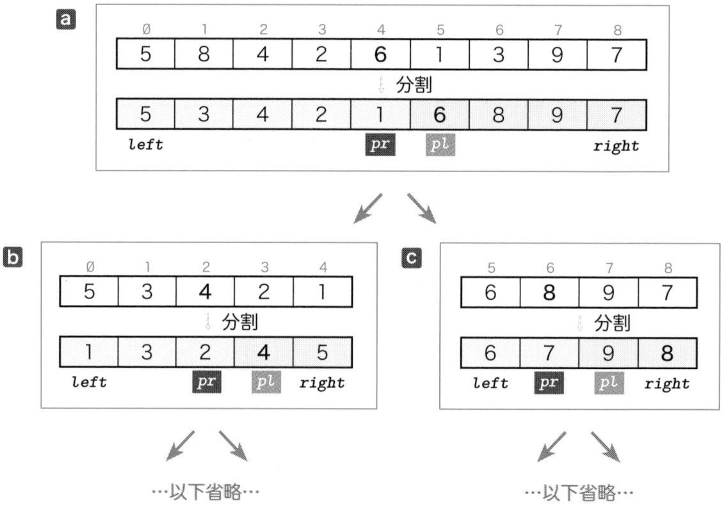

Fig.6-21　配列の分割によるクイックソート

要素数 1 のグループは、それ以上の分割は不要ですから、再分割を適用するのは要素数が 2 以上のグループのみです。

そのため、配列の分割は、次のように繰り返すことになります。

- ***pr* が先頭より右側に位置する（*left* < *pr*）のであれば、左グループを分割する。**
- ***pl* が末尾より左側に位置する（*pl* < *right*）のであれば、右グループを分割する。**

▶ 中央グループ（a[*pr* + 1] ～ a[*pl* - 1]）ができた場合（p.200）、その部分は分割の対象から外します（分割の必要がないからです）。

クイックソートは、前章で学習した８王妃問題と同様、一種の**分割統治法**（p.169）であるため、再帰呼出しを用いて簡潔に実現できます。

List 6-9 に示すのが、クイックソートを行うプログラムです。メソッド ***quickSort*** は、配列 a と、分割すべき区間の先頭要素と末尾要素のインデックスを引数として受け取ってソートします。

List 6-9 chap06/QuickSort.java

```
// クイックソート

import java.util.Scanner;

class QuickSort {

  //--- 配列の要素a[idx1]とa[idx2]の値を交換 ---//
  static void swap(int[] a, int idx1, int idx2) {
    int t = a[idx1];  a[idx1] = a[idx2];  a[idx2] = t;
  }

  //--- クイックソート ---//
  static void quickSort(int[] a, int left, int right) {
    int pl = left;                // 左カーソル
    int pr = right;               // 右カーソル
    int x = a[(pl + pr) / 2];     // 枢軸（中央の要素）

    do {                                  List 6-8と同じ
      while (a[pl] < x) pl++;
      while (a[pr] > x) pr--;                          ─1
      if (pl <= pr)
        swap(a, pl++, pr--);
    } while (pl <= pr);

    if (left < pr)  quickSort(a, left, pr);
    if (pl < right) quickSort(a, pl, right);           ─2
  }

  public static void main(String[] args) {
    Scanner stdIn = new Scanner(System.in);

    System.out.println("クイックソート");
    System.out.print("要素数：");
    int nx = stdIn.nextInt();
    int[] x = new int[nx];

    for (int i = 0; i < nx; i++) {
      System.out.print("x[" + i + "]：");
      x[i] = stdIn.nextInt();
    }

    quickSort(x, 0, nx - 1);      // 配列xをクイックソート

    System.out.println("昇順にソートしました。");
    for (int i = 0; i < nx; i++)
      System.out.println("x[" + i + "]＝" + x[i]);
  }
}
```

実行例

```
クイックソート
要素数：9⏎
x[0]：5⏎
x[1]：8⏎
x[2]：4⏎
x[3]：2⏎
x[4]：6⏎
x[5]：1⏎
x[6]：3⏎
x[7]：9⏎
x[8]：7⏎
昇順にソートしました。
x[0]＝1
x[1]＝2
x[2]＝3
x[3]＝4
x[4]＝5
x[5]＝6
x[6]＝7
x[7]＝8
x[8]＝9
```

▶ 前ページの **Fig.6-21** の各図における *left* と *right* の値は、次のようになります。
図a：*left* = 0・*right* = 8／図b：*left* = 0・*right* = 4／図c：*left* = 5・*right* = 8

分割を行う1は、**List 6-8**（p.201）と同じです。

左右の各グループを再分割するための、関数末尾の2の再帰呼出しが追加されています。この追加箇所を除くと、分割のプログラムとほとんど同じです。

＊

クイックソートは、隣接していない遠く離れた要素を交換しますから、**安定ではありません**。

Column 6-1　クイックソートにおける分割の過程の表示

前ページに示したクイックソートのプログラムは、途中経過を表示しないため、配列が分割されていく様子が分かりません。クイックソートを行うメソッドを **List 6C-1** のように書きかえると、配列が分割されていく様子を表示できます（網かけ部を追加するだけです）。

List 6C-1　chap06/QuickSortV.java

```
//--- クイックソート（配列の分割過程を表示）---//
static void quickSort(int[] a, int left, int right) {
  int pl = left;              // 左カーソル
  int pr = right;             // 右カーソル
  int x = a[(pl + pr) / 2];  // 枢軸（中央の要素）

  System.out.printf("a[%d]～a[%d] : {", left, right);
  for (int i = left; i < right; i++)
    System.out.printf("%d , ", a[i]);
  System.out.printf("%d}\n", a[right]);

  do {
    while (a[pl] < x) pl++;
    while (a[pr] > x) pr--;
    if (pl <= pr)
      swap(a, pl++, pr--);
  } while (pl <= pr);

  if (left < pr)  quickSort(a, left, pr);
  if (pl < right) quickSort(a, pl, right);
}
```

実行例

```
a[0]～a[8] : {5, 8, 4, 2, 6, 1, 3, 9, 7}
a[0]～a[4] : {5, 3, 4, 2, 1}
a[0]～a[2] : {1, 3, 2}
a[0]～a[1] : {1, 2}
a[3]～a[4] : {4, 5}
a[5]～a[8] : {6, 8, 9, 7}
a[5]～a[6] : {6, 7}
a[7]～a[8] : {9, 8}
```

なお、ここに示す実行例は、前ページの実行例と同じ値を入力した場合に、表示される値です。配列は、**Fig.6C-1** のように分割されます。

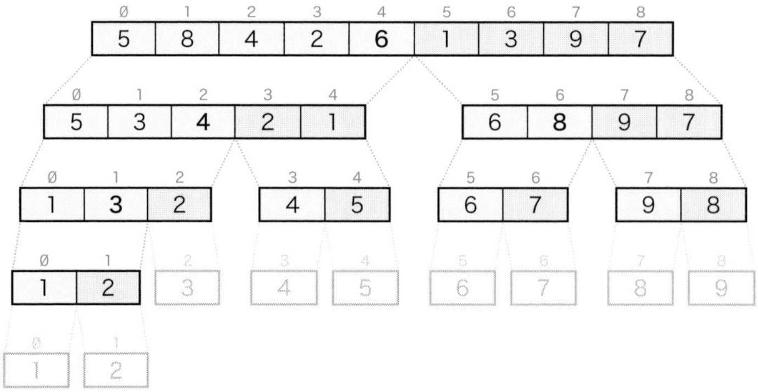

Fig.6C-1　クイックソートにおける配列の分割の過程

非再帰的クイックソート

5–2 節では、再帰的なメソッド **recur** を、非再帰的に実現することで理解を深めました。メソッド **quickSort** を非再帰的に実現しましょう。**List 6-10** に示すのが、そのプログラムです。

▶ 本プログラムをコンパイル・実行するときは、**List 4-1** (p.120) のクラス **IntStack** のクラスファイル "IntStack.class" が同一ディレクトリ上に必要です。

List 6-10 chap06/QuickSort2.java

要：IntStack

```
//--- クイックソート（非再帰版）---//
static void quickSort(int[] a, int left, int right) {
  IntStack lstack = new IntStack(right - left + 1);   // スタックの生成
  IntStack rstack = new IntStack(right - left + 1);

  lstack.push(left);
  rstack.push(right);

  while (lstack.isEmpty() != true) {
    int pl = left  = lstack.pop();     // 左カーソル
    int pr = right = rstack.pop();     // 右カーソル
    int x = a[(left + right) / 2];     // 枢軸は中央の要素

    do {
      while (a[pl] < x) pl++;
      while (a[pr] > x) pr--;          // List 6-8・List 6-9と同じ
      if (pl <= pr)
        swap(a, pl++, pr--);
    } while (pl <= pr);

    if (left < pr) {
      lstack.push(left);           // 左グループの範囲の
      rstack.push(pr);             // インデックスをプッシュ
    }
    if (pl < right) {
      lstack.push(pl);             // 右グループの範囲の
      rstack.push(right);          // インデックスをプッシュ
    }
  }
}
```

非再帰的に実現したメソッド **recur** では、データの一時的な保存のために《スタック》を使いました。今回のクイックソートも同様です。

メソッド **quickSort** では、二つのスタックを利用しています。

- **lstack** … 分割すべき範囲の先頭（左端）要素のインデックスを保存するスタック。
- **rstack** … 分割すべき範囲の末尾（右端）要素のインデックスを保存するスタック。

これらのスタックを生成するのが、メソッド冒頭の青網部です。この宣言から分かるように、二つのスタックの容量は **right - left + 1** としています。これは、分割すべき配列の要素数と同じです。

▶ 実際に必要となる容量については、後で考察します。

プログラムの主要部を再掲します。

右ページの **Fig.6-22** と対比しながら、理解していきましょう。

▶ 図に示すのは、要素数が9で、要素の値が{5, 8, 4, 2, 6, 1, 3, 9, 7}の配列を分割する様子です。

```
lstack.push(left);    ─0
rstack.push(right);

while (lstack.isEmpty() != true) {                     1
  int pl = left  = lstack.pop();  // 左カーソル
  int pr = right = rstack.pop();  // 右カーソル

  // 中略：a[left]～a[right]を分割                       2

  if (left < pr) {
    lstack.push(left);   // 左グループの範囲の
    rstack.push(pr);     // インデックスをプッシュ
  }
  if (pl < right) {
    lstack.push(pl);     // 右グループの範囲の
    rstack.push(right);  // インデックスをプッシュ
  }
}
```

0 スタック lstack と rstack のそれぞれに、left と right をプッシュします。

これは、分割すべき配列の範囲、すなわち《先頭要素のインデックス》と《末尾要素のインデックス》です。

図aに示すように、lstack に 0 をプッシュして、rstack に 8 をプッシュします。

続く while 文は、スタックが空でないあいだ処理を繰り返します（スタックに入っているのは、分割すべき配列の範囲です。空になったら、分割すべき配列がないということですし、スタックが空でなければ、分割すべき配列があるということです）。

1 スタック lstack からポップした値を left と pl に代入し、スタック rstack からポップした値を right と pr に代入します（図b）。

その結果、left と pl は 0、rigth と pr は 8 となります。これらが表すのは、ソート（分割）すべき配列の範囲（先頭＝左端のインデックスと、末尾＝右端のインデックス）です。

そこで、a[0] ～ a[8] を分割します。そうすると、配列は a[0] ～ a[4] の左グループと a[5] ～ a[8] の右グループに分割されます（pl は 5 となり、pr は 4 となります）。

2 最初の if 文で lstack と rstack に 0 と 4 をプッシュし、2番目の if 文で 5 と 8 をプッシュします。その結果、スタックは図cの状態となります。

while 文の働きによって、ループ本体が繰り返されます。

＊

1 スタック lstack から 5 がポップされて left と pl に代入され、スタック right から 8 がポップされて right と pr に代入されます（図d）。

そこで、配列 a[5] ～ a[8] の分割を行います。そうすると、a[5] ～ a[6] の左グループと a[7] ～ a[8] の右グループに分割されます（pl は 7 となり、pr は 6 となります）。

2 最初の if 文でスタック lstack と rstack に、5 と 6 をプッシュし、2番目の if 文で 7 と 8 をプッシュします。その結果、スタックは図eの状態となります。

＊

分割が完了すると、左グループのインデックスと右グループのインデックスをプッシュします。そして、スタックからポップした範囲を分割する作業を繰り返すことによってソートを行います。ソートが完了するのは、スタックが空になったときです（図n）。

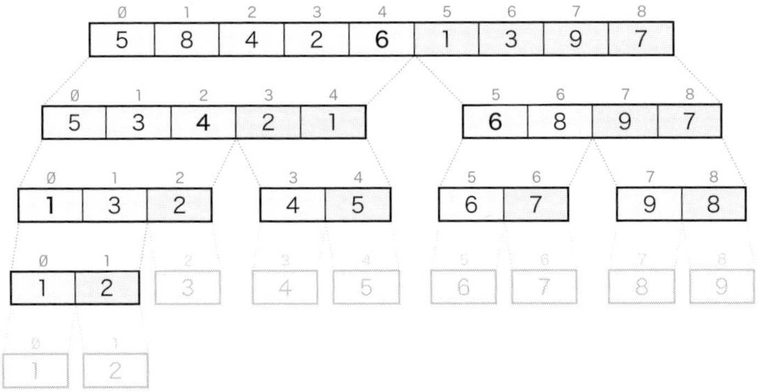

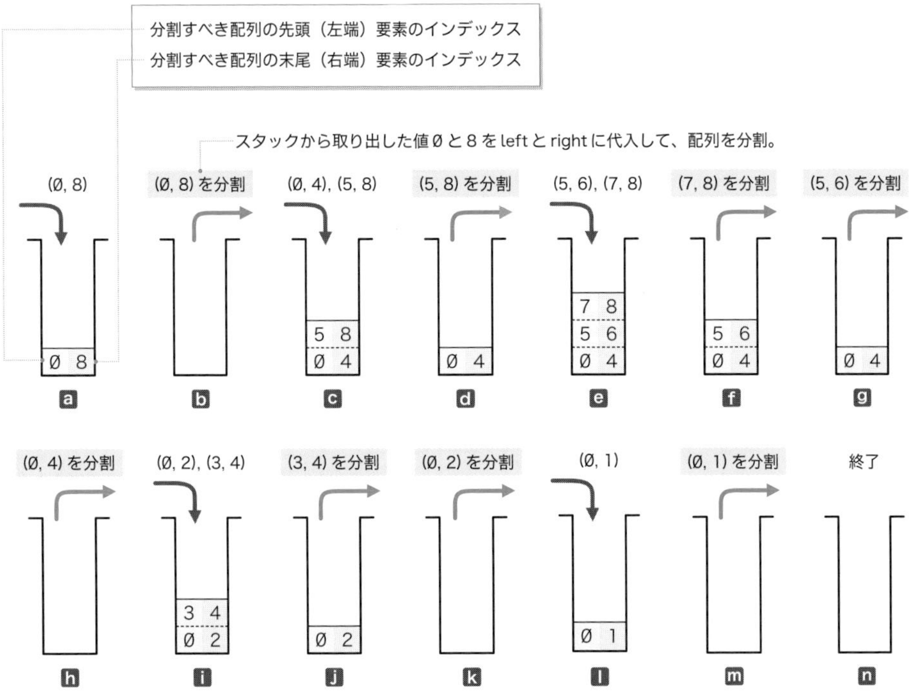

Fig.6-22　非再帰的クイックソートにおける配列の分割とスタックの変化

スタックの容量

　本プログラムでは、スタックの容量を、配列の要素数と同じ値にしています（p.205）。どのくらいの大きさが適当であるのかを考察しましょう。

スタックへのプッシュの順序として、次の二つの方針を考えます。

- **方針A** 要素数の大きいほうのグループを先にプッシュする。
- **方針B** 要素数の小さいほうのグループを先にプッシュする。

Fig.6-23 に示すソートの例で検証していきましょう。

▪ 方針A 要素数の大きいグループを先にプッシュ（要素数の小さいグループを先に分割）

Fig.6-24 が、スタックの変化の様子です。

たとえば、図bで取り出された a[0] ～ a[7] は、a[0] ～ a[1] の左グループと、a[2] ～ a[7] の右グループに分割されます。

要素数が大きいほうの (2, 7) を先にプッシュするため、スタックは図cとなります。

先にポップされて分割されるのは、要素数が小さいほうのグループ (0, 1) です（図d）。

スタックに同時に積まれる数は、最大で2個です（図c・図f・図i）。

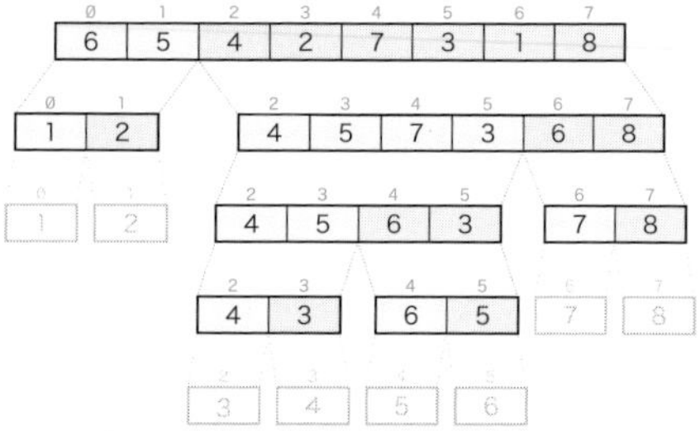

Fig.6-23　クイックソートによる分割

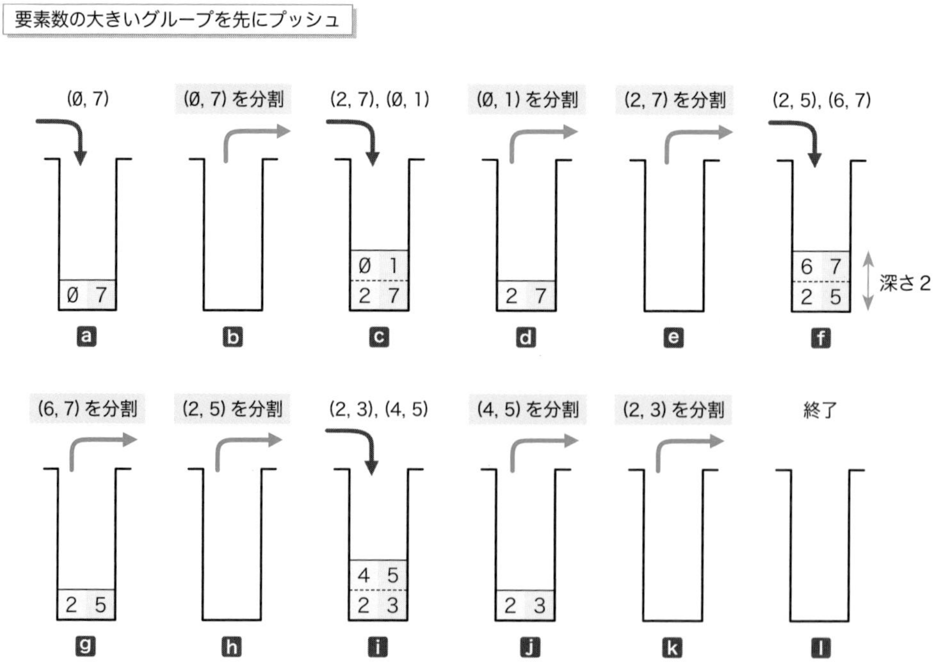

Fig.6-24　非再帰的クイックソートにおけるスタックの変化（大きいグループを先にプッシュ）

■ **方針B 要素数の小さいグループを先にプッシュ（要素数の大きいグループを先に分割）**

スタックの変化の様子を示したのが **Fig.6-25** です。

たとえば、図bから取り出された a[0]～a[7] は、a[0]～a[1] の左グループと、a[2]～a[7] の右グループに分割されます。

要素数が小さいほうの (0, 1) を先にプッシュするため、スタックは図cとなります。

先にポップされて分割されるのは、要素数が大きいほうのグループ (2, 7) です（図d）。

スタックに同時に積まれる数は、最大で4個です（図g）。

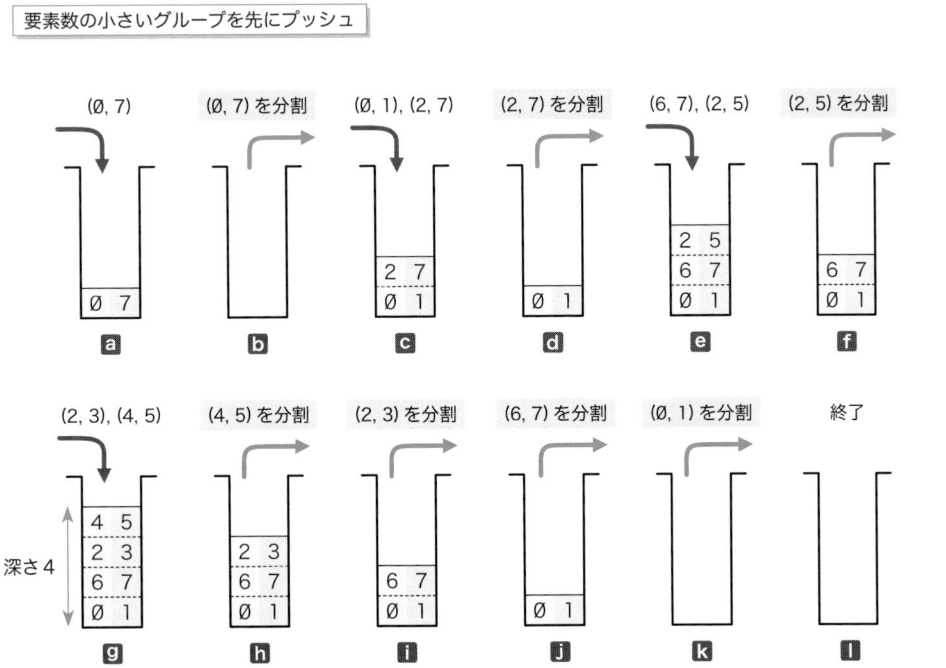

Fig.6-25　非再帰的クイックソートにおけるスタックの変化（小さいグループを先にプッシュ）

一般的には、要素数が小さい配列ほど、少ない回数での分割終了が期待できます。そのため、方針Aのように、**要素数が大きいグループの分割を後回しにして、小さいグループの分割を先に行ったほうが、スタックに同時に積まれる値は少なくなります。**

▶　スタックに対する出し入れの回数は、AもBも同じです。あくまでも、『"同時に積まれる" データ数の最大値』が異なるだけです。

方針Aを採用すると、配列の要素数が **n** であれば、スタックに同時に積まれるデータの数は log **n** で収まります。そのため、たとえ要素数 **n** が **1,000,000** であっても、スタックの容量は **20** で十分です。

枢軸の選択

枢軸の選択法は、クイックソートの実行効率に大きく影響を与えます。ここでは、次の配列を例に検討します。

8	7	6	5	4	3	2	1	0

枢軸として左端の要素 8 を採用してみましょう。この配列は枢軸 8 だけのグループと、それ以外のグループとに分割されます。ただ一つの要素と、それ以外の全要素とに分けられるような**偏**(かたよ)**った分割**を繰り返すのでは、高速なソートは期待できません。

配列のソート後に中央に位置する値、すなわち、**値としての中央値**を枢軸とするのが理想です。配列が偏ることなく半分の大きさに分割されるからです。

しかし、中央値を求めるには、それなりの処理が必要であり、そのために多大な計算時間をかけるのでは、本末転倒です。

次の方針を採用すれば、少なくとも最悪の場合を避けられます。

【方針1】 分割すべき配列の要素数が3以上であれば、任意の三つの要素を取り出して、その中央値をもつ要素を枢軸として採用する。

たとえば、上に示した配列で、先頭要素 8、中央要素 4、末尾要素 0 の中央値である 4 を枢軸とすれば、偏りはなくなります。

▶ 3値の中央値を求めるプログラムは、**Column 1-4**（p.8）で学習しました。

さて、このアイディアをもう一段階進めたのが、次の方針です。

【方針2】 分割すべき配列の先頭要素／中央要素／末尾要素の3要素をソートして、さらに中央要素と末尾から2番目の要素を交換する。
枢軸として末尾から2番目の要素の値 `a[right - 1]` を採用するとともに、分割の対象を `a[left + 1]` ～ `a[right - 2]` に絞り込む。

右ページの **Fig.6-26** に示す具体例で理解しましょう。

a ソート前の状態です。先頭要素 8、中央要素 4、末尾要素 0 の 3 要素に着目して、それらをソートします。

b 先頭要素は 0、中央要素は 4、末尾要素は 8 となりました。ここで、中央要素 4 と、末尾から2番目の要素 1 とを交換します。

c 末尾から2番目の要素に位置する値 4 を枢軸として採用します。`a[left]` は枢軸以下の値であり、`a[right - 1]` と `a[right]` は枢軸以上の値です。

そこで、走査のためのカーソルの開始位置を、次のように変更します（分割の対象範囲を絞り込みます）。

- 左カーソル *pl* の開始位置 … *left* ⇨ *left* + 1 ※ 右に一つずらす
- 右カーソル *pr* の開始位置 … *right* ⇨ *right* - 2 ※ 左に二つずらす

この手法は、分割の偏りを避けることが期待できる上に、分割における走査対象の要素を3個減らせます。その結果、平均して数%程度高速化することが分かっています。

Fig.6-26　枢軸の選択と分割範囲の縮小

【方針２】を採用して書きかえたのが、**List 6-11**（次ページ）のプログラムです。

▶ 新しく追加されたメソッド *sort3elem* は、配列 x 内の３要素 x[a], x[b], x[c] をソートした上で、b の値をそのまま返却するメソッドです。

クイックソートを行うメソッド *quickSort* の変更点は、配列の分割を行う前に、次のコードを実行することです。

```
1 int m = sort3elem(a, pl, (pl + pr) / 2, pr);  // 先頭・中央・末尾をソート
2 int x = a[m];                                 // 枢軸
3 swap(a, m, right - 1);                        // 中央と末尾から２番目を交換
4 pl++;                                         // 左カーソルを１個右へ
5 pr -= 2;                                      // 右カーソルを２個左へ
```

順に理解していきましょう。

最初に行う1では、メソッド *sort3elem* を呼び出すことによって、先頭要素 a[*pl*] と、中央要素 a[(*pl* + *pr*) / 2] と、末尾要素 a[*pr*] をソートするとともに、中央要素のインデックスを m に代入します。

続く2では、中央要素の値 a[m] を枢軸 x として取り出し、3では、中央要素 a[m] と、末尾から２番目の要素 a[*right* - 1] の交換を行います。

最後の4では、左カーソル *pl* を１個右にずらし、5では、右カーソル *pr* を２個左にずらします。

List 6-11　chap06/QuickSort3.java

```
// クイックソート（改良版）

import java.util.Scanner;

class QuickSort3 {

  //--- 配列の要素a[idx1]とa[idx2]の値を交換 ---//
  static void swap(int[] a, int idx1, int idx2) {
    int t = a[idx1];  a[idx1] = a[idx2];  a[idx2] = t;
  }

  //--- x[a], x[b], x[c]をソート（中央値のインデックスを返却）---//
  static int sort3elem(int[] x, int a, int b, int c) {
    if (x[b] < x[a]) swap(x, b, a);
    if (x[c] < x[b]) swap(x, c, b);
    if (x[b] < x[a]) swap(x, b, a);
    return b;
  }

  //--- クイックソート ---//
  static void quickSort(int[] a, int left, int right) {
    int pl = left;                    // 左カーソル
    int pr = right;                   // 右カーソル
    int m = sort3elem(a, pl, (pl + pr) / 2, pr);  // 先頭・末尾・中央をソート
    int x = a[m];                     // 枢軸

    swap(a, m, right - 1);            // 中央と末尾から２番目を交換
    pl++;                             // 左カーソルを１個右へ
    pr -= 2;                          // 右カーソルを２個左へ

    do {
      while (a[pl] < x) pl++;
      while (a[pr] > x) pr--;
      if (pl <= pr)
        swap(a, pl++, pr--);
    } while (pl <= pr);

    if (left < pr)  quickSort(a, left, pr);
    if (pl < right) quickSort(a, pl, right);
  }

  public static void main(String[] args) {
    Scanner stdIn = new Scanner(System.in);

    System.out.println("クイックソート");
    System.out.print("要素数：");
    int nx = stdIn.nextInt();
    int[] x = new int[nx];

    for (int i = 0; i < nx; i++) {
      System.out.print("x[" + i + "]：");
      x[i] = stdIn.nextInt();
    }

    quickSort(x, 0, nx - 1);          // 配列xをクイックソート

    System.out.println("昇順にソートしました。");
    for (int i = 0; i < nx; i++)
      System.out.println("x[" + i + "]＝" + x[i]);
  }
}
```

実行例

```
クイックソート
要素数：9
x[0]：5
x[1]：8
x[2]：4
x[3]：2
x[4]：6
x[5]：1
x[6]：3
x[7]：9
x[8]：7
昇順にソートしました。
x[0]＝1
x[1]＝2
x[2]＝3
x[3]＝4
x[4]＝5
x[5]＝6
x[6]＝7
x[7]＝8
x[8]＝9
```

クイックソートの時間計算量

クイックソートでは、配列が次々と分割されて、より小さい問題を解く処理が繰り返されるため、時間計算量は O(n log n) です。

もっとも、ソートする配列の要素の初期値や枢軸の選択法によっては、遅くなってしまう場合もあります。

たとえば、ただ一つの要素と、それ以外の要素へという分割を毎回繰り返すと、n 回の分割が必要です。そのため、最悪の時間計算量は $O(n^2)$ となります。

演習 6–11

プッシュ・ポップ・分割の様子を詳細に表示するように、**List 6-10**（p.205）を書きかえたプログラムを作成せよ。

演習 6–12

List 6-9（p.203）と **List 6-10** に示したメソッド *quickSort* を、要素数が小さいほうのグループを優先的に分割するように書きかえたプログラムを作成せよ。

演習 6–13

クイックソートは、要素数が小さい配列に対しては、それほど高速ではないことが知られている。分割されたグループの要素数が **9** 以下であれば単純挿入ソートに切りかえるように、左ページの **List 6-11** のメソッド *quickSort* を書きかえたプログラムを作成せよ。

演習 6–14

メソッド *quickSort* は、受け取る引数が３個である、という点で、本章の他のソートメソッドと仕様が異なる。

演習 **6-13** で作成したプログラムを改変することで、次の形式でクイックソートを行うメソッドを作成せよ。

```
qsort(int[] x, int n)
```

いうまでもなく、第１引数 *x* はソートすべき配列であり、第２引数 *n* は要素数である。

6-7 マージソート

マージソートは、配列を前半部と後半部の二つに分けて、それぞれをソートしたものをマージする作業を繰り返すことによってソートを行うアルゴリズムです。

ソートずみ配列のマージ

まず、“二つのソートずみ配列の**併合＝マージ**（merge）”を理解しましょう。『各配列の着目要素の値を比較して、小さいほうの値をもつ要素を取り出して別の配列に格納する』という作業を繰り返して、ソートずみの配列を作ります。

右ページの **List 6-12** に示すのが、そのプログラム例です。メソッド *merge* は、要素数 *na* の配列 a と、要素数 *nb* の配列 *b* をマージして、配列 *c* に格納します（**Fig.6-27**）。

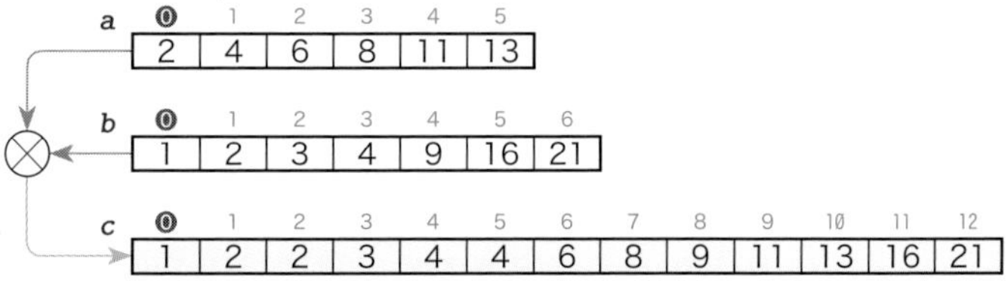

Fig.6-27 ソートずみ配列のマージ

このメソッドでは、三つの配列 a, *b*, *c* を同時に走査します。各配列の操作で着目する要素のインデックスが *pa*, *pb*, *pc* です（ここでは**カーソル**と呼びます）。図中●で示しているように、最初は先頭要素に着目しますので、すべて 0 で初期化します。

1. 配列 a 内の着目要素 a[*pa*] と、配列 *b* 内の着目要素 *b*[*pb*] のうち、小さいほうの値を *c*[*pc*] に格納するとともに、コピー元とコピー先のカーソルを一つ進めます。

 図の例では、*b*[0] の 1 が a[0] の 2 よりも小さいため、*c*[0] に 1 を代入します。代入後は、カーソル *pb* と *pc* を進めます（値を取り出していない配列 a のカーソル *pa* は進めません）。

 ＊

 このように、a[*pa*] と *b*[*pb*] の小さいほうの値を *c*[*pc*] に代入し、取り出したほうの配列のカーソルと配列 *c* のカーソル *pc* を進める作業を繰り返します。カーソル *pa* が配列 a の末尾に達するか、カーソル *pb* が配列 *b* の末尾に達すると、while 文が終了します。

2. この while 文が実行されるのは、1で配列 *b* の全要素を配列 *c* にコピーしたものの、配列 a に未コピーの要素が残っている（カーソル *pa* が配列 a の末尾に達していない）場合です。

 カーソルを進めながら、未コピーの全要素を配列 *c* にコピーします。

List 6-12　chap06/MergeArray.java

```
// ソートずみ配列のマージ

import java.util.Scanner;

class MergeArray {

  //--- ソートずみ配列aとbをマージしてcに格納 ---//
  static void merge(int[] a, int na, int[] b, int nb, int[] c) {
    int pa = 0;
    int pb = 0;
    int pc = 0;

    while (pa < na && pb < nb)     // 小さいほうをcに格納        ―1
      c[pc++] = (a[pa] <= b[pb]) ? a[pa++] : b[pb++];

    while (pa < na)                // aに残った要素をコピー      ―2
      c[pc++] = a[pa++];

    while (pb < nb)                // bに残った要素をコピー      ―3
      c[pc++] = b[pb++];
  }

  public static void main(String[] args) {
    Scanner stdIn = new Scanner(System.in);
    int[] a = {2, 4, 6, 8, 11, 13};
    int[] b = {1, 2, 3, 4, 9, 16, 21};
    int[] c = new int[13];

    System.out.println("二つの配列のマージ");

    merge(a, a.length, b, b.length, c);    // 配列aとbをマージしてcに格納

    System.out.println("配列aとbをマージして配列cに格納しました。");
    System.out.println("配列a：");
    for (int i = 0; i < a.length; i++)
      System.out.println("a[" + i + "] = " + a[i]);

    System.out.println("配列b：");
    for (int i = 0; i < b.length; i++)
      System.out.println("b[" + i + "] = " + b[i]);

    System.out.println("配列c：");
    for (int i = 0; i < c.length; i++)
      System.out.println("c[" + i + "] = " + c[i]);
  }
}
```

実行結果

```
二つの配列のマージ
配列aとbをマージして
配列cに格納しました。
…中略…
c[0] =  1
c[1] =  2
c[2] =  2
c[3] =  3
c[4] =  4
c[5] =  4
c[6] =  6
c[7] =  8
c[8] =  9
c[9] =  11
c[10] = 13
c[11] = 16
c[12] = 21
```

3　このwhile文が実行されるのは、1で配列aの全要素を配列cにコピーしたものの、配列bに未コピーの要素が残っている（カーソルpbが配列bの末尾に達していない）場合です。

カーソルを進めながら、未コピーの全要素を配列cにコピーします。

三つの繰返し文が並べられただけの単純なアルゴリズムで実現されています。マージに要する時間計算量はO(n)です。

マージソート

ソートずみ配列のマージを応用して、分割統治法でソートを行うアルゴリズムが**マージソート**（merge sort）です。

Fig.6-28 を見ながら理解していきましょう。まず、配列を前半部と後半部の二つに分けます。この例では、配列の要素数が 12 ですから、6個ずつの配列に分割します。

前半部と後半部のそれぞれをソートすれば、それらをマージするだけで、配列全体がソートできます。

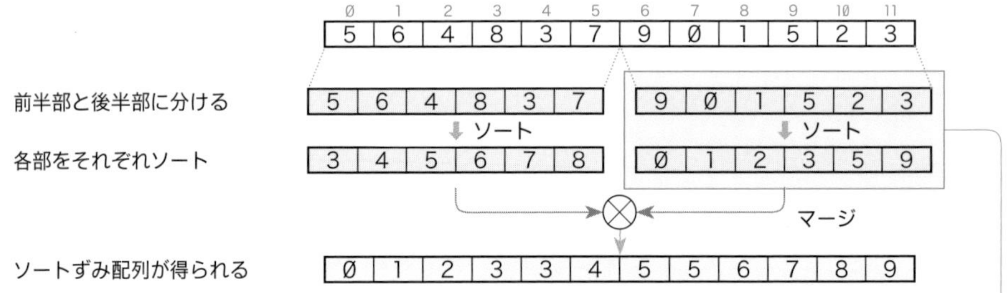

Fig.6-28　マージソートの考え方

前半部のソートと後半部のソートも、まったく同じ手続きで行います。

たとえば、後半部のソートは **Fig.6-29** のようになります。

もちろん、この過程で新たに作られる前半部 {9, Ø, 1} と後半部 {5, 2, 3} のそれぞれも、同じ手続きでソートします。

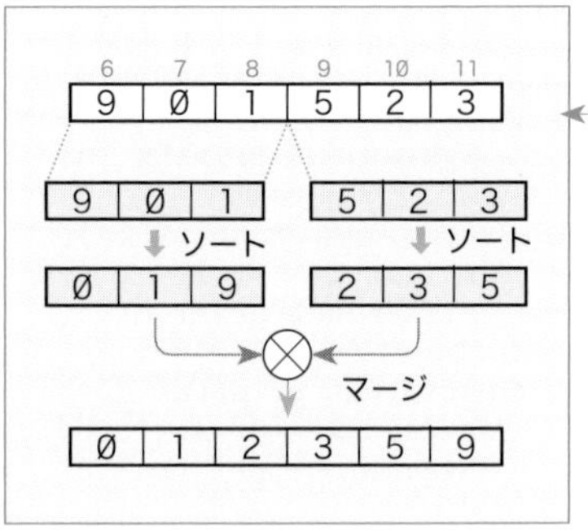

Fig.6-29　後半部のソート

マージソートのアルゴリズム

マージソートの手順を整理すると、次のようになります。

配列の要素数が 2 以上であれば、以下の手続きを適用する。

- 配列の前半部をマージソートによってソートする。
- 配列の後半部をマージソートによってソートする。
- 配列の前半部と後半部をマージする。

List 6-13 に示すのが、マージソートを行うプログラムです。

List 6-13 chap06/MergeSort.java

```
// マージソート

import java.util.Scanner;

class MergeSort {

  static int[] buff;  // 作業用配列

  //--- a[left]～a[right]を再帰的にマージソート ---//
  static void __mergeSort(int[] a, int left, int right) {
    if (left < right) {
      int i;
      int center = (left + right) / 2;
      int p = 0;
      int j = 0;
      int k = left;

      __mergeSort(a, left, center);          // 前半部をマージソート
      __mergeSort(a, center + 1, right);     // 後半部をマージソート

      for (i = left; i <= center; i++)
        buff[p++] = a[i];

      while (i <= right && j < p)
        a[k++] = (buff[j] <= a[i]) ? buff[j++] : a[i++];

      while (j < p)
        a[k++] = buff[j++];
    }
  }

  //--- マージソート ---//
  static void mergeSort(int[] a, int n) {
    buff = new int[n];               // 作業用配列を生成

    __mergeSort(a, 0, n - 1);        // 配列全体をマージソート

    buff = null;                     // 作業用配列を解放
  }

  public static void main(String[] args) {
    Scanner stdIn = new Scanner(System.in);

    System.out.println("マージソート");
    System.out.print("要素数：");
    int nx = stdIn.nextInt();
    int[] x = new int[nx];

    for (int i = 0; i < nx; i++) {
      System.out.print("x[" + i + "]：");
      x[i] = stdIn.nextInt();
    }

    mergeSort(x, nx);    // 配列xをマージソート

    System.out.println("昇順にソートしました。");
    for (int i = 0; i < nx; i++)
      System.out.println("x[" + i + "]＝" + x[i]);
  }
}
```

実行例

```
マージソート
要素数：7
x[0]：6
x[1]：4
x[2]：3
x[3]：7
x[4]：1
x[5]：9
x[6]：8
昇順にソートしました。
x[0] = 1
x[1] = 3
x[2] = 4
x[3] = 6
x[4] = 7
x[5] = 8
x[6] = 9
```

プログラムを理解していきましょう（主要部を再掲します）。

```
static int[] buff;  // 作業用配列

static void __mergeSort(int[] a, int left, int right) {
  if (left < right) {
    // 中略
    int center = (left + right) / 2;
    // 中略
    __mergeSort(a, left, center);          // 前半部をマージソート
    __mergeSort(a, center + 1, right);     // 後半部をマージソート
    // 中略：前半部と後半部をマージ
  }
}

static void mergeSort(int[] a, int n) {
  buff = new int[n];              // 作業用配列を生成          A
  __mergeSort(a, 0, n - 1);       // 配列全体をマージソート    B
  buff = null;                    // 作業用配列を解放          C
}
```

メソッド **mergeSort** は、次のことを行います。

A マージ結果を一時的に格納するための作業用配列 **buff** を生成する。

B ソート作業を行うメソッド **__mergeSort** を呼び出す。

C 作業用配列を解放・破棄する。

Bで呼び出されるメソッド **__mergeSort** が、実際にマージソートを行うメソッドです。

このメソッドは、ソートする配列 **a** と、ソート対象の先頭要素と末尾要素のインデックス ***left*** と ***right*** を受け取ります。

メソッド全体を占める **if** 文が機能しますので、実質的に処理を行うのは、***left*** の値が ***right*** より小さいときのみです。

最初に行うのは、前半部 **a[*left*]** ～ **a[*center*]** と、後半部 **a[*center* + 1]** ～ **a[*right*]** のそれぞれに対してメソッド **__mergeSort** を再帰的に適用することです。これで、**Fig.6-30** に示すように、配列の前半部と後半部のそれぞれがソートずみとなります。

▶ 実際には、呼び出されたメソッド **__mergeSort** が再帰的にメソッド **__mergeSort** を何度も呼び出すことによって、ソートが行われます。

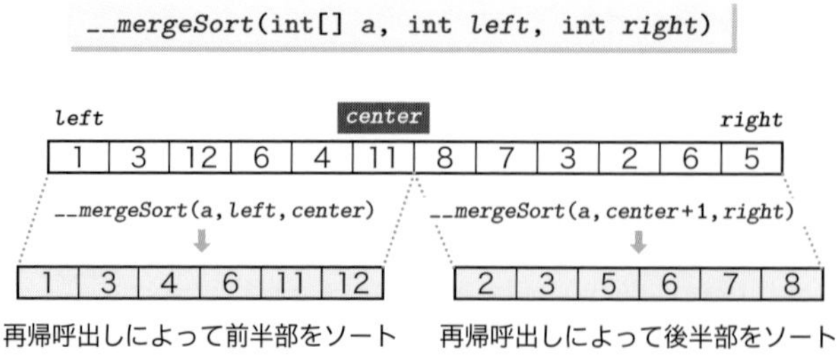

Fig.6-30　前半部と後半部のソート

ソートずみとなった前半部と後半部のマージは、作業用の配列 *buff* を使って行います。

```
for (i = left; i <= center; i++)
  buff[p++] = a[i];                                    ―1

while (i <= right && j < p)
  a[k++] = (buff[j] <= a[i]) ? buff[j++] : a[i++];     ―2

while (j < p)
  a[k++] = buff[j++];                                  ―3
```

マージの手順は、**Fig.6-31** に示すように3段階のステップで構成されます。

1 配列の前半部 a[*left*] ～ a[*center*] を *buff*[0] ～ *buff*[*center* - *left*] にコピーします。for 文終了時の *p* の値は、コピーした要素の個数 *center* - *left* + 1 となります（図a）。

2 配列の後半部 a[*center* + 1] ～ a[*right*] と、*buff* にコピーした配列の前半部の *p* 個をマージした結果を配列 a に格納します（図b）。

3 配列 *buff* に残った未格納部分の要素を配列 a にコピーします（図c）。

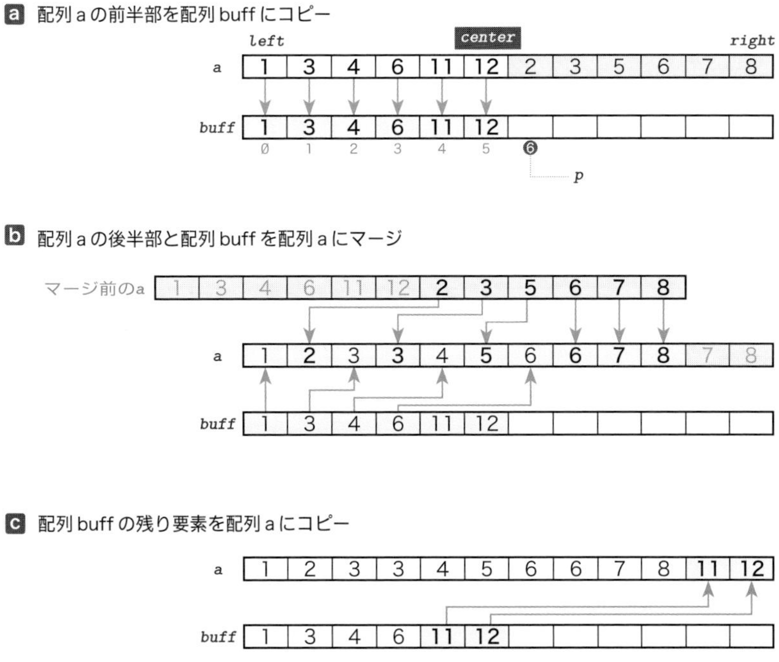

Fig.6-31　マージソートにおける配列前半部と後半部のマージ

配列のマージの時間計算量は O(n) でした。データの要素数が n であれば、マージソートの階層としては log n の深さが必要ですから、全体の時間計算量は O(n log n) です。

なお、離れた要素を交換することはありませんので、マージソートは安定です。

Arrays.sort によるクイックソートとマージソート

第3章では、2分探索を行う `binarySearch` が `java.util.Arrays` クラスのクラスメソッドとして提供されることを学習しました（p.84）。この ***Arrays*** クラスは、配列のソートを行うクラスメソッド `sort` を提供します。その一覧が **Table 6-1** です。

▶ 本メソッドを利用することには、『メソッドを自作しなくてよい』、『あらゆる要素型の配列からのソートを行えるため、要素型ごとに作り分ける必要がない』などのメリットがあります（`binarySearch` メソッドと同様です）。

Table 6-1　java.util.Arrays クラスが提供する sort メソッド

[1]	`static void sort(byte[]   a)`	
[2]	`static void sort(byte[]   a, int fromIndex, int toIndex)`	
[3]	`static void sort(char[]   a)`	
[4]	`static void sort(char[]   a, int fromIndex, int toIndex)`	
[5]	`static void sort(double[] a)`	
[6]	`static void sort(double[] a, int fromIndex, int toIndex)`	
[7]	`static void sort(float[]  a)`	
[8]	`static void sort(float[]  a, int fromIndex, int toIndex)`	
[9]	`static void sort(int[]    a)`	
[10]	`static void sort(int[]    a, int fromIndex, int toIndex)`	
[11]	`static void sort(long[]   a)`	
[12]	`static void sort(long[]   a, int fromIndex, int toIndex)`	
[13]	`static void sort(short[]  a)`	
[14]	`static void sort(short[]  a, int fromIndex, int toIndex)`	
[15]	`static void sort(Object[] a)`	↑
[16]	`static void sort(Object[] a, int fromIndex, int toIndex)`	安定
[17]	`static <T> void sort(T[]  a, Comparator<? super T> c)`	
[18]	`static <T> void sort(T[]  a, int fromIndex, int toIndex, Comparator<? super T> c)`	↓

いずれのメソッドも、配列 a を**昇順に**ソートします。

奇数番号[1]、[3]、[5]、… の `sort` は、配列 a の全要素がソートの対象です。

偶数番号[2]、[4]、[6]、… の `sort` は、`a[fromIndex]` ～ `a[toIndex]` がソートの対象です。

▶ *fromIndex* と *toIndex* に同じ値を指定すると、ソート範囲は空とみなされます。
また、*fromIndex* > *toIndex* であれば *IllegalArgumentException* が発生し、*fromIndex* < 0 あるいは *toIndex* > `a.length` であれば *ArrayIndexOutOfBoundsException* が発生します。

基本型の配列のソート（クイックソート）

[1]～[14] の `sort` メソッドは、基本型（`int` 型や `double` 型などの組込み型）の配列をソートします。その内部で採用されているアルゴリズムは、改良された**クイックソート**であるため、安定ではありません。

List 6-14 に示すのが、sort メソッドを利用して、int 型配列をソートするプログラム例です。

List 6-14 chap06/ArraysSortTester.java

```
// Arrays.sortによるソート（クイックソート）

import java.util.Arrays;
import java.util.Scanner;

class ArraysSortTester {

  public static void main(String[] args) {
    Scanner stdIn = new Scanner(System.in);

    System.out.print("要素数：");
    int num = stdIn.nextInt();
    int[] x = new int[num];    // 長さnumの配列

    for (int i = 0; i < num; i++) {
      System.out.print("x[" + i + "]：");
      x[i] = stdIn.nextInt();
    }

    Arrays.sort(x); // 配列xをソート

    System.out.println("昇順にソートしました。");
    for (int i = 0; i < num; i++)
      System.out.println("x[" + i + "]＝" + x[i]);
  }
}
```

実行例

```
要素数：7
x[0]：6
x[1]：4
x[2]：3
x[3]：7
x[4]：1
x[5]：9
x[6]：8
昇順にソートしました。
x[0] = 1
x[1] = 3
x[2] = 4
x[3] = 6
x[4] = 7
x[5] = 8
x[6] = 9
```


クラスオブジェクトの配列のソート（マージソート）

クラスオブジェクトの配列のソートに利用するのは、表の後半に置かれた⑮～⑱のメソッドです。これらは、大きく２種類に分けられます。

A ⑮ `static void sort(Object[] a)`
⑯ `static void sort(Object[] a, int fromIndex, int toIndex)`

“自然な順序” で要素の大小関係を判定してソートを行います。そのため、Integer 型の配列や String 型の配列などのソートに適しています。

B ⑰ `static <T> void sort(T[] a, Comparator<? super T> c)`
⑱ `static <T> void sort(T[] a, int fromIndex, int toIndex, Comparator<? super T> c)`

“自然な順序” でない順序で並べられた配列や、“自然な順序” を論理的にもたないクラスの配列のソートを行います。要素の大小関係の判定は、コンパレータ c を用いて行われます。

基本型のソートを行う①～⑭とは異なり、いずれのメソッドも、アルゴリズムは改良された**マージソート**です。そのため、**安定である**ことが保証されます。

▶ “自然な順序” やコンパレータについては、第３章で学習しました。

A自然な順序で並べられた配列のソート

List 6-15 に示すのが、Aのメソッドを利用して配列のソートを行うプログラム例です。

List 6-15 chap06/SortCalendar.java

```
// 暦の配列をソート

import java.util.Arrays;
import java.util.GregorianCalendar;
import static java.util.GregorianCalendar.*;

class SortCalendar {

  public static void main(String[] args) {
    GregorianCalendar[] x = {
      new GregorianCalendar(2022, NOVEMBER, 1),    // 2022年11月01日
      new GregorianCalendar(1963, OCTOBER, 18),    // 1963年10月18日
      new GregorianCalendar(1985, APRIL, 5),       // 1985年04月05日
    };

    Arrays.sort(x);  // 配列xをソート

    for (int i = 0; i < x.length; i++)
      System.out.printf("%04d年%02d月%02d日\n", x[i].get(YEAR),
                                               x[i].get(MONTH) + 1,
                                               x[i].get(DATE));
  }
}
```

実行結果

```
1963年10月18日
1985年04月05日
2022年11月01日
```

本プログラムでソートしているのは、*GregorianCalendar* 型の配列 *x* です。プログラムを実行すると、期待通りに、日付の昇順でソートされます。

▶ *GregorianCalendar* クラスは、*Comparable* インタフェースを実装するとともに、compareTo メソッドを実装しています（**Column 3-4**：p.89）。
　なお、このクラスでは、1月～12月が 0 ～ 11 として表されますので、get(MONTH) によって得られる値も 0 ～ 11 です（表示の際には 1 を加えています）。

B自然な順序でない配列のソート

右ページの **List 6-16** に示すのが、Bのメソッドを利用するプログラム例です。ソートの対象となる配列は、いわゆる“自然な順序”ではない順序で並べられています。

なお、メソッド sort の第2引数に渡すコンパレータの作り方や使い方は、binarySearch メソッドの場合とまったく同じです。

本プログラムでは、クラス *PhyscData* 内で、身長の昇順に比較するためのコンパレータを定義した上で、それを利用してソートを行っています。プログラムを実行すると、配列 *x* が身長順にソートされます。

▶ クラス *PhyscData* は、**List 2-10** (p.62) で作成した同名のクラスに、toString メソッドとコンパレータを追加したものです。

演習 6-15

List 6-16 の配列 *x* を、身長の昇順でなく視力の降順でソートするプログラムを作成せよ。

List 6-16 chap06/PhyscExamSort.java

```
// 身体検査データ配列のソート

import java.util.Arrays;
import java.util.Scanner;
import java.util.Comparator;

class PhyscExamSort {

  //--- 身体検査データ ---//
  static class PhyscData {
    String name;          // 氏名
    int    height;        // 身長
    double vision;        // 視力

    //--- コンストラクタ ---//
    PhyscData(String name, int height, double vision) {
      this.name = name;  this.height = height;  this.vision = vision;
    }

    //--- 文字列化 --//
    public String toString() {
      return name + " " + height + " " + vision;
    }

    //--- 身長昇順用コンパレータ ---//
    static final Comparator<PhyscData> HEIGHT_ORDER =
                                         new HeightOrderComparator();

    private static class HeightOrderComparator
                           implements Comparator<PhyscData> {
      public int compare(PhyscData d1, PhyscData d2) {
        return (d1.height > d2.height) ?  1 :
               (d1.height < d2.height) ? -1 : 0;
      }
    }
  }

  public static void main(String[] args) {
    Scanner stdIn = new Scanner(System.in);
    PhyscData[] x = {
      new PhyscData("赤坂忠雄", 162, 0.3),
      new PhyscData("加藤富明", 173, 0.7),
      new PhyscData("斉藤正二", 175, 2.0),
      new PhyscData("武田信也", 171, 1.5),
      new PhyscData("長浜良一", 168, 0.4),
      new PhyscData("浜田哲明", 174, 1.2),
      new PhyscData("松富明雄", 169, 0.8),
    };

    Arrays.sort(x,                            // 配列xを
             PhyscData.HEIGHT_ORDER           // HEIGHT_ORDERを用いてソート
            );

    System.out.println("■ 身体検査一覧表 ■");
    System.out.println(" 氏名       身長 視力");
    System.out.println("--------------------");
    for (int i = 0; i < x.length; i++)
      System.out.printf("%-8s%3d%5.1f\n",
                        x[i].name, x[i].height, x[i].vision);
  }
}
```

実行結果

```
■ 身体検査一覧表 ■
 氏名       身長 視力
--------------------
赤坂忠雄    162  0.3
長浜良一    168  0.4
松富明雄    169  0.8
武田信也    171  1.5
加藤富明    173  0.7
浜田哲明    174  1.2
斉藤正二    175  2.0
```

6-8 ヒープソート

選択ソートの応用的なアルゴリズムであるヒープソートは、ヒープの特性をたくみに利用してソートを行います。

ヒープ

ヒープソート（heap sort）は、**ヒープ**（heap）を用いてソートを行うアルゴリズムです。ヒープとは、親の値が子の値以上であるという条件を満たす完全2分木（p.314）です。

▶ heapは、『累積（るいせき）』あるいは『積み重なったもの』という意味の語句です。
ヒープソートを難しく感じる、あるいは、木に関する用語などをご存じなければ、第9章を先に学習し、それから戻ってきて学習を進めるとよいでしょう。

Fig.6-32 **a**は、ヒープではない**完全2分木**です。これをヒープにした木が、図**b**です。どの親子に着目しても、“親の値 ≧ 子の値” の関係が成立します。

そのため、**ヒープの最上流に位置する根は、最大値です。**

▶ 一貫していれば、値の大小関係は反対（親の値 ≦ 子の値）でも構いません。なお、その場合、ヒープの根は最小値となります。

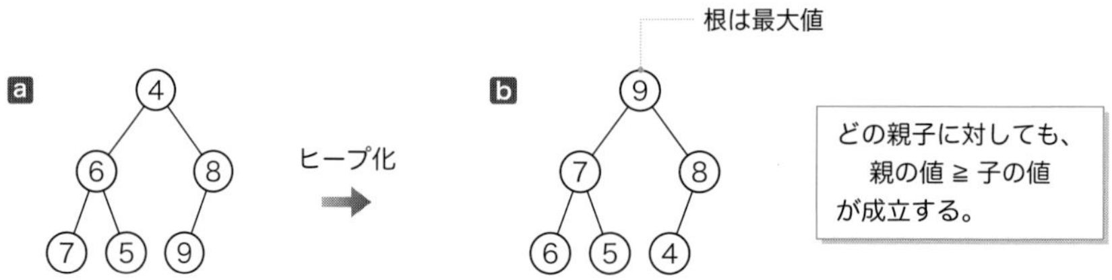

Fig.6-32　完全2分木のヒープ化

なお、ヒープでの**兄弟の大小関係は任意**です。たとえば、図**b**では、兄弟である**7**と**8**の小さいほうの**7**が左側に位置していますが、**6**と**5**については、小さいほうの**5**は右側に位置しています。

▶ この性質から、ヒープは**半順序木**（partial ordered tree）とも呼ばれます。

ヒープ上の要素を、どのように配列に格納するのかを示したのが、右ページの**Fig.6-33**です。

まず、最も上流に位置する根を `a[0]` に格納します。そして、一つ下流にくだって、要素を左から右へとなぞっていきます。その過程でインデックスの値を一つずつ増やしていきながら配列の各要素に格納していきます。

この作業を最下流まで繰り返すと、ヒープの配列への格納が完了します。

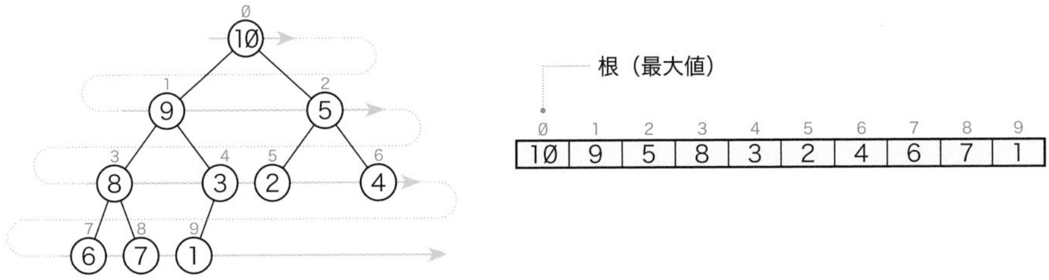

Fig.6-33　ヒープ上の要素と配列の要素との対応

この手順でヒープを配列に格納すると、親のインデックスと子のインデックスのあいだには、次の関係が成立します。

任意の要素 a[*i*] に対して：

- 親　　a[(*i* - 1) / 2]　　※剰余は切捨て
- 左の子　a[*i* * 2 + 1]
- 右の子　a[*i* * 2 + 2]

実際に確認してみましょう。たとえば、a[3] の親は a[1] で、左右の子はそれぞれ a[7] と a[8] です。また、a[2] の親は a[0] で、左右の子はそれぞれ a[5] と a[6] です。

いずれも、上記の関係を満たしています。

ヒープソート

ヒープソートは、“**最大値**が根に位置する” ことを利用してソートを行うアルゴリズムです。具体的には、

- ヒープから最大値である根を取り出す。
- 根以外の部分をヒープ化する。

という作業を繰り返します。この過程で取り出した値を並べていけば、ソートずみの配列が完成します。すなわち、**ヒープソートは、選択ソートの応用的なアルゴリズムです。**

＊

なお、ヒープから最大値である根を取り出した後は、残った要素から再び最大値を求める必要があります。

たとえば、ヒープとなっている 10 個の要素から最大値を取り除くと、残り9個の要素から最大値を求める必要があります。そこで、残り9個の要素から構成される木もヒープとなるように再構築しなければなりません。

根を削除したヒープの再構築

それでは、根を削除してヒープを再構築する手順を、右ページの **Fig.6-34** に示す例で考えていきましょう。

a ヒープから根である 10 を取り出します。空いた根の位置に、ヒープの最後の要素（最下流の最も右側に位置する要素）である 1 を移動します。

このとき、移動した 1 以外の要素はヒープの要件を満たしています。そのため、この値を**適切な位置へと移動すればよい**ことが分かります。

b 移動すべき 1 の二つの子は 9 と 5 です。ヒープを構築するには、これら3値の最大値が、上流に位置する必要があります。というのも、"親の値 ≧ 子の値" というヒープの要件を満たさねばならないからです。

そこで、二つの子を比較して、大きいほうの子である 9 と交換します。そうすると、1 が左に下りてきて右図となります。

c 1 の二つの子は 8 と 3 です。先ほどと同様に、大きいほうの子である 8 と交換します。そうすると、1 が左に下りてきて右図となります。

d 1 の二つの子は 6 と 7 です。大きいほうの値をもつのは、右の子 7 です。交換を行うと 1 が右に下りてきて、右図となります。

これ以上は下流にたどることができませんので、作業はこれで終了します。

得られた木は、ヒープとなっています。どの親子を比べても、"親の値 ≧ 子の値" ですし、最大値である 9 は、ちゃんと根に位置しています。

*

この例では、最下流である葉の位置まで 1 が移動しました。しかし、移動すべき要素の値よりも左右両方の子が小さくなると、それ以上は交換できませんので、その時点で走査を終了しなければなりません。

根を削除して再ヒープ化するために、要素を適切な位置へと下ろしていく手続きをまとめると、次のようになります。

---

1. 根を取り出す。
2. 最後の要素（最下流の最も右側に位置する要素）を根に移動する。
3. 自分より大きいほうの子と交換して一つ下流に下りる作業を、根から始めて、次の条件のいずれか一方が成立するまで繰り返す。
   - 子のほうが値が小さい。
   - 葉に到達した。

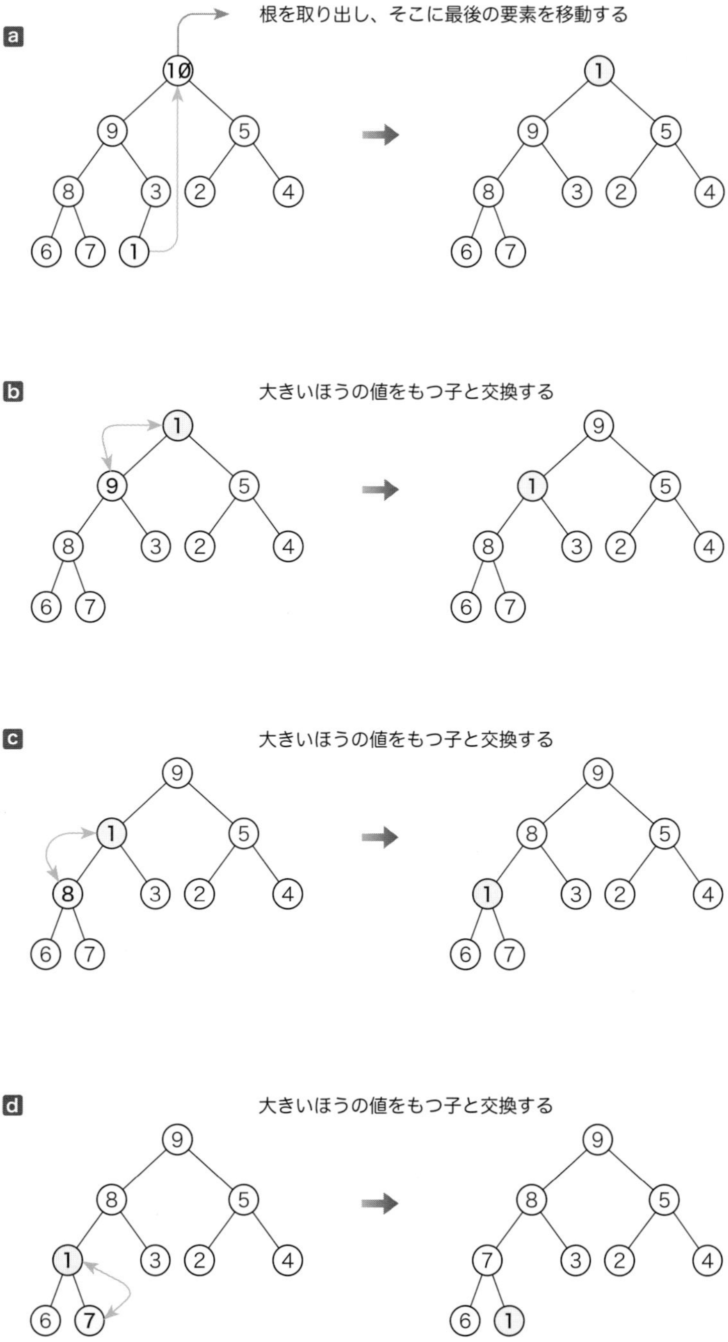

Fig.6-34　根を削除したヒープの再構築

ヒープソートへの拡張

次は、ヒープソート自体のアルゴリズムです。右ページの **Fig.6-35** を見ながら、アルゴリズムの流れを理解していきましょう。

a ヒープの根 a[0] に位置する最大値 10 を取り出して、配列の末尾要素である a[9] と交換します。

b 最大値が a[9] に移動した結果、a[9] はソートずみとなります。
前ページに示した手順に基づいて a[0] ～ a[8] の要素をヒープ化します。その結果、2番目に大きい 9 が根に位置します。
ヒープの根 a[0] に位置する最大値 9 を取り出して、未ソート部の末尾要素 a[8] と交換します。

c 2番目に大きい値が a[8] に移動した結果、a[8] ～ a[9] はソートずみとなりました。
前ページに示した手順に基づいて a[0] ～ a[7] の要素をヒープ化します。その結果、3番目に大きい 8 が根に位置します。
ヒープの根 a[0] に位置する最大値 8 を取り出して、未ソート部の末尾要素 a[7] と交換します。

同様に、**d**、**e**、… と続けると、配列の末尾側に、大きいほうから順に一つずつ値が格納されます。

＊

以上の手続きを一般的にまとめると、次のようになります（配列の要素数を *n* とします）。

---

1. 変数 *i* の値を *n* - 1 で初期化する。
2. a[0] と a[*i*] を交換する。
3. a[0], a[1], …, a[*i* - 1] をヒープ化する。
4. *i* の値をデクリメントして 0 になれば終了。そうでなければ2に戻る。

この手順によってソートが行えます。

＊

しかし、肝心なことが一つ抜けています。それは、**配列の初期状態がヒープの要件を満たしているという保証がない**ことです。

したがって、ここに示した手続きを適用する前に、**配列をヒープ化する必要があります**。

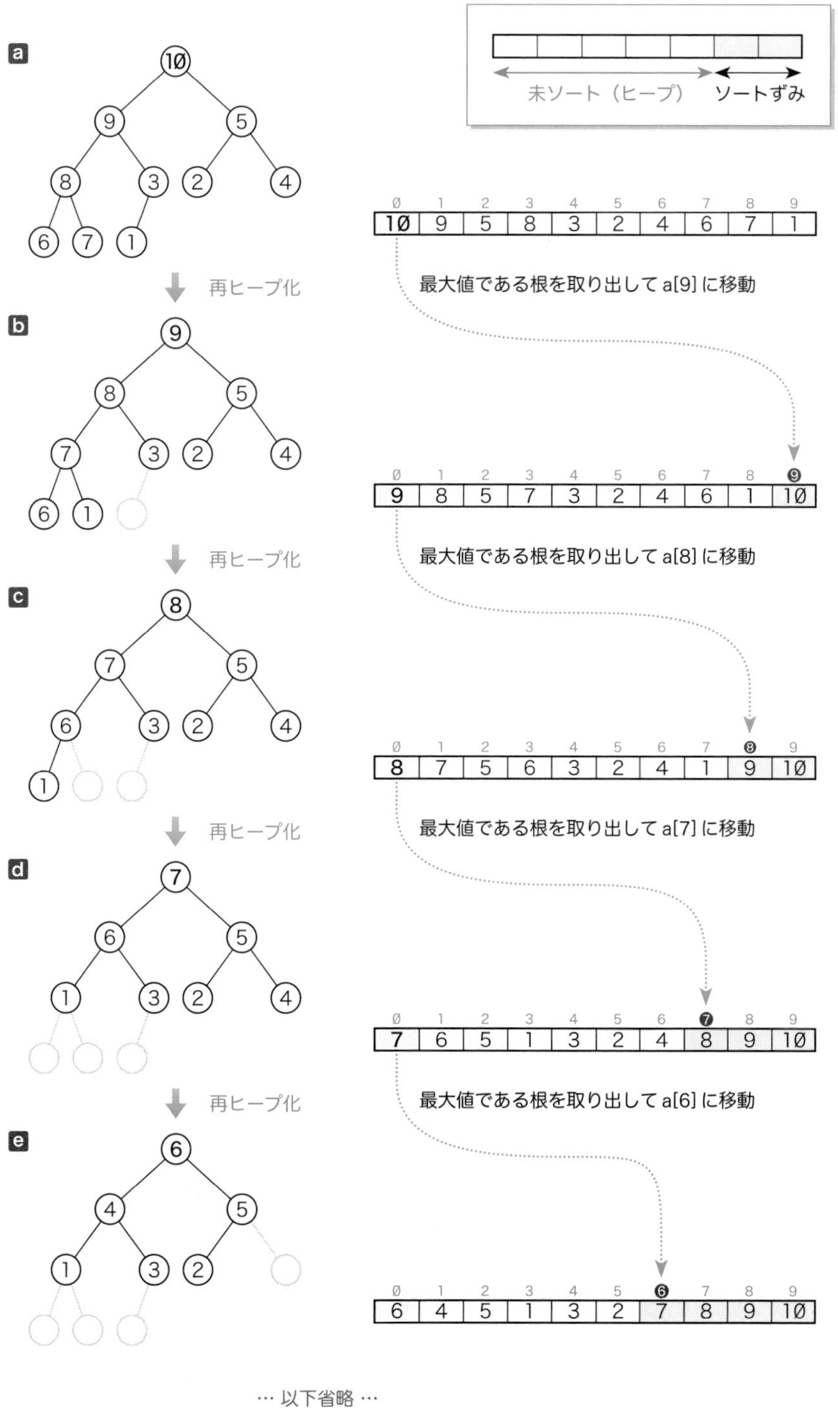

Fig.6-35　ヒープソートの考え方

配列のヒープ化

ここで、**Fig.6-36** に示す2分木を考えましょう。4を根とする部分木Aはヒープではありません。ただし、左の子8を根とする部分木Bと、右の子5を根とする部分木Cは、いずれもヒープという状態です。

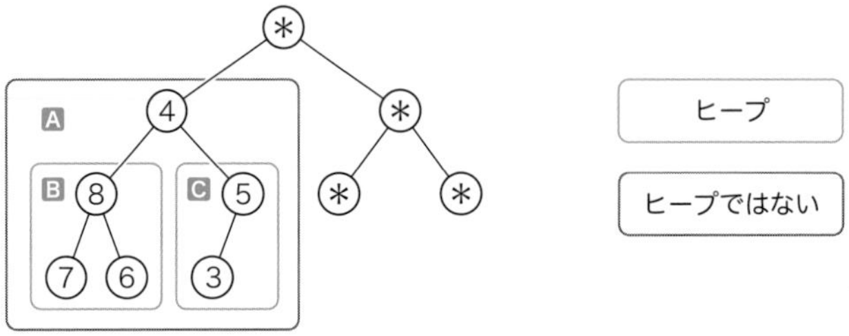

Fig.6-36 左部分木と右部分木がヒープとなっている部分木

根を削除したときは、最後の要素を根に移動させて、それを適切な位置まで"下ろして"いくことでヒープを再構築しました（p.226）。ここでも同じ手順が適用できます。根の4を適切な位置まで"下ろして"いけば、部分木Aをヒープ化できます。

＊

すなわち、下流側の小さい部分木からボトムアップ的に積み上げれば、配列のヒープ化が行えます。その具体例を示したのが、右ページの **Fig.6-37** です。

最下流の右側から始めて左側へと進んでいき、そのレベルが終了したら一つ上流側へと移動しながら、部分木をヒープ化していきます。

a この木はヒープではありません（無作為に並べられています）。最後の（最下流で最も右側の）部分木 {9, 10} に着目します。要素9を下ろすとヒープになります。

b 一つ左側の部分木 {7, 6, 8} に着目します。要素7を右側に下ろすとヒープになります。

c 最下流が終わりましたので、一つ上流の最後の（最も右側の）部分木 {5, 2, 4} に着目します。たまたまヒープとなっており、要素の移動は不要です。

d 一つ左側の部分木である、3を根とする部分木に着目します。ここでは、要素3を右側に下ろすと、ヒープ化は完了します。

e 一つ上流に移動すると最上流に到達しますので、木全体に着目します。左の子10を根とする部分木、右の子5を根とする部分木は、いずれもヒープです。そこで、要素1を適切な位置まで下ろすと、ヒープ化は完了します。

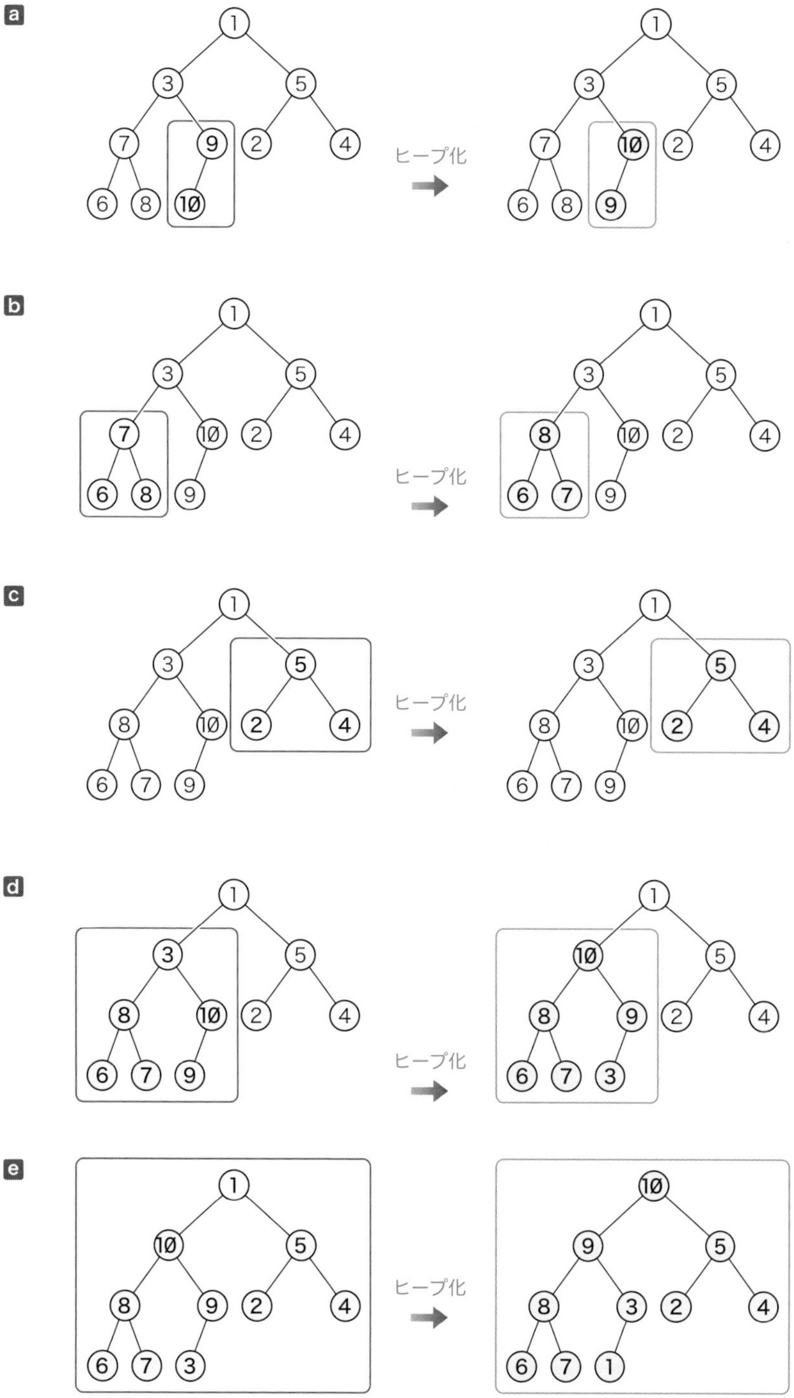

Fig.6-37 配列のヒープ化

ヒープソートのプログラムを作成するための準備がすべて整いました。**List 6-17** に示すのが、ヒープソートを行うプログラムです。

List 6-17 chap06/HeapSort.java

```
// ヒープソート

import java.util.Scanner;

class HeapSort {

  //--- 配列の要素a[idx1]とa[idx2]の値を交換 ---//
  static void swap(int[] a, int idx1, int idx2) {
    int t = a[idx1];  a[idx1] = a[idx2];  a[idx2] = t;
  }

  //--- a[left]～a[right]をヒープ化 ---//
  static void downHeap(int[] a, int left, int right) {
    int temp = a[left];     // 根
    int child;              // 大きいほうの子
    int parent;             // 親

    for (parent = left; parent < (right + 1) / 2; parent = child) {
      int cl = parent * 2 + 1;        // 左の子
      int cr = cl + 1;                // 右の子
      child = (cr <= right && a[cr] > a[cl]) ? cr : cl; // 大きいほう
      if (temp >= a[child])
        break;
      a[parent] = a[child];
    }
    a[parent] = temp;
  }

  //--- ヒープソート ---//
  static void heapSort(int[] a, int n) {
    for (int i = (n - 1) / 2; i >= 0; i--)   // a[i]～a[n-1]をヒープ化      ―1
      downHeap(a, i, n - 1);

    for (int i = n - 1; i > 0; i--) {
      swap(a, 0, i);              // 最大要素と未ソート部末尾要素を交換    ―2
      downHeap(a, 0, i - 1);      // a[0]～a[i-1]をヒープ化
    }
  }

  public static void main(String[] args) {
    Scanner stdIn = new Scanner(System.in);

    System.out.println("ヒープソート");
    System.out.print("要素数：");
    int nx = stdIn.nextInt();
    int[] x = new int[nx];

    for (int i = 0; i < nx; i++) {
      System.out.print("x[" + i + "]：");
      x[i] = stdIn.nextInt();
    }

    heapSort(x, nx);  // 配列xをヒープソート

    System.out.println("昇順にソートしました。");
    for (int i = 0; i < nx; i++)
      System.out.println("x[" + i + "]＝" + x[i]);
  }
}
```

実行例

```
ヒープソート
要素数：7
x[0]：6
x[1]：4
x[2]：3
x[3]：7
x[4]：1
x[5]：9
x[6]：8
昇順にソートしました。
x[0] = 1
x[1] = 3
x[2] = 4
x[3] = 6
x[4] = 7
x[5] = 8
x[6] = 9
```

メソッド downHeap

配列 **a** 中の **a[*left*]** ～ **a[*right*]** の要素をヒープ化するメソッドです。先頭要素 **a[*left*]** 以外はヒープ化されているという前提のもとに、**a[*left*]** を下流の適切な位置まで下ろすことでヒープ化を行います。

▶ ここで行うのは、pp.226 ～ 227 の手続きです。

メソッド heapSort

要素数 ***n*** の配列 **a** をヒープソートするメソッドです。二つのステップで構成されます。

1. メソッド ***downHeap*** を利用して配列 **a** をヒープ化します。
   ▶ ここで行うのは、pp.230 ～ 231 の手続きです。

2. 最大値である根すなわち **a[0]** を取り出して、配列の末尾側と交換し、配列の残り部分を再ヒープ化する手続きを繰り返すことでソートを行います。
   ▶ ここで行うのは、pp.228 ～ 229 の手続きです。

ヒープソートの時間計算量

既に学習したとおり、ヒープソートは選択ソートの応用的アルゴリズムです（p.225）。

単純選択ソートでは、未ソート部の全要素を対象として最大値を選択します。ヒープソートでは、先頭要素を取り出すだけで最大値が求められるものの、残った要素の《再ヒープ化》が必要です。

とはいえ、単純選択ソートにおける最大要素選択の時間計算量が O(n) であるのに対して、ヒープソートにおける再ヒープ化の作業の時間計算量は O(log n) です。

▶ 根を適切な位置まで下ろしていく作業は、2分探索と似た作業であって、走査のたびに選択の幅が半分になっていくからです。

なお、再ヒープ化の作業を繰り返しますので、ソート全体に要する時間計算量は、単純選択ソートの $O(n^2)$ に対して、ヒープソートは O(n log n) です。

演習 6-16

メソッド ***downHeap*** が呼び出されるたびに、右図のように配列の値を木形式で表示するプログラムを作成せよ。

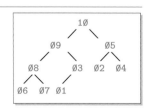

```
            10
          /    \
      09            05
     /   \         /  \
   08      03    02    04
  /  \    /
06   07 01
```

6-9 度数ソート

分布数え上げソートとも呼ばれる度数ソートは、要素の大小関係を判定することなく高速なソートを行うアルゴリズムです。

度数ソート

これまでのソートアルゴリズムは、何らかの形で二つの要素のキー値を比較するものでした。ここで学習する**度数ソート**（counting sort）は、**比較の必要がない**という特徴があります。

ここでは、10点満点のテストの、学生9人分の点数を例にとって、度数ソートのアルゴリズムを考えていきます（**Fig.6-38**）。

▶ 以下、ソートする配列は a で、その要素数は *n*、点数の最大値は *max* とします。

Step1　度数分布表の作成

最初に、配列 a をもとに『**各点数の学生が何人いるか**』を表す**度数分布表**を作成します。格納先は、要素数 11 の配列 *f* です。

まず、配列 *f* のすべての要素の値を 0 にしておきます（図0）。その後、配列 a を先頭から走査しながら度数分布表を完成させます。

先頭の a[0] は 5 点ですから *f*[5] をインクリメントして 1 とします（図1）。続く a[1] は 7 点ですから、*f*[7] をインクリメントして 1 とします（図2）。

この作業を配列の末尾 a[*n* - 1] まで行うと、度数分布表が完成します。

▶ たとえば、*f*[3] の値 2 は、3 点が2人いることを表します。

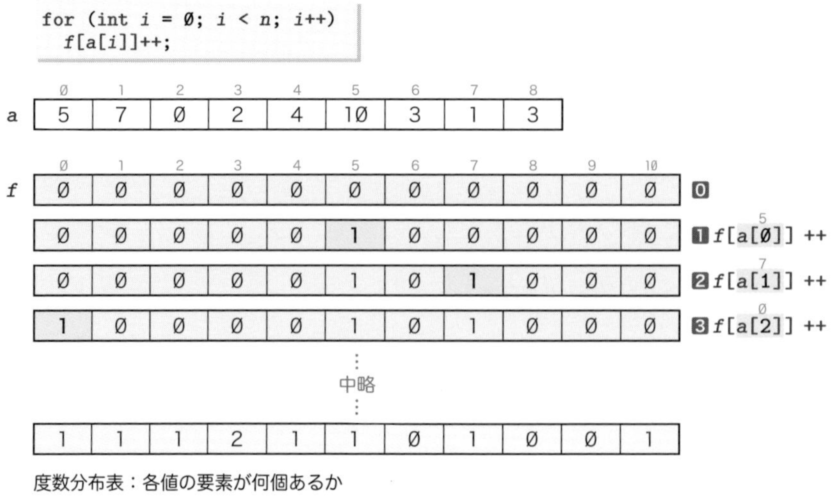

Fig.6-38　度数分布表の作成

Step2　累積度数分布表の作成

次に、『0点からその点数までに何人の学生がいるか』を表す**累積度数分布表**を作成します。**Fig.6-39** に示すように、配列 `f` の2番目以降の要素に対して、一つ手前の要素の値を加える処理を繰り返します。

最下段が、最終的に得られた累積度数分布表です。

▶ たとえば、`f[4]` の値 **6** は、**0** 点から **4** 点までに累計6人いることを表し、`f[10]` の値 **9** は、**0** 点から **10** 点までに累計9人いることを表します。


```
for (int i = 1; i <= max; i++)
  f[i] += f[i - 1];
```

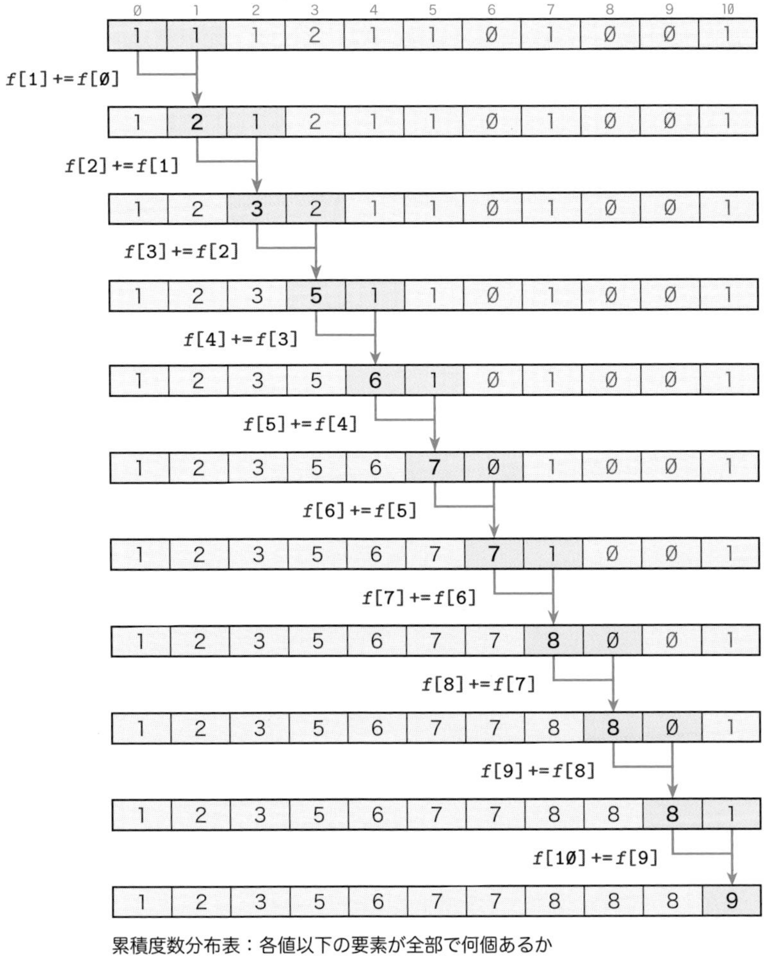

Fig.6-39　累積度数分布表の作成

Step 3　目的配列の作成

```
for (int i = n - 1; i >= 0; i--)
  b[--f[a[i]]] = a[i];
```

各点数の学生が何番目に位置するのかが判明したのですから、この時点で、ソートはほとんど完了したも同然です。

残る作業は、配列 a の各要素の値と、累積度数分布表 f とをつきあわせて、ソートずみの配列を作ることです。ただし、その作業では、配列 a と同じ要素数をもった作業用の配列が必要です。ここでは、その配列を b とします。

配列 a の要素を末尾要素から先頭へと走査しながら、つきあわせを行います。

＊

1 要素 a[8]

まずは、末尾要素 a[8] に着目します。その値は 3 です（**Fig.6-40**）。累積度数を表す配列 f[3] の値が 5 ですから、0 点から 3 点までに5人います。

そこで、作業用の目的配列の b[4] に 3 を格納します。

▶　配列の5番目の要素は、インデックスが 4 であることに注意しましょう。

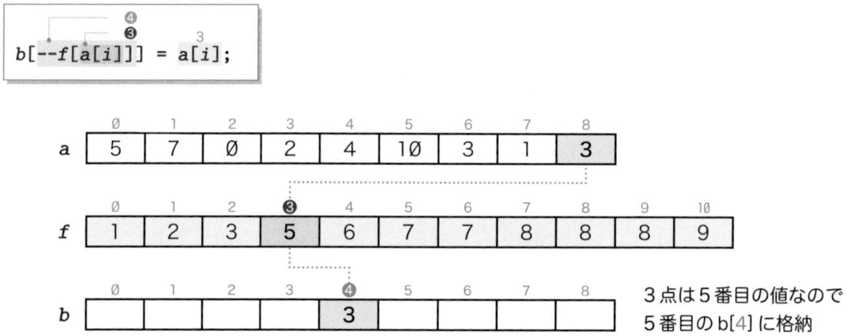

Fig.6-40　目的配列の作成（その1）

この作業を行う際に f[3] の値を 5 から 4 にデクリメントします。その理由は、3で学習しますので、配列 a の走査を続けていきましょう。

＊

2 要素 a[7]

一つ前の要素 a[7] に着目すると、その値は 1 です（**Fig.6-41**：右ページ）。累積度数を表す配列 f[1] の値が 2 ですから、0 点から 1 点までに2人います。

そこで、作業用の目的配列の b[1] に 1 を格納します。

▶　配列の2番目の要素は、インデックスが 1 です。なお、この作業を行う際にも、f[1] の値を 2 から 1 にデクリメントします。

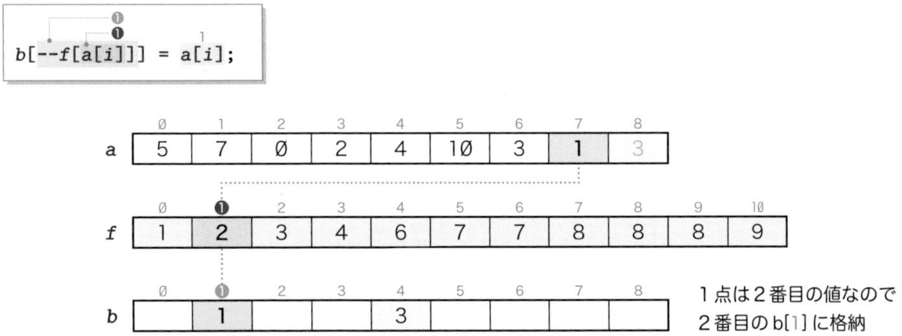

Fig.6-41　目的配列の作成（その2）

③ 要素 a[6]

さらに走査を続けます。着目する a[6] の値は 3 です（**Fig.6-42**）。3 点の学生の格納を行うのは2回目です。①では、a[8] の値である 3 を目的配列に格納する際に、f[3] の値をデクリメントして 5 から 4 にしていました。

そこで、目的配列の4番目の要素である b[3] に 3 を格納します。

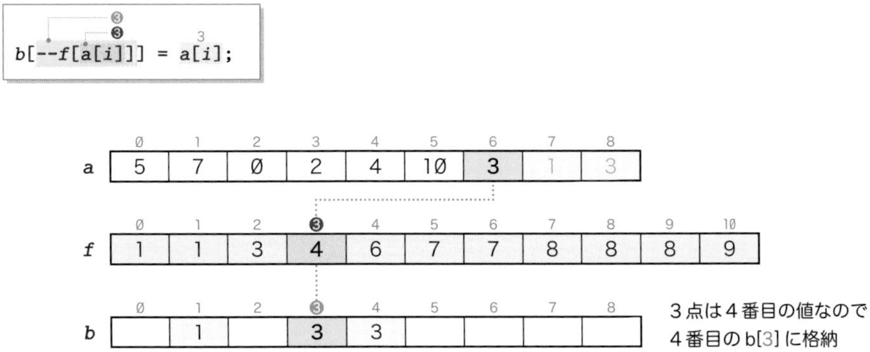

Fig.6-42　目的配列の作成（その3）

ソート前の配列の末尾側の 3 が b[4] に格納されて、先頭側の 3 が b[3] に格納されました。

目的配列に値を格納する際に、参照した配列 f の要素の値をデクリメントするのは、同じ値の要素が複数存在する場合に、格納先が重複しないようにするための配慮であることが分かりました。

＊

さて、以上の作業を a[Ø] まで行うと、配列 a の全要素を、配列 b の適切な位置に格納できます。これでソートは完了です。

Step 4　配列のコピー

ソートが完了したとはいっても、ソート結果が格納されているのは作業用配列 b であって、配列 a はソート前のままです。

```
for (int i = 0; i < n; i++)
  a[i] = b[i];
```

そこで、配列 b の全要素を、配列 a にコピーし直します。

＊

度数ソートは、if 文が一つもなく、for 文による繰返しだけでソートできる、極めて美しいアルゴリズムです。

度数ソートを行うプログラムを List 6-18 に示します。

List 6-18　chap06/CountingSort.java

```
// 度数ソート

import java.util.Scanner;

class CountingSort {

  //--- 度数ソート（配列要素の値は0以上max以下） ---//
  static void countingSort(int[] a, int n, int max) {
    int[] f = new int[max + 1];   // 累積度数
    int[] b = new int[n];         // 作業用目的配列

    for (int i = 0;     i < n;    i++) f[a[i]]++;              // [Step 1]
    for (int i = 1;     i <= max; i++) f[i] += f[i - 1];       // [Step 2]
    for (int i = n - 1; i >= 0;   i--) b[--f[a[i]]] = a[i];    // [Step 3]
    for (int i = 0;     i < n;    i++) a[i] = b[i];            // [Step 4]
  }

  public static void main(String[] args) {
    Scanner stdIn = new Scanner(System.in);

    System.out.println("度数ソート");
    System.out.print("要素数：");
    int nx = stdIn.nextInt();
    int[] x = new int[nx];

    for (int i = 0; i < nx; i++) {
      do {
        System.out.print("x[" + i + "]：");
        x[i] = stdIn.nextInt();
      } while (x[i] < 0);
    }

    int max = x[0];          配列xの最大値を求めてmaxに代入
    for (int i = 1; i < nx; i++)
      if (x[i] > max) max = x[i];

    countingSort(x, nx, max);   // 配列xを度数ソート

    System.out.println("昇順にソートしました。");
    for (int i = 0; i < nx; i++)
      System.out.println("x[" + i + "]＝" + x[i]);
  }
}
```

実行例

```
度数ソート
要素数：7
x[0]：22
x[1]：5
x[2]：11
x[3]：32
x[4]：120
x[5]：68
x[6]：70
昇順にソートしました。
x[0]＝5
x[1]＝11
x[2]＝22
x[3]＝32
x[4]＝68
x[5]＝70
x[6]＝120
```

度数ソートを行うのがメソッド *countingSort* です。配列の全要素の値が、0 以上 max 以下であることを前提に、要素数 *n* の配列 a をソートします。

▶ 本プログラムの main メソッドでは、キーボードから読み込む値を 0 以上の値のみに限定しています。網かけ部は、キーボードから読み込んだ配列の最大値を求める部分です。そして、メソッド *countingSort* の呼出し時に、その値を第3引数として渡しています。

メソッド *countingSort* 内では、二つの作業用配列 f と b を生成しています。

既に学習したとおり、配列 f は、度数分布および累積度数を格納するための配列であり、配列 b は、ソートした配列を一時的に格納するための目的配列です。

▶ 配列 f は、インデックスとして 0 〜 max が必要ですから、その要素数は max + 1 です。また、目的配列 b は、ソート結果を一時的に保存するための配列ですから、要素数は配列 a と同じ *n* です。
　度数分布と累積度数を格納するための配列 f の全要素に 0 を代入しなくてもよいのは、配列の生成時に全要素が既定値 0 で初期化される（p.36）からです。

メソッドは四つのステップで構成されています。Step 1 から Step 4 までの各ステップのコードは、これまで学習したとおりです。

＊

度数ソートのアルゴリズムは、データの比較や交換の作業が不要であって極めて高速です。プログラムは **for** 文の集まりであって、再帰呼出しも2重ループもありませんので、効率のよいアルゴリズムであることは、一目瞭然です。

もっとも、度数分布表が必要ですから、たとえば、**0, 1, …, 100** という整数値のみを取り得るテストの点数のように、データの最小値と最大値があらかじめ分かっている場合にしか適用できません。

各ステップでは、配列の要素を飛び越えることなく順に走査しますので、このソートアルゴリズムは**安定です**。

ただし、Step 3 での配列 a の走査を、末尾側からではなく先頭側から行うと、安定ではなくなることに注意しましょう。

▶ 先頭側から末尾側へ走査を行うと安定でなくなることは、次のように確認できます：
　走査を先頭側から行うと、**Fig.6-40** と **Fig.6-42** の実行順序が逆になります。その結果、もともとの配列の先頭側に位置していた3が a[4] に格納され、末尾側に位置していた3が a[3] に格納されます。すなわち、同一キー値の順序関係がソート前後で反転します。

演習 6-17

度数ソートの各ステップにおける配列 a, *b*, *f* の要素の値の変化を詳細に表示するプログラムを作成せよ。

演習 6-18

要素の値が *min* 以上 *max* 以下である要素数 *n* の配列 a を度数ソートするメソッドを作成せよ。

```
static void countingSort(int[] a, int n, int min, int max)
```

第7章

文字列探索

- 力まかせ法
- ＫＭＰ法
- ＢＭ法
- String.indexOf による文字列探索

7-1 力まかせ法

本章では、文字列の中に部分として含まれる文字列を探索するアルゴリズムを学習します。最初に学習するのは、最も基礎的かつ単純な、力まかせ法です。

文字列探索

本章で学習するのは、**文字列探索**（string searching）のアルゴリズムです。

文字列探索とは、ある文字列中に別の文字列が含まれているかどうか、含まれているのであれば、その位置を調べることです。

たとえば、文字列 `"STRING"` や `"KING"` から `"IN"` を探索すると成功します。

一方、文字列 `"QUEEN"` から `"IN"` を探索すると失敗します。

Fig.7-1 に示すように、探索される側の文字列を**テキスト**（text）と呼び、探索する文字列を**パターン**（pattern）呼びます。

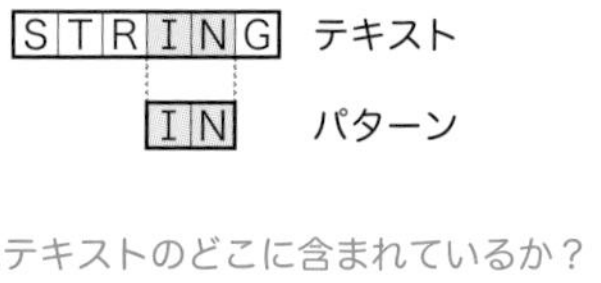

Fig.7-1　文字列探索

力まかせ法（単純法／素朴法）

最初に学習するアルゴリズムは、**力まかせ法**（brute force method）です。

まずは、このアルゴリズムの概略を、テキスト `"ABABCDEFGHA"` から、パターン `"ABC"` を探索する **Fig.7-2** の例で理解しましょう。

a テキストの先頭文字 `'A'` から始まる3文字が、パターン `"ABC"` と一致するかどうかを照合します。`'A'` と `'B'` は一致しますが、最後の `'C'` が一致しません。

b パターンを1文字後方に移動して、テキストの2文字目以降と一致するかどうかを照合します。パターンの先頭文字 `'A'` とテキストの `'B'` が一致しません。

c パターンをさらに1文字後方にずらします。パターン中の文字 `'A'`, `'B'`, `'C'` のすべてが一致しますので、探索成功です。

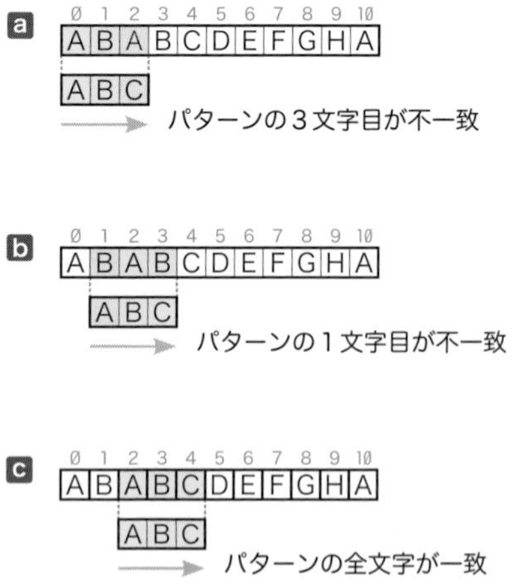

Fig.7-2　力まかせ法の概略

力まかせ法は、線形探索を拡張した単純なアルゴリズムであることから、**単純法**や**素朴法**などとも呼ばれます。

それでは、このアルゴリズムを、もう少し詳しく具体化していきましょう。

Fig.7-3 に示すのが、先ほどの図における照合の過程の詳細です。

a テキストとパターンの先頭文字を重ねて、先頭文字から順に照合します。すなわち、テキストの⓿の文字と、パターンの⓪の文字とを重ねます。

図1・図2のように、文字が一致するあいだは、照合を順に続けます。

ただし、図3のように異なる文字に出会うと、**それ以上の照合は不要**と判定できます。そこで、次のステップへ進みます。

b パターンを1文字後方にずらします。すなわち、パターンの⓪の文字を、テキストの❶の文字に重ねます。

図4に示すように、先頭文字でいきなり照合に失敗します。**それ以上の照合は不要**と判定できますので、次のステップへ進みます。

c パターンをさらに1文字後方にずらします。すなわち、パターンの⓪の文字を、テキストの❷の文字に重ねます。

パターンの先頭文字から順に5・6・7と照合していくと、今回は、**すべての文字が一致します。**

これで探索に成功します。

＊

図3では、テキスト側の照合位置が❷まで進んでいますが、次の4では❶に戻っています。

テキスト側の照合位置が、前進するだけでなく**後退することがある**のは、力まかせ法の効率の悪さを表します。

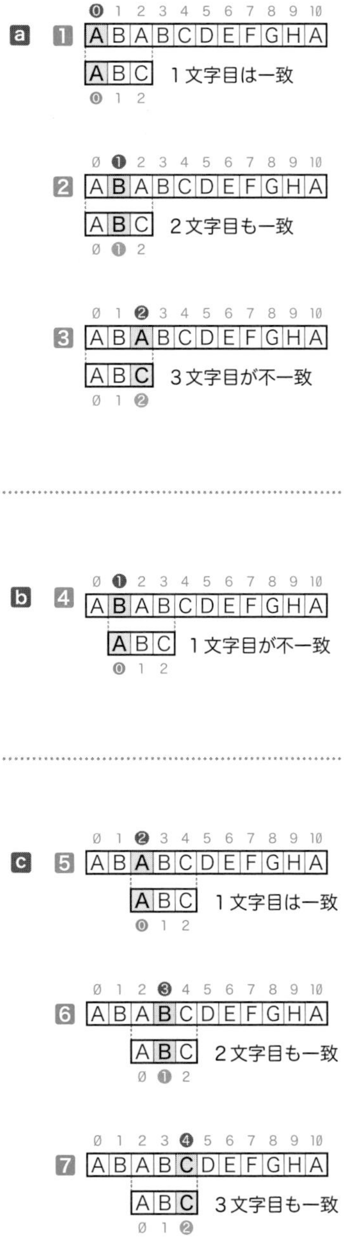

Fig.7-3　力まかせ法による探索

＊

力まかせ法によって文字列探索を行うプログラムを、次ページの **List 7-1** に示します。

List 7-1 chap07/BFmatch.java

```
// 力まかせ法による文字列探索

import java.util.Scanner;

class BFmatch {

  //--- 力まかせ法による文字列探索 ---//
  static int bfMatch(String txt, String pat) {
    int pt = 0;    // txtをなぞるカーソル
    int pp = 0;    // patをなぞるカーソル

    while (pt != txt.length() && pp != pat.length()) {
      if (txt.charAt(pt) == pat.charAt(pp)) {
        pt++;
        pp++;
      } else {
        pt = pt - pp + 1;
        pp = 0;
      }
    }
    if (pp == pat.length())     // 探索成功
      return pt - pp;
    return -1;                  // 探索失敗
  }

  public static void main(String[] args) {
    Scanner stdIn = new Scanner(System.in);

    System.out.print("テキスト：");
    String s1 = stdIn.next();              // テキスト用文字列

    System.out.print("パターン：");
    String s2 = stdIn.next();              // パターン用文字列

    int idx = bfMatch(s1, s2);  // 文字列s1から文字列s2を力まかせ法で探索

    if (idx == -1)
      System.out.println("テキスト中にパターンは存在しません。");
    else {
      // マッチ文字の直前までの《半角》での文字数を求める
      int len = 0;
      for (int i = 0; i < idx; i++)
        len += s1.substring(i, i + 1).getBytes().length;
      len += s2.length();

      System.out.println((idx + 1) + "文字目にマッチします。");
      System.out.println("テキスト：" + s1);
      System.out.printf(String.format("パターン：%%%ds\n", len), s2);
    }
  }
}
```

実行例

```
テキスト：ABC漢字DEF↵
パターン：漢字↵
4文字目にマッチします。
テキスト：ABC漢字DEF
パターン：   漢字
```

メソッド **bfMatch** は、文字列 **txt** から文字列 **pat** を探索し、照合に成功した位置の **txt** 側のインデックスを返します。文字列 **txt** 中に文字列 **pat** が複数含まれる場合は、最も先頭側の位置のインデックスを返します。

なお、探索に失敗した場合に返すのは **-1** です。

テキストを格納した文字列 **txt** を走査するための変数が *pt* であって、**Fig.7-3**（p.243）の●で示した値に相当します。また、パターンを格納した文字列 **pat** を走査するための変数が *pp* であって、●で示した値に相当します。

いずれも最初は **0** に初期化しておき、走査あるいはパターンの移動のたびに更新します。

▶ プログラム網かけ部については、p.248 で学習します。

演習 7-1

右のように、力まかせ法の探索過程を詳細に表示するプログラムを作成せよ。

パターンを移動するたびに、照合するテキスト側の先頭文字のインデックスを表示し、照合過程では、比較する二つの文字間に、一致すれば文字 '+' を、一致しなければ文字 '|' を表示するものとする。

さらに、文字を比較した総回数を最後に表示すること。

```
0 ABABCDEFGHA
  +
  ABC

  ABABCDEFGHA
   +
  ABC

  ABABCDEFGHA
    |
  ABC

1 ABABCDEFGHA
   |
   ABC
… 中略 …
比較は7回でした。
```

演習 7-2

メソッド ***bfMatch*** は、テキスト中にパターン文字列が複数含まれる場合、最も先頭側の位置を求めて返却する。最も末尾側の位置を返却するメソッド ***bfMatchLast*** を作成せよ。

```
static int bfMatchLast(String txt, String pat)
```

Column 7-1 文字列探索アルゴリズムの時間計算量と実用性

テキストの文字数が *n* であり、パターンの文字数が *m* であるとして、本章で学習する3種類の文字列探索アルゴリズムについて考察しましょう。

▪ 力まかせ法

アルゴリズムの時間計算量は $O(mn)$ ですが、作為的なわざとらしいパターンでない限り、実質的な時間計算量は $O(n)$ となることが知られています。単純なアルゴリズムですが、実際には、意外と高速に動作します。

▪ KMP 法

アルゴリズムの時間計算量は、最悪でも $O(n)$ と高速です。その一方で、処理が複雑であることや、パターン内に繰返しがなければ効果が薄いといった欠点があります。ただし、探索の過程で、着目点を前方に戻す必要がないため、順ファイルからの読込みを行いながらの探索などに適しています。

▪ Boyer–Moore 法

アルゴリズムの時間計算量は、最悪でも $O(n)$、平均的には $O(n / m)$ と高速です。なお、本来のアルゴリズムである、二つの配列を用いた方法は、KMP 法と同様に、配列の作成に複雑な処理が必要なため、効果が相殺されてしまいます。そのため、簡略 BM 法でも十分に高速です。

プログラムでは、標準ライブラリである **String.indexOf** メソッド（p.248）を使うのが基本です。標準ライブラリ以外の手段を使うのであれば、簡略 BM 法（あるいは、それを改良したもの）、場合によっては、力まかせ法が利用されることが多いようです。

Column 7-2　文字列と String クラス

Javaの**文字列**は、java.langパッケージに所属する**String クラス**で表されます。クラスで表される型ですから、当然、基本型（int型やdouble型などの組込み型）ではありません。

次に示すのが、Stringクラス型変数の典型的な宣言例です。

```
String s = "ABC";
```

初期化子として与えられている"ABC"は、**文字列リテラル**です。文字列リテラルは、単なる文字の並びではなく、String型のインスタンスです（文字列リテラル式を評価すると、そのインスタンスへの参照が得られることになっており、その参照でsが初期化されます）。

Stringクラスは、文字列を格納するための《文字の配列》を非公開のフィールドとしてもっています。そのため、変数sと、それに参照されるインスタンスのイメージは、**Fig.7C-1**のようになります。

変数sの参照先が、単なる『文字の並び』ではなく、『文字の並びを内部にもったインスタンス』であることを理解しましょう。

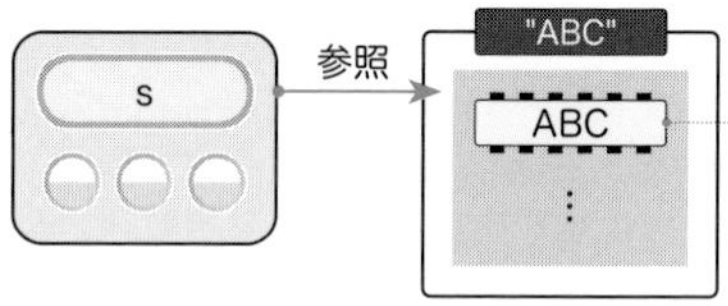

Fig.7C-1　String型の変数とインスタンス

ここでは、Stringクラスが提供する、代表的なメソッドをいくつか学習していきます（スペースの都合上、利用例のプログラムの提示を割愛しています。ダウンロードしたプログラムと見比べながら理解していきましょう）。

■ lengthメソッド … 文字列の長さの取得と任意の文字のアクセス

文字列の長さ（文字列に含まれている文字数）を調べるメソッドです。次の形式で呼び出します。

変数名 . length()

このメソッドは、文字列の長さをint型の値として返却します。

配列の要素数を取得する式"**配列名 .length**"とは、まったく異なることに注意しましょう。配列のlengthの後に()が不要なのは、lengthが、クラスでいうところの、メソッドではなくフィールドに相当するからです。

■ charAtメソッド … 文字列内の任意の文字の取出し

文字列中の任意の位置の文字を取得するメソッドです。インデックスがiの文字は、次の式で取得できます。

変数名 . charAt(*i*)

返却値される文字の型は、char型です。

※ lengthメソッドとcharAtメソッドの利用例は、"chap07/ScanString.java"です。キーボードから読み込んだ文字列sの長さをlength()で取得して、さらに、文字列中の文字を1文字ずつcharAt(*i*)で取得・表示します。

■ substring メソッド … 部分文字列の取出し

文字列内の部分文字列を取り出すメソッドです（たとえば、"ABCDEFG" から "CD" を取り出します）。受け取る引数が1個のものと、2個のものが多重定義されています。

変数名 . substring(*begin*)
変数名 . substring(*begin*, *end*)

前者が返却するのは、インデックスが *begin* の文字から、末尾までの文字列です。また、後者が返却するのは、インデックスが *end* の直前の文字までの文字列です。

返却するのは、両者とも、**新しく生成した文字列インスタンス**です（"ABCDEFG" から "CD" を取り出すのであれば、"CD" を表す String クラス型のインスタンスを新しく生成した上で、そのインスタンスへの参照を返却します）。

※ 本メソッドの利用例は、"chap07/Substring.java" です。最初に、文字列 *s* と、整数値 *begin* と *end* をキーボードから読み込みます。その後、s.substring(*begin*) と s.substring(*begin*, *end*) のそれぞれが返却する文字列を表示します。

■ equals メソッド … 他の文字列と等しいかを調べる

二つの文字列（のインスタンスへの参照）を、等価演算子 == や != 演算子で比較しても、判定される等価性の対象は、文字列の中身ではなく、**参照先**（インスタンスの格納場所）です。

文字列の中身の等価性を判定するのが、この equals メソッドです。次の形式で呼び出します。

変数名 . equals(*s*)

文字列が s と等しければ true を、等しくなければ false を返します。

なお、このメソッドは、Object クラスの equals メソッド（**Column 9-3**：p.334）をオーバライドしたメソッドです。

※ 本メソッドの利用例は "chap07/CompareString1.java" です。二つの文字列をキーボードから読み込み、それらの等価性を == で判定した結果（参照先の等価性）と、equals メソッドで判定した結果（文字列の中身の等価性）の両方を表示します。

■ compareTo メソッド … 他の文字列との比較（大小関係の判定）を行う

引数に受け取った文字列との比較（大小関係の判定）を行うのが compareTo メソッドです。

変数名 . compareTo(*s*)

文字列と s との大小関係を《辞書の順序》に基づいて判定し、次の値で返却します。

- 文字列が s よりも小さければ：負の整数値
- 文字列が s よりも大きければ：正の整数値
- 文字列が s と等しければ　　：0

文字列の大小関係の判定は、先頭文字から順に文字コードを比較していき、それが同じであれば、次の文字を比較する、という手順の繰返しで行われます。もちろん、いずれかの文字コードのほうが大きければ、そちらの文字列のほうが大きいと判定されます。

たとえば、"ABCD" と "ABCE" だと、4文字目まで比較が進んだ段階で、後者のほうが大きいと判定されます。なお、"ABC" と "ABCD" のように、先頭側の3文字が同一で、一方の文字数が多い場合は、文字数の多いほうの文字列が大きいと判定されます。

※ 本メソッドの利用例は、"chap07/CompareString2.java" です。キーボードから二つの文字列を読み込んで、大小関係を判定した結果を表示します。

String.indexOf による文字列探索

`java.lang.String` クラスは、文字列探索を行う **indexOf** メソッドと **lastIndexOf** メソッドを提供します。**Table 7-1** に示すのが、その一覧です。

Table 7-1　java.lang.String クラスが提供する文字列探索メソッド

① `int indexOf(String str)`
② `int indexOf(String str, int fromIndex)`
③ `int lastIndexOf(String str)`
④ `int lastIndexOf(String str, int fromIndex)`

いずれのメソッドも、文字列が ***str*** を含んでいるかどうかを調べ、探索成功時には、照合した位置のテキスト側のインデックスを返却して、探索失敗時には **-1** を返却します。

探索対象は、①と③が文字列全体で、②と④はインデックスが ***fromIndex*** の位置以降の部分です。

なお、③と④は、***str*** が複数含まれるときに、最も末尾側の位置を見つけます。

①と③のメソッドによって文字列探索を行うプログラム例が、右ページの **List 7-2** です。

＊

テキストが **"ABC漢字abc日本語123"** で、パターンが **"日本語"** であれば、**indexOf** メソッドは 8 を返します（**Fig.7-4**）。

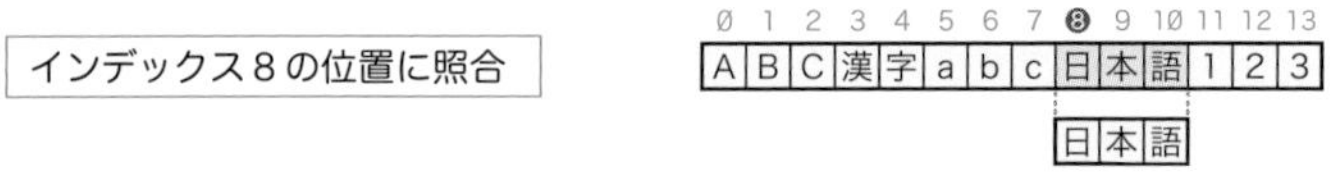

Fig.7-4　日本語を含む文字列の探索

ある行に文字列 **"ABC漢字abc日本語123"** を表示して、その次の行に半角空白 8 個と文字列 **"日本語"** を表示すると、次のようになります（□は半角の空白文字です）。

```
ABC漢字abc日本語123
□□□□□□□□日本語
```

照合位置を縦に並べて表示するために網かけ部で行っているのが、"照合した文字の直前までの文字数を半角換算の値として求める" ことです。

for 文では、**substring** によってテキスト文字列内の個々の文字に着目し、その文字を **getBytes** メソッドによってバイト配列に変換します。

▶ **String.getBytes** は、文字列をバイトシーケンスに符号化してバイト配列に格納するメソッドです（符号化ではプラットフォームのデフォルト文字セットが使用されます）。

List 7-2 chap07/IndexOfTester.java

```
// String.indexOfメソッドとString.lastIndexOfメソッドによる文字列探索

import java.util.Scanner;

class IndexOfTester {

  public static void main(String[] args) {
    Scanner stdIn = new Scanner(System.in);

    System.out.print("テキスト：");
    String s1 = stdIn.next();              // テキスト用文字列

    System.out.print("パターン：");
    String s2 = stdIn.next();              // パターン用文字列

    int idx1 = s1.indexOf(s2);             // 文字列s1からs2を探索（先頭側）
    int idx2 = s1.lastIndexOf(s2);         // 文字列s1からs2を探索（末尾側）

    if (idx1 == -1)
      System.out.println("テキスト中にパターンは存在しません。");
    else {
      // マッチ文字の直前までの《半角》での文字数を求める
      int len1 = 0;
      for (int i = 0; i < idx1; i++)
        len1 += s1.substring(i, i + 1).getBytes().length;
      len1 += s2.length();

      int len2 = 0;
      for (int i = 0; i < idx2; i++)
        len2 += s1.substring(i, i + 1).getBytes().length;
      len2 += s2.length();

      System.out.println("テキスト：" + s1);
      System.out.printf(String.format("パターン：%%%ds\n", len1), s2);
      System.out.println("テキスト：" + s1);
      System.out.printf(String.format("パターン：%%%ds\n", len2), s2);
    }
  }
}
```

実行例

```
テキスト：ABC漢字DEF漢字GHI
パターン：漢字
テキスト：ABC漢字DEF漢字GHI
パターン：   漢字
テキスト：ABC漢字DEF漢字GHI
パターン：         漢字
```

その結果、いわゆる半角文字は1バイトのバイト配列に変換され、いわゆる全角文字は2バイトのバイト配列に変換されます。

そのため、変換後の配列の長さを `length` によって求めれば、もともと着目していた文字が1バイト文字なのか2バイト文字なのかが分かります。

このようにして得られる値を **for** 文の繰返しによって累積したものに、文字列 ***s2*** の長さを加えたものを *len1* とします（**Fig.7-4** の場合では 13 となります）。

文字列 ***s2*** を 13 文字の幅で表示すると、次のように表示が揃います。

```
ABC漢字abc日本語123
□□□□□□□□□□日本語
```

▶ この例では、半角スペース 10 個と、全角文字3個が表示されます。Java で扱える文字は多種多様であり、英数字・日本語以外の文字も扱えます。したがって、内部が2バイトであるにもかかわらず、文字の横幅が半角相当の文字などは、本プログラムで正しく表示できません。

7-2 KMP法

不一致文字に出会うとパターンを移動して再びパターンの先頭から照合を行う力まかせ法とは異なり、それまでの照合結果を有効に利用するのがKMP法です。

KMP法

前節で学習した力まかせ法は、不一致文字に出会った段階で、それまでの照合結果を捨て去ってパターンの先頭文字からの照合を行い直すアルゴリズムでした。

照合結果を捨て去ることなく有効に活用するのが、D.E.KnuthとV.R.Prattの二人と、J.H.Morrisとが、ほぼ同時期に考案した**Knuth-Morris-Pratt法**、略して**KMP法**です。

テキスト"ZABCABXACCADEF"からパターン"ABCABD"を探索する例で、KMP法のアルゴリズムを考えていきます。

まず最初は、下の図に示すように、テキストとパターンの先頭文字から順に照合を行います。テキストの先頭文字'Z'は、パターンに含まれない文字ですから、いきなり不一致です。

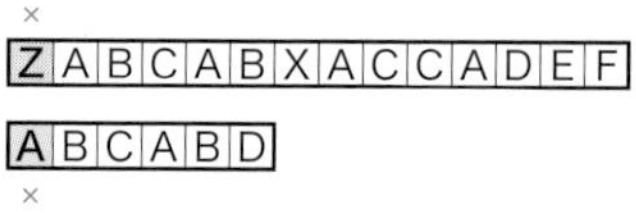

そこで、パターンを1文字後方にずらします。パターンの先頭から順に照合を行っていくと、パターンの末尾文字'D'がテキストの'X'と一致しません。

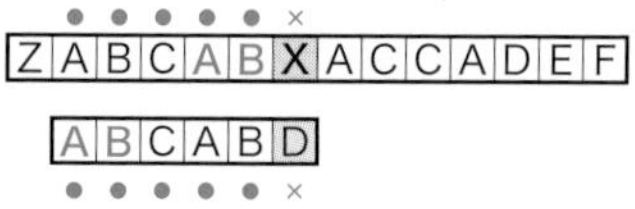

ここで、水色の文字で示している、テキスト内の"AB"とパターン内の"AB"が一致していることに着目します。この部分を"照合ずみ"とみなせれば、テキスト側の'X'以降の部分が、パターンの"CABD"と一致するかを調べればよいことになります。

そこで、下の図に示すように、"AB"が重なるようにパターンを一気に3文字ずらし、3文字目の'C'から照合を開始します。

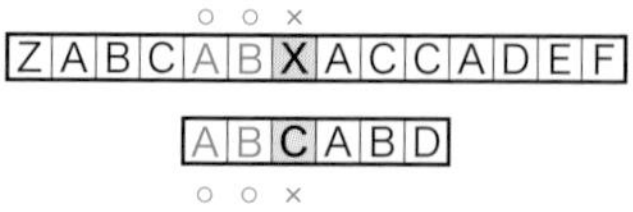

このように、KMP法は、テキストとパターン中の重なっている部分をうまく見つけ出して照合を再開する位置を求め、パターンの移動をなるべく大きくしようというアルゴリズムです。

もっとも、何文字目から照合を再開するのかを、パターンを移動するたびに計算し直すのでは、高い効率は望めません。そこで、その値を事前に《表》として作成しておきます。

その考え方を示すのが **Fig.7-5** です。左側の図は、テキストとパターンが不一致の状態を表しています。その際に、何文字目から照合を再開できるのかを示したのが、右側の図です。

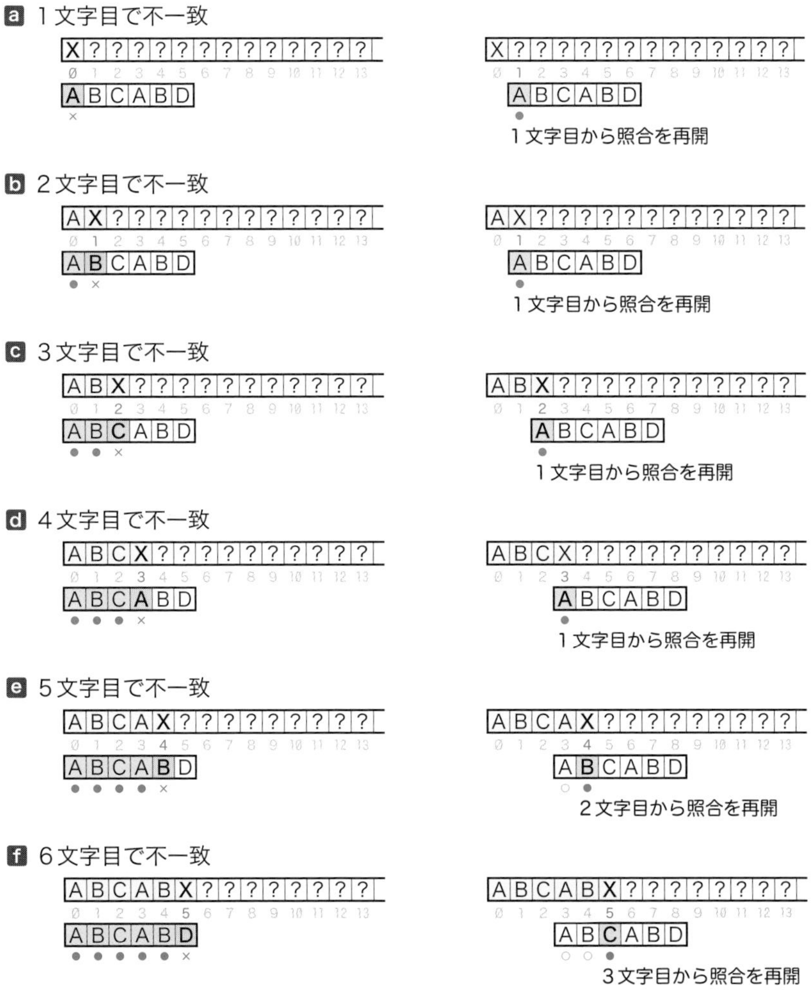
a 1文字目で不一致
1文字目から照合を再開
b 2文字目で不一致
1文字目から照合を再開
c 3文字目で不一致
1文字目から照合を再開
d 4文字目で不一致
1文字目から照合を再開
e 5文字目で不一致
2文字目から照合を再開
f 6文字目で不一致
3文字目から照合を再開

Fig.7-5　KMP法における照合再開値

a～d … パターンの1～4文字目で照合に失敗した場合は、パターン移動後に**先頭文字から照合を再開する必要があります。**

e … パターンの5文字目で照合に失敗した場合は、パターン移動後に先頭文字が一致しますので、**2文字目から再開できます。**

f … パターンの6文字目で照合に失敗した場合は、**3文字目から再開できます。**

表の作成にあたっては、パターン内の“重複した文字の並び”を見つけます。その過程でもKMP法と同じ考え方を適用します。

パターンの1文字目が不一致の場合、**パターンを1文字ずらして先頭文字から照合を行わなければならない**のは自明ですから、2文字目以降を考えていきます。また、パターンとテキストを重ね合わせるのではなく、パターンどうしを重ね合わせて計算します。

- パターン `"ABCABD"` どうしを1文字ずらして重ね合わせます。下の図で、青い部分に重なりはなく、パターン移動時に先頭の1文字目から照合を再開しなければならないことが分かります。そこで、2文字目 `'B'` の再開値を `0` とします。

▶ パターンの1文字目のインデックスは `0` であり、その位置から照合を再開するからです。

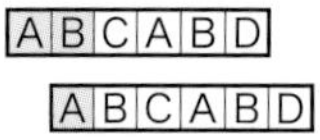

A	B	C	A	B	D
−	0				

- パターンを1文字ずらします。やはり文字は一致しませんので、3文字目 `'C'` の再開値を `0` とします。

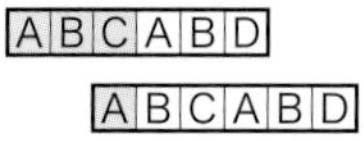

A	B	C	A	B	D
−	0	0			

- パターンを1文字ずらすと `"AB"` が一致します。ここで、次のことが分かります。
  - パターンの4文字目 `'A'` までが一致していれば、パターン移動後に `"A"` をスキップして2文字目から照合できる（前ページ図e）。
  - パターンの5文字目 `'B'` までが一致していれば、パターン移動後に `"AB"` をスキップして3文字目から照合できる（前ページ図f）。

  そこで、これらの文字の再開値を `1` および `2` とします。

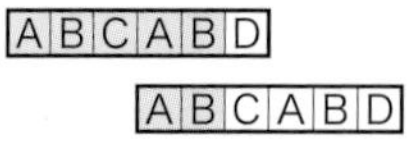

A	B	C	A	B	D
−	0	0	1	2	

- 引き続きパターンを2文字ずらすと、文字は一致しません。そこで、パターンの末尾文字 `'D'` の再開値を `0` とします。

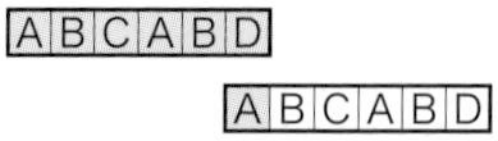

A	B	C	A	B	D
−	0	0	1	2	0

これで表の作成は終了します。

KMP 法によって文字列探索を行うメソッドを **List 7-3** に示します。

List 7-3 chap07/KMPmatch.java

```
//--- KMP法による文字列探索 ---//
static int kmpMatch(String txt, String pat) {
  int pt = 1;                           // txtをなぞるカーソル
  int pp = 0;                           // patをなぞるカーソル
  int[] skip = new int[pat.length() + 1]; // スキップテーブル

  // スキップテーブルの作成
  skip[pt] = 0;
  while (pt != pat.length()) {
    if (pat.charAt(pt) == pat.charAt(pp))
      skip[++pt] = ++pp;
    else if (pp == 0)
      skip[++pt] = pp;
    else
      pp = skip[pp];
  }

  // 探索
  pt = pp = 0;
  while (pt != txt.length() && pp != pat.length()) {
    if (txt.charAt(pt) == pat.charAt(pp)) {
      pt++;
      pp++;
    } else if (pp == 0)
      pt++;
    else
      pp = skip[pp];
  }

  if (pp == pat.length())   // パターンの全文字を照合
    return pt - pp;
  return -1;             // 探索失敗
}
```

1 表の作成

2 探索

メソッド **kmpMatch** が受け取る引数や返却値は、力まかせ法の関数 **bfMatch** と同じです。

1では再開値の表（スキップテーブル）を作成し、2では実際の探索を行います。

KMP 法では、テキストを走査するカーソル pt は、前進するだけで**後退することはありません。**これは、力まかせ法にはない特徴です。

もっとも、本アルゴリズムは、複雑であるにもかかわらず、次節で学習する Boyer–Moore 法と同等以下の性能しか発揮できません。そのため、現実のプログラムでは、あまり利用されません。

演習 7-3

演習 **7-1**（p.245）と同様に、KMP 法による探索過程を詳細に表示するプログラムを作成せよ。

7-3 Boyer-Moore 法

理論的にも実践的にもKMP法より優れていて、実際の（実用的なプログラムでの）文字列探索でも広く利用されているのがBoyer-Moore法です。

Boyer-Moore 法

R. S. BoyerとJ. S. MooreによるBoyer-Moore法（通称BM法）は、理論的にも実践的にもKMP法より優れたアルゴリズムです。

パターンの**末尾文字から先頭側へと照合を行う**過程で不一致文字を見つけた場合に、事前に用意した表に基づいてパターンの移動量を決定するのが、基本方針です。

ここでは、テキスト"ABCXDEZCABACABAC"からパターン"ABAC"を探索する例で、このアルゴリズムを考えていきます。

まずは、**Fig.7-6** ⓐに示すように、テキストとパターンの先頭文字を重ねた上でパターンの末尾文字'C'に着目します。対応する位置にあるテキスト側の'X'はパターンに含まれません。そのため、図ⓑ～図ⓓのようにパターンを1～3文字移動しても、文字'X'とパターン内の文字とは一致しないことが分かります。

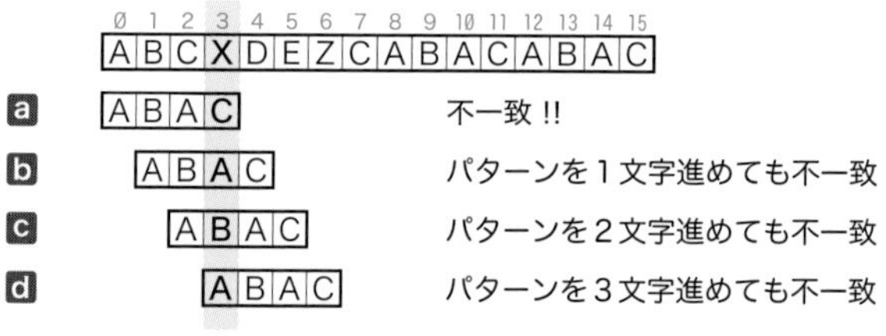

Fig.7-6　パターンの末尾文字が不一致

このように、パターンに含まれない文字をテキスト中に発見した場合、**そこまでの文字はスキップできます**。そこで、図ⓑ～図ⓓに示す比較を飛ばして、パターンを一気に4文字後ろに移動して、**Fig.7-7**のステップに進みます。

ここで、パターンの末尾文字'C'をテキストと比較すると一致します。そこで、一つ前の文字'A'へ戻って、右ページの**Fig.7-8**に進みます。

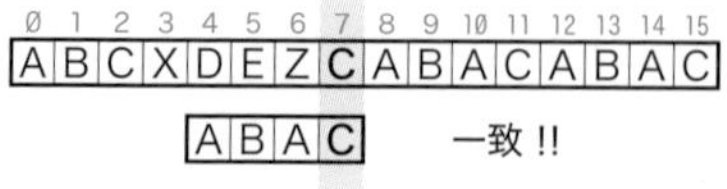

Fig.7-7　パターンの末尾文字が一致

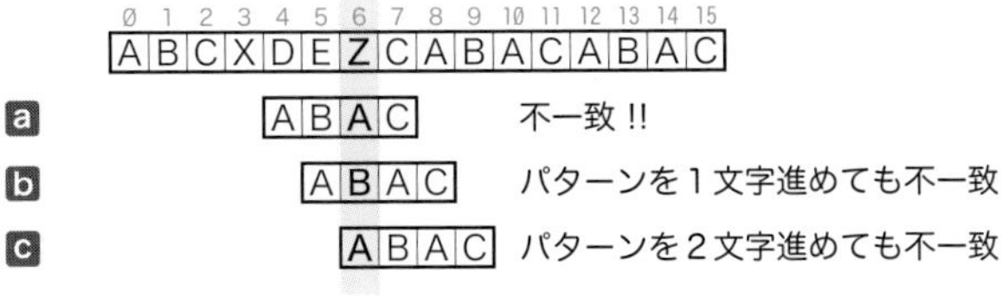

Fig.7-8　パターンとテキストの文字が不一致

パターンの文字 'A' は、テキストの 'Z' とは一致しません。この場合、図bや図cのように、パターンを1ないし2文字移動しても、文字 'Z' とパターン内の文字は一致しません。

そこで、パターンを一気に3文字移動して **Fig.7-9** に進みます。

▶　パターンの長さが n 文字であるとします。パターンに存在しない文字に出会った場合は、パターンを n 文字移動するのではなく、**着目している文字の位置が n 文字ずれるようにパターンを移動する**ことに注意しましょう。

たとえば、**Fig.7-7** では、パターンを4文字移動して着目点を4文字ずらしましたが、今回はパターンを3文字移動して着目点を4文字ずらします。

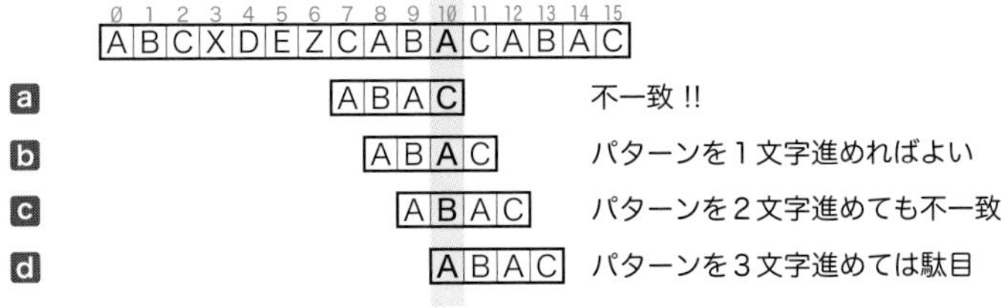

Fig.7-9　パターンとテキストの文字が不一致

テキスト側の 'A' は、パターンの末尾文字 'C' と一致しません（図a）。ところが、テキスト側の文字 'A' は、パターンの1文字目と3文字目の2箇所に含まれます。そこで、図bに示すように、後ろ側の 'A' が重なるように、パターンを1文字だけ移動します。

▶　このときに、図dに示すように、パターンの先頭側の 'A' を重ねようとして一気に3文字移動しては駄目です。

パターンを1文字移動して **Fig.7-10** へ進みます。末尾側から順に文字を比較すると、すべて一致しますので、探索に成功します。

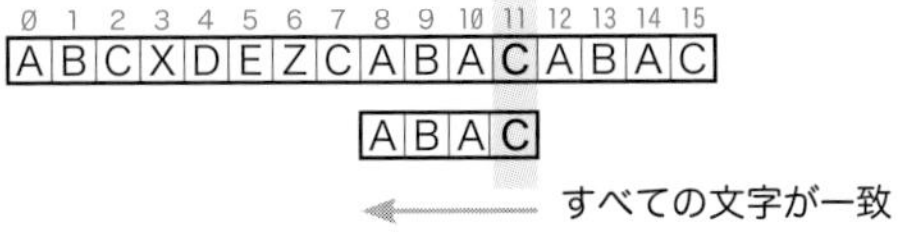

Fig.7-10　探索成功

さて、このアルゴリズムを利用するには、各文字に出会ったときの移動量（照合中の文字を何文字分ずらせばよいのか）を格納した表を、事前に作っておく必要があります。

パターン文字列の長さが **n** であるときの移動量は、次のように決定します。

■ パターンに含まれない文字

- 移動量は **n**。

▶ 前々ページの **Fig.7-6** の例に該当します。'X' はパターンに含まれないため4文字移動します。

■ パターンに含まれる文字

- 最後に出現する位置のインデックスが **k** であれば移動量は **n - k - 1**。

▶ 前ページの **Fig.7-9** の例に該当します。'A' はパターン中2箇所に含まれます。パターンを1文字だけずらします（3文字進めることはできません）。

- 同一文字がパターン内に存在しない、パターン末尾文字の移動量は **n**。

▶ このような文字（ここで考えている "ABAC" の 'C'）に出会ったら移動の必要はありませんので、便宜的に **n** とします。

そのため、ここに示した例では **Fig.7-11** に示す表となります。

▶ この図に示す移動量は、大文字のアルファベットのみです。この表にない文字（数字や記号文字など）の移動量は、すべて 4 です。

テキスト … 'ABCXDEZCABACABAC'　パターン … 'ABAC'

A	B	C	D	E	F	G	H	I	J	K	L	M
1	2	4	4	4	4	4	4	4	4	4	4	4

N	O	P	Q	R	S	T	U	V	W	X	Y	Z
4	4	4	4	4	4	4	4	4	4	4	4	4

Fig.7-11　スキップテーブル

Boyer–Moore 法のプログラムを、右ページの **List 7-4** に示します。メソッド **bmMatch** が受け取る引数や返却値は、これまでの二つのメソッドと同じです。

パターン中に存在し得るすべての文字の移動量を計算しなければなりませんので、スキップテーブルを格納する配列 **skip** の要素数は **Character.MAX_VALUE + 1** としています（**Character.MAX_VALUE** は **char** 型で表現できる文字数です）。

▶ ここで学習した、一つの配列を利用して照合を行うアルゴリズムは、**簡略 BM 法**と呼ばれるものです。本来の BM 法は、二つの配列を用意して照合を行います。

演習 7–4

演習 **7-1**（p.245）と同様に、Boyer–Moore 法の探索過程を詳細に表示するプログラムを作成せよ。

List 7-4 chap07/BMmatch.java

```
// Boyer-Moore法による文字列探索

import java.util.Scanner;

class BMmatch {

  //--- Boyer-Moore法による文字列探索 ---//
  static int bmMatch(String txt, String pat) {
    int pt;                    // txtをなぞるカーソル
    int pp;                    // patをなぞるカーソル
    int txtLen = txt.length();    // txtの文字数
    int patLen = pat.length();    // patの文字数
    int[] skip = new int[Character.MAX_VALUE + 1];  // スキップテーブル

    // スキップテーブルの作成
    for (pt = 0; pt <= Character.MAX_VALUE; pt++)
      skip[pt] = patLen;
    for (pt = 0; pt < patLen - 1; pt++)
      skip[pat.charAt(pt)] = patLen - pt - 1;
                                  // pt == patLen - 1である
    // 探索
    while (pt < txtLen) {
      pp = patLen - 1;            // patの末尾文字に着目

      while (txt.charAt(pt) == pat.charAt(pp)) {
        if (pp == 0)
          return pt;              // 探索成功
        pp--;
        pt--;
      }
      pt += (skip[txt.charAt(pt)] > patLen - pp) ? skip[txt.charAt(pt)]
                                   : patLen - pp;
    }
    return -1;                    // 探索失敗
  }

  public static void main(String[] args) {
    Scanner stdIn = new Scanner(System.in);

    System.out.print("テキスト：");
    String s1 = stdIn.next();            // テキスト用文字列

    System.out.print("パターン：");
    String s2 = stdIn.next();            // パターン用文字列

    int idx = bmMatch(s1, s2);  // 文字列s1から文字列s2をBM法で探索

    if (idx == -1)
      System.out.println("テキスト中にパターンは存在しません。");
    else {
      // マッチ文字の直前までの《半角》での文字数を求める
      int len = 0;
      for (int i = 0; i < idx; i++)
        len += s1.substring(i, i + 1).getBytes().length;
      len += s2.length();

      System.out.println((idx + 1) + "文字目にマッチします。");
      System.out.println("テキスト：" + s1);
      System.out.printf(String.format("パターン：%%%ds\n", len), s2);
    }
  }
}
```

実行例

```
テキスト：ABC漢字DEF⏎
パターン：漢字⏎
4文字目にマッチします。
テキスト：ABC漢字DEF
パターン：   漢字
```

第8章

線形リスト

- リスト構造
- 線形リスト
- ノードとポインタ
- 自己参照型
- ポインタによる線形リスト
- 配列による線形リスト
- フリーリスト
- 循環リスト／重連結リスト
- 循環・重連結リスト

8-1 線形リストとは

リストは、データが順序付けられて並んだデータ構造です。本節では、最も単純なリスト構造である線形リストを学習します。

線形リスト

本章で学習するのは、**リスト** (list) です。**Fig.8-1** のように、**リストは、データが順序付けられて並んでいるデータ構造です。**

▶ 第4章で学習したスタックとキューも、リスト構造の一種です。

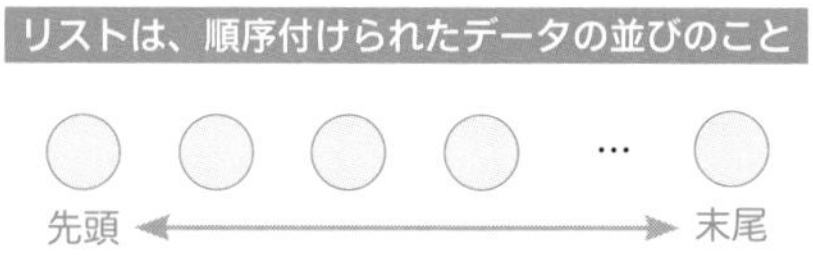

Fig.8-1 リスト

リストの中で、最も単純な構造のものが、**線形リスト**(せんけい) (linear list) です。なお、線形リストは、**連結リスト**(れんけつ) (linked list) とも呼ばれます。

Fig.8-2 に示すのが、線形リストの一例です。AからFまでの6個のデータが並んでいます。

ちょうど、AがBに連絡して、BがCに連絡して、… と順にたぐっていく《電話連絡簿》のような構造です。もちろん、その構造上、誰かを飛ばして電話する、あるいは、前の人に電話をする、といったことはできません。

リスト上の個々の**要素** (element) は、**ノード** (node) と呼ばれます。各ノードの構成要素は、データと、**後続ノードを指すポインタ** (pointer) です。

なお、先頭に位置するノードは**先頭ノード** (head node) と呼ばれ、末尾に位置するノードは**末尾ノード** (tail node) と呼ばれます。

また、個々のノードにとっての、一つ先頭側のノードは**先行ノード** (predecessor node) と呼ばれ、一つ末尾側のノードは**後続ノード** (successor node) と呼ばれます。

▶ たとえば、ノードCにとって、先行ノードはノードBで、後続ノードはノードDです。ノードCがもっているポインタは、後続ノードDを指します。

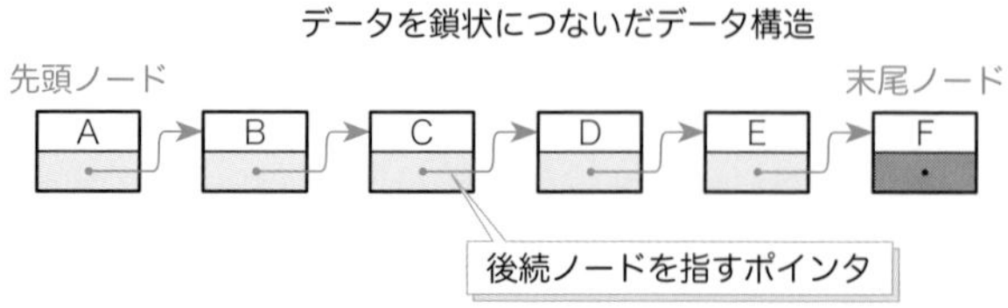

Fig.8-2 線形リスト

線形リストの実現

電話連絡簿の線形リストを、単純な配列で実現した例を **Fig.8-3** に示しています。

要素型が `Person` の配列 `data` の要素数は7であり、最大7人分の会員データを格納できます。換言すると、保存できるデータは、高々7人分までということです。

```
class Person {
  int No;              // 会員番号
  String name;         // 氏名
  String phoneNo;      // 電話番号
  // ...
}

Person[] data = {
  new Person(12, "John", "999-999-1234"),
  new Person(33, "Paul", "999-999-1235"),
  new Person(57, "Mike", "999-999-1236"),
  new Person(69, "Rita", "999-999-1237"),
  new Person(41, "Alan", "999-999-1238"),
  new Person( 0, "",     ""),
  new Person( 0, "",     ""),
};
```

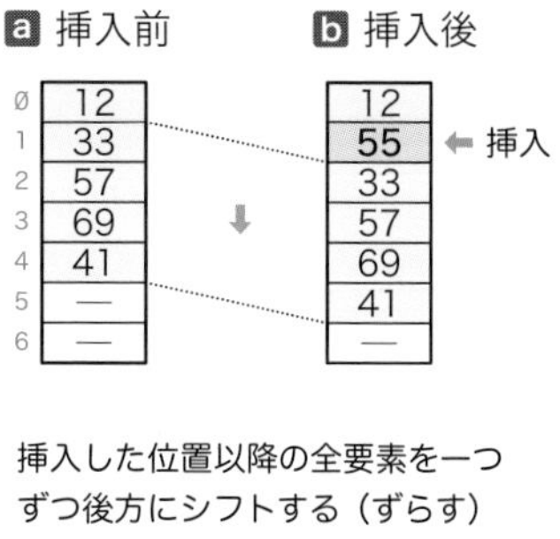

Fig.8-3　配列による線形リストへの挿入

なお、この図は、会員が5人であって、`data[5]` と `data[6]` が未登録の状態です。

▶　スペースの都合上、右側の配列の図では、《会員番号》のみを示しています。

後続ノードの取出し

配列の各要素には、電話連絡を行う順番でデータが格納されています。電話をかける際に必要な《後続ノードの取出し》は、**一つ大きな値のインデックスをもつ要素のアクセス**によって実現できます。

ノードの挿入と削除

会員番号55の会員が新しく入会して、そのデータを会員番号12と33のあいだに挿入するとします。その場合、図**b**に示すように、挿入要素以降の全要素を**一つずつ後方にごっそりとずらすことになります。**

削除を行う場合も同様です。配列内の要素をごっそりと移動せねばなりません。

＊

単純な配列による線形リストには、次の問題があることが分かりました。

- **蓄えられるデータ数の上限が既知でなければならない。**
- **データの挿入・削除に伴ってデータの移動が生じるため効率がよくない。**

8-2 ポインタによる線形リスト

本節では、後続ノードを指す《ポインタ》を各ノードにもたせることによって実現する線形リストを学習します。

ポインタによる線形リスト

線形リストへのデータ挿入の際に、ノード用オブジェクトを生成し、削除の際にノード用オブジェクトを破棄すると、前ページで浮上した問題が解決します。

そのようなノードを実現するのが、**Fig.8-4** に示すクラス *Node<E>* です。データ用のフィールド **data** とは別に、**自身と同じクラス型のインスタンスを参照する（指す）**ためのフィールド **next** をもちます。

このような、自身と同じ型のインスタンスを参照するフィールドをもつ構造は、**自己参照**（self-referential）**型**と呼ばれます。

```
class Node<E> {
  E data;            // データへの参照
  Node<E> next;      // 後続ノードへの参照
}
```

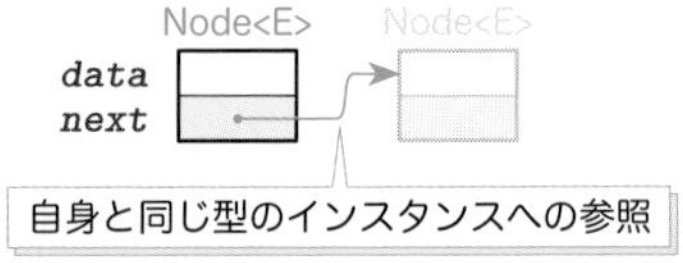

Fig.8-4　線形リスト用のノード

Node<E> はジェネリックに実現されていますので、データの型 *E* は、任意のクラス型が使えます（利用する側で自由に型を指定できます）。

なお、*Node<E>* のイメージを（もう少し）厳密に表すと、**Fig.8-5** のようになります。

というのも、フィールド **data** の型である *E* は参照型であって、クラス型変数が表すのが、データそのものではなく、データを格納するインスタンスへの《参照》だからです（p.61）。

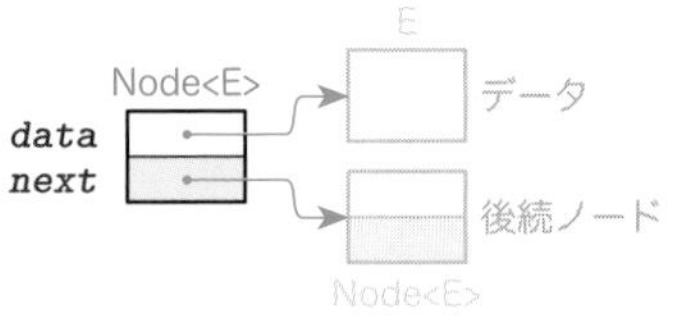

Fig.8-5　Node<E> のイメージ

▶ 後続ノードを参照する矢印に加えて、データを参照する矢印を図示すると、煩雑になるため、以降の図では、データを参照する矢印は省略して、**Fig.8-4** のように表します。

後続ノードへの参照 **next** を、**後続ポインタ**と呼びましょう。

後続ポインタ **next** には、後続ノードへの参照を格納するのが基本です。ただし、後続ノードが存在しない**末尾ノード**の後続ポインタの値は、空参照 **null** とします。

＊

ノードの型がクラス *Node<E>* 型である線形リストを、クラス *LinkedList<E>* として実現したプログラムを、右ページの **List 8-1** に示します。

List 8-1 [A] chap08/LinkedList.java

```
//  線形リストクラス

import java.util.Comparator;

public class LinkedList<E> {

  //--- ノード ---//
  class Node<E> {
    private E data;           // データ
    private Node<E> next;     // 後続ポインタ（後続ノードへの参照）

    //--- コンストラクタ ---//
    Node(E data, Node<E> next) {
      this.data = data;
      this.next = next;
    }
  }

  private Node<E> head;    // 先頭ポインタ（先頭ノードへの参照）
  private Node<E> crnt;    // 着目ポインタ（着目ノードへの参照）
```


ノードクラス Node<E>

ノードクラス **Node<E>** は、線形リストクラス **LinkedList<E>** の中で宣言されています。このクラスが提供するのは、2個のフィールドとコンストラクタです。

フィールド

既に学習したとおり、ノードクラス **Node<E>** のフィールドは、次の2個です。

- **data** … データ（データへの参照：型は *E*）。
- **next** … 後続ポインタ（後続ノードへの参照：型は **Node<E>**）。

コンストラクタ

Node<E> のコンストラクタは、仮引数 **data** と **next** に受け取った値を、対応するフィールドに代入します。

線形リストクラス LinkedList<E>

クラス **LinkedList<E>** には、2個のフィールドがあります。

- ***head***

  先頭ノードへの参照です。**先頭ポインタ**と呼ぶことにします。

- ***crnt***

  現在着目しているノードへの参照です。リストからノードを“探索”して、そのノードに着目した直後に、そのノードを“削除”する、といった用途で利用します。**着目ポインタ**と呼ぶことにします。

▶ コンストラクタと各メソッドの実行によって、着目ポインタ *crnt* の値がどのように更新されるかを、**Table 8-1**（p.274）にまとめています。

線形リストクラスのイメージを表したのが、**Fig.8-6** です。リスト上の各ノードは、***Node<E>*** 型です。線形リストクラスがもつデータは、実質的に、先頭ポインタ ***head*** のみです。

▶ 着目ポインタ ***crnt*** もありますが、この図では省略しています。

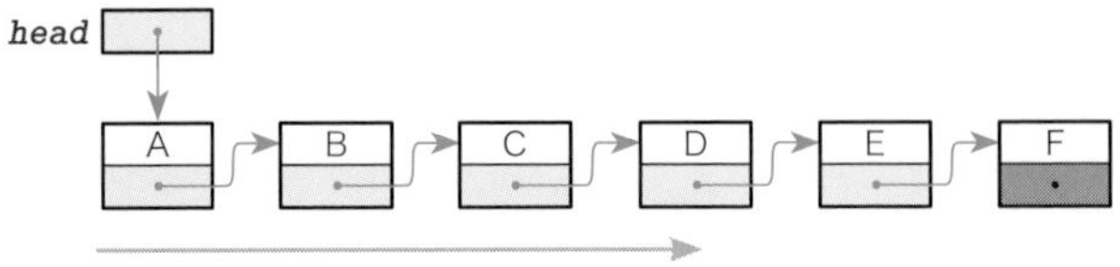

Fig.8-6　線形リストクラスのイメージ

コンストラクタ：LinkedList

線形リストクラス ***LinkedList*** のコンストラクタが行うのは、ノードが1個もない**空の線形リスト**を生成することです。

List 8-1 [B]　chap08/LinkedList.java

```
//--- コンストラクタ ---//
public LinkedList() {
  head = crnt = null;
}
```

このコンストラクタでは、極めて単純なことを行っています。

Fig.8-7 に示すように、先頭ポインタ ***head*** に対して空参照 **null** を代入するだけです。

▶ ***Node<E>*** 型の変数 ***head*** は、**先頭ノードへの参照であって、先頭ノードそのものではありません。**
　ノードが存在しない空の線形リストでは、先頭ポインタ ***head*** の参照先がない（参照すべきノードが存在しない）ため、その値を **null** とします。

Fig.8-7　空の線形リスト

なお、着目ポインタ ***crnt*** にも **null** を代入します。その結果、いかなる要素にも着目していないことになります。

▪ 空の線形リスト

さて、**Fig.8-7** で分かるように、線形リストが空である（ノードが1個も存在しない）とき、先頭ポインタ ***head*** の値は **null** です。

そのため、線形リストが空であるかどうかは、次の式で判定できます。

```
head == null          // 線形リストは空か（ノードは0個か）？
```

これ以外の判定についても考えていきましょう。

■ ノードが１個の線形リスト

Fig.8-8 に示すのは、ノードが１個だけ存在する線形リストであって、先頭ポインタ ***head*** がノードAを参照しています。

そのノードAは、リストの先頭ノードであると同時に末尾ノードでもあるため、その後続ポインタの値は **null** です。

head の参照先ノードがもっている後続ポインタの値が **null** ですから、線形リスト上に存在するノードが１個のみであるかどうかの判定は、次の式で行えます。

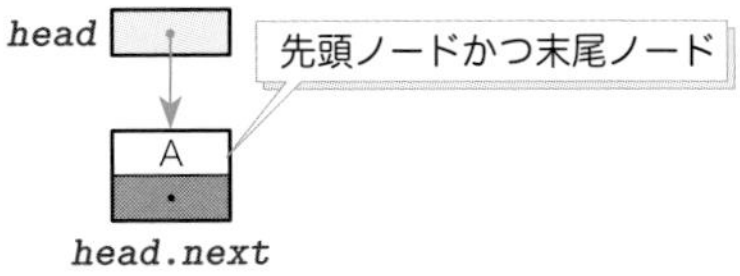

Fig.8-8　ノードが１個の線形リスト

```
head.next == null              // ノードは１個か？
```

なお、ノード中のフィールド **data** は、データそのものではなく、データへの参照ですから、ノードAのデータ（への参照）を表す式は、***head.data*** となります。

■ ノードが２個の線形リスト

Fig.8-9 に示すのは、ノードが２個存在する線形リストであって、先頭がノードAで、２番目がノードBという状態です。

もちろん、末尾はノードBです。

このとき、***head*** の参照先ノードAの後続ポインタ ***head.next*** が、ノードBを参照しています。

末尾ノードBの後続ポインタが **null** ですから、線形リスト上に存在するノードが２個であるかどうかの判定は、次の式で行えます。

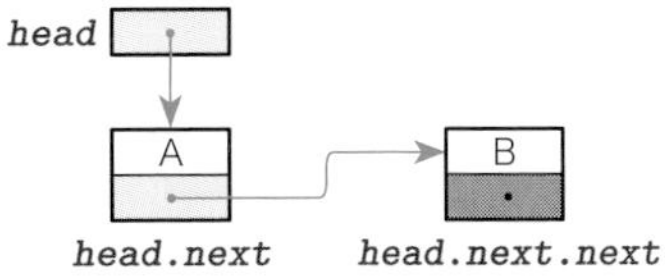

Fig.8-9　ノードが２個の線形リスト

```
head.next.next == null         // ノードは２個か？
```

なお、ノードAのデータ（への参照）を表す式は ***head.data*** となり、ノードBのデータ（への参照）を表す式は ***head.next.data*** となります。

■ 末尾ノードの判定

Node<E> 型の変数 ***p*** が、リスト上のノードを参照しているとします。

このとき、変数 ***p*** の参照先ノードが、線形リストの末尾ノードであるかどうかの判定は、次の式で行えます。

```
p.next == null                 // pが参照するノードは末尾ノードか？
```

▶　以降の解説では、変数 ***p*** が参照するノードのことを、『ノード ***p***』と表現することがあります。

探索：search

任意の条件を満たすノードを探索するメソッドです。

List 8-1 [C] chap08/LinkedList.java

```
//--- ノードを探索 ---//
public E search(E obj, Comparator<? super E> c) {
  Node<E> ptr = head;                    // 現在走査中のノード   ―1

  while (ptr != null) {                                      ―2
    if (c.compare(obj, ptr.data) == 0) {  // 探索成功
      crnt = ptr;                                            ―3
      return ptr.data;
    }
    ptr = ptr.next;                       // 後続ノードに着目   ―4
  }
  return null;                            // 探索失敗         ―5
}
```


探索アルゴリズムは線形探索です。**Fig.8-10** に示すように、目的とするノードに出会うまで、先頭ノードから順に走査します（図は、ノードDを探索する様子であり、①⇨②⇨③⇨④と走査すると探索に成功します）。

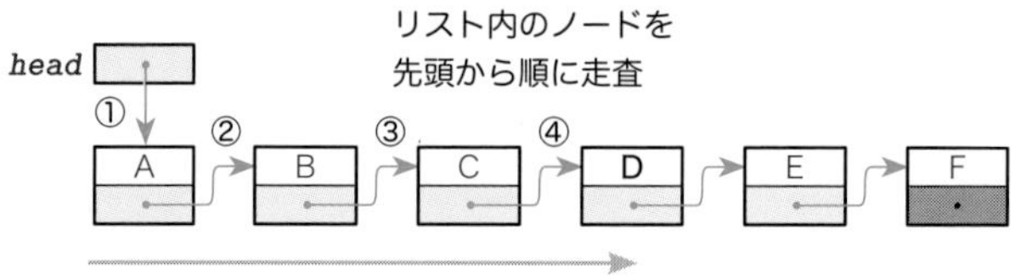

Fig.8-10　ノードの探索（線形探索）

ノードの走査の終了条件は、次の条件のいずれか一方が成立することです。

1 探索条件を満たすノードが見つからず、末尾ノードを通り越しそうになった。
2 探索条件を満たすノードを見つけた。

なお、本メソッドが受け取る引数は、次の二つです。

- 第1引数 `obj` … 探索のキーとなるデータを格納したオブジェクト。
- 第2引数 `c` … 第1引数で与えられた `obj` と、線形リスト上の個々のノード内データとを比較するための**コンパレータ**（p.90）。
  コンパレータ `c` によって、`obj` と着目ノードのデータとを比較した結果が `0` であれば、探索条件が成立しているとみなします。

＊

具体的な探索の様子を示した **Fig.8-11** と対比しながら、プログラムを理解しましょう。

■1 走査中のノードを参照するための変数 **ptr** を **head** で初期化します。図**a**に示すように、**ptr** の参照先は、**head** が参照している先頭ノードAとなります。

■2 終了条件①の判定を行います。**ptr** の値が **null** でなければ、ループ本体の■3と■4を実行します。**ptr** の値が **null** であれば、走査すべきノードは存在しませんので、**while** 文の実行を終了して■5に進みます。

■3 終了条件②の判定を行うために、データ **obj** と、走査中ノードのデータ **ptr.data** とをコンパレータ **c** によって比較します。**compare** メソッドが返す値が **0** であれば、終了条件が成立して**探索成功**です。着目ポインタ **crnt** に **ptr** を代入するとともに、見つけたノードのデータである **ptr.data** を返却します。

■4 **ptr** に **ptr.next** を代入することによって、走査を次のノードへと進めます。

▶ **ptr** がノードAを参照している図**a**の状態で **ptr = ptr.next** の代入を実行すると、図**b**となります。後続ノードBへの参照である **ptr.next** が **ptr** に代入された結果、**ptr** の参照先がノードAからノードBへと更新されるからです。

■5 プログラムの流れがここに到達するのは、探索に失敗したときです。**探索失敗**であることを示す **null** を返します。

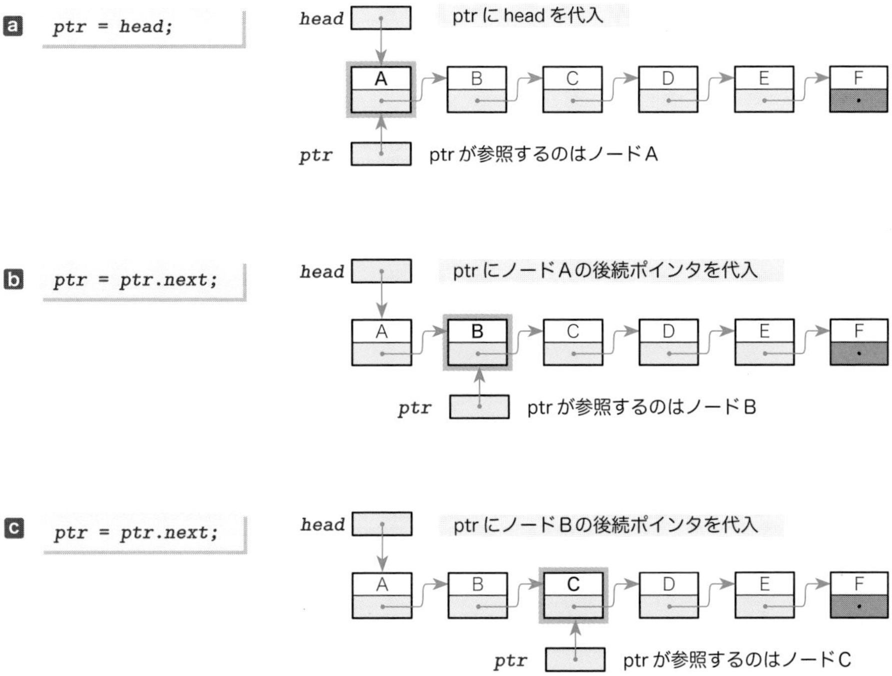

Fig.8-11 ノードの探索

先頭へのノードの挿入：addFirst

リストの先頭にノードを挿入するメソッドです。

List 8-1 [D] chap08/LinkedList.java

```
//--- 先頭にノードを挿入 ---//
public void addFirst(E obj) {
  Node<E> ptr = head;              // 挿入前の先頭ノード   ─1
  head = crnt = new Node<E>(obj, ptr);                    ─2
}
```

Fig.8-12 に示すのが、挿入の具体例であり、図aのリストの先頭にノードGを挿入した後の状態が図bです。

▶ 本図では、挿入に伴って追加・変更されるポインタの色を変えています（これ以降の図も同様です。ノードの挿入や削除に伴って追加・変更されるポインタの色を変えています）。

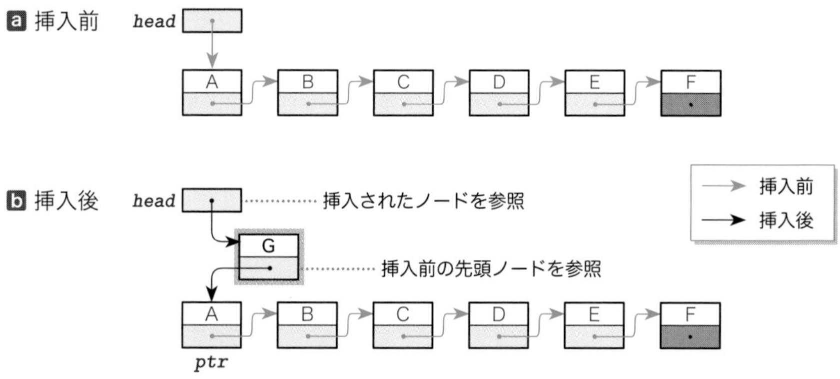

Fig.8-12 先頭へのノードの挿入

1 先頭ノードAを参照する先頭ポインタを **ptr** に保存しておきます。

2 挿入するノードGを **new *Node<E>*(*obj*, *ptr*)** によって生成します。ノードGのデータは ***obj*** となって、後続ポインタの参照先は ***ptr***（挿入前の先頭ノードA）となります。

その後、生成したノードを参照するように、先頭ポインタ ***head*** を更新します。

▶ 着目ポインタ *crnt* の参照先も、新しく挿入したノードとします（この後で学習するメソッド *addLast* も同様です）。

末尾へのノードの挿入：addLast

リストの末尾にノードを挿入するメソッドです。リストが空であるか（***head* == null** が成立するか）どうかで、異なる処理を行います。

List 8-1 [E]　chap08/LinkedList.java

```
//--- 末尾にノードを挿入 ---//
public void addLast(E obj) {
  if (head == null)         // リストが空であれば
    addFirst(obj);          // 先頭に挿入
  else {
    Node<E> ptr = head;
    while (ptr.next != null)      while文終了時、ptrは末尾ノードを参照する。  ―3
      ptr = ptr.next;
    ptr.next = crnt = new Node<E>(obj, null);                              ―4
  }
}
```

▪ リストが空のとき

ノードの挿入先はリストの先頭です。メソッド **addFirst** に挿入処理をゆだねます。

▪ リストが空でないとき

Fig.8-13 に示すのが、挿入の具体例であり、図aのリストの末尾にノードGを挿入した後の状態が図bです。

3　ここで行うのは、**《末尾ノードを見つける》**処理です。先頭ノードを参照するように初期化された **ptr** の参照先を、その後続ポインタに更新する処理を繰り返すことで、ノードを先頭から順に走査します。**while** 文が終了するのは、***ptr.next*** の参照先が **null** となったときです。このとき、***ptr*** の参照先は末尾ノードFとなっています。

4　挿入するノードGを **new *Node<E>*(*obj*, null)** によって生成します。生成されたノードGのデータは ***obj*** となり、後続ポインタの参照先は **null** となります。

▶　後続ポインタを null にするのは、末尾ノードがいかなるノードも参照しないようにするためです。

ノードFの後続ポインタ ***ptr.next*** の参照先が、新しく挿入されたノードGとなるように更新します。

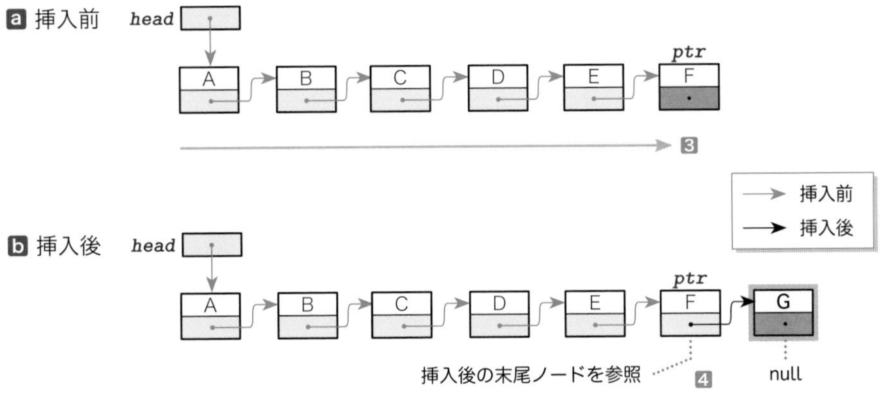

Fig.8-13　末尾へのノードの挿入

先頭ノードの削除：removeFirst

先頭ノードを削除するメソッドです。実質的な処理を行うのは、リストが空でない（すなわち**head** != **null**が成立する）ときのみです。

List 8-1 [F]　chap08/LinkedList.java

```
//--- 先頭ノードを削除 ---//
public void removeFirst() {
  if (head != null)                // リストが空でなければ
    head = crnt = head.next;
}
```

Fig.8-14に示すのが、削除の具体例であり、図aのリストから先頭ノードAを削除した後の状態が図bです。

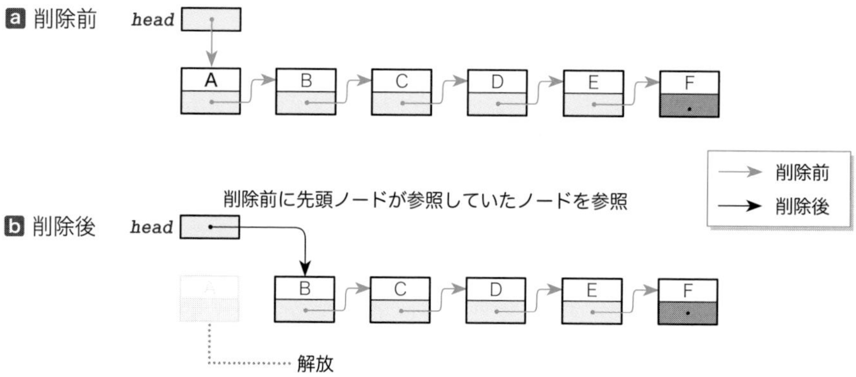

Fig.8-14　先頭ノードの削除

先頭ポインタ**head**に対して、先頭から2番目のノードBへの参照である**head.next**を代入することで、**head**の参照先をノードBに更新します。

▶ 着目ポインタ**crnt**の参照先も、ノードBに更新します。

その結果、削除前の先頭ノードAは、どこからも参照されなくなり、その記憶域が自動的に解放されます。

どこからも参照されなくなったオブジェクト（配列の本体とクラスインスタンス）の領域は、**ガーベジコレクション**（garbage collection）の働きによって、自動的に解放されます。

▶ リスト上にノードが1個しかない場合（**Fig.8-8**：p.265）でも、正しく削除処理が行われてリストは空になります。削除前の先頭ノードは末尾ノードでもあるため、その後続ポインタ**head.next**の値は**null**です。その**null**が**head**に代入されると、リストは空になります。

末尾ノードの削除：removeLast

末尾ノードを削除するメソッドです。削除処理を行うのは、リストが空でないときのみです。リストに存在するノードが1個だけであるかどうかで、異なる処理を行います。

List 8-1 [G]　　chap08/LinkedList.java

```
    //--- 末尾ノードを削除 ---//
    public void removeLast() {
      if (head != null) {
        if (head.next == null)        // ノードが一つだけであれば
          removeFirst();              // 先頭ノードを削除
        else {
          Node<E> ptr = head;         // 走査中のノード
          Node<E> pre = head;         // 走査中のノードの先行ノード

          while (ptr.next != null) {
            pre = ptr;
            ptr = ptr.next;
          }
          pre.next = null;            // preは削除後の末尾ノード
          crnt = pre;
        }
      }
    }
```

1 while 文終了時、ptr は末尾ノードを参照して pre は末尾から２番目のノードを参照する。

2

■ リスト上にノードが１個だけ存在するとき

削除するのは先頭ノードです。メソッド **removeFirst** に処理をゆだねます。

■ リスト上にノードが２個以上存在するとき

Fig.8-15 に示すのが具体例であり、図**a**に示すリストから末尾ノードFを削除した後の状態が図**b**です。

1　ここで行うのは、《「末尾ノード」と「末尾から２番目のノード」を見つける》処理です。そのための走査は、メソッド **addLast**（p.269）の**3**とほぼ同じです。ただし、走査中のノードの《先行ノード》を参照する変数 **pre** が追加されている点が異なります。

図の場合、**while** 文終了時の **pre** の参照先はノードEで、**ptr** の参照先はノードFです。

2　末尾から２番目のノードEの後続ポインタに **null** を代入します。その結果、どこからも参照されなくなるノードFの記憶域が自動的に解放されます。

▶　さらに、着目ポインタ **crnt** の参照先を、削除後の末尾ノード **pre** に更新します。

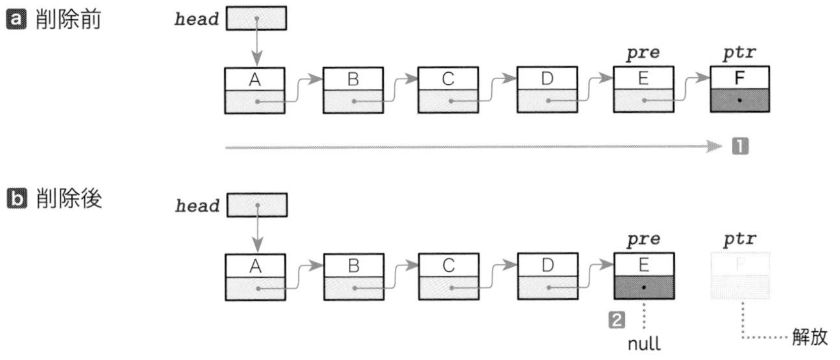

Fig.8-15　末尾ノードの削除

List 8-1 [H]　　chap08/LinkedList.java

```
//--- ノードpを削除 ---//
public void remove(Node p) {
  if (head != null) {
    if (p == head)            // pが先頭ノードであれば
      removeFirst();          // 先頭ノードを削除
    else {
      Node<E> ptr = head;

      while (ptr.next != p) {
        ptr = ptr.next;                                    ─1
        if (ptr == null) return;  // pはリスト上に存在しない
      }
      ptr.next = p.next;                                   ─2
      crnt = ptr;
    }
  }
}

//--- 着目ノードを削除 ---//
public void removeCurrentNode() {
  remove(crnt);
}

//--- 全ノードを削除 ---//
public void clear() {
  while (head != null)        // 空になるまで
    removeFirst();            // 先頭ノードを削除
  crnt = null;
}

//--- 着目ノードを一つ後方に進める ---//
public boolean next() {
  if (crnt == null || crnt.next == null)
    return false;             // 進めることはできなかった
  crnt = crnt.next;
  return true;
}
```


ノードの削除：remove

任意のノードを削除するメソッドです。削除処理を行うのは、リストが空でなく、引数で指定されたノード **p** が存在するときのみです。

▪ p が先頭ノードのとき

削除するのは先頭ノードです。メソッド **removeFirst** に処理をゆだねます。

▪ p が先頭ノードでないとき

右ページの **Fig.8-16** に示すのが、削除の手続きの具体例であり、図**a**に示す線形リストから、**p** の参照先ノードDを削除した後の状態が図**b**です。

1 ここで行うのは、《ノード **p** の先行ノードを見つける》処理です。

while 文は、走査を先頭ノードから開始して、着目ノード **ptr** の後続ポインタ **ptr.next** が **p** と等しくなるまで繰り返します。

ただし、途中で **null** を見つけた場合は、**p** が参照するノードが存在しないということです。削除処理を行うことなく、**return** によってメソッドを終了します。

ptr.next が *p* と等しくなると **while** 文は終了します。このとき、*ptr* の参照先は、削除対象ノードDの先行ノードであるノードCとなっています。

2 ノードDの後続ポインタ *p.next* をノードCの後続ポインタ *ptr.next* に代入することによって、ノードCの後続ポインタの参照先を、ノードEに更新します。

その結果、どこからも参照されなくなるノードDの記憶域は自動的に解放されます。

▶ さらに、着目ノード *crnt* の参照先が、削除したノードの先行ノード（この図ではノードC）となるように更新します。

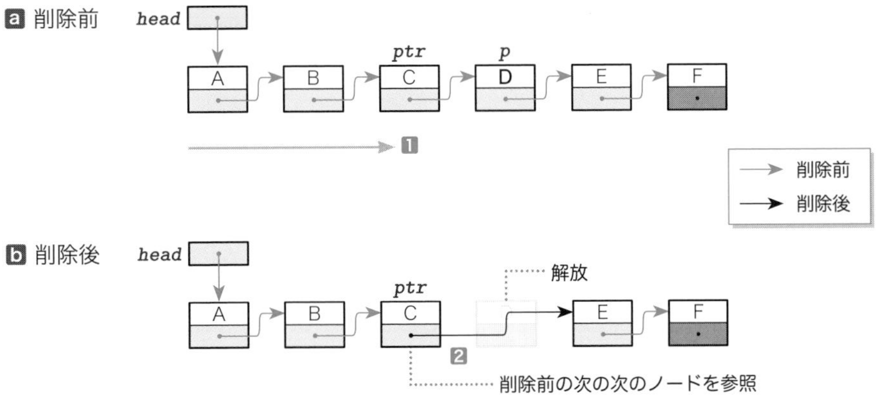

Fig.8-16 ノードの削除

着目ノードの削除：removeCurrentNode

現在着目しているノードを削除するメソッドです。*remove* メソッドに着目ポインタ *crnt* を渡して処理をゆだねます。

▶ 着目ポインタ *crnt* の参照先は、削除したノードの先行ノードに更新されます。

全ノードの削除：clear

すべてのノードを削除するメソッドです。線形リストが空になる（*head* が **null** になる）まで、先頭要素の削除を繰り返して全ノードを削除します。

▶ リストが空になりますから、着目ポインタ *crnt* の値も **null** に更新します。

着目ノードを一つ後方に進める：next

着目ノードを一つ後方に進めるメソッドです。リストが空でなく、着目ノードに後続ノードが存在するときのみ、着目ノードを一つ進めます（具体的には、着目ポインタ *crnt* を *crnt.next* に更新します）。

着目ノードを進めたときは **true** を、そうでないときは **false** を返します。

List 8-1 [I]　chap08/LinkedList.java

```
  //--- 着目ノードを表示 ---//
  public void printCurrentNode() {
    if (crnt == null)
      System.out.println("着目ノードはありません。");
    else
      System.out.println(crnt.data);
  }

  //--- 全ノードを表示 ---//
  public void dump() {
    Node<E> ptr = head;

    while (ptr != null) {
      System.out.println(ptr.data);
      ptr = ptr.next;
    }
  }
}
```


着目ノードの表示：printCurrentNode

着目ノードを表示するメソッドです。**crnt** が参照するノードのデータ **crnt.data** に対して暗黙裏に **toString** メソッド（**Column 8-1**：p.280）が呼び出された結果得られる文字列を表示します。ただし、着目ノードが存在しない（着目ポインタ **crnt** が **null** である）場合は、『着目ノードはありません。』と表示します。

全ノードの表示：dump

リスト順に全ノードを表示するメソッドです。

先頭ノードから末尾ノードまで走査しながら、各ノードのデータ **ptr.data**（に対して暗黙裏に **toString** メソッドが呼び出された結果得られる文字列）を表示します。

▶　これら二つのメソッドは、着目ポインタ **crnt** の値を更新しません。

各メソッド実行後の着目ポインタ **crnt** の値をまとめたのが、**Table 8-1** です。

Table 8-1　メソッド実行後の着目ポインタ crnt の値

コンストラクタ	null
search	探索に成功すれば見つけたノード
addFirst	挿入した先頭ノード
addLast	挿入した末尾ノード
removeFirst	削除後の先頭ノード（リストが空になれば null）
removeLast	削除後の末尾ノード（リストが空になれば null）
remove	削除したノードの先行ノード
removeCurrentNode	削除したノードの先行ノード
clear	null
next	移動後の着目ノード
printCurrentNode	更新しない
dump	更新しない

線形リストを利用するプログラム

線形リストクラス *LinkedList<E>* を利用するプログラム例を **List 8-2** に示します。

▶ 本プログラムのコンパイル・実行に際しては、同一ディレクトリ上に "LinkedList.class" が必要です。

List 8-2 [A] chap08/LinkedListTester.java

要：LinkedList

```java
// 線形リストクラスLinkedList<E>の利用例

import java.util.Scanner;
import java.util.Comparator;

public class LinkedListTester {
  static Scanner stdIn = new Scanner(System.in);

  //--- データ（会員番号＋氏名） ---//
  static class Data {
    static final int NO   = 1;    // 番号を読み込むか？
    static final int NAME = 2;    // 氏名を読み込むか？

    private Integer no;         // 会員番号
    private String  name;       // 氏名

    //--- 文字列表現を返す ---//
    public String toString() {
      return "(" + no + ") " + name;
    }

    //--- データの読込み ---//
    void scanData(String guide, int sw) {
      System.out.println(guide + "するデータを入力してください。");

      if ((sw & NO) == NO) {
        System.out.print("番号：");
        no = stdIn.nextInt();
      }
      if ((sw & NAME) == NAME) {
        System.out.print("氏名：");
        name = stdIn.next();
      }
    }

    //--- 会員番号による順序付けを行うコンパレータ ---//
    public static final Comparator<Data> NO_ORDER =
                                          new NoOrderComparator();

    private static class NoOrderComparator implements Comparator<Data> {
      public int compare(Data d1, Data d2) {
        return (d1.no > d2.no) ? 1 : (d1.no < d2.no) ? -1 : 0;
      }
    }

    //--- 氏名による順序付けを行うコンパレータ ---//
    public static final Comparator<Data> NAME_ORDER =
                                          new NameOrderComparator();

    private static class NameOrderComparator implements Comparator<Data> {
      public int compare(Data d1, Data d2) {
        return d1.name.compareTo(d2.name);
      }
    }
  }
```

➡

List 8-2 [B] chap08/LinkedListTester.java

```
//--- メニュー列挙型 ---//
enum Menu {
  ADD_FIRST(  "先頭にノードを挿入"),
  ADD_LAST(   "末尾にノードを挿入"),
  RMV_FIRST(  "先頭ノードを削除"),
  RMV_LAST(   "末尾ノードを削除"),
  RMV_CRNT(   "着目ノードを削除"),
  CLEAR(      "全ノードを削除"),
  SEARCH_NO(  "番号で探索"),
  SEARCH_NAME("氏名で探索"),
  NEXT(       "着目ノードを進める"),
  PRINT_CRNT( "着目ノードを表示"),
  DUMP(       "全ノードを表示"),
  TERMINATE(  "終了");

  private final String message;       // 表示用文字列

  static Menu MenuAt(int idx) {       // 序数がidxである列挙を返す
    for (Menu m : Menu.values())
      if (m.ordinal() == idx)
        return m;
    return null;
  }

  Menu(String string) {               // コンストラクタ
    message = string;
  }

  String getMessage() {               // 表示用文字列を返す
    return message;
  }
}

//--- メニュー選択 ---//
static Menu SelectMenu() {
  int key;
  do {
    for (Menu m : Menu.values()) {
      System.out.printf("(%d) %s  ", m.ordinal(), m.getMessage());
      if ((m.ordinal() % 3) == 2 &&
          m.ordinal() != Menu.TERMINATE.ordinal())
        System.out.println();
    }
    System.out.print(" : ");
    key = stdIn.nextInt();
  } while (key < Menu.ADD_FIRST.ordinal() ||
                    key > Menu.TERMINATE.ordinal());
  return Menu.MenuAt(key);
}

public static void main(String[] args) {
  Menu menu;                  // メニュー
  Data data;                  // 追加用データ参照
  Data ptr;                   // 探索用データ参照
  Data temp = new Data();     // 読込み用データ

  LinkedList<Data> list = new LinkedList<Data>();   // リストを生成

  do {
    switch (menu = SelectMenu()) {
```

```
        case ADD_FIRST :                // 先頭にノードを挿入
          data = new Data();
          data.scanData("先頭に挿入", Data.NO | Data.NAME);
          list.addFirst(data);
          break;

        case ADD_LAST :                 // 末尾にノードを挿入
          data = new Data();
          data.scanData("末尾に挿入", Data.NO | Data.NAME);
          list.addLast(data);
          break;

        case RMV_FIRST :                // 先頭ノードを削除
          list.removeFirst();
          break;

        case RMV_LAST :                 // 末尾ノードを削除
          list.removeLast();
          break;

        case RMV_CRNT :                 // 着目ノードを削除
          list.removeCurrentNode();
          break;

        case SEARCH_NO :                // 会員番号で探索
          temp.scanData("探索", Data.NO);
          ptr = list.search(temp, Data.NO_ORDER);
          if (ptr == null)
            System.out.println("その番号のデータはありません。");
          else
            System.out.println("探索成功：" + ptr);
          break;

        case SEARCH_NAME :              // 氏名で探索
          temp.scanData("探索", Data.NAME);
          ptr = list.search(temp, Data.NAME_ORDER);
          if (ptr == null)
            System.out.println("その氏名のデータはありません。");
          else
            System.out.println("探索成功：" + ptr);
          break;

        case NEXT :                     // 着目ノードを後方に進める
          list.next();
          break;

        case PRINT_CRNT :               // 着目ノードのデータを表示
          list.printCurrentNode();
          break;

        case DUMP :                     // 全ノードをリスト順に表示
          list.dump();
          break;

        case CLEAR :                    // 全ノードを削除
          list.clear();
          break;
      }
    } while (menu != Menu.TERMINATE);
  }
}
```

実行例

```
(0) 先頭にノードを挿入　(1) 末尾にノードを挿入　(2) 先頭ノードを削除
(3) 末尾ノードを削除　(4) 着目ノードを削除　(5) 全ノードを削除
(6) 番号で探索　(7) 氏名で探索　(8) 着目ノードを進める
(9) 着目ノードを表示　(10) 全ノードを表示　(11) 終了　:0↵
先頭に挿入するデータを入力してください。
番号 : 1↵　　　　　　　　　　　　　　　　　　{①赤尾}を先頭に挿入
氏名 : 赤尾↵

(0) 先頭にノードを挿入　(1) 末尾にノードを挿入　(2) 先頭ノードを削除
(3) 末尾ノードを削除　(4) 着目ノードを削除　(5) 全ノードを削除
(6) 番号で探索　(7) 氏名で探索　(8) 着目ノードを進める
(9) 着目ノードを表示　(10) 全ノードを表示　(11) 終了　:1↵
末尾に挿入するデータを入力してください。
番号 : 5↵　　　　　　　　　　　　　　　　　　{⑤武田}を末尾に挿入
氏名 : 武田↵

(0) 先頭にノードを挿入　(1) 末尾にノードを挿入　(2) 先頭ノードを削除
(3) 末尾ノードを削除　(4) 着目ノードを削除　(5) 全ノードを削除
(6) 番号で探索　(7) 氏名で探索　(8) 着目ノードを進める
(9) 着目ノードを表示　(10) 全ノードを表示　(11) 終了　:0↵
先頭に挿入するデータを入力してください。
番号 : 10↵　　　　　　　　　　　　　　　　　{⑩小野}を先頭に挿入
氏名 : 小野↵

(0) 先頭にノードを挿入　(1) 末尾にノードを挿入　(2) 先頭ノードを削除
(3) 末尾ノードを削除　(4) 着目ノードを削除　(5) 全ノードを削除
(6) 番号で探索　(7) 氏名で探索　(8) 着目ノードを進める
(9) 着目ノードを表示　(10) 全ノードを表示　(11) 終了　:1↵
末尾に挿入するデータを入力してください。
番号 : 12↵　　　　　　　　　　　　　　　　　{⑫鈴木}を末尾に挿入
氏名 : 鈴木↵

(0) 先頭にノードを挿入　(1) 末尾にノードを挿入　(2) 先頭ノードを削除
(3) 末尾ノードを削除　(4) 着目ノードを削除　(5) 全ノードを削除
(6) 番号で探索　(7) 氏名で探索　(8) 着目ノードを進める
(9) 着目ノードを表示　(10) 全ノードを表示　(11) 終了　:0↵
先頭に挿入するデータを入力してください。
番号 : 14↵　　　　　　　　　　　　　　　　　{⑭神崎}を先頭に挿入
氏名 : 神崎↵

(0) 先頭にノードを挿入　(1) 末尾にノードを挿入　(2) 先頭ノードを削除
(3) 末尾ノードを削除　(4) 着目ノードを削除　(5) 全ノードを削除
(6) 番号で探索　(7) 氏名で探索　(8) 着目ノードを進める
(9) 着目ノードを表示　(10) 全ノードを表示　(11) 終了　:3↵　　末尾の{⑫鈴木}を削除

(0) 先頭にノードを挿入　(1) 末尾にノードを挿入　(2) 先頭ノードを削除
(3) 末尾ノードを削除　(4) 着目ノードを削除　(5) 全ノードを削除
(6) 番号で探索　(7) 氏名で探索　(8) 着目ノードを進める
(9) 着目ノードを表示　(10) 全ノードを表示　(11) 終了　:7↵
探索するデータを入力してください。
氏名 : 鈴木↵　　　　　　　　　　　　　　　　{鈴木}を探索／失敗
その氏名のデータはありません。

(0) 先頭にノードを挿入　(1) 末尾にノードを挿入　(2) 先頭ノードを削除
(3) 末尾ノードを削除　(4) 着目ノードを削除　(5) 全ノードを削除
(6) 番号で探索　(7) 氏名で探索　(8) 着目ノードを進める
(9) 着目ノードを表示　(10) 全ノードを表示　(11) 終了　:6↵
探索するデータを入力してください。
番号 : 10↵　　　　　　　　　　　　　　　　　{⑩}を探索／成功
探索成功 : (10) 小野

(0) 先頭にノードを挿入　(1) 末尾にノードを挿入　(2) 先頭ノードを削除
(3) 末尾ノードを削除　(4) 着目ノードを削除　(5) 全ノードを削除
(6) 番号で探索　(7) 氏名で探索　(8) 着目ノードを進める
(9) 着目ノードを表示　(10) 全ノードを表示　(11) 終了　:9↵
(10) 小野　　　　　　　　　　　　　　　　　　着目ノードは{⑩小野}

(0) 先頭にノードを挿入　(1) 末尾にノードを挿入　(2) 先頭ノードを削除
(3) 末尾ノードを削除　(4) 着目ノードを削除　(5) 全ノードを削除
(6) 番号で探索　(7) 氏名で探索　(8) 着目ノードを進める
```

```
(9) 着目ノードを表示 (10) 全ノードを表示 (11) 終了 :10↵
(14) 神崎
(10) 小野
(1) 赤尾
(5) 武田                                              全ノードを順に表示
(0) 先頭にノードを挿入 (1) 末尾にノードを挿入 (2) 先頭ノードを削除
(3) 末尾ノードを削除 (4) 着目ノードを削除 (5) 全ノードを削除
(6) 番号で探索 (7) 氏名で探索 (8) 着目ノードを進める
(9) 着目ノードを表示 (10) 全ノードを表示 (11) 終了 :6↵
探索するデータを入力してください。
番号:1↵                                               {①}を探索/成功
探索成功:(1) 赤尾
(0) 先頭にノードを挿入 (1) 末尾にノードを挿入 (2) 先頭ノードを削除
(3) 末尾ノードを削除 (4) 着目ノードを削除 (5) 全ノードを削除
(6) 番号で探索 (7) 氏名で探索 (8) 着目ノードを進める
(9) 着目ノードを表示 (10) 全ノードを表示 (11) 終了 :4↵   着目ノードを削除
(0) 先頭にノードを挿入 (1) 末尾にノードを挿入 (2) 先頭ノードを削除
(3) 末尾ノードを削除 (4) 着目ノードを削除 (5) 全ノードを削除
(6) 番号で探索 (7) 氏名で探索 (8) 着目ノードを進める
(9) 着目ノードを表示 (10) 全ノードを表示 (11) 終了 :2↵   先頭ノードを削除
(0) 先頭にノードを挿入 (1) 末尾にノードを挿入 (2) 先頭ノードを削除
(3) 末尾ノードを削除 (4) 着目ノードを削除 (5) 全ノードを削除
(6) 番号で探索 (7) 氏名で探索 (8) 着目ノードを進める
(9) 着目ノードを表示 (10) 全ノードを表示 (11) 終了 :10↵
(10) 小野
(5) 武田                                              全ノードを順に表示
(0) 先頭にノードを挿入 (1) 末尾にノードを挿入 (2) 先頭ノードを削除
(3) 末尾ノードを削除 (4) 着目ノードを削除 (5) 全ノードを削除
(6) 番号で探索 (7) 氏名で探索 (8) 着目ノードを進める
(9) 着目ノードを表示 (10) 全ノードを表示 (11) 終了 :11↵
```


演習 8-1

コンパレータ *c* によって互いに等しいとみなせる全ノードを、最も先頭に位置するノードを残してすべて削除するメソッドを作成せよ。

```
void purge(Comparator<? super E> c)
```

演習 8-2

先頭から **n** 個後ろのノードのデータへの参照（**n** が **0** であれば先頭ノードのデータへの参照、**n** が **1** であれば2番目のノードのデータへの参照、…）を返すメソッドを作成せよ。なお、**n** が負の値かノード数以上であれば **null** を返すこと。

```
E retrieve(int n)
```

演習 8-3

下図のように、先頭ノードへの参照 **head** に加えて末尾ノードへの参照 **tail** を導入すると、末尾ノードが容易に探索できるようになる。このようにして実現する線形リストクラス ***LinkedListX<E>*** を作成せよ。

LinkedList<E> が提供する全メソッドに加えて、演習 **8-1** と演習 **8-2** のメソッドを作成すること。

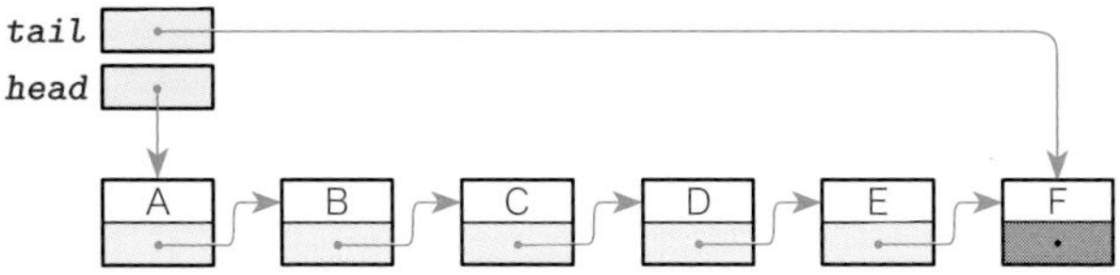

Column 8-1 toString メソッド

線形リストをテストする **List 8-2**（p.275）のプログラムでは、次に示す形式の **toString** メソッドをクラス *Data* 内で定義しています。

```
public String toString() { /*…*/ }
```

同じ形式のメソッドは、第3章のハッシュ用のデータクラス *Data* など、本書のいくつかのプログラムで定義しています。

いずれも、クラスインスタンスの状態（データの内容）を、簡潔な文字情報として表現した文字列を作って返却するメソッドです。このメソッドをクラスに定義することは、一種の《**定石**》です（著者である私が独自に考えついたものではありません）。当然、Java で実用的なプログラムを開発するためには、必ず理解しておくべきことです。

そもそも、**toString** というのは、**java.lang** パッケージに所属する **Object** クラス内で、次のように定義されたメソッドであり、**"クラス名@ハッシュ値"** という文字列を返却します。

```
public class Object {
  // 中略
  public String toString() {
    return getClass().getName() + "@" + Integer.toHexString(hashCode());
  }
  // 中略
}
```

Java のすべてのクラスは、直接的あるいは間接的に **Object** クラスから派生しています。

そのため、クラスで **toString** メソッドを定義するということは、**Object** クラスの **toString** メソッドを**オーバライドする**（上位クラスから継承したメソッドに対して、新たな定義を与える）ことを意味します。

もし、クラスで **toString** メソッドを定義しなければ（そのクラスの上位クラスで独自にオーバライドされていない限り）、上に示した **Object** クラスの **toString** メソッドが、そのまま継承される、ということです。

Java の言語の仕様上、メソッドをオーバライドする際に、**アクセス制限を強めることは不可能です**。そのため、いかなるクラスであっても、**toString** メソッドは、**public** メソッドとして定義しなければなりません（すなわち、**public** を省略したり、**private** 属性や **protected** 属性を与えたりすることはできません）。

＊

さて、**toString** メソッドをオーバライドする際は、クラスの特性やインスタンスの状態を表す、適切な文字列を返却するように定義します。

toString メソッドをオーバライドする例を、右ページの **List 8C-1** に示します。このプログラムは、クラス *A*、クラス *B*、それらをテストするためのクラス *ToStringTester* で構成されています。

▪ クラスA

toString メソッドをオーバライドしていません。そのため、**Object** クラスの **toString** メソッドをそのまま継承します。

▪ クラスB

toString クラスメソッドをオーバライドしています。文字列 **"B[99]"** を返却します（**"99"** の部分は、フィールド **x** に設定されている値です）。

List 8C-1 chap08/ToStringTester.java

```
// toStringメソッドの働きを確認

class A {
  // toStringは定義しない
}

class B {
  int x;
  B(int x) { this.x = x; }  // コンストラクタ
  // toStringをオーバライド
  public String toString() { return "B[" + x + "]"; }
}

public class ToStringTester {

  public static void main(String[] args) {
    A a1 = new A();
    A a2 = new A();
    B b1 = new B(18);
    B b2 = new B(55);

    System.out.println("a1 = " + a1.toString());  ―1
    System.out.println("a2 = " + a2);              ―2
    System.out.println("b1 = " + b1.toString());  ―3
    System.out.println("b2 = " + b2);              ―4
  }
}
```

実行結果一例

```
a1 = A@ca0b6
a2 = A@10b30a7
b1 = B[18]
b2 = B[55]
```


■ クラス ToStringTester

二つのクラスとその **toString** メソッドをテストするクラスです。クラス *A* のインスタンス２個と、クラス *B* のインスタンス２個を生成します。

1 文字列リテラル "a1 = " と、インスタンス *a1* に対して **toString** メソッドが呼び出された結果返される文字列が連結されますので、"a1 = A@ca0b6" と表示されます（"A" は *a1* のクラスの名前で、"ca0b6" はインスタンス *a1* に対して内部的に与えられているハッシュ値です：この値は、実行環境や実行するタイミングなどによって異なります。次の値も同様です）。

2 *a2* を表示します。このとき、**暗黙裏に toString メソッドが呼び出されます。**というのも、『文字列が必要となる文脈にクラス型変数が置かれていれば、そのクラス型変数に対しては、自動的に **toString** メソッドが呼び出される』という規則があるからです。

文字列リテラル "a2 = " と、*a2* に対して暗黙裏に **toString** が呼び出されて返却された文字列とが連結されますので、"a2 = A@10b30a7" と表示されます。

3 文字列リテラル "b1 = " と、インスタンス *b1* に対して **toString** メソッドが呼び出された結果返される文字列とが連結されますので、"b1 = B[18]" と表示されます。

4 文字列リテラル "b2 = " と、インスタンス *b2* に対して暗黙裏に **toString** メソッドが呼び出されることによって得られる文字列が連結されますので、"b2 = B[55]" と表示されます。

toString メソッドの明示的な呼出し（プログラム網かけ部）**は省略できる**ことが分かりました。
このメソッドについて、簡潔にまとめると、次の教訓が得られます。

インスタンスの状態を簡潔な文字列表現で返却するメソッドは、public String toString() の形式で定義するとよい。というのも、そのメソッドは、文字列が必要な文脈で自動的に呼び出されるからである。

8-3 カーソルによる線形リスト

本節では、各ノードを配列内の要素に格納し、その要素を巧(たく)みにやりくりすることによって実現する線形リストを学習します。

カーソルによる線形リスト

前節で学習した線形リストには、『ノードの挿入や削除を、データの移動を伴わずに行える』という特徴がありました。とはいえ、**挿入や削除のたびにノードの生成と破棄が行われるため、記憶域の確保・解放に要するコストは決して小さくありません。**

プログラムの実行中にデータ数が大きく変化しない場合や、データ数の上限が予測できる場合などは、**Fig.8-17** に示すように、配列内の要素を巧みにやりくりすると、効率のよい運用が行えます。

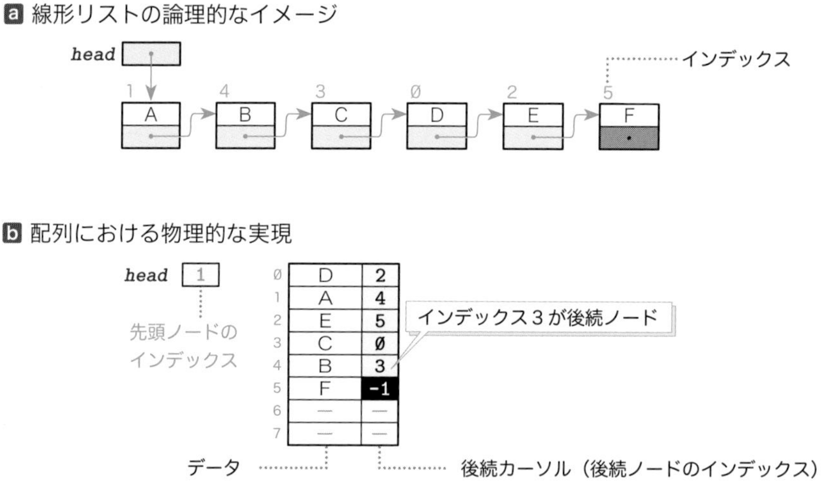

Fig.8-17　カーソルによる線形リスト

後続ポインタは、後続ノードへの参照ではなく、後続ノードが格納されている**要素のインデックス**（すなわち `int` 型の整数値）です。ここでは、整数値であるインデックスによって表すポインタのことを**カーソル**（cursor）と呼びます。

たとえば、ノードBの後続カーソル **3** は、インデックス **3** の位置に後続ノードCが入っていることを表します。

なお、末尾ノードの後続カーソルの値は、配列のインデックスとしてあり得ない値である `-1` です。この例では、ノードFの後続カーソルが `-1` となっています。

先頭ノードを表す `head` もカーソルです。この図の例では、先頭ノードAが格納されているインデックスである 1 が、*head* の値となっています。

本手法では、ノードの挿入や削除に伴って、要素を移動する必要がないことが、前節の p.261 で考えた、《単純な配列》で実現した線形リストとは異なります。

たとえば、先ほどの線形リストの先頭にノードGを挿入すると、**Fig.8-18** のように変化します。*head* を 1 から 6 に更新して、ノードGの後続カーソルを 1 にするだけです。

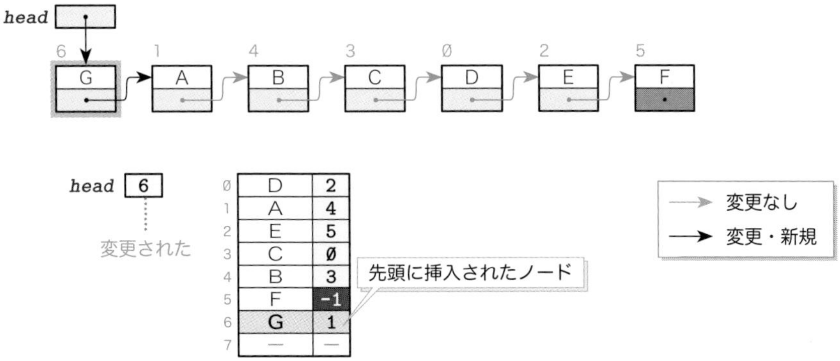

Fig.8-18　先頭へのノードの挿入

以上のアイディアに基づいて実現したクラス *ArrayLinkedList<E>* を **List 8-3** に示します。

List 8-3 [A]　chap08/ArrayLinkedList.java

```
// 線形リストクラス（配列カーソル版）

import java.util.Comparator;

public class ArrayLinkedList<E> {

  //--- ノード ---//
  class Node<E> {
    private E data;      // データ
    private int next;    // リストの後続ポインタ
    private int dnext;   // フリーリストの後続ポインタ

    //--- dataとnextを設定 ---//
    void set(E data, int next) {
      this.data = data;
      this.next = next;
    }
  }

  private Node<E>[] n;       // リスト本体
  private int size;          // リストの容量（最大データ数）
  private int max;           // 利用中の末尾レコード
  private int head;          // 先頭ノード
  private int crnt;          // 着目ノード
  private int deleted;       // フリーリストの先頭ノード
  private static final int NULL = -1; // 後続ノードはない／リストは満杯
```

List 8-3 [B] chap08/ArrayLinkedList.java

```
//--- コンストラクタ ---//
public ArrayLinkedList(int capacity) {
  head = crnt = max = deleted = NULL;
  try {
    n = new Node[capacity];
    for (int i = 0; i < capacity; i++)
      n[i] = new Node<E>();
    size = capacity;
  }
  catch (OutOfMemoryError e) {    // 配列の生成に失敗
    size = 0;
  }
}

//--- 次に挿入するレコードのインデックスを求める ---//
private int getInsertIndex() {
  if (deleted == NULL) {          // 削除レコードは存在しない
    if (max < size)
      return ++max;               // 新しいレコードを利用
    else
      return NULL;                // 容量オーバ
  } else {
    int rec = deleted;            // フリーリストから
    deleted = n[rec].dnext;       // 先頭recを取り出す
    return rec;
  }
}

//--- レコードidxをフリーリストに登録 ---//
private void deleteIndex(int idx) {
  if (deleted == NULL) {          // 削除レコードは存在しない
    deleted = idx;                // idxをフリーリストの
    n[idx].dnext = NULL;          // 先頭に登録
  } else {
    int rec = deleted;            // idxをフリーリストの
    deleted = idx;                // 先頭に挿入
    n[rec].dnext = rec;
  }
}

//--- ノードを探索 ---//
public E search(E obj, Comparator<? super E> c) {
  int ptr = head;                 // 現在走査中のノード

  while (ptr != NULL) {
    if (c.compare(obj, n[ptr].data) == 0) {
      crnt = ptr;
      return n[ptr].data;         // 探索成功
    }
    ptr = n[ptr].next;            // 後続ノードに着目
  }
  return null;                    // 探索失敗
}

//--- 先頭にノードを挿入 ---//
public void addFirst(E obj) {
  int ptr = head;                 // 挿入前の先頭ノード
  int rec = getInsertIndex();
  if (rec != NULL) {
    head = crnt = rec;            // 第recレコードに挿入
    n[head].set(obj, ptr);
  }
}
```

```
//--- 末尾にノードを挿入 ---//
public void addLast(E obj) {
  if (head == NULL)                    // リストが空であれば
    addFirst(obj);                     // 先頭に挿入
  else {
    int ptr = head;
    while (n[ptr].next != NULL)
      ptr = n[ptr].next;
    int rec = getInsertIndex();
    if (rec != NULL) {                 // 第recレコードに挿入
      n[ptr].next = crnt = rec;
      n[rec].set(obj, NULL);
    }
  }
}

//--- 先頭ノードを削除 ---//
public void removeFirst() {
  if (head != NULL) {                  // リストが空でなければ
    int ptr = n[head].next;
    deleteIndex(head);
    head = crnt = ptr;
  }
}

//--- 末尾ノードを削除 ---//
public void removeLast() {
  if (head != NULL) {
    if (n[head].next == NULL)          // ノードが一つだけであれば
      removeFirst();                   // 先頭ノードを削除
    else {
      int ptr = head;                  // 走査中のノード
      int pre = head;                  // 走査中のノードの先行ノード

      while (n[ptr].next != NULL) {
        pre = ptr;
        ptr = n[ptr].next;
      }
      n[pre].next = NULL;              // preは削除後の末尾ノード
      deleteIndex(pre);
      crnt = pre;
    }
  }
}

//--- レコードpを削除 ---//
public void remove(int p) {
  if (head != NULL) {
    if (p == head)                     // pが先頭ノードであれば
      removeFirst();                   // 先頭ノードを削除
    else {
      int ptr = head;

      while (n[ptr].next != p) {
        ptr = n[ptr].next;
        if (ptr == NULL) return;       // pはリスト上に存在しない
      }
      n[ptr].next = NULL;
      deleteIndex(ptr);
      n[ptr].next = n[p].next;
      crnt = ptr;
    }
  }
}
```

➡

List 8-3 [C] chap08/ArrayLinkedList.java

```
  //--- 着目ノードを削除 ---//
  public void removeCurrentNode() {
    remove(crnt);
  }

  //--- 全ノードを削除 ---//
  public void clear() {
    while (head != NULL)              // 空になるまで
      removeFirst();                  // 先頭ノードを削除
    crnt = NULL;
  }

  //--- 着目ノードを一つ後方に進める ---//
  public boolean next() {
    if (crnt == NULL || n[crnt].next == NULL)
      return false;                   // 進めることはできなかった
    crnt = n[crnt].next;
    return true;
  }

  //--- 着目ノードを表示 ---//
  public void printCurrentNode() {
    if (crnt == NULL)
      System.out.println("着目ノードはありません。");
    else
      System.out.println(n[crnt].data);
  }

  //--- 全ノードを表示 ---//
  public void dump() {
    int ptr = head;

    while (ptr != NULL) {
      System.out.println(n[ptr].data);
      ptr = n[ptr].next;
    }
  }
}
```


配列内の空き要素

プログラムの各メソッドは、前節のポインタ版（**List 8-1**）とほぼ1対1に対応していますので、大きく異なる《**削除されたノードの管理**》に絞って学習していきます。

まずは、右ページの **Fig.8-19** を例に、ノードの削除について考えていきましょう。

a 線形リストに4個のノードが { A⇨B⇨C⇨D } の順序で並んでいて、右図のように配列内に格納されている状態です。

b 線形リストの先頭にノードEを挿入した後の状態です。インデックス **4** の位置にノードEが格納されています。

挿入されたノードの格納場所は、『**配列内で最も末尾側のインデックスの位置**』であって、決して『**線形リストとしての末尾**』ではありません。

当然のことですが、**配列上の物理的な位置関係と、線形リスト上の論理的な順序関係とが一致するわけではありません。**すなわち、リスト上で第 n 番目に位置するノードが、配列のインデックス n の要素に格納されるとは限りません。

これ以降、リスト内の位置と区別するために、インデックス n の要素に格納されているノードを《**第 n レコード**》と呼びます。

▶ リストの先頭に挿入されたノードEは、第4レコードに格納されたわけです。

c 先頭から3番目に位置するノードBを削除した後の状態です。それまでノードBのデータが格納されていた第3レコードが空きます。

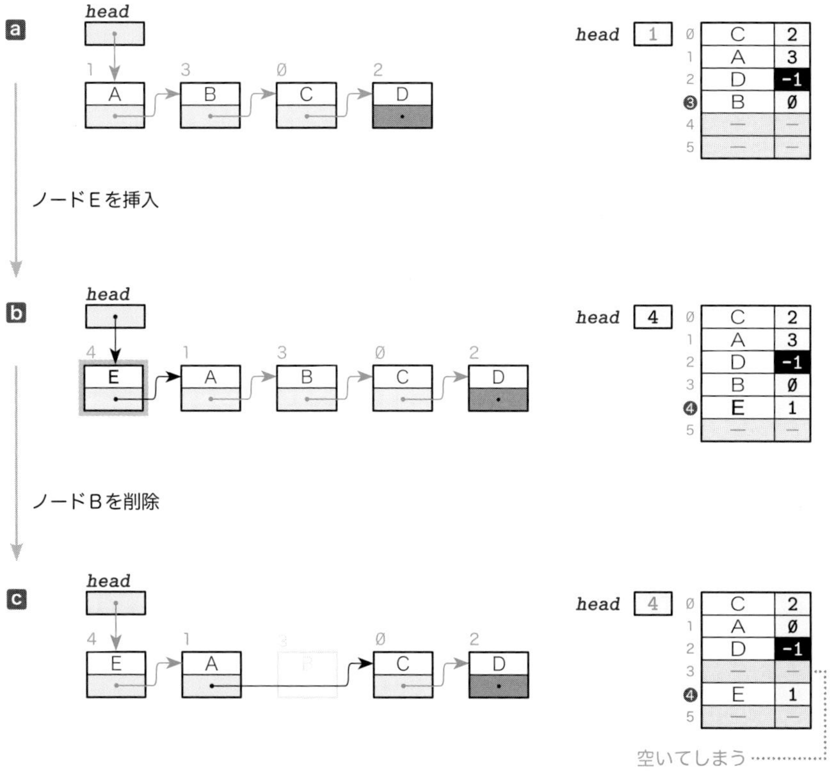

Fig.8-19 線形リストに対するノードの挿入と削除

もし削除が何度も繰り返されると、**配列の中は空きレコードだらけ**になってしまいます。

削除されるレコードが高々一つであれば、そのインデックスを何らかの変数に入れておいて管理することによって、そのレコードを容易に再利用できます。

しかし、実際には複数のレコードが削除されるわけですから、そう単純にはいきません。

フリーリスト

本プログラムにおいて、削除されたレコード群の管理のために用いているのが、その順序を格納するための線形リストである**フリーリスト**（free list）です。

データそのものの順序を表す線形リストと、フリーリストとを組み合わせていますので、ノードクラス ***Node<E>*** と、線形リストクラス ***ArrayLinkedList<E>*** には、ポインタ版にはないフィールドが追加されています。

▪ ノードクラス Node<E> に対して追加されたフィールド

▫ ***dnext***

フリーリスト上の後続ポインタ（フリーリストの後続ノードを参照するカーソル）です。

▪ 線形リストクラス ArrayLinkedList<E> に対して追加されたフィールド

▫ ***deleted***

フリーリストの先頭ノードを参照するカーソルです。

▫ ***max***

配列中の最も末尾側の位置に格納されているノードのレコード番号です。

▶ 前ページの **Fig.8-19** の●内の値が ***max*** です（この値は、3, 4, 4 と変化していました）。

＊

Fig.8-20 を見ながら、ノードの挿入と削除に伴うフリーリストの変化を理解しましょう。

a 線形リストに5個のノードが｛A ⇨ B ⇨ C ⇨ D ⇨ E｝の順序で並んでいます。***max*** は 7 であり、第8レコード以降が未使用の状態です。

また、レコード 1, 3, 5 が削除ずみの空きレコードであって、フリーリストは｛3 ➡ 1 ➡ 5｝となっています。

▶ 図にも示すように、本来のデータの並びとしての線形リストに加えて、削除されたレコード群を管理するための線形リスト＝フリーリストが存在します。
線形リストクラス ***ArrayLinkedList<E>*** のフィールド ***deleted*** の値は、フリーリストの先頭ノードのインデックス（図**a**では 3）です。

b 線形リストの末尾にノードFが挿入された状態です。その格納先は、フリーリスト内の《先頭ノード》です。ノードFを第3レコードに格納するとともに、フリーリスト｛3 ➡ 1 ➡ 5｝から先頭の 3 を削除して｛1 ➡ 5｝とします。

このように、フリーリスト上に空きレコードが登録されている限り、『未使用レコード（すなわち第 *max* レコード以降のレコード）を求めて *max* を増やして、その位置にデータを格納する』といったことは行いません。そのため、*max* の値は 7 のままです。

c ノードDを削除した状態です。第 7 レコードに格納されているデータが削除されるため、それをフリーリストの《先頭ノード》として登録します。

その結果、フリーリストは｛7 ➡ 1 ➡ 5｝となります。

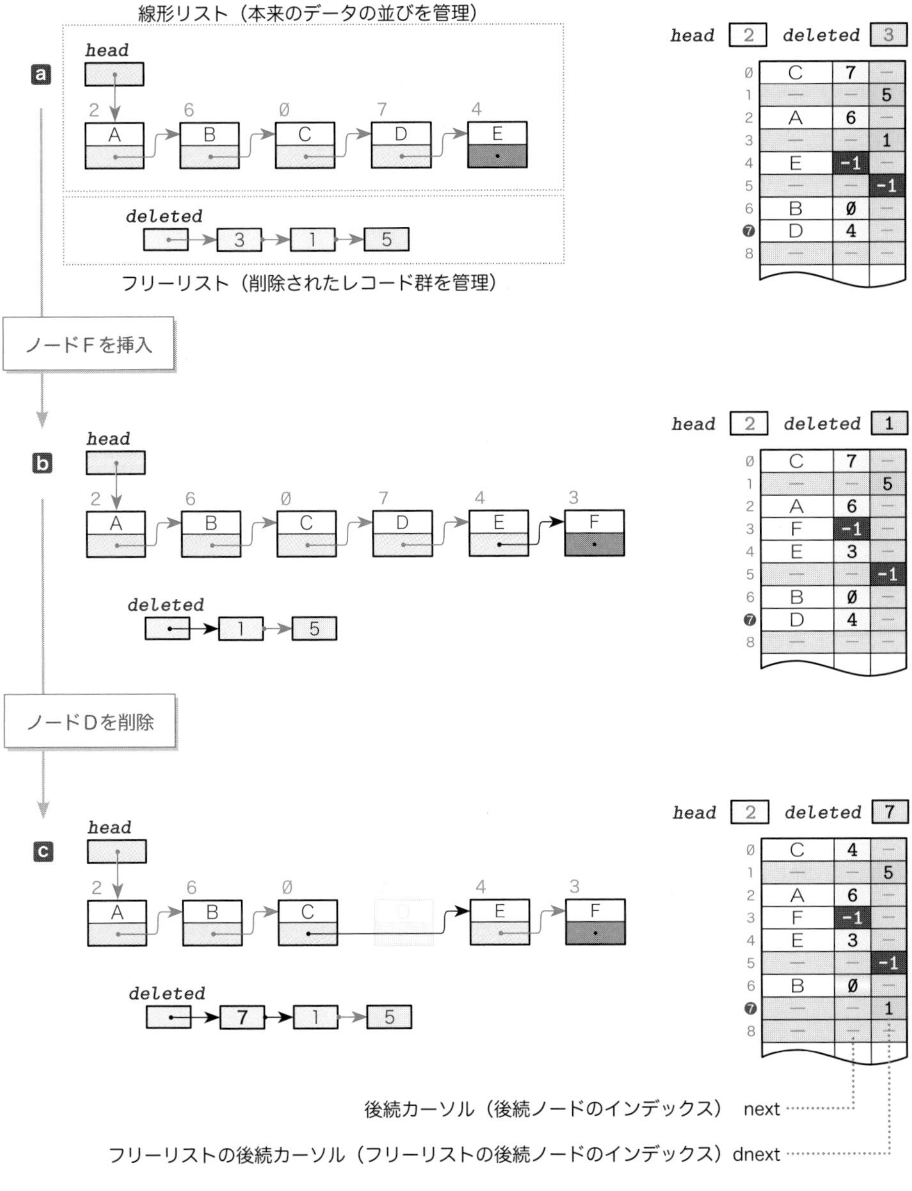

Fig.8-20　ノードの挿入と削除に伴うフリーリストの変化

▶　削除されたレコードをフリーリストに登録するのが、メソッド **deleteIndex** です。

また、ノードの挿入時に、格納先レコード番号を決定するのが、メソッド **GetInsertIndex** です。

図**b**では削除レコードが存在するため、フリーリストに登録されているレコードに挿入されたノードを格納しています。もし削除レコードが存在せずフリーリストが空であれば、**max** を増やして配列末尾側の未使用レコードを利用します。

配列カーソル版の線形リストを利用するプログラム

配列カーソル版の線形リストクラス *ArrayLinkedList<E>* を利用するプログラム例を **List 8-4** に示します。

List 8-4 chap08/ArrayLinkedListTester.java

要：ArrayLinkedList

```
// 線形リストクラスArrayLinkedList<E>の利用例

import java.util.Scanner;
import java.util.Comparator;

class ArrayLinkedListTester {
  static Scanner stdIn = new Scanner(System.in);

  //--- データ（会員番号＋氏名） ---//
  static class Data {
    /*==== 省略：List 8-2（p.275）と同じ ====*/
  }

  //--- メニュー列挙型 ---//
  enum Menu {
    /*==== 省略：List 8-2と同じ ====*/
  }

  //--- メニュー選択 ---//
  static Menu SelectMenu() {
    /*==== 省略：List 8-2と同じ ====*/
  }

  public static void main(String[] args) {
    Menu menu;          // メニュー
    Data data;          // 追加用データ参照
    Data ptr;           // 探索用データ参照
    Data temp = new Data(); // 読込み用データ

    ArrayLinkedList<Data> list = new ArrayLinkedList<Data>(100);

    do {
      switch (menu = SelectMenu()) {

       case ADD_FIRST :                // 先頭にノードを挿入
          data = new Data();
          data.scanData("先頭に挿入", Data.NO | Data.NAME);
          list.addFirst(data);
          break;

       case ADD_LAST :                 // 末尾にノードを挿入
          data = new Data();
          data.scanData("末尾に挿入", Data.NO | Data.NAME);
          list.addLast(data);
          break;

       case RMV_FIRST :                // 先頭ノードを削除
          list.removeFirst();
          break;

       case RMV_LAST :                 // 末尾ノードを削除
          list.removeLast();
          break;
```

```
        case RMV_CRNT :                // 着目ノードを削除
          list.removeCurrentNode();
          break;

        case SEARCH_NO :               // 会員番号で探索
          temp.scanData("探索", Data.NO);
          ptr = list.search(temp, Data.NO_ORDER);
          if (ptr == null)
            System.out.println("その番号のデータはありません。");
          else
            System.out.println("探索成功：" + ptr);
          break;

        case SEARCH_NAME :             // 氏名で探索
          temp.scanData("探索", Data.NAME);
          ptr = list.search(temp, Data.NAME_ORDER);
          if (ptr == null)
            System.out.println("その氏名のデータはありません。");
          else
            System.out.println("探索成功：" + ptr);
          break;

        case NEXT :                    // 着目ノードを後方に進める
          list.next();
          break;

        case PRINT_CRNT :              // 着目ノードのデータを表示
          list.printCurrentNode();
          break;

        case DUMP :                    // 全データをリスト順に表示
          list.dump();
          break;

        case CLEAR :                   // 全ノードを削除
          list.clear();
          break;
      }
    } while (menu != Menu.TERMINATE);
  }
}
```

▶ 本プログラムの実行に際しては、同一ディレクトリ上に "ArrayLinkedList.class" が必要です。なお、プログラムの実行結果は省略します。

演習 8-4

ポインタ版の線形リストに対する演習 **8-1**（p.279）と同じ課題を、配列カーソル版の線形リストに対して行え。

演習 8-5

ポインタ版の線形リストに対する演習 **8-2**（p.279）と同じ課題を、配列カーソル版の線形リストに対して行え。

演習 8-6

ポインタ版の線形リストに対する演習 **8-3**（p.279）と同じ課題を、配列カーソル版の線形リストに対して行え。

8-4 循環・重連結リスト

本節では、前節までに学習した線形リストよりも複雑な構造をもつリストである、循環・重連結リストを学習します。

循環リスト

Fig.8-21 に示すように、線形リストの末尾ノードに、先頭ノードを指すポインタを与えたものを**循環**（じゅんかん）**リスト**（circular list）と呼びます。環状に並んだデータの表現に適した構造です。

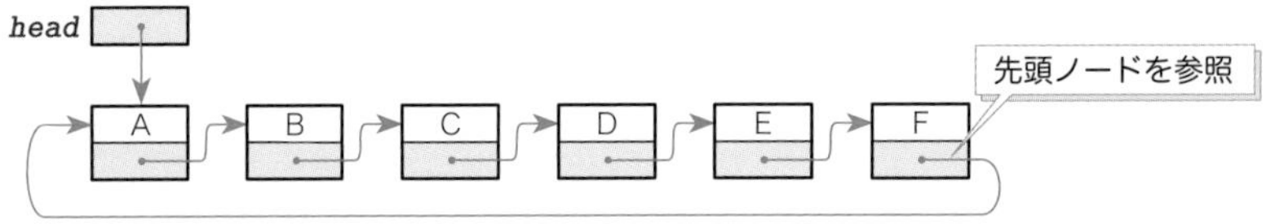

Fig.8-21　循環リスト

線形リストとの大きな違いは、末尾ノードの後続ポインタが、`null` でなく、先頭ノードへのポインタとなっている点です。

▶ 個々のノードの型は、線形リストと同じです。

重連結リスト

線形リストの最大の欠点は、後続ノードを見つけるのが容易である一方で、**先行ノードを見つけるのが困難であること**です。

この欠点を解消するリスト構造が、**重連結**（じゅうれんけつ）**リスト**（doubly linked list）です。**Fig.8-22** に示すように、各ノードには、後続ノードへのポインタに加えて、**先行ノードへのポインタ**が与えられます。

▶ 重連結リストは、**双方向リスト**（bidirectional linked list）とも呼ばれます。

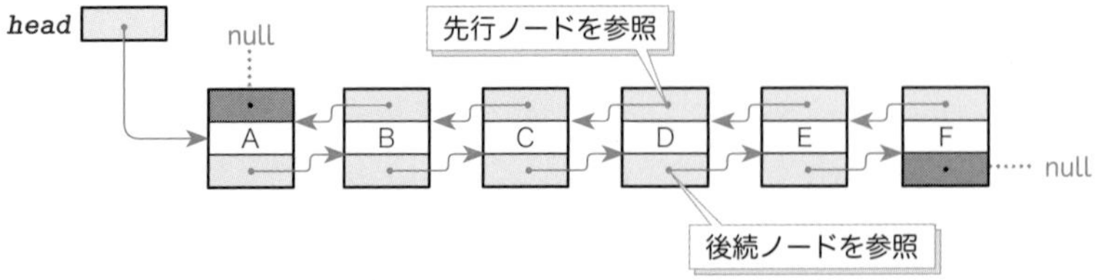

Fig.8-22　重連結リスト

重連結リストのノードは、**Fig.8-23** に示すように、3個のフィールドで構成されるクラス *Node<E>* として実現できます。

- *data* … データ（データへの参照：型は *E*）。
- *prev* … **先行ポインタ**（先行ノードへの参照：型は *Node<E>*）。
- *next* … **後続ポインタ**（後続ノードへの参照：型は *Node<E>*）。

```
class Node<E> {
  E data;          // データ
  Node<E> prev;    // 先行ノードへの参照
  Node<E> next;    // 後続ノードへの参照
}
```

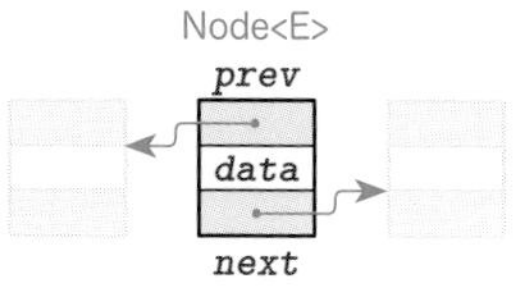

Fig.8-23　重連結リスト用のノード

循環・重連結リスト

循環リストと重連結リストを組み合わせたリストが、**Fig.8-24** に示す**循環・重連結リスト**（circular doubly linked list）です。本節では、循環・重連結リストを学習します。

▶ 個々のノードの型は、重連結リストと同じです。

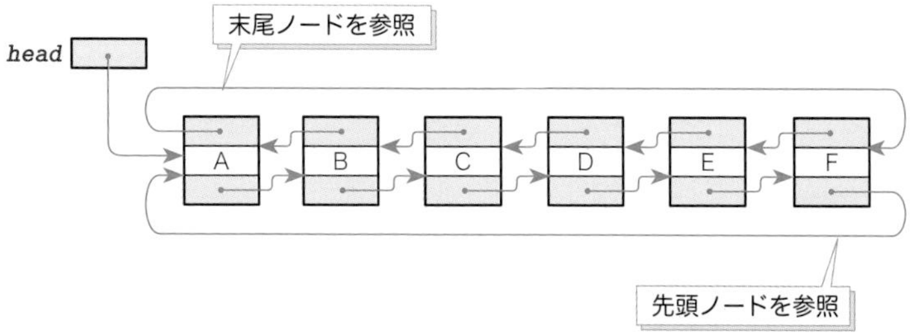

Fig.8-24　循環・重連結リスト

演習 8-7

末尾ポインタをもつ循環リストを実現するクラスを作成せよ。演習 **8-3**（p.279）の線形リストクラス *LinkedListX<E>* が提供するメソッドと同じメソッドをすべて提供すること。

演習 8-8

末尾ポインタをもつ循環リストを実現する配列カーソル版のクラスを作成せよ。演習 **8-6**（p.291）の線形リストクラス *ArrayLinkedList<E>* が提供するメソッドと同じメソッドをすべて提供すること。

循環・重連結リストの実現

循環・重連結リストを実現するクラス *DoubleLinkedList<E>* を **List 8-5** に示します。

List 8-5 [A] chap08/DoubleLinkedList.java

```
//  循環・重連結リストクラス

import java.util.Comparator;

public class DoubleLinkedList<E> {

  //--- ノード ---//
  class Node<E> {
    private E data;          // データ
    private Node<E> prev;    // 先行ポインタ（先行ノードへの参照）
    private Node<E> next;    // 後続ポインタ（後続ノードへの参照）

    //--- コンストラクタ ---//
    Node() {
      data = null;
      prev = next = this;
    }

    //--- コンストラクタ ---//
    Node(E obj, Node<E> prev, Node<E> next) {
      data = obj;
      this.prev = prev;
      this.next = next;
    }
  }

  private Node<E> head;   // 先頭ポインタ（参照先はダミーノード）
  private Node<E> crnt;   // 着目ポインタ

  //--- コンストラクタ ---//
  public DoubleLinkedList() {
    head = crnt = new Node<E>();     // ダミーノードを生成
  }

  //--- リストは空か ---//
  public boolean isEmpty() {
    return head.next == head;
  }
```
➡

ノードクラス Node<E>

これまでと同様に、ノード用クラスは、リスト用のクラスの中で宣言されています。

ノードクラス *Node<E>* には、前ページで解説した3個のフィールド **data**, ***prev***, ***next*** の他に、二つのコンストラクタがあります。

A Node()

データ **data** が **null** で、先行ポインタと後続ポインタがともに **this** であるノードを生成します（自分自身のノードが、先行ノードかつ後続ノードとなります）。

B Node(E obj, Node<E> prev, Node<E> next)

データ **data** が **obj** で、先行ポインタが **prev** で、後続ポインタが **next** のノードを生成します。

循環・重連結リストクラス DoubleLinkedList<E>

循環・重連結リストを表すクラスです。8–2 節で学習した **List 8-1**（p.263）の線形リストクラス *LinkedList<E>* と同様に、2個のフィールドをもちます。

- ***head*** … 先頭ポインタ（先頭ノードへの参照：型は *Node<E>*）。
- ***crnt*** … 着目ポインタ（着目ノードへの参照：型は *Node<E>*）。

コンストラクタ：DoubleLinkedList

コンストラクタは、空の循環・重連結リストを生成します。その際、**Fig.8-25** に示すように、**データをもたないノードを 1 個だけ作ります。**

このノードは、ノードの挿入や削除の処理を円滑に行うために、リストの先頭位置に存在し続ける**ダミーノード**です。

ノードを生成する際に、**new** *Node<E>*() によって **A** のコンストラクタを呼び出していますので、ダミーノードの *prev* と *next* は、自分自身のノードを参照するように初期化されます。

なお、*head* と *crnt* の参照先は、生成したダミーノードとなっています。

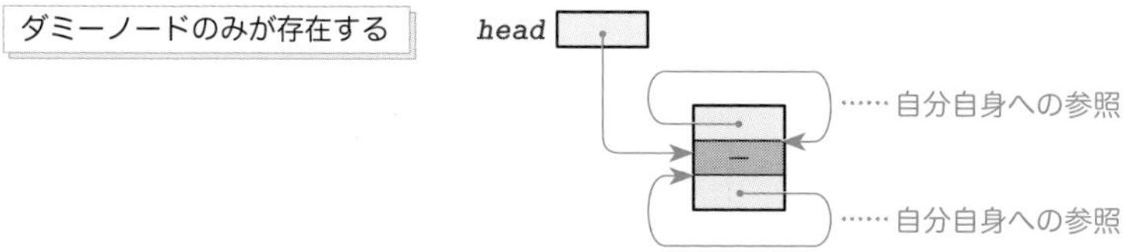

Fig.8-25　空の循環・重連結リスト

リストが空であるかを調べる：isEmpty

リストが空であるか（ダミーノードのみが存在するか）を調べるメソッドです。

ダミーノードの後続ポインタ **head.next** が、ダミーノードである **head** を参照していれば、リストは空です。

▶ 図に示すように、空のリストでは、*head* の参照先と、*head.next* の参照先と、*head.prev* の参照先のすべてがダミーノードとなります（すべて *head* と同じ値になります）。

リストが空であれば **true** を、そうでなければ **false** を返却します。

ノードの探索：search

ノードを線形探索するメソッドです。

List 8-5 [B] chap08/DoubleLinkedList.java

```
//--- ノードを探索 ---//
public E search(E obj, Comparator<? super E> c) {
  Node<E> ptr = head.next;          // 現在走査中のノード

  while (ptr != head) {
    if (c.compare(obj, ptr.data) == 0) {
      crnt = ptr;
      return ptr.data;              // 探索成功
    }
    ptr = ptr.next;                 // 後続ノードに着目
  }
  return null;                      // 探索失敗
}
```


先頭ノードから始めて、後続ポインタを順次たぐって走査する手順は、線形リストクラス *LinkedList<E>* のメソッド *search* と、ほぼ同じです。ただし、**実質的な先頭ノード**が、ダミーノードの後続ノードであるため、探索の開始点が異なります。

それを示すのが **Fig.8-26** です。*head* の参照先はダミーノードです。そして、ダミーノードの後続ポインタが参照しているノードAが、本当の先頭ノードです。

そのため、探索の開始は *head* ではなく、*head.next* となります。

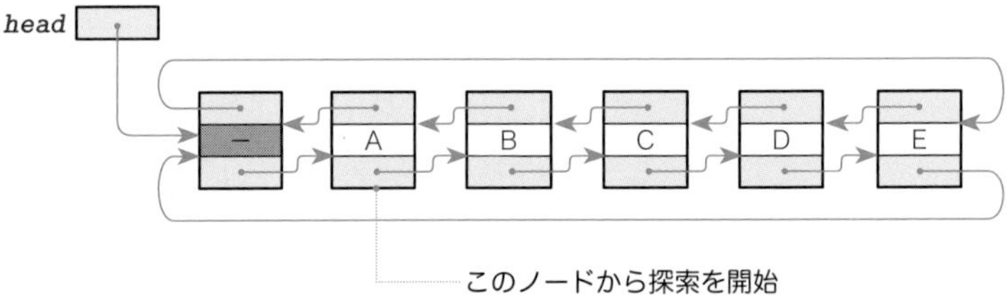

Fig.8-26　ノードの探索

▶ ダミーノード、リストの（実質的な）先頭ノード、リストの末尾ノードを参照する式は、それぞれ *head*、*head.next*、*head.prev* です。

なお、*Node<E>* 型の変数 **a, b, c, d, e** が、それぞれノードA、ノードB、…、ノードEを参照しているとき、各ノードを参照する式は、次のようになります。

ダミーノード	head	e.next	d.next.next	a.prev	b.prev.prev
ノードA	a	head.next	e.next.next	b.prev	c.prev.prev
ノードB	b	a.next	head.next.next	c.prev	d.prev.prev
ノードC	c	b.next	a.next.next	d.prev	e.prev.prev
ノードD	d	c.next	b.next.next	e.prev	head.prev.prev
ノードE	e	d.next	c.next.next	head.prev	a.prev.prev

while 文による走査の過程で、コンパレータ *c* のメソッド **compare** によって比較した結果が **0** であれば**探索成功**です。*ptr* が参照するノードのデータ **data** を返します。

▶ このとき、着目ポインタ *crnt* の参照先を、見つけたノード *ptr* に更新します。

目的とするノードが見つからず**走査が一巡して先頭ノードに戻ってきたとき**（*ptr* が *head* と等しくなったとき）に **while** 文は終了です。**探索失敗**であることを示す **null** を返します。

▶ 左ページの図の例であれば、*ptr* が着目しているのがノードEであるときに、

```
ptr = ptr.next;
```

を実行すると、*ptr* の参照先がダミーノードとなります。そのため、*ptr* の参照先が *head* と等しくなったときに走査が終了します。

さて、空のリストからの探索を行うと、探索に失敗するはずです。本メソッドが、ちゃんと探索に失敗して **null** を返却するかどうかを **Fig.8-27** で検証しましょう。

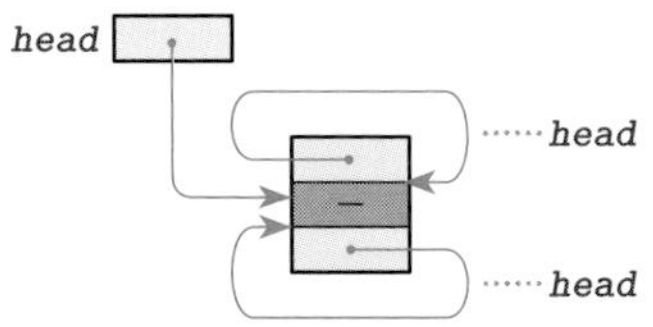

Fig.8-27　空の循環・重連結リストからの探索

メソッド冒頭で *ptr* に代入される *head.next* は、ダミーノードへの参照です。そのため、*head* と同じ値が *ptr* に代入されます。

そうすると、**while** 文の制御式 *ptr* **!=** *head* は **false** となります。**while** 文の実行は実質的にスキップされて、メソッド末尾の **return** 文によって **null** が返却されます。

▶ *Node<E>* 型の変数 *p* がリスト上のノードを参照しているとします。*p* が参照しているノードリスト上の位置については、次の式で判定できます（左ページの **Fig.8-26** と対比しながら理解しましょう）。

```
p.prev == head        // pは先頭ノードか？
p.prev.prev == head   // pは先頭から２番目のノードか？
p.next == head        // pは末尾ノードか？
p.next.next == head   // pは末尾から２番目のノードか？
```

※ コメントに示している《先頭》は、ダミーノードを除いた、先頭ノードのことです。

List 8-5 [C] chap08/DoubleLinkedList.java

```
  //--- 着目ノードを表示 ---//
  public void printCurrentNode() {
    if (isEmpty())
      System.out.println("着目ノードはありません。");
    else
      System.out.println(crnt.data);
  }

  //--- 全ノードを表示 ---//
  public void dump() {
    Node<E> ptr = head.next;          // ダミーノードの後続ノード

    while (ptr != head) {
      System.out.println(ptr.data);
      ptr = ptr.next;
    }
  }

  //--- 全ノードを逆順に表示 ---//
  public void dumpReverse() {
    Node<E> ptr = head.prev;          // ダミーノードの先行ノード

    while (ptr != head) {
      System.out.println(ptr.data);
      ptr = ptr.prev;
    }
  }

  //--- 着目ノードを一つ後方に進める ---//
  public boolean next() {
    if (isEmpty() || crnt.next == head)
      return false;                   // 進めることはできなかった
    crnt = crnt.next;
    return true;
  }

  //--- 着目ノードを一つ前方に進める ---//
  public boolean prev() {
    if (isEmpty() || crnt.prev == head)
      return false;                   // 進めることはできなかった
    crnt = crnt.prev;
    return true;
  }
```


着目ノードの表示：printCurrentNode

着目ノードを表示するメソッドです。着目ノードのデータ `crnt.data`（に対して暗黙裏に `toString` メソッドが呼び出された結果得られる文字列）を表示します。

ただし、リストが空であれば、『着目ノードはありません。』と表示します。

全ノードの表示：dump

リスト上の全ノードを先頭から末尾へと順に表示するメソッドです。

走査を `head.next` から開始して、**後続ポインタ**をたぐっていきながら、各ノードのデータを表示します。一巡して `head` に戻ると走査が終了します。

Fig.8-28 で考えましょう。①⇨②⇨③ … とポインタをたぐっていき、⑥をたぐると、ダミーノードに戻ります（`ptr` の参照先が `head` の参照先と等しくなります）ので、走査を終了します。

▶ 表示の開始位置は、①をたぐった後の `head.next` が参照するノードです。

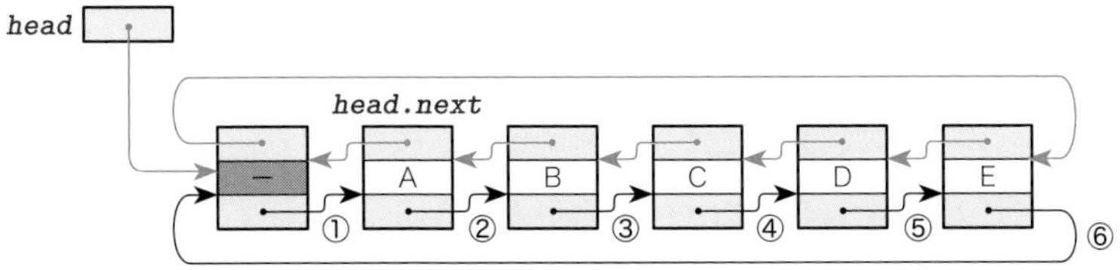

Fig.8-28　全ノードの走査

全ノードの逆順表示：dumpReverse

リスト上の全ノードを末尾から先頭へと**逆順**に表示するメソッドです。

走査を `head.prev` から開始して、**先行ポインタ**をたぐっていきながら、各ノードのデータを表示します。一巡して `head` に戻ったら、走査を終了します。

Fig.8-29 で考えましょう。①⇨②⇨③ … とポインタをたぐっていき、⑥をたぐると、ダミーノードに戻ります（`ptr` の参照先が `head` の参照先と等しくなります）ので、走査を終了します。

▶ 表示の開始位置は、①をたぐった後の `head.prev` が参照するノードです。

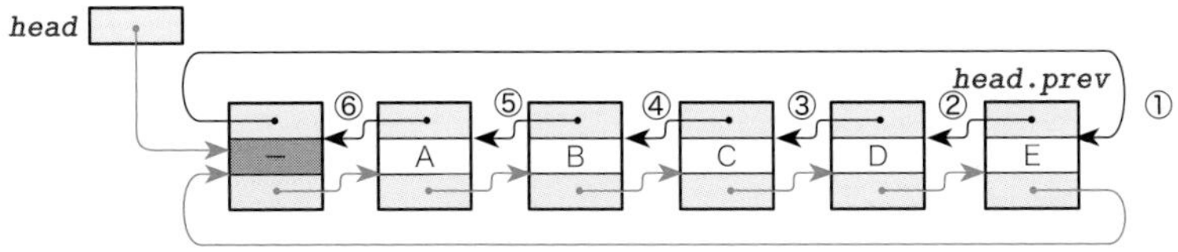

Fig.8-29　全ノードの逆順走査

着目ノードを後方に進める：next

着目ノードを一つ**後方のノード**に進めるメソッドです。リストが空でなく、着目ノードに後続ノードが存在するときのみ、着目ノードを一つ進めます。

着目ノードを進めたときは `true` を、そうでないときは `false` を返します。

着目ノードを前方に進める：prev

着目ノードを一つ**前方のノード**に進めるメソッドです。リストが空でなく、着目ノードに先行ノードが存在するときのみ、着目ノードを一つ進めます。

着目ノードを進めたときは `true` を、そうでないときは `false` を返します。

List 8-5 [D] chap08/DoubleLinkedList.java

```
  //--- 着目ノードの直後にノードを挿入 ---//
  public void add(E obj) {
    Node<E> node = new Node<E>(obj, crnt, crnt.next);      ―1
    crnt.next = crnt.next.prev = node;                     ―2
    crnt = node;                                           ―3
  }

  //--- 先頭にノードを挿入 ---//
  public void addFirst(E obj) {
    crnt = head;                        // ダミーノードheadの直後に挿入
    add(obj);
  }

  //--- 末尾にノードを挿入 ---//
  public void addLast(E obj) {
    crnt = head.prev;                   // 末尾ノードhead.prevの直後に挿入
    add(obj);
  }
```


ノードの挿入：add

着目ノードの直後にノードを挿入するメソッドであって、他の挿入系メソッドの下請けともなるメソッドです。

挿入の手続きを **Fig.8-30** の具体例で考えましょう。**crnt** がノードBを参照している状態が図**a**で、その後ろにノードDを挿入したのが図**b**です。挿入位置は、**crnt** が参照するノードと、**crnt.next** が参照するノードのあいだです。挿入の手順は、次のようになります。

1 新しく挿入するノードを `new Node<E>(obj, crnt, crnt.next)` によって生成します。生成されたノードDは、データが **obj**、先行ポインタの参照先がノードB、後続ポインタの参照先がノードCとなります。

2 ノードBの後続ポインタ **crnt.next** とノードCの先行ポインタ **crnt.next.prev** の両方が、新たに挿入したノード **node** を参照するように更新します。

3 着目ポインタが、挿入したノードを参照するように更新します。

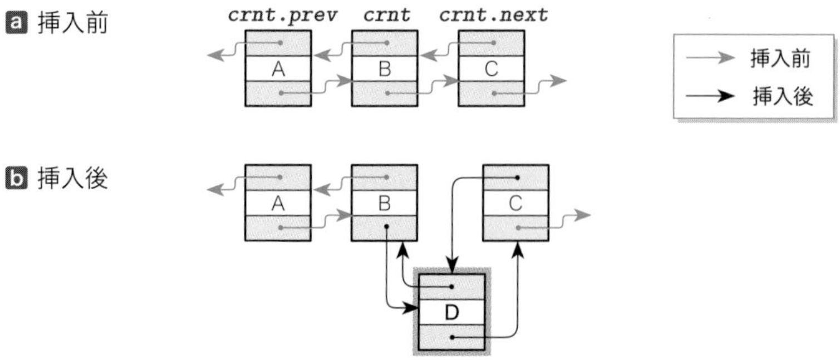

Fig.8-30　循環・重連結リストへのノードの挿入

なお、前節までの線形リストのプログラムとは異なり、リストの先頭にダミーノードが存在するため、**空のリストに対する挿入処理や、リストの先頭への挿入処理を特別扱いする必要がありません。**

たとえば、**Fig.8-31** に示すのは、ダミーノードのみが存在する空のリストにノードAを挿入する例です。挿入前の ***crnt*** と ***head*** が、ともにダミーノードを参照していますので、挿入処理は次のように行います。

1. 生成されたノードの先行ポインタと後続ポインタにダミーノードを参照させる。
2. ダミーノードの後続ポインタと先行ポインタの参照先をノードAとする。
3. 着目ノードの参照先を挿入したノードとする。

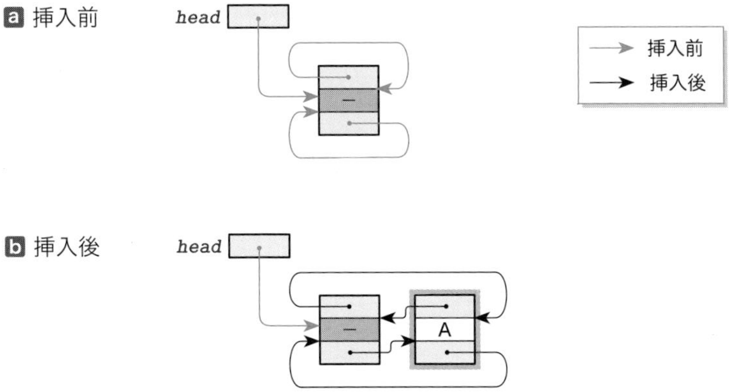

Fig.8-31　空の循環・重連結リストへのノードの挿入

先頭へのノードの挿入：addFirst

リストの先頭にノードを挿入するメソッドです。

ノードの挿入先は、ダミーノードの直後です。着目ポインタ ***crnt*** の参照先を ***head*** に更新した上で、メソッド **add** を呼び出します。

▶ 左ページの **Fig.8-30** にしたがって挿入が行われます。

末尾へのノードの挿入：addLast

リストの末尾にノードを挿入するメソッドです。

ノードの挿入先は、末尾ノードの直後、すなわち、ダミーノードの直前です。着目ポインタ ***crnt*** の参照先を ***head.prev*** に更新した上で、メソッド **add** を呼び出します。

▶ 左ページの **Fig.8-30** にしたがって挿入が行われます。

List 8-5 [E] chap08/DoubleLinkedList.java

```
  //--- 着目ノードを削除 ---//
  public void removeCurrentNode() {
    if (!isEmpty()) {
      crnt.prev.next = crnt.next;                 ―1
      crnt.next.prev = crnt.prev;                 ―2
      crnt = crnt.prev;                           ―3
      if (crnt == head) crnt = head.next;
    }
  }

  //--- ノードpを削除 ---//
  public void remove(Node p) {
    Node<E> ptr = head.next;

    while (ptr != head) {
      if (ptr == p) {                     // pを見つけた
        crnt = p;
        removeCurrentNode();
        break;
      }
      ptr = ptr.next;
    }
  }

  //--- 先頭ノードを削除 ---//
  public void removeFirst() {
    crnt = head.next;                     // 先頭ノードhead.nextを削除
    removeCurrentNode();
  }

  //--- 末尾ノードを削除 ---//
  public void removeLast() {
    crnt = head.prev;                     // 末尾ノードhead.prevを削除
    removeCurrentNode();
  }

  //--- 全ノードを削除 ---//
  public void clear() {
    while (!isEmpty())                    // 空になるまで
      removeFirst();                      // 先頭ノードを削除
  }
}
```


着目ノードの削除：removeCurrentNode

着目ノードを削除するメソッドであって、他の削除系メソッドの下請けともなるメソッドです。

ダミーノードを削除するわけにはいきませんので、まずリストが空でないかどうかをチェックして、リストが空でないときにのみ削除処理を行います。

削除の手続きを、右ページの **Fig.8-32** に示す例で考えましょう。**crnt** がノードBを参照している状態が図**a**で、そのノードBを削除したのが図**b**です。**crnt.prev** の参照先ノードAと、**crnt.next** の参照先ノードCにはさまれたノードが削除されたことになります。

削除の手順は、次のようになります。

1 ノードAすなわち **crnt.prev** の後続ポインタ **crnt.prev.next** の参照先が、ノードCすなわち **crnt.next** となるように更新します。

2 ノードCすなわち ***crnt.next*** の先行ポインタ ***crnt.next.prev*** の参照先が、ノードAすなわち ***crnt.prev*** となるように更新します。

これで、ノードBは、どこからも参照されることがなくなり、削除処理が終了します。

3 着目ポインタ ***crnt*** が、削除したノードの先行ノードAを参照するように更新します。

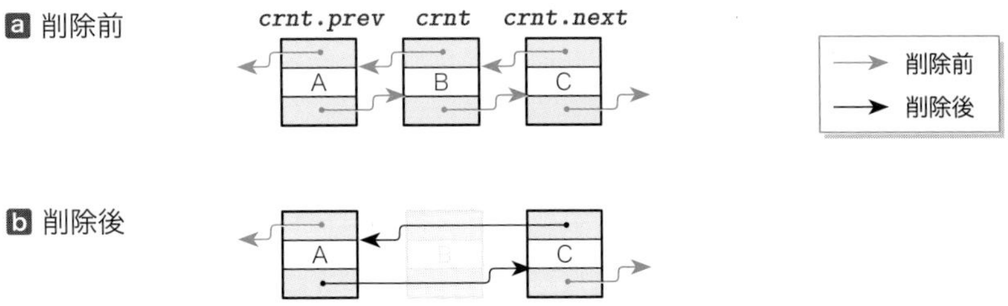

Fig.8-32 循環・重連結リストからのノードの削除

任意のノードの削除：remove

p が参照するノードを削除するメソッドです。削除処理を行うのは、リストが空でなく、引数で与えられたノード ***p*** が存在するときのみです。

while 文で全ノードを走査する過程で、ノード ***p*** を見つけると、***crnt*** の参照先を ***p*** に更新した上で、メソッド ***removeCurrentNode*** を呼び出します。

先頭ノードの削除：removeFirst

先頭ノードを削除するメソッドです。

着目ポインタ ***crnt*** の参照先を、先頭ノード ***head.next*** に更新した上で、メソッド ***removeCurrentNode*** を呼び出します。

末尾ノードの削除：removeLast

末尾ノードを削除するメソッドです。

着目ポインタ ***crnt*** の参照先を、末尾ノード ***head.prev*** に更新した上で、メソッド ***removeCurrentNode*** を呼び出します。

全ノードの削除：clear

ダミーノード以外の全ノードを削除するメソッドです。

リストが空になるまで、***removeFirst*** による先頭ノードの削除を繰り返します。

▶ その結果、着目ポインタ ***crnt*** の参照先は、ダミーノード ***head*** に更新されます。

循環・重連結リストを利用するプログラム

List 8-6 に、循環・重連結リストクラス ***DoubleLinkedList<E>*** を利用するプログラム例を示します。

▶ 本プログラムの実行に際しては、同一ディレクトリ上に "DoubleLinkedList.class" が必要です。

List 8-6 [A] chap08/DoubleLinkedListTester.java

要：DoubleLinkedList

```
// 循環・重連結リストクラスDoubleLinkedList<E>の利用例

import java.util.Scanner;
import java.util.Comparator;

class DoubleLinkedListTester {
  static Scanner stdIn = new Scanner(System.in);

  //--- データ（会員番号＋氏名） ---//
  static class Data {
    /*=== 省略：List 8-2（p.275）と同じ ===*/
  }

  //--- メニュー列挙型 ---//
  enum Menu {
    ADD_FIRST(  "先頭にノードを挿入"),
    ADD_LAST(   "末尾にノードを挿入"),
    ADD(        "着目ノードの直後に挿入"),
    RMV_FIRST(  "先頭ノードを削除"),
    RMV_LAST(   "末尾ノードを削除"),
    RMV_CRNT(   "着目ノードを削除"),
    CLEAR(      "全ノードを削除"),
    SEARCH_NO(  "番号で探索"),
    SEARCH_NAME("氏名で探索"),
    NEXT(       "着目ノードを後方へ"),
    PREV(       "着目ノードを前方へ"),
    PRINT_CRNT( "着目ノードを表示"),
    DUMP(       "全ノードを表示"),
    TERMINATE(  "終了");

    private final String message;   // 表示用文字列

    static Menu MenuAt(int idx) {   // 序数がidxである列挙を返す
      for (Menu m : Menu.values())
        if (m.ordinal() == idx)
          return m;
      return null;
    }

    Menu(String string) {           // コンストラクタ
      message = string;
    }

    String getMessage() {           // 表示用文字列を返す
      return message;
    }
  }

  //--- メニュー選択 ---//
  static Menu SelectMenu() {
    /*=== 省略：List 8-2と同じ ===*/
  }
```

```
public static void main(String[] args) {
  Menu menu;                // メニュー
  Data data;                // 追加用データ参照
  Data ptr;                 // 探索用データ参照
  Data temp = new Data();   // 読込み用データ

  DoubleLinkedList<Data> list = new DoubleLinkedList<Data>(); // リストを生成

  do {
    switch (menu = SelectMenu()) {

     case ADD_FIRST :               // 先頭にノードを挿入
        data = new Data();
        data.scanData("先頭に挿入", Data.NO | Data.NAME);
        list.addFirst(data);
        break;

     case ADD_LAST :                // 末尾にノードを挿入
        data = new Data();
        data.scanData("末尾に挿入", Data.NO | Data.NAME);
        list.addLast(data);
        break;

     case ADD :                     // 着目ノードの直後にノードを挿入
        data = new Data();
        data.scanData("着目ノードの直後に挿入", Data.NO | Data.NAME);
        list.add(data);
        break;

     case RMV_FIRST :               // 先頭ノードを削除
        list.removeFirst();
        break;

     case RMV_LAST :                // 末尾ノードを削除
        list.removeLast();
        break;

     case RMV_CRNT :                // 着目ノードを削除
        list.removeCurrentNode();
        break;

     case SEARCH_NO :               // 会員番号で探索
        temp.scanData("探索", Data.NO);
        ptr = list.search(temp, Data.NO_ORDER);
        if (ptr == null)
          System.out.println("その番号のデータはありません。");
        else
          System.out.println("探索成功：" + ptr);
        break;

     case SEARCH_NAME :             // 氏名で探索
        temp.scanData("探索", Data.NAME);
        ptr = list.search(temp, Data.NAME_ORDER);
        if (ptr == null)
          System.out.println("その氏名のデータはありません。");
        else
          System.out.println("探索成功：" + ptr);
        break;

     case NEXT :                    // 着目ノードを後方に進める
        list.next();
        break;

     case PREV :                    // 着目ノードを前方に進める
        list.prev();
        break;
```

➡

List 8-6 [B] chap08/DoubleLinkedListTester.java

```
        case PRINT_CRNT :            // 着目ノードのデータを表示
          list.printCurrentNode();
          break;

        case DUMP :                  // 全データをリスト順に表示
          list.dump();
          break;

        case CLEAR :                 // 全ノードを削除
          list.clear();
          break;
       }
     } while (menu != Menu.TERMINATE);
   }
}
```


実行例

```
(0) 先頭にノードを挿入 (1) 末尾にノードを挿入 (2) 着目ノードの直後に挿入
(3) 先頭ノードを削除 (4) 末尾ノードを削除 (5) 着目ノードを削除
(6) 全ノードを削除 (7) 番号で探索 (8) 氏名で探索
(9) 着目ノードを後方へ (10) 着目ノードを前方へ (11) 着目ノードを表示
(12) 全ノードを表示 (13) 終了 ：0↵
先頭に挿入するデータを入力してください。
番号：1↵                                    {①赤尾}を先頭に挿入
氏名：赤尾↵
(0) 先頭にノードを挿入 (1) 末尾にノードを挿入 (2) 着目ノードの直後に挿入
(3) 先頭ノードを削除 (4) 末尾ノードを削除 (5) 着目ノードを削除
(6) 全ノードを削除 (7) 番号で探索 (8) 氏名で探索
(9) 着目ノードを後方へ (10) 着目ノードを前方へ (11) 着目ノードを表示
(12) 全ノードを表示 (13) 終了 ：1↵
末尾に挿入するデータを入力してください。
番号：5↵                                    {⑤武田}を末尾に挿入
氏名：武田↵
(0) 先頭にノードを挿入 (1) 末尾にノードを挿入 (2) 着目ノードの直後に挿入
(3) 先頭ノードを削除 (4) 末尾ノードを削除 (5) 着目ノードを削除
(6) 全ノードを削除 (7) 番号で探索 (8) 氏名で探索
(9) 着目ノードを後方へ (10) 着目ノードを前方へ (11) 着目ノードを表示
(12) 全ノードを表示 (13) 終了 ：0↵
先頭に挿入するデータを入力してください。
番号：10↵                                   {⑩小野}を先頭に挿入
氏名：小野↵
(0) 先頭にノードを挿入 (1) 末尾にノードを挿入 (2) 着目ノードの直後に挿入
(3) 先頭ノードを削除 (4) 末尾ノードを削除 (5) 着目ノードを削除
(6) 全ノードを削除 (7) 番号で探索 (8) 氏名で探索
(9) 着目ノードを後方へ (10) 着目ノードを前方へ (11) 着目ノードを表示
(12) 全ノードを表示 (13) 終了 ：1↵
末尾に挿入するデータを入力してください。
番号：12↵                                   {⑫鈴木}を末尾に挿入
氏名：鈴木↵
(0) 先頭にノードを挿入 (1) 末尾にノードを挿入 (2) 着目ノードの直後に挿入
(3) 先頭ノードを削除 (4) 末尾ノードを削除 (5) 着目ノードを削除
(6) 全ノードを削除 (7) 番号で探索 (8) 氏名で探索
(9) 着目ノードを後方へ (10) 着目ノードを前方へ (11) 着目ノードを表示
(12) 全ノードを表示 (13) 終了 ：0↵
先頭に挿入するデータを入力してください。
番号：14↵                                   {⑭神崎}を先頭に挿入
氏名：神崎↵
(0) 先頭にノードを挿入 (1) 末尾にノードを挿入 (2) 着目ノードの直後に挿入
(3) 先頭ノードを削除 (4) 末尾ノードを削除 (5) 着目ノードを削除
(6) 全ノードを削除 (7) 番号で探索 (8) 氏名で探索
(9) 着目ノードを後方へ (10) 着目ノードを前方へ (11) 着目ノードを表示
(12) 全ノードを表示 (13) 終了 ：4↵                 末尾の{⑫鈴木}を削除
```

```
(0) 先頭にノードを挿入 (1) 末尾にノードを挿入 (2) 着目ノードの直後に挿入
(3) 先頭ノードを削除 (4) 末尾ノードを削除 (5) 着目ノードを削除
(6) 全ノードを削除 (7) 番号で探索 (8) 氏名で探索
(9) 着目ノードを後方へ (10) 着目ノードを前方へ (11) 着目ノードを表示
(12) 全ノードを表示 (13) 終了 :8
探索するデータを入力してください。
氏名：鈴木                                     {鈴木}を探索／失敗
その氏名のデータはありません。
(0) 先頭にノードを挿入 (1) 末尾にノードを挿入 (2) 着目ノードの直後に挿入
(3) 先頭ノードを削除 (4) 末尾ノードを削除 (5) 着目ノードを削除
(6) 全ノードを削除 (7) 番号で探索 (8) 氏名で探索
(9) 着目ノードを後方へ (10) 着目ノードを前方へ (11) 着目ノードを表示
(12) 全ノードを表示 (13) 終了 :7
探索するデータを入力してください。
番号：10                                       {⑩}を探索／成功
探索成功：(10)小野
(0) 先頭にノードを挿入 (1) 末尾にノードを挿入 (2) 着目ノードの直後に挿入
(3) 先頭ノードを削除 (4) 末尾ノードを削除 (5) 着目ノードを削除
(6) 全ノードを削除 (7) 番号で探索 (8) 氏名で探索
(9) 着目ノードを後方へ (10) 着目ノードを前方へ (11) 着目ノードを表示
(12) 全ノードを表示 (13) 終了 :11
(10)小野                                       着目ノードは{⑩小野}
(0) 先頭にノードを挿入 (1) 末尾にノードを挿入 (2) 着目ノードの直後に挿入
(3) 先頭ノードを削除 (4) 末尾ノードを削除 (5) 着目ノードを削除
(6) 全ノードを削除 (7) 番号で探索 (8) 氏名で探索
(9) 着目ノードを後方へ (10) 着目ノードを前方へ (11) 着目ノードを表示
(12) 全ノードを表示 (13) 終了 :10              着目ノードを戻す
(0) 先頭にノードを挿入 (1) 末尾にノードを挿入 (2) 着目ノードの直後に挿入
(3) 先頭ノードを削除 (4) 末尾ノードを削除 (5) 着目ノードを削除
(6) 全ノードを削除 (7) 番号で探索 (8) 氏名で探索
(9) 着目ノードを後方へ (10) 着目ノードを前方へ (11) 着目ノードを表示
(12) 全ノードを表示 (13) 終了 :11
(14)神崎                                       着目ノードは{⑭神崎}
(0) 先頭にノードを挿入 (1) 末尾にノードを挿入 (2) 着目ノードの直後に挿入
(3) 先頭ノードを削除 (4) 末尾ノードを削除 (5) 着目ノードを削除
(6) 全ノードを削除 (7) 番号で探索 (8) 氏名で探索
(9) 着目ノードを後方へ (10) 着目ノードを前方へ (11) 着目ノードを表示
(12) 全ノードを表示 (13) 終了 :12
(14) 神崎
(10) 小野                                      全ノードを順に表示
(1) 赤尾
(5) 武田
(0) 先頭にノードを挿入 (1) 末尾にノードを挿入 (2) 着目ノードの直後に挿入
(3) 先頭ノードを削除 (4) 末尾ノードを削除 (5) 着目ノードを削除
(6) 全ノードを削除 (7) 番号で探索 (8) 氏名で探索
(9) 着目ノードを後方へ (10) 着目ノードを前方へ (11) 着目ノードを表示
(12) 全ノードを表示 (13) 終了 :13
```

演習 8-9

線形リストクラス *LinkedList<E>* に対する演習 **8-1**（p.279）と同じ課題を、循環・重連結リストクラス *DoubleLinkedList<E>* に対して行え。

演習 8-10

線形リストクラス *LinkedList<E>* に対する演習 **8-2**（p.279）と同じ課題を、循環・重連結リストクラス *DoubleLinkedList<E>* に対して行え。

第 9 章

木構造と２分探索木

- 木構造
- 順序木と無順序木
- 横型探索
- 縦型探索
- 行きがけ順（前順／先行順）
- 通りがけ順（間順／中間順）
- 帰りがけ順（後順／後行順）
- ２分木
- ２分探索木

9-1 木構造

前章で学習したリストは、順序付けられたデータの並びを表現するデータ構造でした。本章では、データ間の階層的な関係を表現するデータ構造である《木構造》を学習します。

木とは

本章で学習するのは**木構造**です。まずは、**木**（tree）とは何かを理解するとともに、木に関する用語を**Fig.9-1**を見ながら覚えていきましょう。

木に関する用語

木を構成する要素は、**ノード／節**（node）と**枝**（edge）です。各ノードは、枝を通じて他のノードと結び付きます。図中の○がノードで、—が枝です。

なお、図の上側を**上流**と呼び、下側を**下流**と呼びます。

根 ………… 最も上流のノードが**根**（root）です。一つの木に対して、根は一つだけ存在します。
植物の木の根と同じようなものです。図の上下を逆にすると、木のイメージをつかみやすくなります。

葉 ………… 最下流のノードが**葉**（leaf）です。**終端節**（terminal node）あるいは**外部節**（external node）とも呼ばれます。

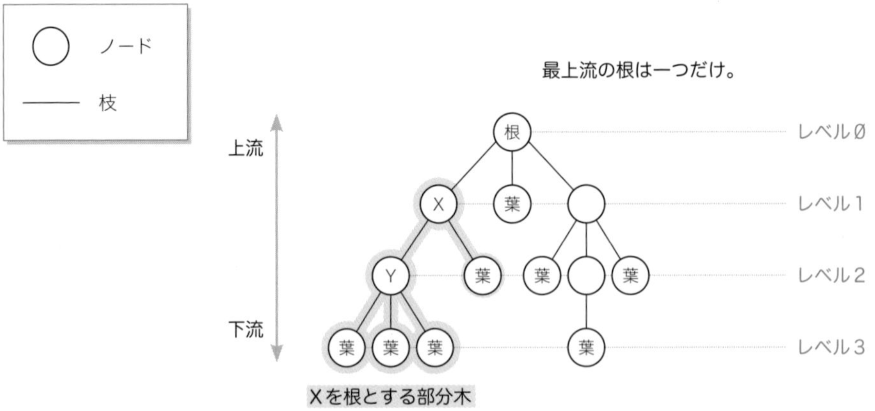

Fig.9-1 木

非終端節 … 葉以外のノード（根を含みます）が**非終端節**（non–terminal node）です。**内部節**（internal node）とも呼ばれます。

子 ………… あるノードと枝で結ばれた下流側のノードが**子**（child）です。各ノードは何個でも子をもつことができます。
たとえば、ノードＸは２個の子を、ノードＹは3個の子をもっています。
なお、最下流の**葉は子をもちません。**

親 ………… あるノードと枝で結ばれた上流側のノードが**親**（parent）です。各ノードにとって親は１個だけです。たとえば、ノードＹにとっての親はノードＸです。
なお、**根だけは親をもちません。**

兄弟 ……… 共通の親をもつノードが**兄弟**（sibling）です。

先祖 ……… あるノードから上流側にたどれるすべてのノードが**先祖**（ancestor）です。

子孫 ……… あるノードから下流側にたどれるすべてのノードが**子孫**（descendant）です。

レベル …… 根からどれくらい離れているかを示すのが**レベル**（level）です。最上流に位置する根のレベルは**0**であって、枝を一つ下流へとたぐっていくたびに、レベルは一つずつ増加します。

度数 ……… 各ノードがもつ子の数が**度数**（degree）です。たとえば、Ｘの度数は**2**で、Ｙの度数は**3**です。
なお、すべてのノードの度数がｎ以下である木を**ｎ進木**と呼びます。ここに示す木は、すべてのノードの子が3個以下ですから、**3進木**です。
もし、すべてのノードの子の数が２個以下であれば、その木は**2進木**です。

高さ ……… 根から最も遠い葉までの距離、すなわち葉のレベルの最大値が、**高さ**（height）です。ここに示す木の高さは**3**です。

部分木 …… あるノードを根とし、その子孫から構成される木が**部分木**（subtree）です。
水色で囲んだ部分は、Ｘを根とする部分木です。

空木 ……… ノードや枝がまったく存在しない木が**空木**（null tree）です。

順序木と無順序木

兄弟ノードの順序関係を区別するかどうかで、木は2種類に分類されます。

兄弟関係にあるノードの順序関係を区別する木が**順序木**（ordered tree）で、区別をしない木が**無順序木**（unordered tree）です。

たとえば、**Fig.9-2** に示す図aと図bは、順序木としてみれば別の木ですが、無順序木としてみれば同じ木です。

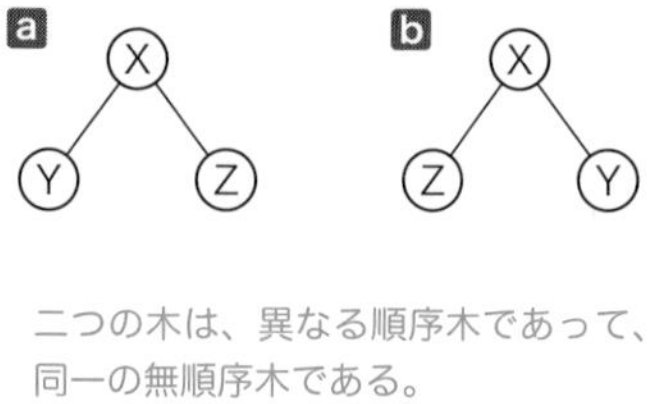

Fig.9-2　順序木と無順序木

順序木の探索

順序木のノードを走査する方法には、大きく二つの手法があります。ここでは、2進木を例に考えていきます。

幅優先探索／横型探索（breadth-first search）

幅優先探索とも呼ばれる**横型探索**は、レベルの低いノードから始めて、**左側から右側へとなぞり**、それが終わると次のレベルにくだる方法です。

Fig.9-3 に示すのが、横型探索でノードを走査する例です。

ノードをなぞる順は、次のようになります。

A ➡ B ➡ C ➡ D ➡ E ➡ F ➡ G
➡ H ➡ I ➡ J ➡ K ➡ L

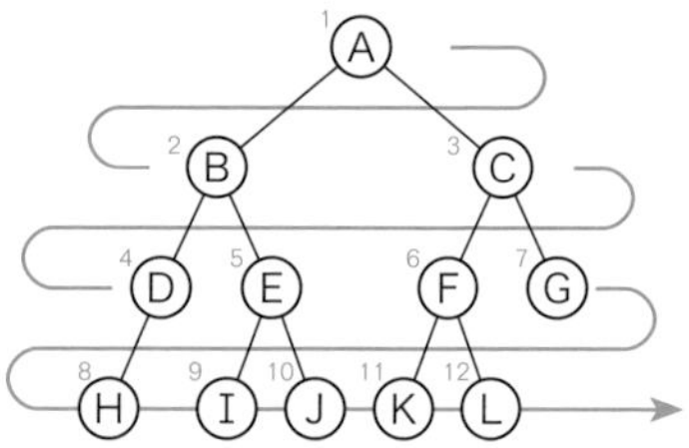

Fig.9-3　横型探索

深さ優先探索／縦型探索（depth-first search）

深さ優先探索とも呼ばれる**縦型探索**は、葉に到達するまで**下流にくだる**のを優先する方法です。

葉に到達して行き止まりとなった場合は、いったん親に戻って、それから次のノードへとたどっていきます。

Fig.9-4 に示すのが、縦型探索の走査の概略です。

＊

ここで、ノードAに着目しましょう。

右ページの **Fig.9-5** に示すように、走査の過程でAを通過するのは全部で3回です。

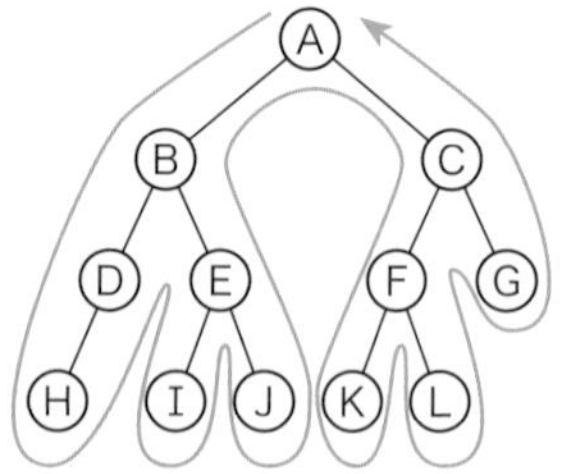

Fig.9-4　縦型探索

- AからBにくだる直前。
- BからCに行く途中。
- CからAに戻ってきたとき。

他のノードでも同様です。二つの子の一方あるいは両方がなければ回数は少なくなるものの、各ノードを最大3回通過します。

3回の通過のうちの、どのタイミングで実際に“**立ち寄る**”のかによって、縦型探索は、次の3種類の走査法に分類されます。

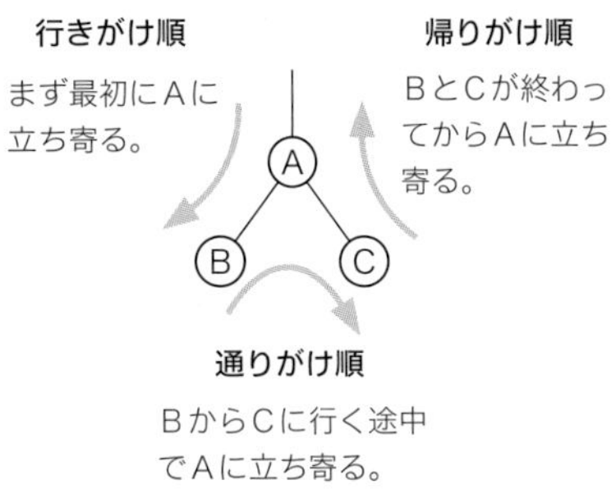
行きがけ順
まず最初にAに立ち寄る。
帰りがけ順
BとCが終わってからAに立ち寄る。
A
B
C
通りがけ順
BからCに行く途中でAに立ち寄る。

Fig.9-5　縦型探索と走査

▪ 行きがけ順（preorder：前順／先行順）

次の手順で走査します。

ノードに立ち寄る ➡ 左の子にくだる ➡ 右の子にくだる

Fig.9-4 の木を考えましょう。たとえばノードAを通過するタイミングに着目すると、{ **Aに立ち寄る**➡Bにくだる➡Cにくだる } という手順です。

そのため、木全体の走査は、次のようになります。

A ➡ B ➡ D ➡ H ➡ E ➡ I ➡ J ➡ C ➡ F ➡ K ➡ L ➡ G

▪ 通りがけ順（inorder：間順／中間順）

次の手順で走査します。

左の子にくだる ➡ **ノードに立ち寄る** ➡ 右の子にくだる

たとえばノードAを通過するタイミングに着目すると、{ Bにくだる➡**Aに立ち寄る**➡Cにくだる } という手順です。

そのため、木全体の走査は、次のようになります。

H ➡ D ➡ B ➡ I ➡ E ➡ J ➡ A ➡ K ➡ F ➡ L ➡ C ➡ G

▪ 帰りがけ順（postorder：後順／後行順）

次の手順で走査します。

左の子にくだる ➡ 右の子にくだる ➡ **ノードに立ち寄る**

たとえばノードAを通過するタイミングに着目すると、{ Bにくだる➡Cにくだる➡**Aに立ち寄る** } という手順です。

そのため、木全体の走査は、次のようになります。

H ➡ D ➡ I ➡ J ➡ E ➡ B ➡ K ➡ L ➡ F ➡ G ➡ C ➡ A

9-2 2分木と2分探索木

本節では、単純でありながらも、現実のプログラムで頻繁に利用される、2分木と2分探索木を学習します。

2分木

各ノードが**左の子**（left child）と**右の子**（right child）をもつ木を**2分木**（binary tree）と呼びます。このとき、二つの子の一方あるいは両方が存在しないノードが含まれていても構いません。**Fig.9-6** に示すのが、2分木の一例です。

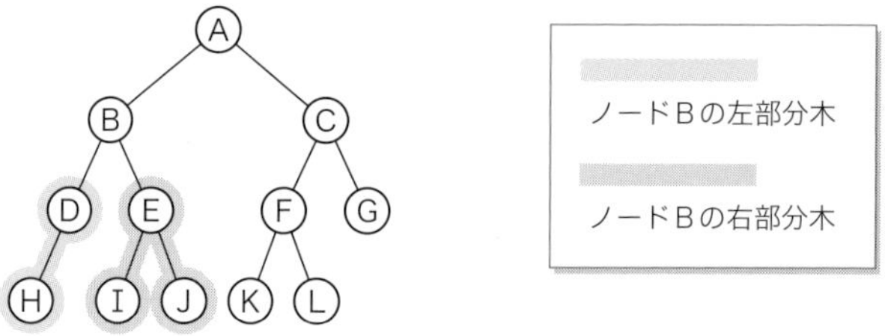

Fig.9-6　2分木

単なる2進木（p.311）との違いは、**左の子と右の子とが区別されること**です。たとえば、この図に示す例では、ノードBにとって、左の子はDで、右の子はEです。

なお、左の子を根とする部分木を**左部分木**（left subtree）と呼び、右の子を根とする部分木を**右部分木**（right subtree）と呼びます。この図だと、水色の部分がBの左部分木で、黒色の部分がBの右部分木です。

完全2分木

根から下方のレベルへと、ノードが空くことなく詰まっていて、かつ、同一のレベル内では左から右へノードが空くことなく詰まっている2分木を、**完全2分木**（complete binary tree）と呼びます。

右ページの **Fig.9-7** に示すのが、その一例です。

- 最下流でないレベルは、すべてノードが詰まっている。
- 最下流のレベルに限っては、左側から詰まっていればよく、途中までしかノードがなくてもよい。

高さが k である完全2分木がもつことのできるノード数は、最大で $2^{k+1}-1$ 個ですから、n 個のノードを格納できる完全2分木の高さは log n となります。

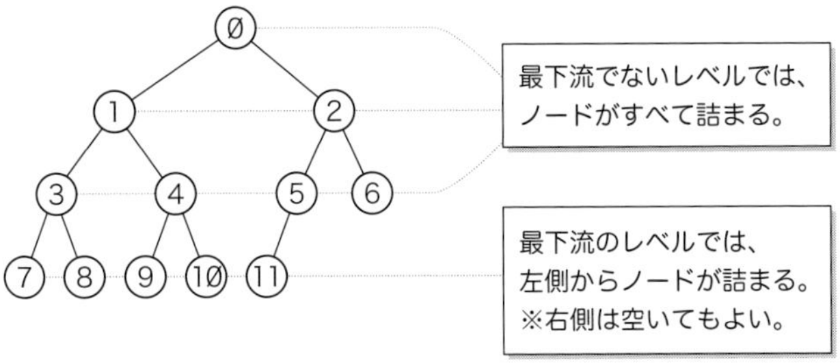

Fig.9-7　完全2分木

この図に示すように、横型探索で走査する順に、`0, 1, 2,` … という値を与えると、ちょうど**配列に格納するインデックスに対応させる**ことができます。

▶　この手法は、第6章で学習したヒープソートで利用しました。

2分探索木

2分探索木（binary search tree）は、すべてのノードが、次の条件を満たす2分木です。

左部分木のノードのキー値は、そのノードのキー値より小さく、
右部分木のノードのキー値は、そのノードのキー値より大きい。

そのため、同一キー値をもつノードが複数存在することはありません。

Fig.9-8 に示すのが、2分探索木の例です。

ここで、ノード**5**に着目します。左部分木の`{4, 1}`は、いずれも**5**より小さくなっており、右部分木の`{7, 6, 9}`は、いずれも**5**より大きくなっています。

もちろん、他のノードも同様です。

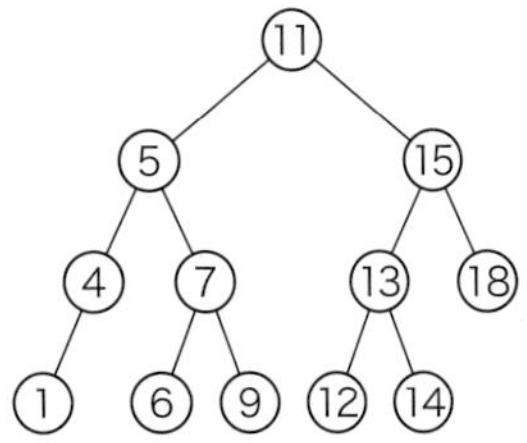

Fig.9-8　2分探索木

＊

2分探索木を**通りがけ順の縦型探索**で走査すると、キー値の昇順でノードが得られます。この図で走査してみましょう。**1** ➡ **4** ➡ **5** ➡ **6** ➡ **7** ➡ **9** ➡ **11** ➡ **12** ➡ **13** ➡ **14** ➡ **15** ➡ **18** となります。

2分探索木は、次のような特徴から、幅広く利用されています。

- 構造が単純である。
- 通りがけ順の縦型探索によって、キーの昇順でノードが得られる。
- 2分探索法と似た要領での高速な探索が可能である。
- ノードの挿入が容易である。

それでは、2分探索木をプログラムとして実現していきましょう。

2分探索木の実現

2分探索木を実現するクラス *BinTree<K,V>* を、右ページの **List 9-1** に示します。

ノードクラス Node<K,V>

2分探索木上の個々のノードを表すのが、クラス *Node<K,V>* です（クラス *BinTree<K,V>* の中で定義されています）。次の4個のフィールドがあります。

- *key* … キー値（型は任意の型 *K*）。
- *data* … データ（型は任意の型 *V*）。
- *left* … **左ポインタ**（左子ノードへの参照：型は *Node<K,V>*）。
- *right* … **右ポインタ**（右子ノードへの参照：型は *Node<K,V>*）。

ノードのイメージを表したのが **Fig.9-9** です。

```
class Node<K,V> {
  K key;                // キー値
  V data;               // データ
  Node<K,V> left;       // 左ポインタ
  Node<K,V> right;      // 右ポインタ
}
```

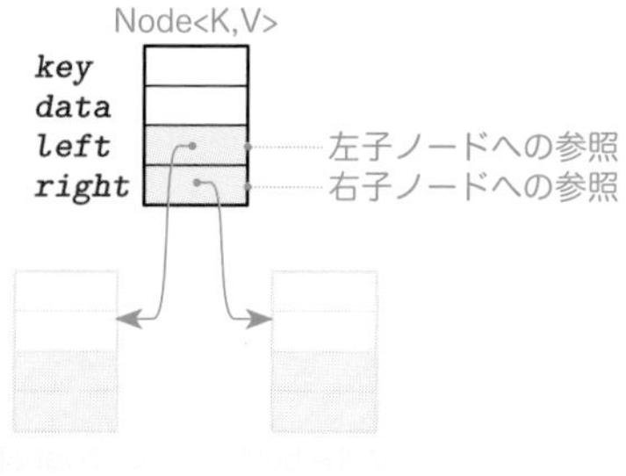

Fig.9-9　2分探索木用のノードを表す Node<K,V> のイメージ

ノードクラス *Node<K,V>* には、１個のコンストラクタと３個のメソッドがあります。

▪ コンストラクタ

各フィールドに格納すべき四つの値を受け取って設定します。

▪ キー値を返す：getKey

キー値 **key** をそのまま返すメソッドです。

▪ データを返す：getValue

データ **data** をそのまま返すメソッドです。

▪ データの表示：print

データを表示するメソッドです。表示するのは、**data**（に対して暗黙裏に **toString** メソッドが呼び出されて得られる文字列）です。

▶ **toString** メソッドについては、**Column 8-1**（p.280）で学習しました。

List 9-1 [A]　　chap09/BinTree.java

```
// 2分探索木

import java.util.Comparator;

public class BinTree<K,V> {

  //--- ノード ---//
  static class Node<K,V> {
    private K key;               // キー値
    private V data;              // データ
    private Node<K,V> left;      // 左ポインタ（左子ノードへの参照）
    private Node<K,V> right;     // 右ポインタ（右子ノードへの参照）

    //--- コンストラクタ ---//
    Node(K key, V data, Node<K,V> left, Node<K,V> right) {
      this.key   = key;
      this.data  = data;
      this.left  = left;
      this.right = right;
    }

    //--- キー値を返す ---//
    K getKey() {
      return key;
    }

    //--- データを返す ---//
    V getValue() {
      return data;
    }

    //--- データの表示 ---//
    void print() {
      System.out.println(data);
    }
  }

  private Node<K,V> root;                              // 根
  private Comparator<? super K> comparator = null;    // コンパレータ
```


2分探索木クラス BinTree<K, V>

2分探索木クラス **BinTree<K,V>** には、二つのフィールドがあります。

■ root

根（のノード）への参照を保持するフィールドです。

▶ 前章の線形リストクラスにおける先頭ポインタ *head* に相当します。木が空のときは、根が存在しませんので、*root* の値は空参照 **null** となります。

■ comparator

キー値の大小関係を判定するための**コンパレータ**（p.90）です。この後で学習するように、2分探索木を生成するコンストラクタでコンパレータを明示的に設定しなければ、自動的に **null** となるように、初期化子 **null** が与えられて宣言されています。

コンストラクタ

クラス *BinTree<K,V>* には、二つのコンストラクタがあります。いずれも**空の2分探索木**を生成します。

List 9-1 [B] chap09/BinTree.java

```
//--- コンストラクタ ---//
public BinTree() {
  root = null;
}

//--- コンストラクタ ---//
public BinTree(Comparator<? super K> c) {
  this();               ←1
  comparator = c;       ←2
}
```

A：自然な順序でキー値を比較

B：コンパレータでキー値を比較

A BinTree()

根への参照である **root** を空参照 **null** にすることによって、ノードが１個も存在しない空の２分探索木を生成するコンストラクタです（**Fig.9-10**）。

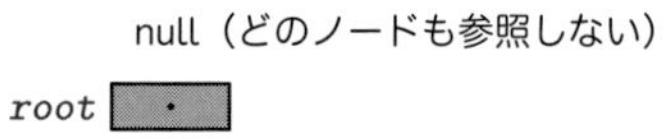

Fig.9-10　空の2分探索木

このコンストラクタで生成された2分探索木では、キー値の大小関係の判定が、**自然な順序**（**Column 3-4**：p.89）によって行われます。

▶ そのため、キーを表す *K* の型が、**Comparable** インタフェースを実装している **Integer** クラスや **String** クラスである場合などに適しています。

もう一つのコンストラクタ**B**とは異なり、コンパレータを設定しません。コンパレータ用のフィールド ***comparator*** の値は、初期化された **null** のままです。

B BinTree(Comparator<? super K> c)

引数としてコンパレータを受け取るコンストラクタです。

このコンストラクタで生成された2分探索木では、キー値の大小関係の判定が、与えられたコンパレータによって行われます。

1　**this()** によって、引数を受け取らないコンストラクタ ***BinTree()*** を呼び出します。***root*** が **null** となった空の2分探索木を生成します。

2　フィールド ***comparator*** に、受け取った ***c*** を設定します。

□ 二つのキー値の比較：comp

二つのキーの比較を行うのが、メソッド *comp* です。探索・挿入・削除の各メソッドから呼び出される**非公開メソッド**です。

List 9-1 【C】 chap09/BinTree.java

```
//--- 二つのキー値を比較 ---//
private int comp(K key1, K key2) {
  return (comparator == null) ? ((Comparable<K>)key1).compareTo(key2)
                               : comparator.compare(key1, key2);
}
```

このメソッドは、二つのキー値 *key1* と *key2* を比較して、次の値を返します。

- *key1* > *key2* であれば　正の値
- *key1* < *key2* であれば　負の値
- *key1* == *key2* であれば　0

2分探索木にコンパレータ *comparator* が設定されているかどうかで、二つのキー値の比較のための処理が異なります。

▪ コンパレータ comparator が null の場合

コンストラクタ**A**によって2分探索木が生成された場合、フィールド *comparator* の値は null であって、コンパレータは設定されていません。

Column 3-4（p.89）で学習したように、**自然な順序**をもつクラスは、*Comparable<T>* インタフェースを実装するとともに、compareTo メソッドを実装しています。そこで、

```
((Comparable<K>)key1).compareTo(key2)
```

と、*key1* を *Comparable<K>* インタフェース型へキャストしたものに対して compareTo メソッドを呼び出すことによって、*key2* との比較を行います。

▪ コンパレータ comparator が null でない場合

コンストラクタ**B**によって2分探索木が生成された場合、フィールド *comparator* にはコンパレータが設定されています。そこで、

```
comparator.compare(key1, key2)
```

と、設定ずみのコンパレータ *comparator* の compare メソッドを呼び出すことによって、二つのキー値 *key1* と *key2* の大小関係を判定します。

キー値によるノードの探索：search

２分探索木から、あるキー値をもつノードの探索を行うアルゴリズムを、**Fig.9-11** を見ながら考えていきましょう。図ⓐが探索に成功する例で、図ⓑが探索に失敗する例です。

ⓐ 探索に成功する例

２分探索木からキー値 **3** をもつノードの探索例です。

① 根に着目します。キー値は**5**です。目的の**3**は、これよりも小さいため、左の子へと進みます。

② 着目するノードのキー値は**2**です。目的の**3**は、これよりも大きいため、右の子へと進みます。

③ 着目するノードのキー値は**4**です。目的の**3**は、これよりも小さいため、左の子へと進みます。

④ キー値が **3** であるノードに到達しました。**探索成功**です。

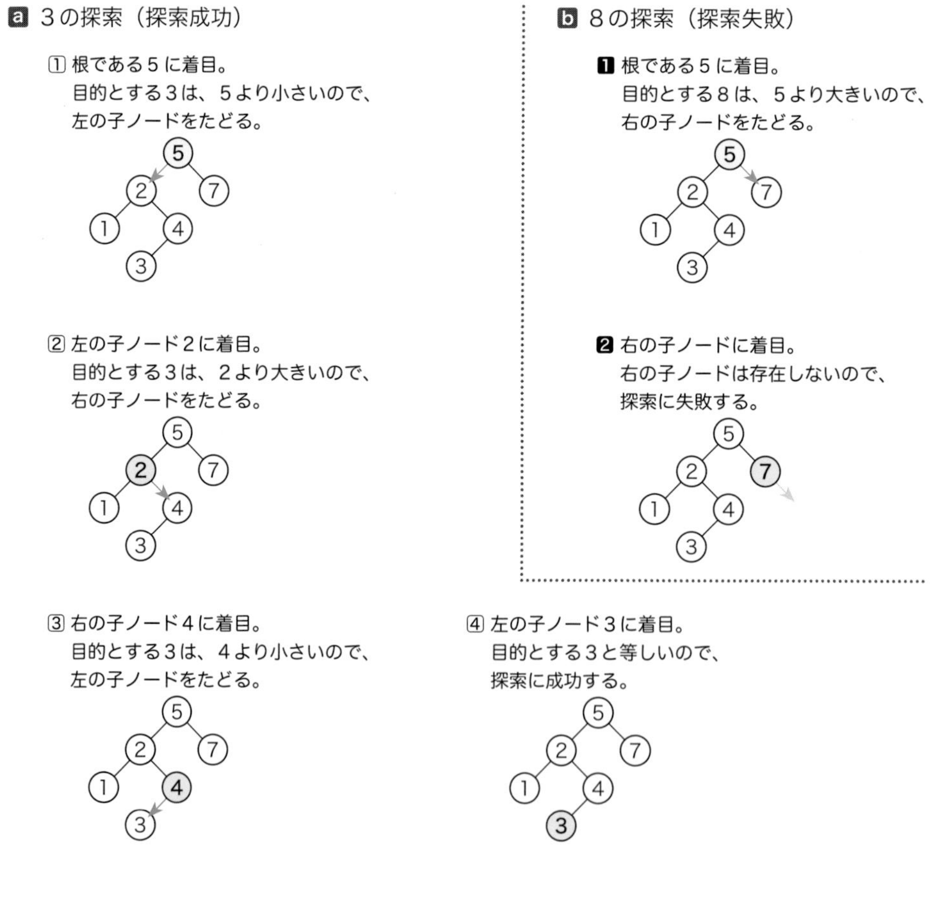
ⓐ ３の探索（探索成功）
① 根である５に着目。
目的とする３は、５より小さいので、
左の子ノードをたどる。
5
2
7
1
4
3
② 左の子ノード２に着目。
目的とする３は、２より大きいので、
右の子ノードをたどる。
③ 右の子ノード４に着目。
目的とする３は、４より小さいので、
左の子ノードをたどる。
④ 左の子ノード３に着目。
目的とする３と等しいので、
探索に成功する。
ⓑ ８の探索（探索失敗）
❶ 根である５に着目。
目的とする８は、５より大きいので、
右の子ノードをたどる。
❷ 右の子ノードに着目。
右の子ノードは存在しないので、
探索に失敗する。

Fig.9-11　２分探索木からのノードの探索

b 探索に失敗する例

2分探索木からキー値8をもつノードの探索例です。

1 根に着目します。キー値は5です。目的の8は、これよりも大きいため、右の子へと進みます。

2 着目するノードのキー値は7です。着目ノードは葉であって右の子ノードは存在しないため、これ以上の走査は不可能です。**探索失敗**です。

このように、根から始めてキーの大小関係を調べ、その結果に応じて、左または右の部分木をたどっていくことで探索を行います。

探索のアルゴリズムは、次のようになります。

---

1 根に着目する。ここで、着目するノードを *p* とする。
2 *p* が **null** であれば探索失敗（終了）。
3 探索するキー *key* と着目ノード *p* のキー値とを比較する。
- 一致すれば探索成功（終了）。
- *key* のほうが小さければ、着目ノードを左子ノードに移す。
- *key* のほうが大きければ、着目ノードを右子ノードに移す。

4 2に戻る。

このアルゴリズムに基づいて、2分探索木から任意のキー値をもつノードの探索を行うのがメソッド *search* です。

List 9-1 [D] chap09/BinTree.java

```
//--- キーによる探索 ---//
public V search(K key)  {
  Node<K,V> p = root;                    // 根に着目

  while (true) {
    if (p == null)                       // これ以上進めなければ
      return null;                       // …探索失敗
    int cond = comp(key, p.getKey());    // keyとノードpのキーを比較
    if (cond == 0)                       // 等しければ
      return p.getValue();               // …探索成功
    else if (cond < 0)                   // keyのほうが小さければ
      p = p.left;                        // …左部分木から探索
    else                                 // keyのほうが大きければ
      p = p.right;                       // …右部分木から探索
  }
}
```

キー値が *key* のノードを探索して、探索に成功すると、そのノードのデータへの参照を返します。

なお、探索に失敗した場合は、**null** を返却します。

ノードの挿入：add

2分探索木にノードを挿入するアルゴリズムを考えましょう。

挿入の際は、挿入後の木が2分探索木の要件を維持するように行わなければなりません。そのため、まず最初に、挿入すべき《適切な場所》を見つける必要があります。

▶ 挿入するキーと同じキーをもつノードが既に存在する場合は、挿入できません。

挿入の具体例を **Fig.9-12** に示します。4個のノード{2, 4, 6, 7}で構成される2分探索木に対してノード1を挿入するのがaで、挿入後の2分探索木にノード5を挿入するのがbです。

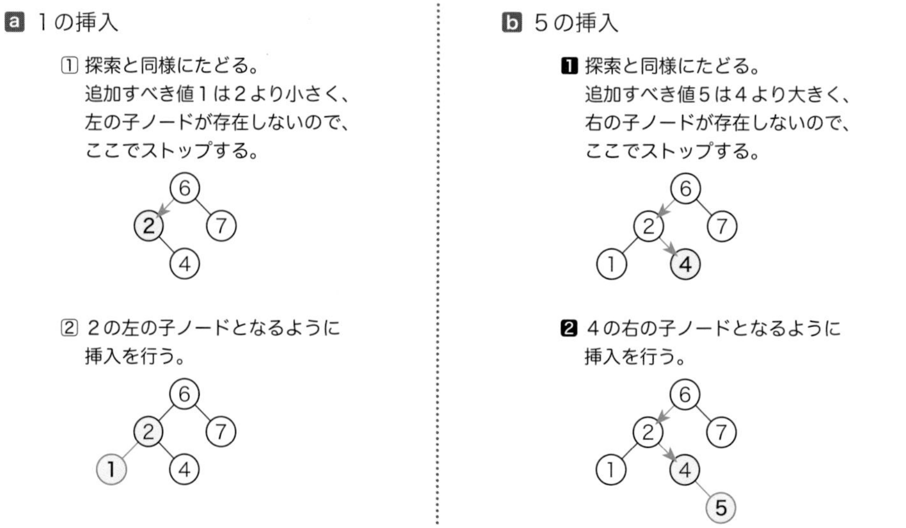
a 1の挿入
① 探索と同様にたどる。
追加すべき値1は2より小さく、
左の子ノードが存在しないので、
ここでストップする。
6
2
7
4
② 2の左の子ノードとなるように
挿入を行う。
6
2
7
1
4
b 5の挿入
❶ 探索と同様にたどる。
追加すべき値5は4より大きく、
右の子ノードが存在しないので、
ここでストップする。
6
2
7
1
4
❷ 4の右の子ノードとなるように
挿入を行う。
6
2
7
1
4
5

Fig.9-12　2分探索木へのノードの挿入

node を根とする部分木に対して、キー値が *key* のデータを挿入するアルゴリズムは、次のようになります（*node* は null ではないとします）。

1 根に着目する。ここで、着目するノードを *node* とする。
2 挿入する *key* と着目ノード *node* のキー値とを比較する。
  - 一致すれば挿入失敗（終了）。
  - *key* のほうが小さければ：
    - 左子ノードがなければ（例：図a）、そこにノードを挿入（終了）。
    - 左子ノードがあれば、着目ノードを左子ノードに移す。
  - *key* のほうが大きければ：
    - 右子ノードがなければ（例：図b）、そこにノードを挿入（終了）。
    - 右子ノードがあれば、着目ノードを右子ノードに移す。
3 2に戻る。

以上のアルゴリズムに基づいてノードを挿入するのが、メソッド **add** です。挿入するノードのキー値は ***key*** で、データは ***data*** です。

List 9-1 [E] chap09/BinTree.java

```
//--- nodeを根とする部分木にノード<K,V>を挿入 ---//
private void addNode(Node<K,V> node, K key, V data) {
  int cond = comp(key, node.getKey());
  if (cond == 0)
    return;               // keyは２分探索木上に既に存在
  else if (cond < 0) {
    if (node.left == null)
      node.left = new Node<K,V>(key, data, null, null);
    else
      addNode(node.left, key, data);       // 左部分木に着目
  } else {
    if (node.right == null)
      node.right = new Node<K,V>(key, data, null, null);
    else
      addNode(node.right, key, data);      // 右部分木に着目
  }
}

//--- ノードを挿入 ---//
public void add(K key, V data) {
  if (root == null)
    root = new Node<K,V>(key, data, null, null);   ―❶
  else
    addNode(root, key, data);                      ―❷
}
```

➡

挿入は、***root*** の値に基づいて、次のように行います。

❶ rootがnullのとき

木が空の状態ですから、**根のみで構成される木**を作らなければなりません。

new ***Node<K,V>(key, data,*** **null, null)** によって、キー値が ***key***、データが ***data***、左ポインタと右ポインタがともに **null** であるノードを生成して、***root*** がそれを参照するようにします（**Fig.9-13**）。

▶ ***root*** は『根そのもの』ではなく、『根への参照』であることに注意しましょう。

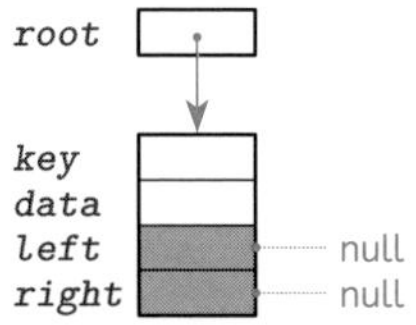

Fig.9-13　根だけの２分探索木

❷ rootがnullでないとき

木は空ではありません。メソッド ***addNode*** を呼び出すことによってノードを挿入します。

メソッド ***addNode*** は、***node*** を根とする部分木に対して、キー値が ***key*** でデータが ***data*** のノードを挿入するメソッドです。

左ページに示したアルゴリズムを再帰呼出しによって実現しています。

ノードの削除：remove

2分探索木からノードを削除するアルゴリズムを考えていきましょう。

削除の手続きは複雑なため、次のように、三つのケースに分けて学習します。

- **A** 子ノードをもたないノードの削除
- **B** 一つだけ子ノードをもつノードの削除
- **C** 二つの子ノードをもつノードの削除

A 子ノードをもたないノードの削除

Fig.9-14 aは、子ノードをもたないノード3を削除する例です。

ノード3を指している《親ノード4の左ポインタ》が、**ノード3を指さないように更新します**（左ポインタを`null`にします）。その結果、どこからも指されなくなるノード3が、2分探索木から削除されます。

図**b**に示す例も同様です。削除するノードを木から切り離すと削除が完了します。

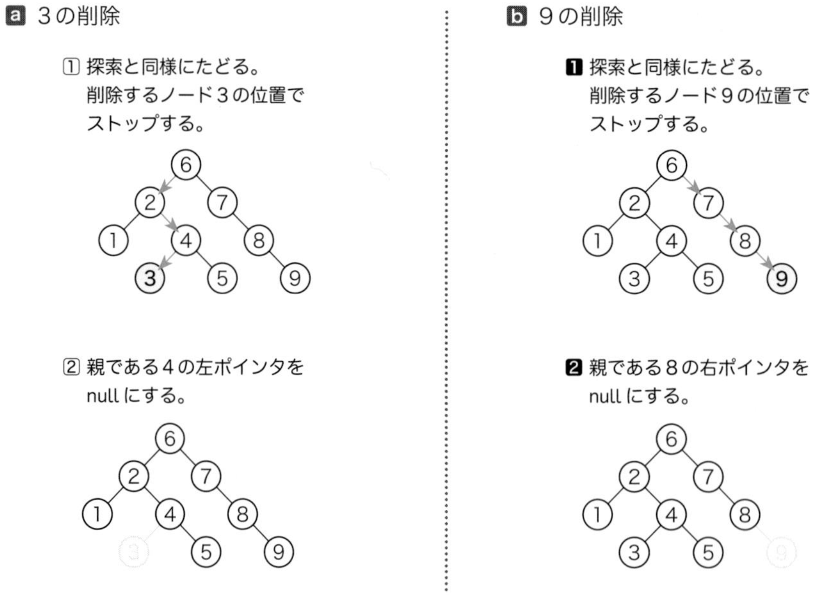

a 3の削除
① 探索と同様にたどる。
削除するノード3の位置で
ストップする。
6
2
7
1
4
8
3
5
9
② 親である4の左ポインタを
null にする。
6
2
7
1
4
8
5
9
b 9の削除
❶ 探索と同様にたどる。
削除するノード9の位置で
ストップする。
6
2
7
1
4
8
3
5
9
❷ 親である8の右ポインタを
null にする。
6
2
7
1
4
8
3
5

Fig.9-14　子ノードをもたないノードの削除

この処理を一般的に表すと、次のようになります。

- 削除ノードが親ノードの左の子であれば、親の左ポインタを`null`にする。
- 〃　　　　右の子であれば、親の右ポインタを`null`にする。

B 一つだけ子ノードをもつノードの削除

Fig.9-15 a に示すのは、一つだけ子ノードをもつノード7を削除する例です。

もともとのノード7の位置に子ノード8をもってくると削除が行えます。というのも、

『子ノード8を根とする部分木のすべてのキー値は、親ノード6よりも大きい。』

という関係が成立するからです。

具体的な操作としては、削除ノードの親であるノード6の右ポインタが、**削除対象ノードの子ノード8を指すように更新します**。どこからも指されなくなるノード7は、2分探索木から削除されます（ノード6にとっては、孫ノードのポインタが代入されます）。

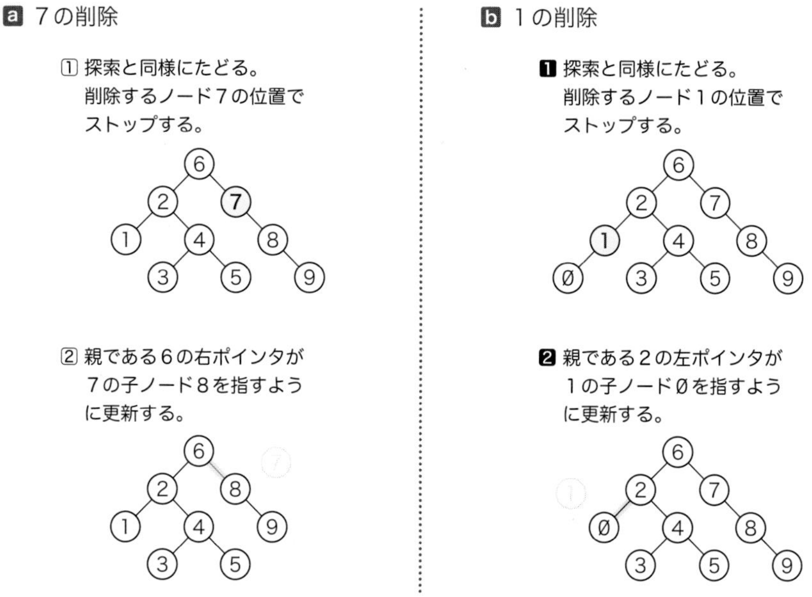

Fig.9-15　一つだけ子ノードをもつノードの削除

左右が逆の図 b も同様です。削除ノード1の親であるノード2の左ポインタが、**削除対象ノードの子ノードØを指すように更新する**と、削除処理が完了します。

＊

この処理を一般的に表すと、次のようになります。

- 削除対象ノードが親ノードの左の子であれば、
  親の左ポインタが、削除対象ノードの子を指すように設定する。
- 削除対象ノードが親ノードの右の子であれば、
  親の右ポインタが、削除対象ノードの子を指すように設定する。

C 二つの子ノードをもつノードの削除

二つの子ノードをもつノードの削除の手続きは複雑です。**Fig.9-16** に示すのは、ノード5を削除する例です。

例 5の削除

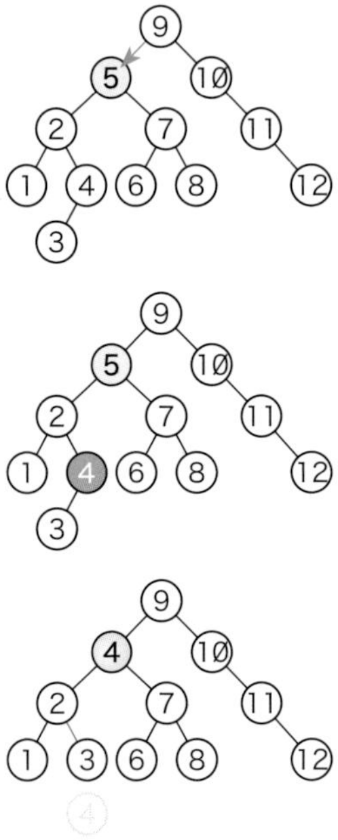

① 探索と同様にたどる。
削除するノード５の位置でストップする。

② ５の左部分木（２を根とする部分木）から最大キー値をもつノードを探索する。
ノード４の位置でストップする。

③ ５の位置に４を移動すると削除は完了する。
※移動は、以下のように行う。
- ４のデータを５にコピーする。
- ４を木から切り離す。

Fig.9-16　二つの子ノードをもつノードの削除

ノード5の左部分木（ノード2を根とする部分木）上のノードの中で最大のキー値をもつノード4を、ノード5の位置に移動することで削除を行っていることが分かります。

この手続きを一般的に表すと、次のようになります。

① 削除するノードの左部分木から、キー値が最大のノードを探索する。

② 探索したノードを削除位置に移動する。
※探索したノードのデータを、削除対象ノードにコピーする。

③ 移動したノードを削除する。
※移動したノードに子がなければ、Aの手順（p.324）で削除する。
移動したノードに一つだけ子があれば、Bの手順（p.325）で削除する。

三つのケースに分けて、削除アルゴリズムを理解してきました。これらを一つにまとめて実現したのが、右ページのメソッド **`remove`** であり、キー値が **`key`** のノードを削除します。

1　削除するキーを探索します。探索成功時には、**`p`** は見つけたノードを参照し、**`parent`** は見つけたノードの親ノードを参照します。

List 9-1 [F] chap09/BinTree.java

```
//--- キー値がkeyのノードを削除 --//
public boolean remove(K key) {
  Node<K,V> p = root;             // 走査中のノード
  Node<K,V> parent = null;        // 走査中のノードの親ノード
  boolean isLeftChild = true;     // pはparentの左子ノードか？

  while (true) {
    if (p == null)                      // これ以上進めなければ
      return false;                     // …そのキー値は存在しない
    int cond = comp(key, p.getKey());   // keyとノードpのキー値を比較
    if (cond == 0)                      // 等しければ
      break;                            // …探索成功
    else {
      parent = p;                       // 枝をくだる前に親を設定
      if (cond < 0) {                   // keyのほうが小さければ
        isLeftChild = true;             // …これからくだるのは左の子
        p = p.left;                     // …左部分木から探索
      } else {                          // keyのほうが大きければ
        isLeftChild = false;            // …これからくだるのは右の子
        p = p.right;                    // …右部分木から探索
      }
    }
  }

  if (p.left == null) {                 // pには左の子がない…
    if (p == root)
      root = p.right;
    else if (isLeftChild)
      parent.left  = p.right;         // 親の左ポインタが右の子を指す
    else
      parent.right = p.right;         // 親の右ポインタが右の子を指す
  } else if (p.right == null) {       // pには右の子がない…
    if (p == root)
      root = p.left;
    else if (isLeftChild)
      parent.left  = p.left;          // 親の左ポインタが左の子を指す
    else
      parent.right = p.left;          // 親の右ポインタが左の子を指す
  } else {
    parent = p;
    Node<K,V> left = p.left;          // 部分木の中の最大ノード
    isLeftChild = true;
    while (left.right != null) {      // 最大ノードleftを探索
      parent = left;
      left = left.right;
      isLeftChild = false;
    }
    p.key  = left.key;                // leftのキー値をpに移動
    p.data = left.data;               // leftのデータをpに移動
    if (isLeftChild)
      parent.left  = left.left;       // leftを削除
    else
      parent.right = left.left;       // leftを削除
  }
  return true;
}
```

（網掛け部分の右欄に 1、2、3 のマーク）

➡

2 **A**と**B**を行う箇所です。削除ノードに左の子がなければ左ポインタが **null** となっていて、右の子がなければ右ポインタが **null** となっていることを利用して、同じ手続きで行います。

3 **C**の手順を行う部分です。

全ノードの表示：print

すべてのノードをキー値の昇順に表示するのが、メソッド**print**です。走査は、**通りがけ順の縦型探索**（p.313）で行います。

List 9-1 [G] chap09/BinTree.java

```
  //--- nodeを根とする部分木のノードをキー値の昇順に表示 ---//
  private void printSubTree(Node node) {
    if (node != null) {
      printSubTree(node.left);                    // 左部分木をキー値の昇順に表示
      System.out.println(node.key + " " + node.data);     // nodeを表示
      printSubTree(node.right);                   // 右部分木をキー値の昇順に表示
    }
  }

  //--- 全ノードをキー値の昇順に表示 ---//
  public void print() {
    printSubTree(root);
  }
}
```

メソッド**print**は、**root**を引数としてメソッド**printSubTree**を呼び出します。

呼び出されたメソッド**printSubTree**は、**node**を根とする部分木のノードをキー値の昇順に表示するための再帰的なメソッドです。

表示するのは、ノードのデータ（に対して暗黙裏に**toString**メソッドが呼び出されて変換された文字列）です。

再帰的メソッド**printSubTree**の動作を、**Fig.9-17**の例で考えましょう。

メソッドの冒頭部では、受け取った**node**が空参照であるかどうかをチェックします。もし空参照であれば、何もせずに呼出し元に戻ります。

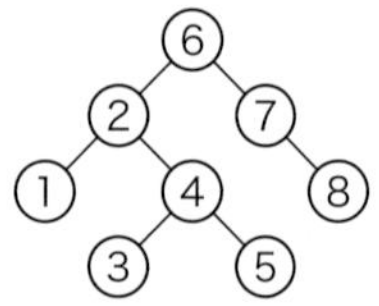

Fig.9-17 2分探索木の一例

図の場合、メソッド**printSubTree**は、根であるノード6への参照を仮引数**node**に受け取っています。

nodeが空参照ではないため、メソッドの挙動は、次のようになります。

1. ノード2への参照である左ポインタを渡して、**printSubTree**を再帰的に呼び出す。
2. 自身のノード6のデータを表示する。
3. ノード7への参照である右ポインタを渡して、**printSubTree**を再帰的に呼び出す。

再帰呼出しである1と3の動作を一言（ひとこと）で表すことはできません。たとえば、1の挙動は、次のようになります。

a. ノード1への参照である左ポインタを渡して、**printSubTree**を再帰的に呼び出す。
b. 自身のノード2のデータを表示する。
c. ノード4への参照である右ポインタを渡して、**printSubTree**を再帰的に呼び出す。

このように再帰呼出しを繰り返すことによって、2分探索木上の全ノードをキー値の昇順で表示します。

演習 9-1

キー値の降順に全ノードを表示するメソッドを作成せよ。

```
void printReverse()        // キー値の降順に全ノードを表示
```

演習 9-2

最小のキー値を返すメソッド、最小のキー値をもつノードのデータを返すメソッド、最大のキー値を返すメソッド、最大のキー値をもつノードのデータを返すメソッドを作成せよ。木が空である場合は null を返すこと。

```
K getMinKey()              // 最小のキー値を返す
V getDataWithMinKey()      // 最小のキー値をもつノードのデータを返す
K getMaxKey()              // 最大のキー値を返す
V getDataWithMaxKey()      // 最大のキー値をもつノードのデータを返す
```

演習 9-3

List 9-2（次ページ）のプログラムは、コンパレータを利用しておらず、キー値の大小関係が "自然な順序" となっているプログラムである。コンパレータを利用するプログラムを作成せよ。

Column 9-1 平衡探索木

効率よく探索・挿入・削除を行える2分探索木も、キーの昇順にノードが挿入されるような状況では、木の高さが深くなる、といった欠点があります。

たとえば、空の2分探索木に対して、キー 1、2、3、4、5 の順にノードを挿入すると、**Fig.9C-1** に示すような、直線的な木になります（実質的に線形リストと同じになってしまい、高速な探索が行えません）。

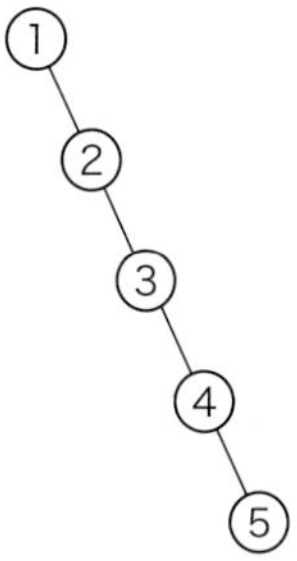

Fig.9C-1 偏った2分探索木

高さを O(log n) に抑えるように工夫された構造をもつ探索木は、**平衡探索木** (self-balancing search tree) と呼ばれます。

2分の平衡探索木としては、次のような種類の探索木が考案されています。

- **AVL 木**（AVL tree）
- **赤黒木**（red-black tree）

なお、2分ではない平衡探索木としては、次のようなものが考案されています。

- **B木**（B tree）
- **2−3木**（2-3 tree）

2分探索木を利用するプログラム

2分探索木クラス *BinTree<K,V>* を利用するプログラムを **List 9-2** に示します。

▶ 本プログラムの実行に際しては、同一ディレクトリ上に "BinTree.class" が必要です。

List 9-2 chap09/BinTreeTester.java

要：BinTree

```
// 2分探索木クラスBinTree<K,V>の利用例

import java.util.Scanner;

class BinTreeTester {
  static Scanner stdIn = new Scanner(System.in);

  //--- データ（会員番号＋氏名） ---//
  static class Data {
    public static final int NO   = 1; // 番号を読み込むか？
    public static final int NAME = 2; // 氏名を読み込むか？

    private Integer no;        // 会員番号（キー値）
    private String  name;      // 氏名

    //--- キー値 ---//
    Integer keyCode() {
      return no;
    }

    //--- 文字列表現を返す ---//
    public String toString() {
      return name;
    }

    //--- データの読込み ---//
    void scanData(String guide, int sw) {
      System.out.println(guide + "するデータを入力してください。");

      if ((sw & NO) == NO) {
        System.out.print("番号：");
        no = stdIn.nextInt();
      }
      if ((sw & NAME) == NAME) {
        System.out.print("氏名：");
        name = stdIn.next();
      }
    }
  }

  //--- メニュー列挙型 ---//
  enum Menu {
    ADD(      "挿入"),
    REMOVE(   "削除"),
    SEARCH(   "探索"),
    PRINT(    "表示"),
    TERMINATE("終了");

    private final String message;      // 表示用文字列

    static Menu MenuAt(int idx) {      // 序数がidxである列挙を返す
      for (Menu m : Menu.values())
        if (m.ordinal() == idx)
          return m;
      return null;
    }
```

```
    Menu(String string) {          // コンストラクタ
      message = string;
    }

    String getMessage() {          // 表示用文字列を返す
      return message;
    }
  }

  //--- メニュー選択 ---//
  static Menu SelectMenu() {
    int key;
    do {
      for (Menu m : Menu.values())
        System.out.printf("(%d) %s  ", m.ordinal(), m.getMessage());
      System.out.print(" : ");
      key = stdIn.nextInt();
    } while (key < Menu.ADD.ordinal() || key > Menu.TERMINATE.ordinal());

    return Menu.MenuAt(key);
  }

  public static void main(String[] args) {
    Menu menu;                   // メニュー
    Data data;                   // 追加用データ参照
    Data ptr;                    // 探索用データ参照
    Data temp = new Data();      // 読込み用データ
    BinTree<Integer, Data> tree = new BinTree<Integer, Data>();

    do {
      switch (menu = SelectMenu()) {
       case ADD :            // ノードの挿入
          data = new Data();
          data.scanData("挿入", Data.NO | Data.NAME);
          tree.add(data.keyCode(), data);
          break;

       case REMOVE :         // ノードの削除
          temp.scanData("削除", Data.NO);
          tree.remove(temp.keyCode());
          break;

       case SEARCH :         // ノードの探索
          temp.scanData("探索", Data.NO);
          ptr = tree.search(temp.keyCode());
          if (ptr != null)
            System.out.println("その番号の氏名は" + ptr + "です。");
          else
            System.out.println("該当データはありません。");
          break;

       case PRINT :          // 全ノードをキー値の昇順に表示
          tree.print();
          break;
      }
    } while (menu != Menu.TERMINATE);
  }
}
```

▶ プログラムの実行例は、次ページに示しています。

このプログラムで扱っている2分探索木のノードは、次に示すキー値とデータをもちます。

- キー値 … Integer 型の会員番号。
- データ … Integer 型の会員番号と String 型の氏名をもつクラス *Data*。

キー値の型である Integer クラスは、*Comparable* インタフェースを実装しているため、“自然な順序付け”が行われます。

コンパレータは不要ですから、2分探索木を生成する際は、引数を受け取らないほうのコンストラクタを呼び出しています。

実行例

```
(0)挿入 (1)削除 (2)探索 (3)表示 (4)終了：0↵
挿入するデータを入力してください。
番号：1↵
氏名：赤尾↵                                  {①赤尾}を挿入
(0)挿入 (1)削除 (2)探索 (3)表示 (4)終了：0↵
挿入するデータを入力してください。
番号：10↵
氏名：小野↵                                  {⑩小野}を挿入
(0)挿入 (1)削除 (2)探索 (3)表示 (4)終了：0↵
挿入するデータを入力してください。
番号：5↵
氏名：武田↵                                  {⑤武田}を挿入
(0)挿入 (1)削除 (2)探索 (3)表示 (4)終了：0↵
挿入するデータを入力してください。
番号：12↵
氏名：鈴木↵                                  {⑫鈴木}を挿入
(0)挿入 (1)削除 (2)探索 (3)表示 (4)終了：0↵
挿入するデータを入力してください。
番号：14↵
氏名：神崎↵                                  {⑭神崎}を挿入
(0)挿入 (1)削除 (2)探索 (3)表示 (4)終了：2↵
探索するデータを入力してください。
番号：5↵                                     ⑤を探索
その番号の氏名は武田です。
(0)挿入 (1)削除 (2)探索 (3)表示 (4)終了：3↵
1 赤尾
5 武田
10 小野                                      キー値の昇順に全ノードを表示
12 鈴木
14 神崎
(0)挿入 (1)削除 (2)探索 (3)表示 (4)終了：1↵
削除するデータを入力してください。
番号：10↵                                    ⑩を削除
(0)挿入 (1)削除 (2)探索 (3)表示 (4)終了：3↵
1 赤尾
5 武田
12 鈴木                                      キー値の昇順に全ノードを表示
14 神崎
(0)挿入 (1)削除 (2)探索 (3)表示 (4)終了：4↵
```

Column 9-2　APIドキュメントの参照

日付や時刻を表すクラスを始めとする膨大な数のクラスが、標準的な**API**（Application Programming Interface）として、提供されています。APIのドキュメントはインターネット上で公開されています。**Fig.9C-2** に示すのは、Java 14 の API ドキュメントを表示した様子です。

https://docs.oracle.com/javase/jp/14/docs/api/index.html

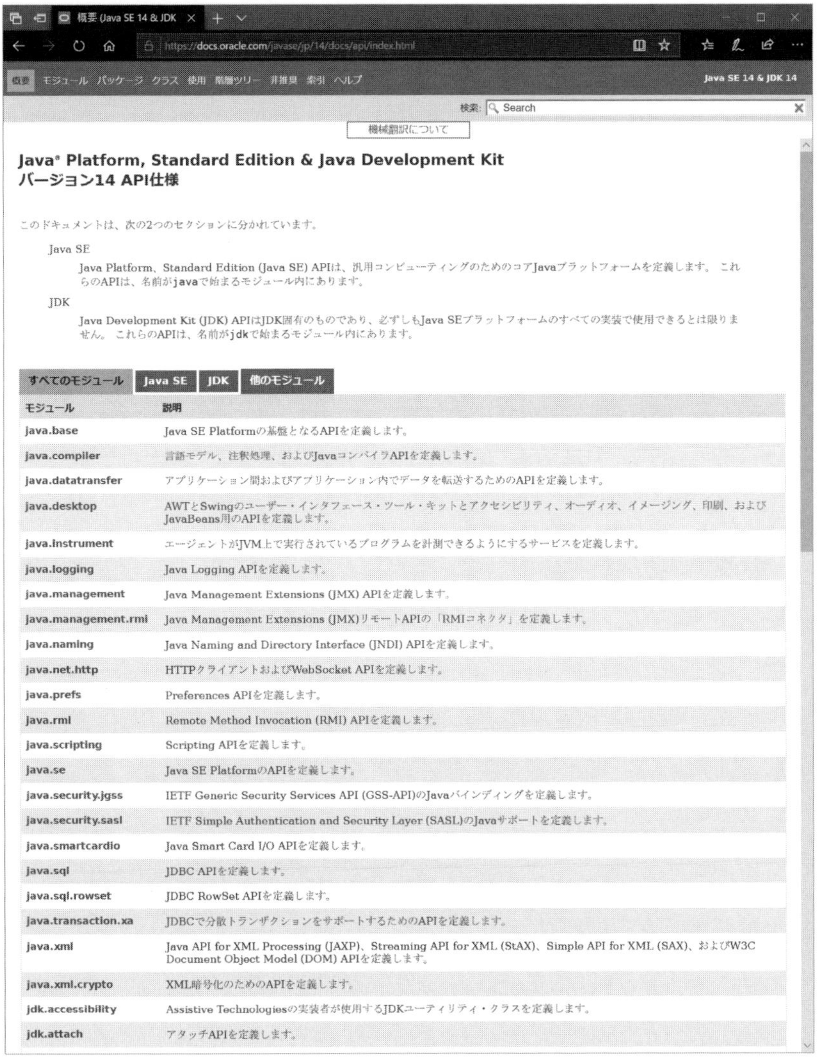

Fig.9C-2　Javaの標準ライブラリ（API）のドキュメント

Column 9-3 Objectクラス

Javaの全クラスの最上位クラスであるObjectの定義を、**List 9C-1**に示します。いくつかの重要な点を理解していきましょう。

※ 本書では学習しない技術も使われていますので、完全に理解する必要はありません。

List 9C-1 chap09/Object.java

これは定義の一例です。Javaのバージョンやプラットフォームによって、定義は異なります。

```
// Objectクラス
package java.lang;
public class Object {
  static {
    registerNatives();
  }
  public final native Class<?> getClass();
  public native int hashCode();                                             1
  public boolean equals(Object obj) {
    return (this == obj);                                                   2
  }
  protected native Object clone() throws CloneNotSupportedException;
  public String toString() {
    return getClass().getName() + "@" + Integer.toHexString(hashCode());    3
  }
  public final native void notify();
  public final native void notifyAll();
  public final native void wait(long timeout) throws InterruptedException;
  public final void wait(long timeout, int nanos) throws InterruptedException {
    if (timeout < 0) {
      throw new IllegalArgumentException("timeout value is negative");
    }
    if (nanos < 0 || nanos > 999999) {
      throw new IllegalArgumentException(
            "nanosecond timeout value out of range");
    }
    if (nanos >= 500000 || (nanos != 0 && timeout == 0)) {
      timeout++;
    }
    wait(timeout);
  }
  public final void wait() throws InterruptedException {
    wait(0);
  }
  protected void finalize() throws Throwable { }
}
```

① java.langパッケージに所属する

Objectクラスは、java.langパッケージに所属します。そのため、Javaのすべてのプログラムにおいて、明示的に型インポートすることなく単純名で表せます。

② nativeメソッド

getClassなど、いくつかのメソッドがnative付きで宣言されています。このように宣言されたメソッドは、MS-Windows、macOS、Linuxなどのプラットフォーム（環境）に依存する部分を実現するための特殊なメソッドです。一般には、Java以外の言語で記述されています。

③ hashCode メソッドとハッシュ値

すべてのクラス型のインスタンスは、**ハッシュ値**と呼ばれる int 型の整数値を計算できるようになっています。ハッシュ値を返却するのが、1の hashCode メソッドです。

ここでのハッシュ値は、第3章で学習した『ハッシュ表に格納する際のインデックスとなる値』というよりも、個々のインスタンスを区別する**《識別番号》**のようなものです。

この hashCode メソッドは、個々のインスタンスに対して内部的に与えられているハッシュ値を返すように定義されています。

そのため、Object クラスの hashCode メソッドをオーバライドすることなく継承しているクラス型のインスタンスに対しては、プログラム側で独自の処理などを行わなくても、内部で適当なハッシュ値が与えられます。

＊

自作クラスで hashCode を定義する際は、ハッシュ値の計算方法は任意です。ただし、同一状態の（全フィールドの値が同じである）インスタンスに対しては同一のハッシュ値を与えて、異なる状態のインスタンスには異なるハッシュ値を与えるように計算するのが一般的です。

第3章のハッシュクラス（**List 3-9**（p.97）および **List 3-11**（p.110））内のノードクラス *Node<K,V>* では、hashCode メソッドを、次のように定義していました。

```
public int hashCode() {
  return key.hashCode();
}
```

ハッシュ表内の各ノード（バケット）は、キーとデータとで構成されています。このメソッドでは、キー（すなわち *key* が参照するインスタンス）がもっているハッシュ値を、そのまま流用するようにオーバライドしています。

※ ハッシュクラス *ChainHash<K,V>* と *OpenHash<K,V>* では、各ノードをハッシュ表に格納するインデックスとしてのハッシュ値を、“*Node<K,V>* のメソッド hashCode の返却値をハッシュ表の容量で割った剰余” としています。

④ equals メソッドとインスタンスの等価性

2の equals メソッドは、参照先のインスタンスが “等しい” かどうかを判定するメソッドです。等しければ true を、そうでなければ false を返します。

このメソッドで行う判定は、**ハッシュ値との整合性がとれていることが原則です**。すなわち、次のようになっている必要があります。

- a.equals(*b*) が true となる場合は、a と *b* のハッシュ値は同じ値となる。
- a.equals(*b*) が false となる場合は、a と *b* のハッシュ値は異なる値となる。

  ※ ここでのハッシュ値とは、a.hashCode() と *b*.hashCode() の返却値のことです。

そのため、**equals メソッドを定義する際は、それに合わせて hashCode メソッドも定義する必要があります。**

⑤ toString メソッド

Object クラスの toString メソッドは、"クラス名@ハッシュ値" を返却します（3：ここでのハッシュ値は、ハッシュ値を16進表現した文字列です）。

自作のクラスでこのメソッドをオーバライドする際は、クラスの特性やインスタンスの状態を表す、適切な文字列を返却するように定義します（**Column 8-1**：p.280）。

参考文献

1) 日本工業規格
『JIS X0001–1994 情報処理用語 – 基本用語』, 1994

2) 日本工業規格
『JIS X0121–1986 情報処理用流れ図・プログラム網図・システム資源図記号』, 1986

3) Brett McLaughlin, Davic Flanagan・管野 良二 訳
『開発者ノートシリーズ Java 5.0 Tiger』, オーム社, 2004

4) 荻原宏、西原清一
『現代 データ構造とプログラム技法』, オーム社, 1987

5) 近藤嘉雪
『定本 Cプログラマのためのアルゴリズムとデータ構造』, ソフトバンク, 1998

6) Niklaus Wirth・片山卓也 訳
『アルゴリズム+データ構造=プログラム』, 日本コンピュータ協会, 1979

7) Leendert Ammeraal・小山裕徳 訳
『Cで学ぶデータ構造とプログラム』, オーム社, 1995

8) A.V.Aho, J.E.Hopcroft, J.D.Ullman・大野義夫 訳
『データ構造とアルゴリズム』, 培風館, 1987

9) A.V.Aho, J.E.Hopcroft, J.D.Ullman・野崎昭弘／野下浩平 共訳
『アルゴリズムの設計と解析 I』, サイエンス社, 1977

10) Robert Lafore・岩谷宏 訳
『Javaで学ぶアルゴリズムとデータ構造』, ソフトバンクパブリッシング, 1999

11) Andrew Binstock, John Rex・岩谷宏 訳
『C言語で書くアルゴリズム』, ソフトバンク, 1996

12) 杉山行浩
『Cで学ぶデータ構造とアルゴリズム』, 東京電機大学出版局, 1995

13) 奥村晴彦
『C言語による最新アルゴリズム事典』, 技術評論社, 1991

14) 中内伸光
『数学の基礎体力をつけるためのろんりの練習帳』, 共立出版, 2002

15) 柴田望洋
『Cプログラムに生かすアルゴリズムとデータ構造Ⅰ』, Cマガジン, Vol.6, No.4, 1994

16) 柴田望洋
『Cプログラムに生かすアルゴリズムとデータ構造Ⅱ』, Cマガジン, Vol.6, No.5, 1994

17) 柴田望洋
『新・明解C言語 入門編』, SBクリエイティブ, 2014

18) 柴田望洋
『新・明解C言語 実践編』, SBクリエイティブ, 2015

19) 柴田望洋
『新・明解C言語 ポインタ完全攻略』, SBクリエイティブ, 2016

20) 柴田望洋
『新・明解 Java 入門 第2版』, SBクリエイティブ, 2020

21) 柴田望洋
『新・明解C言語で学ぶアルゴリズムとデータ構造』, SBクリエイティブ, 2017

索引

い

え

お

か

索引

す

せ

そ

た

る

れ

ろ

わ

謝辞

本書をまとめるにあたり、ＳＢクリエイティブ株式会社の野沢喜美男編集長には、随分とお世話になりました。

この場をお借りして感謝の意を表します。

著者紹介

柴田 望洋（しばた ぼうよう）

工学博士

福岡工業大学 情報工学部 情報工学科 准教授

福岡陳氏太極拳研究会 会長

- 1963年、福岡県に生まれる。九州大学工学部卒業、同大学院工学研究科修士課程・博士後期課程修了後、九州大学助手、国立特殊教育総合研究所研究員を歴任して、1994年より現職。2000年には、分かりやすいC言語教科書・参考書の執筆の業績が認められて、㈳日本工学教育協会より著作賞を授与される。大学での教育研究活動だけでなく、プログラミングや武術（1990年～1992年に全日本武術選手権大会陳式太極拳の部優勝）、健康法の研究や指導に明け暮れる毎日を過ごす。

- **主な著書**（*は共著／★は翻訳書）

『秘伝C言語問答ポインタ編』，ソフトバンク，1991（第2版：2001）
『C：98スーパーライブラリ』，ソフトバンク，1991（新版：1994）
『Cプログラマのための C++入門』，ソフトバンク，1992（新装版：1999）
『超過去問 基本情報技術者 午前試験』，ソフトバンクパブリッシング，2004
『新版 明解C++入門編』，ソフトバンククリエイティブ，2009
『解きながら学ぶC++入門編*』，ソフトバンククリエイティブ，2010
『新・明解C言語入門編』，SBクリエイティブ，2014
『プログラミング言語C++第4版★』，ビャーネ・ストラウストラップ（著），SBクリエイティブ，2015
『新・明解C言語中級編』，SBクリエイティブ，2015
『C++のエッセンス★』，ビャーネ・ストラウストラップ（著），SBクリエイティブ，2015
『新・明解C言語実践編』，SBクリエイティブ，2015
『新・解きながら学ぶC言語*』，SBクリエイティブ，2016
『新・明解C言語 ポインタ完全攻略』，SBクリエイティブ，2016
『新・明解C言語で学ぶアルゴリズムとデータ構造』，SBクリエイティブ，2017
『新・明解Javaで学ぶアルゴリズムとデータ構造』，SBクリエイティブ，2017
『新・解きながら学ぶJava*』，SBクリエイティブ，2017
『新・明解C++入門』，SBクリエイティブ，2017
『新・明解C++で学ぶオブジェクト指向プログラミング』，SBクリエイティブ，2018
『新・明解Python入門』，SBクリエイティブ，2019
『新・明解Pythonで学ぶアルゴリズムとデータ構造』，SBクリエイティブ，2020
『新・明解Java入門 第2版』，SBクリエイティブ，2020

本書をお読みただいたご意見、ご感想を以下の QR コード、URL よりお寄せください。

https://isbn2.sbcr.jp/06008/

新・明解Javaで学ぶアルゴリズムとデータ構造 第2版

2020 年 12 月 15 日　初版発行
2023 年 3 月 1 日　第 2 刷発行

著　者 … 柴田 望洋
編　集 … 野沢 喜美男
発行者 … 小川 淳
発行所 … ＳＢクリエイティブ株式会社
〒 106-0032　東京都港区六本木 2-4-5
https://www.sbcr.jp/
印　刷 … 昭和情報プロセス株式会社
装　丁 … bookwall

落丁本、乱丁本は小社営業部（03-5549-1201）にてお取り替えいたします。
定価はカバーに記載されております。

Printed In Japan　　ISBN978-4-8156-0600-8

SBクリエイティブの柴田望洋の著作

問題解決能力を磨いて、次の飛翔(ステップ)へ!!

新・明解C言語 実践編 第2版

C言語プログラミングの実践力を身に付けるための　**2色刷**
プログラムリスト 261 編　図表 166 点

B5 変形判、360 ページ

本書で取り上げるトピックは、学習や開発の現場で実際に生じた、問題点や疑問点です。〔見えないエラー〕〔見えにくいエラー〕〔見落としやすいエラー〕に始まって、問題点や疑問点を解決するとともに、本格的なライブラリ開発の技術を伝授します。

開発するライブラリは、〔複製や置換などの文字列処理〕〔あらゆる要素型の配列に対応可能な汎用ユーティリティ〕〔データやキーの型に依存しない汎用２分木探索〕〔自動生成プログラムの実行によって作成する処理系特性ヘッダ〕〔コンソール画面の文字色やカーソル位置などの制御〕など、本当に盛りだくさんです。

初心者からの脱出を目指すプログラマや学習者に最適な一冊です。

たくさんの問題を解いてC言語力(りょく)を身につけよう!!

新・解きながら学ぶC言語 第2版

作って学ぶプログラム作成問題 184 問!!
スキルアップのための錬成問題 1252 問!!

B5 変形判、376 ページ

「Ｃ言語のテキストに掲載されているプログラムは理解できるのだけど、どうも自分で作ることができない。」と悩んでいませんか？

本書は、全部で **1436 問**の問題集です。『新・明解Ｃ言語 入門編 第２版』の全演習問題も含んでいます。教育の現場で学習効果が確認された、これらの問題を制覇すれば、必ずやＣ言語力(りょく)が身につくでしょう。

少しだけＣ言語をかじって挫折した初心者の再入門書として、Ｃ言語のサンプルプログラム集として、**あなたのＣ言語鍛錬における、頼れるお供となるでしょう。**

SBクリエイティブの柴田望洋の著作

C++ 入門書の最高峰(バイブル)!!

新・明解 C++ 入門

C++ とプログラミングの基礎を学習するための
プログラムリスト 307 編　図表 245 点

3色刷

B5 変形判、544 ページ

C 言語をもとに作られたという性格をもつため、ほとんどの C++ 言語の入門書は、読者が『C 言語を知っている』ことを前提としています。

本書は、プログラミング初心者に対して、段階的かつ明快に、語り口調で C++ 言語の基礎とプログラミングの基礎を説いていきます。分かりやすい図表や、豊富なプログラムリストが満載です。

全 14 章におよぶ本書を読み終えたとき、あなたの身体の中には、C++ 言語とプログラミングの基礎が構築されているでしょう。

C++ を使いこなして新たな飛躍を目指そう !!

新・明解C++で学ぶオブジェクト指向プログラミング

オブジェクト指向プログラミングを学習するための
プログラムリスト 271 編　図表 132 点

2色刷

B5 変形判、512 ページ

本書は、C++ を用いたオブジェクト指向プログラミングの核心を学習するための教科書です。

まずは、クラスの基礎から学習を始めます。データと、それを扱う手続きをまとめることでクラスを作成します。それから、派生・継承、仮想関数、抽象クラス、例外処理、クラステンプレートなどを学習し、C++ という言語の本質や、オブジェクト指向プログラミングに対する理解を深めていきます。

さらに、最後の三つの章では、ベクトル、文字列、入出力ストリームといった、重要かつ基本的なライブラリについて学習します。